SOPHIE KINSELLA

Kennen wir uns nicht?

GOLDMANN – IHRE NR. 1

Lexi Smart hatte einen kleinen Unfall: Sie ist auf einer Treppe gestolpert und gestürzt. Zumindest ist dies das Letzte, woran sie sich beim Aufwachen im Krankenhaus erinnern kann. Dort versichert man der jungen Frau jedoch, dass sie nach einem Autounfall eingeliefert wurde. Allerdings besitzt Lexi gar kein Auto, sie kann ja nicht einmal fahren. Und wem gehört die edle Louis-Vuitton-Tasche in ihrem Krankenzimmer? Und die Visitenkarte mit dem Titel »Director« direkt unter ihrem Namen? Und dann wäre da noch der Ehemann, der sie im Krankenhaus besucht – Lexi kann sich beim besten Willen nicht an ihn erinnern. Schließlich muss sie erkennen, dass ihre letzte Erinnerung bereits drei Jahre alt ist und von 2004 stammt. Sie hat keine Ahnung, wer sie mittlerweile ist und welches Leben sie in den letzten Jahren geführt hat. Es muss jedenfalls ein tolles Leben gewesen sein, inklusive millionenschwerem Gatten, Traumwohnung und Chefposten. Doch nach und nach entdeckt Lexi merkwürdige Seiten an ihrem neuen Selbst. Offensichtlich hat sie sich mit all ihren alten Kollegen zerstritten; ihre neue beste Freundin ist ein kompletter Hohlkopf, und ihr Hobby ist exzessives Workout. Was ist nur mit ihr passiert? Wie kann sie das ganze Chaos in Ordnung bringen? Und vor allem: Wird sie je wieder herausfinden, wer sie wirklich ist?

Mehr zum Buch und zur Autorin unter www.sophie-kinsella.de und www.readsophiekinsella.com

Die Romane mit Schnäppchenjägerin Rebecca Bloomwood:
Die Schnäppchenjägerin (45286)
Fast geschenkt (45403)
Hochzeit zu verschenken (45507)
Vom Umtausch ausgeschlossen (45690)
Prada, Pumps und Babypuder (46449)

Außerdem lieferbar:
Sag's nicht weiter, Liebling. Roman (45632)
Göttin in Gummistiefeln. Roman (46087)

Sophie Kinsella

Kennen wir uns nicht?

Roman

Aus dem Englischen
von Jörn Ingwersen

GOLDMANN

Die Originalausgabe erschien 2008
unter dem Titel »Remember Me?«
bei Bantam Press, London

FSC
Mix
Produktgruppe aus vorbildlich
bewirtschafteten Wäldern und
anderen kontrollierten Herkünften

Zert.-Nr. SGS-COC-1940
www.fsc.org
© 1996 Forest Stewardship Council

Verlagsgruppe Random House FSC-DEU-0100
Das für dieses Buch verwendete FSC-zertifizierte Papier
München Super liefert Mochenwangen.

1. Auflage
Deutsche Erstveröffentlichung Oktober 2008
Copyright © der Originalausgabe 2008 by Sophie Kinsella
Copyright © der deutschsprachigen Ausgabe 2007
by Wilhelm Goldmann Verlag, München,
in der Verlagsgruppe Random House GmbH
Umschlaggestaltung: Design Team München
unter Verwendung einer Illustration von die
KLEINERT/Natascha Römer
Redaktion: Martina Klüver
AB · Herstellung: Str.
Satz: deutsch-türkischer fotosatz, Berlin
Druck und Bindung: GGP Media GmbH, Pößneck
Printed in Germany
ISBN: 978-3-442-46655-9

www.goldmann-verlag.de

Für Atticus

Wenn das nicht der absolut beschissenste Abend meines ganzen scheißbeschissenen Lebens ist!

Auf einer Skala von eins bis zehn würde ich sagen … minus sechs. Und dabei sind meine Ansprüche noch nicht mal besonders hoch.

Regen läuft mir in den Kragen, während ich von einem blasenübersäten Fuß auf den anderen trete. Weil ich natürlich keinen Regenschirm dabei habe, halte ich mir meine Jeansjacke über den Kopf, aber die ist alles andere als wasserdicht. Ich will nur noch ein Taxi, nach Hause, diese blöden Stiefel ausziehen und mir ein schönes, heißes Bad einlassen. Aber wir warten hier nun schon geschlagene zehn Minuten, und weit und breit ist kein Taxi in Sicht.

Meine Zehen bringen mich um. Nie wieder kaufe ich mir billige Schuhe. Diese Lackstiefel habe ich letzte Woche im Ausverkauf erstanden (mit superflachen Absätzen, ich trage eigentlich immer flache Schuhe). Sie sind eine Nummer zu klein, aber die Verkäuferin meinte, sie weiten sich beim Tragen und machen schön lange Beine. Und ich habe ihr auch noch geglaubt. Ehrlich – wie kann man nur so bescheuert sein!

Wir stehen an einer Straßenecke im Südwesten von London, und aus dem Club unter unseren Füßen wummert leise Musik. Carolyns Schwester macht Promotion und hat uns reingeschleust. Nur deshalb sind wir den ganzen Weg hier rausgefahren. Und jetzt wollen wir eigentlich nach Hause. Aber anscheinend bin ich die Einzige, die sich nach einem Taxi umsieht.

Fi hat den einzig brauchbaren Hauseingang mit Beschlag belegt und schiebt diesem Typen, den sie vorhin am Tresen angequatscht hat, ihre Zunge in den Rachen. Er ist eigentlich ganz süß, bis auf sein kümmerliches Bärtchen. Und außerdem ist er kleiner als Fi – aber das sind viele Männer, denn sie ist immerhin einsdreiundachtzig. Sie hat lange, dunkle Haare, einen großen Mund und eine dementsprechende Lache. Wenn Fi irgendwas besonders lustig findet, geht bei uns im Büro fast gar nichts mehr.

Ein paar Schritte weiter suchen Carolyn und Debs Arm in Arm unter einer Zeitung Schutz vor dem Regen und grölen *It's Raining Men*, als stünden sie noch immer auf der Karaoke-Bühne.

»Lexi!«, kreischt Debs und streckt einen Arm aus, damit ich mich dazugeselle. »It's raining men!« Ihre blonde Mähne ist vom Regen ganz zerzaust, aber ihre Augen leuchten noch immer vor Begeisterung. Debs Lieblingshobbys sind Karaoke und Schmuck basteln. Heute Abend trage ich sogar ein Paar Ohrringe, die sie mir zum Geburtstag geschenkt hat: kleine, silberne Ls mit baumelnden Perlen.

»Es regnet gar keine Männer!«, rufe ich missmutig. »Es regnet einfach nur!«

Normalerweise finde ich Karaoke ja auch toll. Aber heute Abend bin ich einfach nicht in der Stimmung zu singen. Ich fühle mich so klein und verwundbar, als sollte ich mich lieber irgendwo verkriechen, weit weg von allen anderen. Wenn doch nur Loser Dave wie versprochen aufgetaucht wäre. Nach all den *hdl*-Simsen, nach all den Beteuerungen, er wäre spätestens um zehn Uhr hier, habe ich die ganze Zeit nur dagesessen, gewartet und die Tür im Blick behalten, obwohl die Mädels ständig sagten, ich solle ihn endlich in den Wind schießen. Ich bin echt eine selten dusselige Kuh.

Loser Dave ist Autoverkäufer, und wir sind seit letztem Sommer zusammen, seit diesem Barbecue bei Carolyns Freund. Ich nenne ihn nicht etwa Loser Dave, um ihn zu kränken. Das ist schlicht und ergreifend sein Spitzname. Keiner weiß mehr, wie er dazu gekommen ist, und er erzählt es mir einfach nicht. Ihm wäre ein anderer Name natürlich lieber. Neuerdings nennt er sich selbst »Butch«, weil er findet, dass er wie Bruce Willis in *Pulp Fiction* aussieht. Okay, er hat einen Bürstenschnitt – aber da hört die Ähnlichkeit auch schon auf.

Jedenfalls hat das mit dem neuen Image nicht so recht geklappt. Für seine Arbeitskollegen ist und bleibt er Loser Dave, genau wie ich das Frettchen bleibe. So hat man mich schon genannt, als ich elf war. Manchmal auch Zottelliese. Ehrlich gesagt ist mein Haar tatsächlich ziemlich strubbelig. Und meine Zähne stehen etwas schief. Aber ich sage mir immer, sie geben meinem Gesicht Charakter.

(Das ist gelogen. Eigentlich sagt nur Fi, dass sie meinem Gesicht Charakter geben. Ich möchte meine Zähne am liebsten richten lassen, sobald ich das Geld zusammengespart und mich seelisch darauf eingestellt habe, mit einer Spange im Mund herumzulaufen – was vermutlich nie der Fall sein wird.)

Ein Taxi taucht auf, und ich will es heranwinken, aber es hält bei ein paar Leuten weiter vorn. Na, toll. Mürrisch schiebe ich meine Hand wieder in die Hosentasche und suche die regennasse Straße nach dem nächsten leuchtenden Taxischild ab.

Es liegt aber nicht allein daran, dass Loser Dave mich versetzt hat. Heute war Jahresabschluss bei meiner Arbeit, und alle bekamen Umschläge, in denen stand, wie viel sie zusätzlich verdienen würden. Sie hüpften vor Begeisterung herum, weil die Verkäufe der Firma 2003/2004 besser ausgefallen sind als erwartet. Es war wie ein vorgezogenes Weihnachtsfest. Den ganzen Nachmittag redeten alle nur davon, was sie mit dem Geld anfangen wollten. Carolyn plante einen kleinen Ausflug nach New York, mit ihrem Freund Matt. Debs hat sich gleich einen Termin für Strähnchen bei Nicky Clarke geholt – da wollte sie schon immer mal hin. Fi hat bei Harvey Nichols angerufen und sich eine coole, neue Tasche zurücklegen lassen, die sich »Paddington« oder so ähnlich nennt.

Und da saß ich nun. Mit *nada*. Nicht, weil ich nicht hart genug gearbeitet hätte, nicht, weil ich meine Zielvorgaben nicht erreicht hätte, sondern einzig und allein, weil man, um eine Prämie zu bekommen, mindestens ein Jahr für die Firma gearbeitet haben muss, was ich um genau *eine* Woche verpasst habe. Eine *Woche*! Das ist so unfair! So was von knickrig! Also, wenn man mich fragen würde, wie ich das finde …

Träum weiter. Als ob Simon Johnson jemals eine Juniorassistentin der Abteilung Bodenbeläge um ihre Meinung fragen würde. Zu allem Überfluss habe ich die schlimmste Berufsbezeichnung, die es gibt. Richtig peinlich. Sie passt kaum auf meine Visitenkarte. Je länger der Titel, desto beschissener der Job. So kommt es mir jedenfalls vor. Anscheinend glauben die, sie könnten einen mit Worten blenden, damit man nicht darüber nachdenkt, dass man in der hintersten Ecke vom Büro die lausigsten Kundenkonten bearbeitet, mit denen sonst niemand zu tun haben will.

Ein Auto rast nah am Bürgersteig durch eine Pfütze, und ich mache einen Satz zur Seite – allerdings erst, *nachdem* ich die volle Ladung abbekommen habe. Im Hauseingang macht Fi den süßen Typen scharf, indem sie ihm was ins Ohr säuselt. Ich kann ein paar ihrer Worte verstehen und muss – trotz meiner Laune – die Lippen zusammenkneifen, um nicht laut loszuprusten. Vor ein paar Monaten sind wir an unserem Frauenabend zu Hause geblieben und haben uns kleine Geheimnisse anvertraut. Fi meinte, sie sagt immer dasselbe, nämlich: »Ich glaube, mein Höschen schmilzt gleich.«

Also, echt. Welcher Mann fährt denn auf so was ab?

Na ja. Nach Fis Trefferquote zu urteilen, wohl so einige.

Debs hat uns eröffnet, dass sie beim Sex nur ein einziges Wort über die Lippen bringt, ohne laut zu lachen – »heiß«. Also sagt sie immer nur: »Ich bin heiß«, »Du bist so heiß«, »Das ist echt heiß«. Tja, wenn man so toll aussieht wie Debs, braucht man wahrscheinlich kein besonders ausgefeiltes Repertoire.

Carolyn ist schon seit hundert Jahren mit Matt zusammen und hat erzählt, dass sie im Bett überhaupt nichts sagt, höchstens »Ohh« oder »Weiter oben!« oder einmal, kurz vor seinem Orgasmus: »Verdammt, ich hab das Bügeleisen angelassen.« Das könnte allerdings auch ein Scherz gewesen sein. Sie hat einen ziemlich schrägen Humor, genau wie Matt. Die beiden sind superschlau, fast zu schlau, aber ohne es groß raushängen zu lassen. Wenn wir zusammen ausgehen, knallen sie sich gegenseitig so viele Schimpfwörter an den Kopf, dass man nie weiß, ob es nun ernst gemeint ist oder nicht. Vermutlich wissen sie das selbst nicht so genau.

Dann war ich an der Reihe, mein kleines Geheimnis preiszugeben, und zwar dass ich den Männern immer Komplimente mache. Zu Loser Dave sage ich zum Beispiel: »Du hast echt tolle Schultern« und »Du hast so schöne Augen«.

Allerdings habe ich verschwiegen, warum ich das tue. Im Stillen hoffe ich nämlich, dass der Mann das Kompliment erwidert und mir dann sagt, wie schön ich bin.

Dementsprechend musste ich zum Glück auch nicht zugeben, dass es bisher noch nie vorgekommen ist.

Ach, egal. Was soll's.

»Hey, Lexi.« Plötzlich steht Fi neben mir, die sich offenbar von dem süßen Typen losgeknutscht hat. Sie zieht meine Jeansjacke über ihren Kopf und holt einen Lippenstift hervor.

»Hi«, sage ich und blinzle Regenwasser aus meinen Wimpern. »Wo ist Loverboy denn hin?«

»Er sagt dem Mädchen, mit dem er hergekommen ist, dass er geht.«

»Fi!«

»Was?« Fi hat offenbar keinerlei Gewissensbisse. »Die beiden sind nicht zusammen. Oder jedenfalls nicht richtig.« Sorgfältig malt sie ihre Lippen knallrot an. »Ich werde mich komplett mit neuem Make-up ausstatten«, sagt sie angesichts des roten Stummels. »Christian Dior, die ganze Palette. Jetzt kann ich es mir ja leisten!«

»Unbedingt!« Ich nicke, versuche, begeistert zu klingen. Fi braucht einen Moment, bis sie merkt, was sie gerade gesagt hat.

»Oh, Scheiße. Entschuldige, Lexi.« Sie legt mir einen Arm um die Schulter und drückt mich an sich. »Du hättest auch eine Prämie kriegen müssen. Das war nicht fair.«

»Kein Problem.« Ich versuche zu lächeln. »Nächstes Jahr.«

»Alles okay bei dir?« Fi mustert mich. »Möchtest du noch was trinken gehen, oder so?«

»Nein, ich will endlich ins Bett. Ich muss morgen früh raus.«

Fi ist deutlich anzusehen, wie ihr alles wieder einfällt, und sie beißt sich auf die Unterlippe. »Auch das noch! Das hatte ich ganz vergessen. Erst die Prämie und dann … Lexi, es tut mir leid. Ist echt 'ne beschissene Zeit für dich.«

»Es geht schon!«, sage ich schnell. »Es ist … ich versuche einfach, kein großes Ding daraus zu machen.«

Kein Mensch mag Jammerlappen. Also zwinge ich mich irgendwie, fröhlich zu lächeln, um zu zeigen, wie wenig es mich berührt, dass ich schiefe Zähne habe, dass man mich versetzt hat, dass ich keine Prämie bekomme und gerade meinen Vater verloren habe.

Fi schweigt einen Moment. Ihre grünen Augen schimmern im Licht der vorüberfahrenden Autos.

»Es wird alles wieder gut«, sagt sie.

»Meinst du?«

»Mh-hm.« Sie nickt energisch. »Du musst nur daran glauben. Komm schon!« Sie drückt mich. »Was bist du, Prinzessin oder Erbse?« Schon als wir fünfzehn waren, brachte Fi diesen Spruch, und jedes Mal bringt sie mich damit zum Lachen. »Und weißt du was?«, fügt sie hinzu. »Ich glaube, dein Dad hätte gewollt, dass du verkatert bei seiner Beerdigung auftauchst.«

Sie hat meinen Vater nur ein paar Mal getroffen. Wahrscheinlich hat sie recht.

»Hey, Lexi.« Plötzlich wird Fis Stimme sanfter, und ich muss mich richtig zusammenreißen. Ich bin sowieso schon ziemlich angeschlagen, und wenn sie jetzt was Nettes über meinen Vater sagt, fange ich vielleicht an zu weinen. Zwar kannte ich ihn gar nicht besonders gut, aber man hat ja schließlich nur *einen* Vater ... »Leihst du mir ein Gummi?« Ihre Stimme bohrt sich in meine Gedanken.

War ja klar. Die Sorge, mit Mitgefühl überschüttet zu werden, hätte ich mir getrost sparen können.

»Für alle Fälle«, fügt sie mit vielsagendem Lächeln hinzu. »Ich meine, wahrscheinlich werden wir uns eh nur über die politische Weltlage und so was unterhalten.«

»Ja. Wahrscheinlich.« Ich krame in meinem grünen Handtäschchen, das ich zum Geburtstag bekommen habe, nach meinem ebenso grünen Portemonnaie und hole ein Kondom heraus, das ich ihr diskret zustecke.

»Danke, Süße.« Sie gibt mir einen Kuss auf die Wange. »Hör zu. Willst du morgen Abend zu mir kommen? Wenn du es hinter dir hast? Ich mach uns Spaghetti Carbonara.«

»Ja!« Ich lächle dankbar. »Das wäre toll. Ich ruf dich an.« Ich freue mich jetzt schon darauf. Einen Teller leckere Pasta, ein Gläschen Wein, und ich erzähle ihr von der Beerdigung. Fi hat so eine Art, selbst den düstersten Dingen des Lebens etwas Lustiges abzuringen, und wir werden uns bestimmt schlapplachen ...

»Hey, da kommt ein Taxi! Taxiiii!« Ich springe zum Kantstein, als der Wagen hält, und winke Debs und Carolyn, die gerade *Dancing Queen* kreischen. Carolyns Brille ist voller Regentropfen, und sie singt etwa fünf Töne höher als Debs. »Hi!« Ich beuge mich durchs Fenster zum Taxifahrer hinein, mit tropfenden Haaren. »Wären Sie wohl so freundlich, uns erst nach Balham zu bringen, und dann ...«

»Keine Chance, Süße, nix Karaoke«, schneidet mir der Fahrer das Wort ab, mit bösem Blick auf Debs und Carolyn.

Ich starre ihn verdutzt an. »Wie meinen Sie das: kein Karaoke?«

»Ich will diese Mädchen nicht in meinem Wagen haben. Von dem Geheul krieg ich Kopfschmerzen.«

Bestimmt macht er Witze. Man kann doch niemanden aussperren, weil er *singt*.

»Aber ...«

»Mein Taxi, meine Regeln. Keine Betrunkenen, keine Drogen, nix Karaoke.« Bevor ich noch etwas sagen kann, legt er den ersten Gang ein und gibt Gas.

»›Nix Karaoke‹-Regeln sind verboten!«, schreie ich dem Taxi wütend hinterher. »Das ist ... Diskriminierung! Das ist gegen das Gesetz! Das ist ...«

Hilflos zucke ich mit den Schultern und sehe mich auf dem Gehweg um. Fi liegt wieder in den Armen von Mister Cutie. Debs und Carolyn führen die schlimmste *Dancing Queen*-Version auf, die ich je gesehen habe, so dass ich es dem Taxifahrer kaum verdenken kann. Der Verkehr rauscht vorbei, setzt uns unter Wasser. Regen trommelt auf meine durchgeweichte Jeansjacke und sickert mir ins Haar. Meine Gedanken rotieren im Kopf wie Socken im Wäschetrockner.

Wir werden nie ein Taxi finden. Wir werden die ganze Nacht hier draußen im Regen stehen. Diese Bananen-Cocktails sind Gift für mich. Ich hätte nach dem vierten aufhören sollen. Morgen wird mein Vater beerdigt. Ich war noch nie auf einer Beerdigung. Was ist, wenn ich anfange zu schluchzen und mich alle anstarren? Loser Dave liegt in diesem Moment wahrscheinlich mit irgendeiner anderen im Bett und sagt ihr, wie schön sie ist, während sie »Butch! Butch!« stöhnt. Ich habe Blasen an den Füßen *und* Frostbeulen ...

»Taxi!« Instinktiv schreie ich das Wort heraus, fast noch bevor ich das gelbe Licht in der Ferne entdeckt habe. Der Wagen kommt auf uns zu – blinkt links. »Nicht abbiegen!« Ich winke wie verrückt, leicht panisch. »Hier drüben! Hier!«

Ich muss dieses Taxi unbedingt kriegen. Ich *muss*. Mit der Jeansjacke auf dem Kopf renne ich den Bürgersteig entlang, stolpere fast und schreie, bis ich heiser bin: »Taxi! Taxi!« An der nächsten Ecke drängen sich die Menschen auf dem Bürgersteig. Ich weiche ihnen aus und hetze die Treppe zu einem protzigen Verwaltungsgebäude hinauf. Zu einer Art Balkon mit Stufen an beiden Seiten. Von da oben werde ich das Taxi heranwinken, dann die Treppe runterwetzen und einfach reinspringen. »TAXI! TAAA-XI!«

Ja! Es hält an. Gott sei Dank! Endlich. Ich kann nach Hause. Mir ein Bad einlassen und den Tag vergessen.

»Hier!«, rufe ich. »Ich komme schon, warten Sie ...«

Fassungslos sehe ich einen Mann im Anzug, der unten auf dem Bürgersteig direkt auf das Taxi zusteuert. »Das ist meins!«, kreische ich und springe die Stufen auf der anderen Seite hinunter. »Das gehört uns! *Ich* hab das Taxi angehalten! Wagen Sie ja nicht ... Ahhh! *Ahhhhhhhh*!«

Selbst als mein Fuß schon schliddert, bin ich mir nicht sicher, was hier vor sich geht. Dann, als ich falle, kann mein Hirn es immer noch nicht fassen. Ich bin doch tatsächlich auf der gemeingefährlich glatten Sohle meiner blöden Billigstiefel ausgerutscht. Verzweifelt versuche ich, mich an die steinerne Balustrade zu klammern, schürfe mir die Haut ab, verrenke mir die Hand, lasse meine Handtasche fallen, greife nach irgendwas, verliere den Halt …

Oh, Scheiße.

Der Bürgersteig kommt direkt auf mich zu, unausweichlich. Das tut bestimmt weh.

EINS

Wie lange bin ich wach? Ist schon Morgen?

Ich fühl mich ganz schön angeschlagen. Was habe ich gestern Abend bloß getrieben? Meine Güte, hab ich einen Schädel. Okay, ich trink nichts mehr, *nie wieder*.

Mir ist so duselig, dass ich gar nicht richtig denken kann, und schon gar nicht …

Auuuuutsch. Wie lange bin ich schon wach?

Ich hab fürchterliche Kopfschmerzen und fühl mich total benebelt. Und mein Mund ist völlig ausgetrocknet. Das ist der schlimmste Kater meines Lebens. Ich trink nichts mehr, *nie wieder*.

Ist das eine Stimme?

Nein, ich muss schlafen …

Wie lange bin ich wach? Fünf Minuten? Eine halbe Stunde vielleicht? Ist irgendwie schwer zu sagen.

Welcher Tag ist heute eigentlich?

Ich liege einfach nur still da. In meinem Schädel pocht der Schmerz wie ein Presslufthammer. Mein Hals ist trocken, und mir tut alles weh. Meine Haut fühlt sich an wie Sandpapier.

Wo war ich gestern Abend? Was ist in meinem Kopf los? Als läge über allem dichter Nebel.

Okay. Ich trinke *nie* wieder. Wahrscheinlich habe ich eine Alkoholvergiftung. Ich gebe mir alle Mühe, mich an gestern Abend zu erinnern, aber mir fällt nur wirres Zeug ein. Alte Erinnerungen und Bilder von früher, die in wahlloser Folge aufblitzen, als hätte ich einen iPod-Shuffle im Kopf.

Sonnenblumen schwanken vor blauem Himmel …

Amy als neugeborenes Baby, das aussieht wie ein kleines rosa Würstchen im Schlafrock.

Ein Teller salzige Pommes frites auf einem Holztisch im Pub, warmer Sonnenschein in meinem Nacken, Dad sitzt mir mit seinem Panama-Hut gegenüber, bläst Zigarrenrauch aus und sagt: »Iss auf, mein Schatz!« …

Sackhüpfen in der Schule. Oh Gott, bitte nicht schon wieder *diese* Erinnerung. Ich will sie verdrängen, aber es ist zu spät, sie kommt einfach über mich: Ich bin sieben Jahre alt, auf dem Sportfest, und habe mindestens einen Kilometer Vorsprung, aber ich fühle mich nicht wohl, so weit voraus, also warte ich auf meine Freunde. Sie holen mich ein, und dann – im Durcheinander – stolpere ich und komme als Letzte ins Ziel. Klar und deutlich spüre ich die Erniedrigung, höre das Gelächter, fühle den Staub in meiner Kehle, hab den Geschmack von Bananen im Mund …

Bitte? Ich zwinge mein Gehirn, kurz innezuhalten.

Bananen.

Im Nebel schimmert eine andere Erinnerung. Verzweifelt versuche ich, sie wachzurufen, danach zu greifen …

Ja. Hab sie. Bananen-Cocktails.

Wir haben in irgendeinem Club Bananen-Cocktails getrunken. Daran kann ich mich noch erinnern. Beschissene Bananen-Cocktails. Was zum Teufel haben die da reingetan?

Ich krieg nicht mal die Augen auf. Sie fühlen sich schwer und zugekleistert an, wie damals, als ich falsche Wimpern getragen habe, mit so einem ominösen Kleber vom Flohmarkt. Am nächsten Morgen bin ich ins Badezimmer getaumelt und musste feststellen, dass ein Auge zugeklebt war und darauf etwas saß, das wie eine tote Spinne aussah. Sehr attraktiv, Lexi.

Vorsichtig lege ich eine Hand auf meine Brust. Die Bett-
wäsche raschelt – meine klingt aber anders. Und außerdem liegt
so ein komisch zitroniger Geruch in der Luft, und ich trage ein
weiches, leinenartiges T-Shirt, das ich nicht kenne. Wo bin ich?
Was zum Teufel …

Hey, ich hab mir doch wohl niemanden angelacht, oder?

Oh, wow. Habe ich Loser Dave etwa betrogen? Trage ich womöglich das überdimensionale T-Shirt von irgendeinem heißen
Typen, nachdem wir die ganze Nacht leidenschaftlichen Sex hatten, weshalb ich jetzt auch so wund und angeschlagen bin?

Nein, ich war in meinem ganzen Leben noch niemals untreu. Wahrscheinlich habe ich bei einem der Mädchen über-
nachtet. Vielleicht sollte ich aufstehen, kurz unter die Dusche
springen …

Unter ungeheuren Anstrengungen öffne ich langsam die
Augen und richte mich ein paar Zentimeter auf.

Scheiße. Was zum …

Ich liege in einem trübe beleuchteten Zimmer auf einem ei-
sernen Bettgestell. Rechts von mir ist ein Pult mit Knöpfen. Auf
dem Nachttisch erkenne ich ein paar Blumen. Ich atme tief ein
und sehe einen Schlauch an meiner linken Hand, der an einem
Beutel mit irgendeiner Flüssigkeit befestigt ist.

Das kann doch nicht sein. Ich bin in einem Krankenhaus …

Was ist hier los? Was ist *passiert*?

Ich durchforste mein Gehirn, aber es ist ein großer, leerer
Luftballon. Ich brauche sofort einen starken Kaffee. Ich versuche, mich umzusehen, doch meine Augen spielen nicht mit.
Sie wollen keine Informationen, sie wollen Augentropfen und
drei Schmerztabletten. Kraftlos sinke ich aufs Kissen, schließe
die Augen und hole tief Luft. Komm schon. Ich muss mich doch
daran erinnern können, was passiert ist. So betrunken kann ich
doch gar nicht gewesen sein … oder?

Ich klammere mich an meinen einzigen Erinnerungsfetzen

wie an einen Strohhalm. Bananen-Cocktails ... Bananen-Cocktails ... denk nach ... denk *nach* ...

Destiny's Child. Ja! Langsam fallen mir ein paar Sachen wieder ein, bruchstückhaft. Nachos mit Käse. Diese kaputten Barhocker, aufgeplatztes Plastik.

Ich war mit den Mädels von der Arbeit unterwegs. In diesem schmuddeligen Club mit der pinken Neon-Decke in ... irgendwo. Ich weiß noch, wie ich meinen Cocktail getrunken habe, kreuzunglücklich.

Warum war ich so niedergeschlagen? Was war passiert? Prämien. Natürlich. Bittere Enttäuschung packt mich. Und Loser Dave ist auch nicht aufgetaucht. Große Klasse. Aber nichts davon erklärt, weshalb ich im Krankenhaus liege. Ich verziehe das Gesicht, konzentriere mich so gut wie möglich. Ich erinnere mich noch daran, dass ich wie verrückt zu Kylie getanzt habe und wir zu viert *We Are Family* in die Karaoke-Maschine gesungen haben, Arm in Arm. Vage erinnere ich mich daran, dass wir vor die Tür getorkelt sind, um uns ein Taxi zu suchen.

Aber danach ... nichts. Alles leer.

Das ist seltsam. Ich sollte Fi ansimsen und sie fragen, was passiert ist. Ich greife zum Nachttisch und muss feststellen, dass da kein Handy liegt. Auch nicht auf dem Stuhl und nicht auf der Kommode.

Wo ist mein Handy? Wo sind meine ganzen Sachen?

Oh Gott. Bin ich etwa überfallen worden? Das muss es sein. Irgend so ein Teenie mit Kapuze hat mir eins über den Schädel gegeben, ich bin hingefallen, und dann haben sie einen Krankenwagen gerufen und ...

Ein grauenvoller Gedanke packt mich. *Wie sieht meine Unterwäsche aus?*

Unwillkürlich stöhne ich auf. Das könnte ziemlich peinlich werden. Womöglich ist es der ausgeleierte Slip mit dem grauen

BH, den ich nur anziehe, wenn der Wäschekorb voll ist. Oder der verwaschene String mit dem Bild von Snoopy drauf.

Es war bestimmt nichts Elegantes. Ich meine, so was würde ich für Loser Dave nicht anziehen. Das wäre reine Verschwendung. Unter Schmerzen bewege ich meinen Kopf hin und her, aber ich sehe keine Kleider oder irgendwas. Wahrscheinlich haben die Schwestern sie in einem Spezialofen für Sondermüll verbrannt.

Und ich habe immer noch keine Ahnung, was ich hier soll. Mein Hals fühlt sich unangenehm kratzig an, und für ein kühles Glas Orangensaft würde ich alles geben. Wenn ich so darüber nachdenke: Wo sind eigentlich die Ärzte und Schwestern? Was ist, wenn ich sterbe?

»Hallo?«, krächze ich. Meine Stimme klingt, als würde jemand eine Egge über einen Holzfußboden ziehen. Ich warte auf Antwort ... aber alles bleibt still. Durch die dicke Tür kann mich sicher niemand hören.

Da fällt mir ein, dass ich vielleicht einen Knopf an dem kleinen Schaltpult drücken könnte. Ich nehme den, der wie ein kleiner Mensch aussieht – und kurz darauf geht die Tür auf. Es hat geklappt! Eine grauhaarige Krankenschwester in dunkelblauer Uniform tritt ein und lächelt mich an.

»Hallo, Lexi!«, sagt sie. »Alles in Ordnung?«

»Mh, okay, danke. Ich hab schrecklichen Durst. Und mein Kopf tut weh.«

»Ich gebe Ihnen was gegen die Schmerzen.« Sie bringt mir einen Plastikbecher mit Wasser und hilft mir auf. »Trinken Sie das.«

»Danke«, sage ich, nachdem ich einen Schluck Wasser genommen habe. »Also ... entweder bin ich hier in einem Krankenhaus oder auf einer High-Tech-Schönheitsfarm ...«

Die Schwester lächelt. »Leider in einem Krankenhaus. Wissen Sie noch, wie Sie hierhergekommen sind?«

»Nein.« Ich schüttle den Kopf. »Ehrlich gesagt, bin ich etwas benommen.«

»Das liegt daran, dass Sie einen kräftigen Schlag abbekommen haben. Direkt auf den Kopf. Können Sie sich an Ihren Unfall erinnern?«

Unfall? Unfall? Und plötzlich – in einem Schwall – ist alles wieder da. *Natürlich*. Meine Jagd nach dem Taxi, die Treppe nass vom Regen, und wie ich dann auf meinen blöden, billigen Stiefeln ausgerutscht bin …

Junge, Junge! Ich muss mir den Kopf aber ordentlich angeschlagen haben!

»Ja. Ich glaub schon.« Ich nicke. »Mehr oder weniger. Und … wie spät ist es jetzt?«

»Es ist acht Uhr abends.«

Acht Uhr abends? Wow. Ich war den ganzen *Tag* weg?

»Ich bin Maureen.« Sie nimmt mir den Becher ab. »Sie sind erst vor wenigen Stunden auf dieses Zimmer verlegt worden. Wir haben uns schon ein paarmal unterhalten.«

»Tatsächlich?«, sage ich überrascht. »Was habe ich denn so gesagt?«

»Sie waren kaum zu verstehen, aber Sie haben mich immer wieder gefragt, ob irgendetwas ›ausgereihert‹ ist.« Sie runzelt die Stirn, wirkt ratlos. »Oder ›ausgeleiert‹?«

Toll. Schlimm genug, dass ich überhaupt ausgeleierte Unterwäsche trage. Muss ich es dann auch noch wildfremden Leuten erzählen?

»Ausgeleiert?« Ich gebe mir alle Mühe, verdutzt zu wirken. »Keine Ahnung, was ich damit gemeint haben könnte.«

»Na, jetzt scheinen Sie ja wieder ganz klar zu sein.« Maureen schüttelt mein Kissen auf. »Kann ich noch etwas für Sie tun?«

»Ich hätte gern ein Glas Orangensaft, wenn Sie welchen haben. Und ich kann mein Handy nirgends finden, und meine Handtasche …«

22

»Ihre Wertsachen wurden sicher verwahrt. Da muss ich erst fragen.« Sie geht hinaus, und ich sehe mich im Krankenzimmer um, noch immer ganz umnebelt. Es kommt mir vor, als hätte ich erst eine winzig kleine Ecke des Puzzles zusammengesetzt. Ich weiß noch immer nicht, in welchem Krankenhaus ich liege. Wie ich hierhergekommen bin. Hat jemand meine Familie informiert? Und irgendwas zieht und zerrt an mir wie eine Unterströmung …

Ich wollte dringend nach Hause. Ja. Stimmt genau. Immer wieder habe ich gesagt, dass ich nach Hause wollte, weil ich am nächsten Tag früh hoch musste. Weil …

Oh, nein. Oh, *Scheiße.*

Dads Beerdigung. Um elf. Das bedeutet …

Habe ich sie *verpasst*? Instinktiv versuche ich, aus dem Bett zu steigen, aber schon vom Sitzen wird mir schwindlig. Schließlich gebe ich mich widerwillig geschlagen. Wenn ich sie verpasst habe, dann habe ich sie eben verpasst. Daran kann ich jetzt auch nichts mehr ändern.

Es ist ja nicht gerade so, als hätte ich meinen Dad gut gekannt. Er war nie sonderlich oft da und kam mir eher wie ein Onkel vor. So ein lustiger, spitzbübischer Onkel, der einem zu Weihnachten Süßigkeiten mitbringt und nach Schnaps und Zigaretten riecht.

Und es war auch kein allzu großer Schock, als er starb. Er hatte eine komplizierte Bypass-Operation, und alle wussten, dass die Chancen fifty-fifty standen. Aber trotzdem hätte ich heute dort sein sollen, zusammen mit Mum und Amy. Ich meine, Amy ist erst zwölf, und ängstlich ist sie außerdem. Plötzlich sehe ich sie vor mir, wie sie da neben Mum im Krematorium sitzt und ihren heißgeliebten blauen Löwen an sich drückt, todernst unter ihrem Pony. Sie ist noch zu klein und sollte nicht vor dem Sarg ihres Vaters stehen, ohne dass die große Schwester ihre Hand hält.

Während ich dort liege und mir vorstelle, wie sie versucht,

tapfer und erwachsen auszusehen, kullert mir eine Träne über das Gesicht. Heute wurde mein Dad zu Grabe getragen, und ich liege im Krankenhaus, mit Kopfschmerzen und einem gebrochenen Bein oder irgendwas. Und wahrscheinlich hat der Räuber alle meine Kreditkarten geklaut und mein Telefon und meine neue Handtasche mit den Troddeln auch.

Außerdem hat mich mein Freund gestern Abend versetzt. Und plötzlich wird mir klar, dass mich gar keiner besucht. Wo sind meine besorgten Freunde und Verwandten, die um mein Bett herumsitzen und meine Hand halten sollten?

Na ja. Mum war vermutlich mit Amy bei der Beerdigung. Und Loser Dave kann mir sowieso gestohlen bleiben. Aber Fi und die anderen. Wo sind sie? Wenn ich daran denke, wie wir alle zusammen Debs besucht haben, als sie sich ihren eingewachsenen Fußnagel hat entfernen lassen. Wir haben praktisch auf dem Fußboden campiert und ihr Kaffee von Starbucks und Zeitschriften mitgebracht und ihr eine Pediküre spendiert, als alles abgeheilt war. Nur für einen Fußnagel.

Wohingegen ich bewusstlos war, mit Tropf und allem, was dazugehört. Aber das scheint wohl niemanden zu interessieren.

Na, toll. Find ich richtig … super.

Die nächste dicke Träne kullert über mein Gesicht, als die Tür aufgeht und Maureen wieder hereinkommt. Sie trägt ein Tablett und eine Tüte, auf der mit einem Filzer »Lexi Smart« geschrieben steht.

»Oje!«, sagt sie, als sie sieht, dass ich an meinen Augen herumwische. »Haben Sie Schmerzen?« Sie reicht mir das Tablett und einen kleinen Becher mit Wasser. »Das wird Ihnen helfen.«

»Vielen Dank.« Ich schlucke die Pille herunter. »Aber das ist es nicht. Es ist mein Leben.« Hoffnungslos spreize ich die Hände. »Es ist totaler Mist. Von vorne bis hinten.«

»Das ist es sicher nicht«, sagt Maureen beschwichtigend. »Es mag schwierig aussehen …«

»Glauben Sie mir. Es ist schlimm.«

»Bestimmt …«

»Meine sogenannte Karriere führt ins Nirwana, mein Freund hat mich gestern Abend versetzt, ich hab kein Geld mehr. Und aus meinem Waschbecken tropft braunes Rostwasser in die Wohnung unter mir«, füge ich hinzu. Ein kalter Schauer läuft mir über den Rücken, als es mir wieder einfällt. »Wahrscheinlich werden mich meine Nachbarn verklagen. Und mein Vater ist gerade gestorben.«

Maureen schweigt. Sie scheint aus dem Konzept gebracht.

»Nun, das klingt alles ziemlich … schwierig«, sagt sie schließlich. »Aber ich denke, es kommt bestimmt bald alles wieder in Ordnung.«

»Das hat meine Freundin Fi auch gesagt!« Plötzlich erinnere ich mich sehr genau an Fis leuchtende Augen im Regen. »Und sehen Sie mich an: Ich bin im Krankenhaus gelandet!« Verzweifelt deute ich auf mich selbst. »Inwiefern ist da alles besser geworden?«

»Ich … weiß nicht so genau.« Maureens Blicke zucken hilflos hin und her.

»Immer wenn ich denke, alles ist absolute Scheiße … wird es nur noch beschissener!« Ich putze mir die Nase und stoße einen schweren Seufzer aus. »Wäre es nicht schön, wenn sich ein Mal, *nur ein einziges Mal*, alles im Leben wie von Zauberhand selbst klären könnte?«

»Nun. Wir können alle nur hoffen, oder?« Maureen lächelt mich mitfühlend an und hält mir die Hand hin, um den Becher entgegenzunehmen.

Ich gebe ihn zurück, und dabei fallen mir plötzlich meine Fingernägel auf. Was ist *das*?

Meine Nägel waren immer abgekaute Stummel, die ich verstecken musste. Aber diese hier sehen fantastisch aus. Ganz sauber und in hellem Rosa lackiert … und lang. Staunend blinzle ich sie an und frage mich, wie das angehen kann. Waren wir gestern Abend noch bei einer Maniküre, und ich weiß nichts mehr davon? Habe ich mir welche aus Acryl besorgt? Die müssen irgendeine großartige, neue Klebetechnik haben, denn man sieht gar keinen Übergang und nichts.

»Ihre Handtasche ist übrigens hier drinnen«, fügt Maureen hinzu, als sie die Tüte auf mein Bett stellt. »Ich geh nur eben und hole Ihnen den Saft.«

»Danke«, sage ich und betrachte staunend die Plastiktüte. »Und danke für die Tasche. Ich dachte schon, man hätte sie mir geklaut.«

Na, wenigstens ist meine Handtasche wieder da. Mit etwas Glück ist mein Handy noch aufgeladen, und ich kann ein paar SMS verschicken … Als Maureen die Tür öffnet, um hinauszugehen, greife ich in die Tüte … und hole eine echte Louis Vuitton-Tasche mit kalbsledernen Griffen hervor, schick und teuer.

Na, *super*. Ich seufze enttäuscht. Das ist nicht meine Tasche. Man hat mich mit jemandem verwechselt. Als würde ich – Lexi Smart – eine Louis Vuitton-Tasche besitzen.

»Entschuldigen Sie, diese Tasche gehört mir nicht!«, rufe ich, doch die Tür ist schon zu.

Wehmütig betrachte ich das gute Stück eine Weile und überlege, wem sie wohl gehören könnte. Bestimmt irgendeinem reichen Mädchen hier auf dem Gang. Dann lasse ich sie auf den Boden fallen, sinke in mein Kissen und schließe die Augen.

ZWEI

Ich wache auf. Morgenlicht dringt durch die Ritzen unter den zugezogenen Vorhängen herein. Ein Glas Orangensaft steht auf dem Nachttisch, und Maureen macht sich in einer Ecke des Zimmers zu schaffen. Der Tropf ist wie von Zauberhand aus meinem Arm verschwunden, und ich fühle mich schon viel normaler.

»Hi, Maureen«, sage ich mit rauer Stimme. »Wie spät ist es?«

Sie dreht sich um, mit hochgezogenen Augenbrauen.

»Sie erinnern sich an mich?«

»Natürlich«, sage ich überrascht. »Wir haben uns doch gestern Abend schon unterhalten.«

»Ausgezeichnet! Das bedeutet, Sie haben die posttraumatische Amnesie überstanden. Machen Sie nicht so ein besorgtes Gesicht!«, fügt sie hinzu. »Eine gewisse Orientierungslosigkeit ist nach Kopfverletzungen nichts Ungewöhnliches.«

Unwillkürlich fasse ich mir an den Kopf und ertaste einen Verband. Wow. Ich muss auf dieser Treppe wirklich schlimm gestürzt sein.

»Sie machen sich gut.« Sie streicht mir über den Arm. »Ich hole Ihnen frischen Orangensaft.«

Es klopft an der Tür, und eine große, schlanke Frau von Mitte fünfzig kommt herein. Sie hat blaue Augen, hohe Wangenknochen und gewelltes, blondes Haar, leicht ergraut und strähnig. Sie trägt eine rote Steppweste über einem langen, bedruckten Rock und eine Bernsteinkette. In der Hand hält sie eine Papiertüte.

Es ist Mum. Jedenfalls bin ich zu neunundneunzig Prozent

sicher, dass sie es ist. Ich weiß gar nicht, wieso ich eigentlich zögere.

»Wie *überheizt* es hier drinnen immer ist!«, ruft sie mit ihrer dünnen Kleinmädchenstimme.

Okay, das ist definitiv meine Mutter.

»Ich kipp gleich um!« Sie wedelt sich Luft zu. »Und ich hatte eine schrecklich stressige Fahrt ...« Sie wirft einen Blick zum Bett herüber, als fiele es ihr jetzt erst ein, und sagt zu Maureen: »Wie geht es ihr?«

Maureen lächelt. »Lexi geht es heute schon viel besser. Längst nicht mehr so verwirrt wie gestern.«

»Gott sei Dank!« Mum spricht etwas leiser. »Es war ja, als würde man mit einer Verrückten sprechen oder einer ... geistig *Behinderten*.«

»Lexi ist nicht verrückt«, sagt Maureen ganz ruhig, »und im Übrigen versteht sie alles, was Sie sagen.«

In Wahrheit höre ich kaum zu. Ich kann mich gar nicht von Mum abwenden. Was ist bloß los mit ihr? Sie sieht so anders aus. Dünner. Und irgendwie ... älter. Als sie näher kommt und das Licht vom Fenster auf ihr Gesicht fällt, wird es nicht besser. Im Gegenteil.

Ist sie krank?

Nein. Das wüsste ich. Aber, ehrlich: Sie sieht aus, als wäre sie über Nacht vergreist. Ich werde ihr zu Weihnachten Crème de la Mer schenken.

»Da bist du ja, Schätzchen«, sagt sie überdeutlich, mit lauter Stimme. »Ich bin's. Deine Mut-ter.« Sie reicht mir die Papiertüte, in der sich eine Flasche Shampoo befindet, und drückt mir einen Kuss auf die Wange. Als ich ihren vertrauten Duft nach Hunden und Teerosenparfüm rieche, kommen mir glatt die Tränen. Mir war gar nicht bewusst, wie verlassen ich mich gefühlt habe.

»Hi, Mum.« Ich will sie umarmen, greife aber ins Leere. Sie

hat sich schon wieder abgewendet und sieht auf ihre kleine, goldene Uhr.

»Ich fürchte, ich kann nicht lange bleiben«, sagt sie angespannt, als bliebe die Welt stehen, wenn sie nicht darauf aufpasste. »Ich habe einen Termin bei einem Spezialisten wegen Roly.«

»Roly?«

»Von Smokys letztem Wurf, Schätzchen.« Mum wirft mir einen vorwurfsvollen Blick zu. »Du erinnerst dich doch an die kleine Roly.«

Ich weiß nicht, wie Mum darauf kommt, dass ich mir die Namen ihrer Hunde merken kann. Es sind mindestens zwanzig und alle Whippets, und jedes Mal, wenn ich nach Hause komme, scheint da ein neuer zu sein. In unserer Familie hatte es nie Haustiere gegeben, bis zu jenem Sommer, als ich siebzehn war. Im Urlaub in Wales kaufte Mum spontan einen Whippet-Welpen. Und über Nacht wurde daraus eine wahre Manie.

Ich mag Hunde. Eigentlich. Außer, wenn einen sechs auf einmal anspringen, sobald man die Haustür aufmacht. Und jedes Mal, wenn man sich auf das Sofa oder einen Sessel setzen will, sitzt da schon ein Hund. Außerdem sind die größten Geschenke unterm Weihnachtsbaum immer für die Hunde.

Mum hat ein Fläschchen homöopathische Notfalltropfen aus ihrer Tasche hervorgeholt. Sie träufelt sich drei Tropfen auf die Zunge, dann atmet sie scharf aus. »Der Verkehr auf dem Weg hierher war fürchterlich«, sagt sie. »Die Menschen in London sind so aggressiv. Ich hatte eine *sehr* unangenehme Auseinandersetzung mit einem Mann in einem Lieferwagen.«

»Was ist passiert?«, sage ich, weiß aber schon, dass Mum den Kopf schütteln wird.

»Sprechen wir lieber nicht davon, Schätzchen.« Sie verzieht schmerzhaft das Gesicht. »Vergessen wir es einfach.«

Mum möchte über so vieles lieber nicht sprechen. Etwa darüber, wer an Weihnachten meine neuen Sandalen so zugerichtet haben mag. Oder über die regelmäßigen Beschwerden wegen der Hundehaufen in unserer Straße. Oder – um ehrlich zu sein – über Scherereien ganz allgemein.

»Ich habe eine Karte für dich«, sagt sie und wühlt in ihrer Tasche herum. »Wo ist sie nur? Von Andrew und Sylvia.«

Ratlos starre ich sie an. »Von wem?«

»Andrew und Sylvia von nebenan!«, sagt sie, als wäre es selbstverständlich. »Unsere Nachbarn!«

Unsere Nachbarn nebenan heißen nicht Andrew und Sylvia. Sie heißen Philip und Maggie.

»Mum …«

»Jedenfalls lassen sie dir liebe Grüße bestellen«, unterbricht sie mich. »Und Andrew braucht deinen Rat. Er will zum Skilaufen.«

Skilaufen? Ich kann doch gar nicht Skilaufen.

»Mum …« Ich fasse mir an den Kopf, vergesse meine Verletzung und zucke zusammen. »Was *redest* du da?«

»Da bin ich wieder!« Maureen hält ein Glas Orangensaft in der Hand. »Doktor Harman will gleich mal nach Ihnen sehen.«

»Ich muss los, Schätzchen.« Mum steht auf. »Ich hab den Wagen auf einem Wucherparkplatz abgestellt. Und erst die City-Maut! Acht Pfund musste ich bezahlen!«

Das stimmt doch auch nicht. Die City-Maut kostet keine acht Pfund. Ich bin mir sicher, dass sie nicht mehr als fünf Pfund beträgt, auch wenn ich nie Auto fahre …

Mir ist ganz flau im Magen. Mein Gott, Mum wird langsam dement. Daran muss es liegen. Sie wird senil, und das mit vierundfünfzig. Ich muss mal mit einem der Ärzte über sie sprechen.

»Ich komme später mit Amy und Eric wieder«, sagte sie auf dem Weg zur Tür.

Eric? Sie gibt ihren Hunden wirklich sonderbare Namen.

»Ist gut, Mum.« Ich lächle sie an, um sie aufzuheitern. »Kann es kaum erwarten.«

Ich bin ziemlich aufgewühlt, als ich meinen Saft trinke. Wahrscheinlich hält jeder seine Mutter für ein bisschen verrückt. Aber das eben war *richtig* verrückt. Was ist, wenn sie in ein Heim muss? Was soll ich dann bloß mit ihren Hunden machen?

Das Klopfen an der Tür reißt mich aus meinen Gedanken, und ein junger Arzt mit dunklen Haaren kommt herein, gefolgt von drei weiteren Leuten in weißen Kitteln.

»Hallo, Lexi«, sagt er forsch aber freundlich. »Ich bin Dr. Harman, einer der Neurologen hier im Haus. Das sind Nicole, eine Stationsschwester, Diana und Garth, unsere beiden Assistenzärzte. Wie geht es Ihnen?«

»Gut! Nur meine linke Hand fühlt sich ein bisschen komisch an«, räume ich ein. »Als hätte ich daraufgelegen und jetzt funktioniert sie nicht mehr richtig.«

Als ich meine Hand hebe, um sie ihm zu zeigen, staune ich einmal mehr über meine sensationelle Maniküre. Ich muss Fi dringend fragen, wo wir gestern Abend waren.

»Okay.« Der Doktor nickt. »Das sehen wir uns gleich an. Sie werden wahrscheinlich Physiotherapie brauchen. Aber vorher möchte ich Ihnen ein paar Fragen stellen. Haben Sie Geduld mit mir, falls diese Ihnen allzu offensichtlich erscheinen.« Er schenkt mir ein professionelles Lächeln, und ich habe das Gefühl, als hätte er das schon tausendmal gesagt. »Können Sie mir sagen, wie Sie heißen?«

»Mein Name ist Lexi Smart«, antworte ich sofort. Dr. Harman nickt und hakt etwas in seinem Ordner ab.

»Und wann sind Sie geboren?«

»1979.«

»Sehr gut.« Er macht sich eine weitere Notiz. »Okay, Lexi. Bei Ihrem Autounfall sind Sie mit dem Kopf gegen die Windschutzscheibe geprallt, was eine leichte Hirnschwellung hervorgerufen hat, aber es scheint, als hätten Sie großes Glück gehabt. Allerdings muss ich noch ein paar Tests durchführen.« Er hält seinen

Kugelschreiber hoch. »Behalten Sie bitte die Spitze von meinem Stift im Auge, während ich ihn hin und her bewege …«

Ärzte lassen einen nie zu Wort kommen, oder?

»Entschuldigung!« Ich winke ihm zu. »Sie verwechseln mich mit jemandem. Ich hatte keinen Autounfall.«

Dr. Harman runzelt die Stirn und blättert in seinem Ordner zwei Seiten zurück. »Hier steht: Die Patientin war in einen Autounfall verwickelt.« Er dreht sich um, sucht Bestätigung.

Warum fragt er die Schwestern? *Ich* war doch dabei.

»Na, dann hat man es offenbar falsch aufgeschrieben«, sage ich entschlossen. »Ich war jedenfalls mit ein paar Freundinnen unterwegs, wir sind auf ein Taxi zugelaufen, und dabei bin ich gestürzt. Das ist passiert. Ich kann mich ganz genau daran erinnern.«

Dr. Harman und Maureen tauschen fragende Blicke.

»Es war definitiv ein Autounfall«, murmelt Maureen. »Zwei Fahrzeuge, seitlicher Aufprall. Ich war in der Notaufnahme und habe gesehen, wie sie hereingebracht wurde. Und den anderen Fahrer auch. Ich glaube, er hatte eine leichte Unterarmfraktur.«

»Ich kann keinen Autounfall gehabt haben.« Ich versuche, die Geduld zu bewahren. »Ich besitze gar kein Auto. Ich kann überhaupt nicht fahren!«

Eines Tages werde ich es noch lernen. Aber bisher bestand nie ein Anlass, da ich mitten in London wohne, und außerdem sind Fahrstunden teuer, und ich kann mir sowieso kein Auto leisten.

»Sie besitzen kein …«, Dr. Harman blättert eine Seite um und liest ab, »… Mercedes Cabrio?«

»Einen Mercedes?« Ich schnaube vor Lachen. »Soll das ein Witz sein?«

»Aber hier steht …«

»Hören Sie …« So freundlich wie möglich schneide ich ihm das Wort ab. »Ich verrate Ihnen, wie viel eine fünfundzwanzigjährige Juniorassistentin bei Deller Carpets verdient, okay? Und dann verraten Sie mir, wie ich davon ein Mercedes Cabrio bezahlen soll.«

Dr. Harman macht den Mund auf, um zu antworten, doch die Assistenzärztin tippt ihm an die Schulter. Sie kritzelt etwas in meine Akte, und Dr. Harman macht ein erschrockenes Gesicht. Er sieht die junge Ärztin an, die ihre Augenbrauen hochzieht, einen Blick zu mir herüberwirft und dann wieder auf die Akte deutet. Die beiden sehen aus wie zwei unbegabte Pantomimenschüler.

Jetzt kommt Dr. Harman näher heran und betrachtet mich mit ernster, aufmerksamer Miene. Plötzlich wird mir ganz flau im Magen. Ich habe *Emergency Room* gesehen. Ich weiß, was dieser Blick bedeutet.

Lexi, bei der Computertomografie haben wir etwas gefunden, mit dem wir nicht gerechnet hatten. Möglicherweise hat es nichts zu bedeuten.

Nur dass es niemals nichts zu bedeuten hat, oder? Sonst wäre es ja nicht in der Serie.

»Stimmt was nicht mit mir?«, frage ich fast aggressiv, um das plötzliche Zittern in meiner Stimme zu unterdrücken. »Sagen Sie es mir einfach, okay?«

Schon spiele ich alle Möglichkeiten durch. Krebs. Ein Loch in der Herzwand. Beinamputation. Vielleicht *haben* sie mir schon ein Bein amputiert, und sie trauen sich nur nicht, es mir zu sagen. Verstohlen taste ich unter der Decke herum.

»Lexi, ich möchte Ihnen eine andere Frage stellen.« Dr. Harmans Stimme klingt sanfter. »Können Sie mir sagen, welches Jahr wir haben?«

»Welches *Jahr* wir haben?« Ich starre ihn an, sprachlos.

»Keine Sorge«, sagt er beschwichtigend. »Sagen Sie mir einfach, was Sie glauben, welches Jahr wir haben. Es gehört zu unseren Standard-Checks.«

Mein Blick wandert von einem zum anderen. Ich sehe ihnen

an, dass sie irgendein Spielchen mit mir treiben, aber ich komme nicht darauf, was es sein könnte.

»Wir haben 2004«, sage ich schließlich.

Eine sonderbare Stille erfüllt den Raum, so als hielten alle die Luft an.

»Okay.« Dr. Harman setzt sich aufs Bett. »Lexi, heute ist der 6. Mai 2007.«

Er verzieht keine Miene. Auch die anderen wirken ernst. Es fühlt sich an, als würde alles schwarz um mich herum, doch dann geht mir ein Licht auf. Sie nehmen mich auf den Arm!

»Ha, ha!« Ich verdrehe die Augen. »Sehr komisch. Hat Fi Sie dazu angestiftet? Oder Carolyn?«

»Ich kenne keine Fi und auch keine Carolyn«, antwortet Dr. Harman, ohne sich von mir abzuwenden. »Und ich mache keine Witze.«

»Im Ernst, Lexi«, bestätigt die Assistenzärztin. »Wir haben 2007.«

»Aber … das ist die *Zukunft*«, sage ich blödsinnigerweise. »Wollen Sie mir erzählen, jemand hätte eine Zeitmaschine erfunden?« Ich stoße ein gepresstes Lachen aus, aber keiner lacht mit.

»Lexi, das ist ganz bestimmt ein Schock für Sie«, sagt Maureen und legt mir freundlich eine Hand auf die Schulter. »Aber es stimmt. Wir haben Mai 2007.«

Mir ist, als hätten meine beiden Hirnhälften irgendwie den Kontakt verloren. Ich höre, was man mir sagt, aber es ist einfach lächerlich. Gestern war noch 2004. Wie sollen wir drei Jahre übersprungen haben?

»Hören Sie, es kann nicht 2007 sein«, sage ich schließlich und versuche, mir nicht anmerken zu lassen, wie erschüttert ich bin. »Es ist 2004. Ich bin doch nicht *blöd* …«

»Regen Sie sich nicht auf«, sagt Dr. Harman und wirft den anderen warnende Blicke zu. »Lassen Sie uns das Ganze langsam angehen. Erzählen Sie erst einmal, woran Sie sich als Letztes erinnern.«

»Okay, also …« Ich wische mir übers Gesicht. »Ich erinnere mich, dass ich gestern Abend mit ein paar Arbeitskolleginnen ausgegangen bin. Freitagabend. Wir sind durch die Clubs gezogen … und dann standen wir im Regen und haben versucht, ein Taxi zu bekommen, und ich bin auf den Stufen ausgerutscht und hingefallen. Und dann bin ich im Krankenhaus aufgewacht. Das war der 20. Februar 2004.« Meine Stimme zittert. »Ich bin mir mit dem Datum absolut sicher, weil mein Dad am nächsten Tag beerdigt wurde! Und das habe ich verpasst, weil ich hier festsitze.«

»Lexi, das ist alles schon drei Jahre her«, sagt Maureen sanft.

Sie scheint davon überzeugt zu sein. Sie wirken alle so absolut sicher. Panik steigt in mir auf, als ich in ihre Gesichter sehe. Es ist 2004, ich weiß es genau. Es fühlt sich auch an wie 2004.

»Woran können Sie sich noch erinnern?«, fragt Dr. Harman. »Ausgehend von diesem Abend.«

»Ich weiß nicht …«, sage ich unsicher. »Meine Arbeit … wie ich in meine Wohnung eingezogen bin … alles!«

»Ist Ihre Erinnerung irgendwie schwammig?«

»Ein … ein bisschen«, räume ich zögernd ein, als die Tür aufgeht. Die Assistenzärztin war eben kurz rausgegangen und kommt jetzt mit einer Ausgabe der *Daily Mail* wieder. Sie tritt an mein Bett und wirft Harman einen Blick zu. »Soll ich?«

»Ja.« Er nickt. »Das ist eine gute Idee.«

»Sehen Sie, Lexi.« Sie deutet auf das Datum. »Das ist die Zeitung von heute.«

Mir fährt ein massiver Schock in die Glieder, als ich das Datum lese: *6. Mai 2007.* Na, wenn schon … das sind doch nur Worte auf Papier. Das beweist überhaupt nichts. Weiter unten auf der Seite sehe ich ein Foto von Tony Blair.

»Mein Gott, ist der alt geworden!«, rutscht es mir heraus, bevor ich es verhindern kann.

Genau wie Mum, denke ich, und plötzlich läuft es mir kalt über den Rücken.

Aber das beweist doch auch nichts. Vielleicht war einfach die Beleuchtung unvorteilhaft.

Mit zitternden Händen blättere ich um. Es ist ganz still im Zimmer. Alle beobachten mich gespannt. Mein Blick fährt über die Schlagzeilen – *Zinsanstieg erwartet … Queen Elizabeth II. besucht die Vereinigten Staaten* – und bleibt an der Werbung einer Buchhandlung hängen:

> *Halber Preis auf alle Fantasyromane,*
> *einschließlich Harry Potter und der Halbblutprinz.*

Okay. Jetzt stehen mir doch leicht die Haare zu Berge. Ich habe definitiv alle Harry Potter-Bücher gelesen, alle fünf. Aber an einen Halbblutprinzen kann ich mich beim besten Willen nicht erinnern.

»Was ist das?« Ich gebe mir Mühe, es beiläufig klingen zu lassen und deute auf die Anzeige. »Was ist *Harry Potter und der Halbblutprinz*?«

»Das ist das letzte Buch«, sagt die junge Ärztin mit der Brille. »Es ist schon vor einer ganzen Weile erschienen.«

Unwillkürlich schnappe ich nach Luft. »Es gibt einen sechsten Harry Potter?«

»Bald erscheint schon der siebte!« Die Assistenzärztin tritt vor. »Und raten Sie mal, was am Ende vom sechsten …«

»Schscht!«, macht Nicole. »Nichts verraten!«

Sie zanken noch etwas, aber ich höre nicht mehr zu. Ich starre die Zeitung an, bis alles vor meinen Augen verschwimmt. Deshalb ergab das alles keinen Sinn. Nicht Mum ist verwirrt … ich bin es.

»Also habe ich hier im Koma gelegen?« Ich schlucke trocken. »Drei Jahre lang?«

Ich kann es nicht glauben. Ich war »Koma Girl«. Seit drei Jahren warten alle, dass ich zu mir komme. Die Welt hat sich ohne mich gedreht. Meine Familie und meine Freunde haben wahrscheinlich alles für mich auf Video festgehalten, Nachtwachen geschoben, Lieder gesungen und so …

Doch Dr. Harman schüttelt nur den Kopf. »Nein, das nicht. Lexi, Sie wurden erst vor fünf Tagen eingeliefert.«

Was?

Genug. Ich halte es nicht länger aus. Ich wurde vor fünf Tagen im Jahre 2004 ins Krankenhaus eingeliefert, aber jetzt ist ganz plötzlich 2007? Wo sind wir denn hier? In Narnia?

»Das verstehe ich nicht!«, sage ich hilflos und werfe die Zeitung beiseite. »Habe ich Halluzinationen? Bin ich *verrückt* geworden, oder was?«

»Nein!«, sagt Dr. Harman mit Nachdruck. »Lexi, ich glaube, Sie leiden an etwas, das wir Retrograde Amnesie nennen, ein Zustand, der gelegentlich zwischen zwei Kopfverletzungen auftritt …«

Er redet weiter, aber seine Worte kommen gar nicht richtig bei mir an. Während ich einen nach dem anderen anglotze, keimt in mir plötzlich ein Verdacht. Die sehen alle irgendwie unecht aus. Das sind gar keine Mediziner, oder? Ist das hier überhaupt ein echtes Krankenhaus?

»Haben Sie mir eine Niere entfernt?« Meine Stimme kommt als bedrohliches Knurren heraus. »Was haben Sie mit mir gemacht? Sie können mich hier nicht festhalten. Ich ruf die Polizei …« Ich versuche, aufzustehen.

»Lexi.« Die blonde Krankenschwester hält mich an den Schultern fest. »Niemand will Ihnen etwas antun. Es stimmt, was Dr. Harman sagt. Sie haben Ihr Gedächtnis verloren.«

»Es ist ganz normal, dass Sie panisch werden, dass Sie an eine Verschwörung glauben. Aber wir sagen Ihnen die Wahrheit.« Dr. Harman sieht mir fest in die Augen. »Sie haben einen Teil Ihres Lebens vergessen, Lexi. Sie haben ihn *vergessen*. Mehr nicht.«

Ich könnte heulen. Ich kann nicht sagen, ob sie lügen, ob das ein gewaltiger Trick ist, ob ich ihnen trauen oder lieber abhauen sollte. In meinem Kopf dreht sich alles …

Und plötzlich erstarre ich. Als ich mich gewehrt habe, ist der Ärmel an meinem Krankenhaushemd hochgerutscht, und eben ist mir eine kleine, V-förmige Narbe am Ellenbogen aufgefallen. Diese Narbe habe ich noch nie gesehen. Diese Narbe kenne ich nicht.

Und sie ist auch nicht neu. Die ist bestimmt schon ein halbes Jahr alt.

»Lexi, ist alles in Ordnung?«, fragt Dr. Harman.

Ich kann nicht antworten. Mein Blick ist starr auf die unbekannte Narbe gerichtet.

»Ist alles in Ordnung?«, wiederholt er.

Mit klopfendem Herzen lasse ich den Blick auf meine Hände sinken. Diese Fingernägel sind nicht aus Acryl, oder? Die aus Acryl sind niemals so gut. Diese sind echt. Das sind meine eigenen Nägel. Und die können unmöglich in fünf Tagen so lang geworden sein.

Ich fühle mich, als wäre ich nur ein kleines Stück hinausgeschwommen und hätte plötzlich kilometertief schwarzes Wasser unter mir.

»Sie wollen damit sagen …« Ich räuspere mich. »Mir fehlen drei Jahre.«

»Danach sieht es im Augenblick aus.« Dr. Harman nickt.

»Könnte ich die Zeitung bitte noch mal sehen?« Meine Hände zittern, als ich danach greife. Ich blättere sie durch, und auf jeder Seite steht dasselbe Datum. *6. Mai 2007. 6. Mai 2007.*

Es ist tatsächlich 2007. Was bedeutet, dass ich …

Oh, mein Gott. Ich bin achtundzwanzig.

Ich bin alt.

DREI

Die haben mir erst mal einen schönen, starken Tee gemacht. Bestimmt gut gegen Gedächtnisverlust. Tee.

Nein, hör auf. Sei nicht sarkastisch. Ich bin dankbar für den Tee. Zumindest kann ich mich daran festhalten. Der ist wenigstens *real*.

Während Dr. Harman über neurologische Tests und Computertomografie redet, schaffe ich es irgendwie, mich zusammenzureißen. Ich nicke ruhig, als wollte ich sagen: »Ja, kein Problem. Ist doch alles cool so weit.« Aber innerlich bin ich kein bisschen cool. Ich dreh gleich durch. Die nackte Wahrheit haut mich einfach um.

Als er schließlich angepiepst wird und wegmuss, spüre ich eine Woge der Erleichterung. Man redet nicht mehr auf mich ein. Ich mach sowieso nichts von dem, was er gesagt hat. Ich nehme einen Schluck Tee und lehne mich zurück. (Okay, das mit dem Tee war nicht so gemeint. Was Besseres ist mir lange nicht passiert.)

Maureen hat Dienstschluss, und die blonde Nicole ist in meinem Zimmer geblieben und schreibt etwas in meine Krankenakte. »Wie fühlen Sie sich?«

»Echt wirklich … *ziemlich* seltsam.« Ich versuche zu lächeln.

»Das ist ja auch kein Wunder.« Mitfühlend lächelt sie zurück. »Lassen Sie sich Zeit. Setzen Sie sich nicht unter Druck. Sie haben eine Menge zu verarbeiten.«

Sie wirft einen Blick auf ihre Uhr und notiert die Zeit.

»Wenn Menschen ihr Gedächtnis verlieren …«, sage ich,

»… kommen die verlorenen Erinnerungen irgendwann wieder zurück?«

»Normalerweise ja.« Sie nickt bekräftigend.

Ich kneife die Augen zusammen und treibe meine Gedanken so weit zurück wie möglich. Warte, dass ihnen etwas ins Netz geht, dass irgendwo was hängen bleibt.

Doch da ist nichts. Nur stilles, schwarzes Nichts.

»Dann erzählen Sie mir doch was über 2007.« Ich schlage die Augen auf. »Wer ist jetzt Premierminister? Und wer ist amerikanischer Präsident?«

»Das dürfte Tony Blair sein«, antwort Nicole. »Und Präsident Bush.«

»Oh. Immer noch.« Ich sehe mich um. »Und … haben sie das Problem der Erderwärmung gelöst? Oder ein Mittel gegen Aids gefunden?«

Nicole zuckt mit den Schultern. »Noch nicht.«

Man sollte doch meinen, dass in drei Jahren etwas mehr passiert. Man sollte meinen, ein paar Fortschritte seien gemacht worden. Ehrlich gesagt, bin ich nicht gerade beeindruckt von dieser Bilanz.

»Möchten Sie vielleicht eine Zeitschrift?«, fügt Nicole hinzu. »Ich besorge Ihnen etwas zum Frühstück …« Sie geht zur Tür hinaus, kommt im nächsten Augenblick zurück und reicht mir eine Ausgabe von *Hello!* Als ich die Überschriften lese, trifft mich fast der Schlag.

»Jennifer Aniston und der neue Mann an ihrer Seite.« Ich lese die Worte laut und bebend vor. »Welcher neue Mann? Wozu braucht sie einen neuen Mann?«

»Ach, das.« Nicole sieht meinen Blick, bleibt unbeeindruckt. »Wussten Sie nicht, dass sie sich von Brad Pitt getrennt hat?«

»Jennifer und Brad haben sich *getrennt*?« Sprachlos starre ich sie an. »Das kann doch nicht Ihr Ernst sein! Das können die doch nicht machen!«

»Er ist mit Angelina Jolie durchgebrannt. Die beiden haben eine Tochter.«

»*Nein!*«, heule ich auf. »Aber Jen und Brad waren doch ein perfektes Paar! Sie sahen so toll aus, und sie hatten dieses süße Hochzeitsfoto und …«

»Jetzt sind sie geschieden.« Nicole zuckt mit den Schultern, als wäre es keine große Sache.

Ich kann es nicht fassen. Jennifer und Brad sind geschieden. Die Welt ist nicht mehr, was sie einmal war.

»Alle haben sich mehr oder weniger damit abgefunden.« Nicole klopft mir tröstend auf die Schulter. »Ich hole Ihnen Ihr Frühstück. Was möchten Sie gern? Bacon & Eggs, Croissant oder Obstkorb. Oder alle drei?«

»Mh … Croissant, bitte.« Ich schlage die Zeitschrift auf, dann lasse ich sie wieder sinken. »Moment mal. Obstkorb? Ist meine Krankenkasse plötzlich zu Geld gekommen, oder was?«

»Hier gibt es keine Kassenpatienten.« Sie lächelt. »Sie sind auf der Privatstation.«

Privat? Das kann ich mir nicht leisten.

»Ich hole Ihnen eben frischen Tee.« Sie nimmt die hübsche Porzellankanne und schenkt mir ein.

»Halt!«, rufe ich in Panik. Ich darf nicht noch mehr Tee trinken. Der kostet doch wahrscheinlich fünfzig Pfund die Tasse.

»Stimmt irgendwas nicht?«, fragt Nicole überrascht.

»Ich kann mir das alles nicht leisten«, sage ich verlegen und laufe rot an. »Es tut mir leid. Ich weiß nicht, wie ich hier gelandet bin. Man hätte mich in ein normales Krankenhaus bringen sollen. Sie können mich gern verlegen …«

»Es ist alles von Ihrer Privatversicherung gedeckt«, sagt sie und wirkt erstaunt. »Keine Sorge.«

»Ach«, sage ich verdutzt. »Ach so.«

Ich bin privat versichert? Na klar. Schließlich bin ich jetzt achtundzwanzig. Ich bin vernünftig.

Ich bin achtundzwanzig Jahre alt.

Es trifft mich wie ein Schlag ins Genick. Ich bin ein völlig anderer Mensch. Ich bin nicht mehr ich.

Ich meine, natürlich bin ich immer noch *ich*. Aber ich bin mein achtundzwanzigjähriges Ich. Wer immer das auch sein mag. Ich betrachte meine achtundzwanzigjährige Hand, als gäbe es dort irgendwelche Hinweise. Jemand, der sich offenbar eine private Krankenversicherung leisten kann und sich die Hände dermaßen gut maniküren lässt und …

Moment mal. Langsam drehe ich den Kopf und sehe die glänzende Louis Vuitton-Tasche.

Nein. Das ist unmöglich. Diese Milliarden-Dollar-Designer-Filmstar-Tasche kann doch nie im Leben wirklich …

»Nicole?« Ich schlucke, versuche, beiläufig zu klingen. »Meinen Sie … diese Tasche da gehört … *mir?*«

»Müsste eigentlich.« Nicole nickt. »Ich seh mal für Sie nach …« Sie öffnet die Tasche, holt eine passende Louis Vuitton-Geldbörse hervor und klappt sie auf. »Ja, es ist Ihre.« Sie dreht das Portemonnaie herum und zeigt mir eine Platin-AmEx-Karte, auf der »Lexi Smart« steht.

In meinem Kopf brennen ein paar Sicherungen durch, als ich die geprägten Buchstaben betrachte. Das ist meine Platin-Karte. Das ist meine Tasche.

»Aber diese Handtaschen kosten bestimmt … tausend Pfund.« Meine Stimme erstickt.

»Ich weiß«. Nicole lacht abrupt auf. »Ganz ruhig. Es ist Ihre!«

Zärtlich streiche ich über den Griff, wage kaum, die Tasche anzufassen. Ich kann nicht glauben, dass sie mir gehört. Ich meine … wie *komme* ich dazu? Verdiene ich viel Geld, oder was?

»Ich hatte also wirklich einen Autounfall?« Ich blicke auf und will plötzlich alles über mich wissen, alles auf einmal. »Bin ich wirklich selbst gefahren? Mit einem *Mercedes?*«

»Offensichtlich.« Sie sieht sich meine ungläubige Miene an. »Hatten Sie denn 2004 keinen Mercedes?«

»Soll das ein Witz sein? Ich kann ja nicht mal Auto fahren.« Wann habe ich es gelernt? Und seit wann kann ich mir plötzlich Designer-Handtaschen und Mercedes-Cabrios leisten?

»Sehen Sie in Ihrer Tasche nach!«, schlägt Nicole vor. »Vielleicht ist da was drin, was Ihrer Erinnerung auf die Sprünge hilft.«

»Okay. Gute Idee.« Mir wird ganz flau, als ich die Tasche öffne. Der Duft von Leder, vermischt mit einem mir unbekannten Parfüm, steigt in meine Nase. Ich greife hinein und hole erst mal eine kleine, goldene Puderdose von Estée Lauder hervor. Sofort klappe ich sie auf und riskiere einen Blick.

»Sie haben ein paar Schnittwunden im Gesicht, Lexi«, sagt Nicole eilig. »Aber keine Sorge, das heilt wieder.«

Als ich mir in dem kleinen Spiegel in die Augen sehe, bin ich sofort beruhigt. Das bin immer noch ich, trotz der fetten Schürfung am Augenlid. Ich bewege den Spiegel etwas, um noch mehr erkennen zu können, und zucke zusammen, als ich den Verband an meinem Kopf sehe. Dann sehe ich meine Lippen, seltsam voll und rosig, als hätte ich die ganze Nacht herumgeknutscht und …

Oh, mein Gott.

Das sind nicht meine Zähne. Die sind ganz weiß. Die schimmern richtig. Ich sehe den Mund einer Fremden.

»Alles okay?« Nicole unterbricht meinen Taumel. »Lexi?«

»Ich möchte bitte einen richtigen Spiegel«, presse ich schließlich hervor. »Ich muss mich sehen. Könnten Sie mir vielleicht einen bringen?«

»Im Badezimmer hängt einer.« Sie kommt zu mir. »Es ist sowieso eine ganz gute Idee, wenn Sie sich etwas bewegen. Ich helfe Ihnen …«

Ich klettere aus dem hohen Eisenbett. Ich bin ziemlich wacklig auf den Beinen, schaffe es aber, ins angrenzende Badezimmer zu tappen.

»Okay«, sagt sie, bevor sie die Tür schließt. »Sie könnten vielleicht einen kleinen Schreck bekommen, wenn Sie die Schnitte und Prellungen sehen. Sind Sie trotzdem bereit?«

»Ja. Es wird schon gehen.« Ich hole tief Luft und mache mich bereit. Sie schließt die Tür, an dessen Rückseite ein großer Spiegel angebracht ist.

Das bin ... *ich*?

Ich bin sprachlos. Meine Beine sind wie Pudding. Ich greife nach dem Handtuchhalter, um irgendwo Halt zu finden.

»Ich weiß, Ihre Verletzungen sehen schlimm aus.« Nicole hat ihren kräftigen Arm um mich gelegt. »Aber glauben Sie mir, die heilen bald ab.«

Dabei habe ich überhaupt kein Auge für die Schnitte. Und auch nicht für den Kopfverband und die Klammer an meiner Stirn. Ich betrachte nur das, was darunter ist.

»So sehe ich ...« Ich deute auf mein Spiegelbild. »So sehe ich nicht aus.«

Ich schließe die Augen und stelle mir mein altes Ich vor, um sicherzugehen, dass ich nicht den Verstand verliere. Mausgraue Zotteln, blaue Augen, etwas dicker als gewollt. Ganz nettes Gesicht, aber nichts Besonderes. Schwarzer Lidstrich und pinkfarbener Lippenstift aus dem Supermarkt. Der Standardlook von Lexi Smart.

Dann schlage ich die Augen wieder auf. Eine ganz andere Frau starrt mich an. Meine Frisur hat bei dem Unfall etwas gelitten, aber das Haar leuchtet kastanienbraun und ist glatt und gepflegt, überhaupt nicht zottelig. Meine Fußnägel sind rosa lackiert. Meine Beine sind golden gebräunt und dünner als vorher. Und muskulöser.

»Was hat sich verändert?« Neugierig mustert Nicole mein Spiegelbild.

»Alles!«, stöhne ich. »Ich sehe so … poliert aus.«

»Poliert?« Sie lacht.

»Mein Haar, meine Beine, meine *Zähne* …« Ich kann mich gar nicht abwenden von diesem makellosen Perlweiß. Die müssen ein Vermögen gekostet haben.

»Die sind hübsch!« Sie nickt höflich.

»Nein. Nein, nein!« Ich schüttle heftig den Kopf. »Ich begreif das nicht. Ich habe die schlimmsten Zähne auf der ganzen Welt. Mein Spitzname ist ›Frettchen‹.«

»Jetzt wohl nicht mehr.« Amüsiert zieht Nicole eine Augenbraue hoch.

»Außerdem hab ich irre viel abgenommen … und mein Gesicht ist irgendwie anders. Ich weiß noch nicht, woran es liegt …« Ich konzentriere mich auf mein Spiegelbild, will es unbedingt herausfinden. Meine Augenbrauen sind schmal und gepflegt … meine Lippen scheinen irgendwie voller zu sein … misstrauisch sehe ich noch genauer hin. Habe ich da möglicherweise was *machen* lassen? Habe ich mich in jemanden verwandelt, der an sich *herumdoktern* lässt?

Ich reiße mich vom Spiegel los. Mir wird schwindlig.

»Ganz ruhig!« Nicole läuft mir eilig hinterher. »Sie stehen noch unter Schock. Vielleicht sollten Sie es Schritt für Schritt angehen …«

Ich ignoriere sie, schnappe mir die Louis Vuitton-Tasche und fange an, Sachen herauszuholen, wobei ich jedes einzelne Teil genau untersuche, als könnte darin eine Botschaft verborgen sein. Mein Gott, sieh sich einer dieses *Zeug* an! Ein Schlüsseltäschchen von Tiffany, eine Sonnenbrille von Prada, Lipgloss von Lancôme, nicht Tesco.

Und da ist ein kleiner, lindgrüner Smythson-Terminkalender. Ich zögere einen Moment, mache mir Mut – dann schlage ich ihn auf. Erschrocken sehe ich meine vertraute Handschrift. *Lexi Smart, 2007* steht da. Offenbar habe ich die Worte selbst geschrieben. Und anscheinend habe ich auch den kleinen Vogel in die Ecke gekritzelt. Aber ich kann mich beim besten Willen nicht mehr daran erinnern.

Ich blättere in dem Büchlein herum und komme mir vor, als würde ich mir selbst nachspionieren. Auf jeder Seite stehen Termine: *Mittagessen 12:30, Drinks mit P., Treffen Gill – Entwürfe.* Aber alle Eintragungen bestehen nur aus Initialen und Abkürzungen. Dem kann ich nicht viel entnehmen. Ich blättere weiter bis zum Ende, und ein ganzer Schwung Visitenkarten fällt aus dem Buch. Ich hebe eine auf, lese den Namen und … erstarre.

Es ist eine Karte der Firma, für die ich arbeite – Deller Carpets, allerdings mit einem trendigen, neuen Logo. Und der Name ist klar und deutlich in Anthrazit gedruckt:

Lexi Smart
Abteilungsleitung Bodenbeläge

Mir ist, als würde mir der Erdboden unter den Füßen weggerissen.

»Lexi?« Nicole beobachtet mich besorgt. »Sie sind ganz blass geworden.«

»Sehen Sie sich das an.« Ich halte ihr die Karte hin und versuche, mich zusammenzureißen. »Hier steht ›Abteilungsleitung‹ auf meiner Visitenkarte. Das ist so was wie Chef der *ganzen* Abteilung. Wie um alles in der Welt bin ich Chefin geworden?« Meine Stimme wird schriller als beabsichtigt. »Ich bin erst seit einem Jahr in der Firma. Ich habe ja nicht mal eine Prämie bekommen!«

Mit zitternden Händen schiebe ich die Karte wieder zwischen die Seiten des Kalenders und greife noch mal in die Handtasche. Ich muss mein Handy finden. Ich muss meine Freunde, meine Familie anrufen, *irgendjemanden,* der weiß, was los ist …

Da!

Es ist ein elegantes, neues Modell, das ich nicht kenne, aber dennoch leicht zu bedienen. Ich habe keine Nachrichten auf der Mailbox, aber eine neue, noch ungelesene SMS. Ich rufe sie auf und starre den kleinen Bildschirm an.

es wird spät, ich ruf an, wenn ich kann.

E.

Wer ist »E«? Ich zermartere mir das Hirn, aber mir fällt kein einziger Mensch ein, dessen Name mit E anfängt. Jemand Neues bei der Arbeit? Ich gehe zu den eingegangenen Nachrichten, und gleich die erste ist auch von »E«: »*Das glaube ich nicht. E.*«

Ist E. meine neue, beste Freundin, oder was?

Ich werde mir meine Nachrichten später ansehen. Im Moment muss ich mit jemandem sprechen, der mich kennt, der mir genau sagen kann, was in meinem Leben in den letzten drei Jahren passiert ist ... Ich drücke die Kurzwahl für Fionas Nummer, trommle mit den Fingernägeln und warte darauf, dass sie rangeht.

»Hi, hier spricht Fiona Roper, bitte hinterlassen Sie eine Nachricht ...«

»Hey, Fi«, sage ich, sobald der Piepton ertönt. »Ich bin's, Lexi! Hör zu, ich weiß, es klingt komisch, aber ich hatte einen Unfall. Ich liege im Krankenhaus, und wollte nur ... Ich muss mit dir reden. Es ist ziemlich wichtig. Kannst du mich anrufen? Bye.« Als ich das Handy zuklappe, legt Nicole tadelnd ihre Hand darauf.

»Das dürfen Sie hier drinnen nicht benutzen«, sagt sie. »Aber Sie können übers Festnetz telefonieren. Ich besorge Ihnen einen Apparat.«

»Okay.« Ich nicke. »Danke.« Gerade will ich meine alten SMS durchforsten, als es an der Tür klopft und eine andere Schwester mit ein paar Tüten hereinkommt.

»Hier bringe ich Ihre Kleider ...« Sie stellt eine Tüte auf mein Bett. Ich greife hinein, hole eine schwarze Jeans heraus und starre sie an. Was ist das? Der Bund ist zu hoch, und sie ist *viel* zu eng, fast wie Leggins. Wie soll man darunter Stiefel tragen?

»*Seven For All Mankind*«, sagt Nicole mit hochgezogenen Augenbrauen. »Sehr hübsch.«

Was für Seven?

»So eine hätte ich auch gern.« Bewundernd streicht sie über ein Hosenbein. »Schlappe Zweihundert das Stück, oder?«

Zweihundert Pfund? Für *Jeans*?

»Und hier ist Ihr Schmuck«, fügt die andere Schwester hinzu und hält mir einen durchsichtigen Plastikbeutel hin. »Den mussten wir Ihnen abnehmen. Für die Untersuchungen.«

Noch immer sprachlos wegen der Jeans, nehme ich den Beutel. Ich war noch nie ein Schmucktyp, es sei denn, man zählt Ohrringe von Topshop und eine Swatch dazu. Ich fühle mich wie ein kleines Mädchen mit einem Weihnachtsstrumpf. Ich greife in die Tasche und hole ein goldenes Knäuel hervor. Es ist ein teuer anmutendes Armband aus gehämmertem Gold und eine dazu passende Kette, außerdem eine Uhr.

»Wow. Das ist hübsch.« Ich streife das Armband vorsichtig über meine Finger, dann greife ich wieder hinein und hole zwei lange Ohrringe heraus. Zwischen all dem verknoteten Gold ist auch ein Ring, und mit etwas Mühe kann ich ihn entwirren.

Dann scheint der ganze Raum tief einzuatmen und die Luft anzuhalten. Jemand flüstert: »Oh, mein Gott!«

Ich halte einen riesigen, glitzernden Brillantring in der Hand. So einen wie im Kino. So einen, wie man ihn auf dunkelblauem Samt im Schaufenster eines Juweliers liegen sieht, ohne Preisschild. Endlich reiße ich mich davon los und merke, dass auch die beiden Krankenschwestern wie gebannt sind.

»Hey!«, ruft Nicole plötzlich. »Da ist noch was! Machen Sie Ihre Hand auf, Lexi …« Sie kippt den Beutel und tippt an die Ecke. Einen Moment rührt sich nichts, dann rollt ein schlichter, goldener Ring auf meine Hand.

Ich habe so ein Rauschen in den Ohren, als ich ihn anstarre.

»Offenbar sind Sie verheiratet!«, sagt Nicole begeistert.

Nein. Niemals. Ich müsste es doch *wissen*, wenn ich verheiratet wäre. Das müsste ich doch tief im Innersten spüren – ob ich nun mein Gedächtnis verloren habe oder nicht. Ich drehe den Ring unbeholfen hin und her, und mir wird heiß und kalt.

»Ist sie.« Die zweite Schwester nickt. »Sind Sie. Erinnern Sie sich?«

Benommen schüttle ich den Kopf.

»Erinnern Sie sich nicht an Ihre Hochzeit?« Nicole steht mit offenem Mund da. »Erinnern Sie sich denn wenigstens ein kleines bisschen an Ihren Mann?«

»Nein.« Entsetzt blicke ich auf. »Ich hab doch wohl nicht Loser Dave geheiratet, oder?«

»Keine Ahnung!« Nicole lacht und hält sich den Mund zu. »Entschuldigung. Sie sahen gerade so entsetzt aus. Wissen Sie, wie er heißt?« Sie sieht die andere Schwester an, doch die schüttelt den Kopf.

»Tut mir leid, ich war auf der anderen Station. Aber ich weiß, dass es da einen Ehemann gibt.«

»Sehen Sie, der Ring hat eine Gravur!«, ruft Nicole und nimmt ihn mir aus der Hand. »A. S. und E. G., 3. Juni 2005. Da steht der zweite Hochzeitstag bald vor der Tür.« Sie gibt ihn mir zurück. »Sind Sie das?«

Ich atme schnell. Es stimmt. Da steht es in Gold graviert.

»A. S. bin ich«, sage ich schließlich. »A für Alexia. Aber ich habe keine Ahnung, wer E. G. ist.«

Plötzlich fällt es mir wie Schuppen von den Augen. Das muss »E« aus meinem Handy sein. Er hat mir gesimst. Mein Mann.

»Ich glaube, ich brauch kaltes Wasser …« Mit leichtem Schwindelgefühl taumle ich ins Bad, spritze mir Wasser ins Gesicht, dann beuge ich mich über das kalte Emaillebecken und starre mein lädiertes, altbekannt-unbekanntes Spiegelbild an. Ich glaube, ich brech gleich zusammen. Spielt mir da jemand einen grausamen Streich? Habe ich Halluzinationen?

Ich bin achtundzwanzig, ich habe makellos weiße Zähne, eine Louis Vuitton-Handtasche, eine Visitenkarte, auf der »Abteilungsleitung« steht, und einen Ehemann.

Wer soll das denn glauben?

VIER

Edward. Ethan. Errol.

Eine Stunde ist inzwischen vergangen, und ich kämpfe noch immer mit dem Schock. Ungläubig starre ich meinen Ehering an, der neben mir auf dem Nachtschränkchen liegt. Ich, Lexi Smart, habe einen Mann. Ich fühle mich nicht alt genug, um einen Ehemann zu haben.

Elliott. Eamonn. Egbert.

Bitte, lieber Gott, nicht Egbert.

Ich habe die Louis Vuitton-Tasche durchstöbert. Ich habe den ganzen Kalender durchforstet. Ich habe mir alle gespeicherten Handynummern angesehen. Aber wofür E steht, habe ich immer noch nicht herausgefunden. Man sollte doch meinen, dass ich mich an den Namen meines Mannes erinnere. Man sollte meinen, dass er in meine Seele eingraviert ist.

Als die Tür aufgeht, erstarre ich, rechne fast damit, dass er gleich vor mir steht. Aber es ist schon wieder Mum, leicht errötet und abgehetzt.

»Diese Politessen haben einfach kein Herz. Ich war nur zwanzig Minuten beim Tierarzt und …«

»Mum, ich habe mein Gedächtnis verloren.« Harsch schneide ich ihr das Wort ab. »Ich leide unter Amnesie. Mir fehlt ein wichtiger Teil meines Lebens. Ich bin echt … kurz vorm Ausflippen.«

»Oh. Ja, das habe ich schon von der Schwester gehört.« Unsere Blicke treffen sich kurz, dann wendet sie sich eilig ab. Mum kann einem nicht gut in die Augen sehen, konnte sie noch nie. Früher hat es mich manchmal endlos frustriert, aber inzwischen nehme ich es einfach hin. So ist sie eben. Sie kann sich auch die Namen von Fernsehserien nie richtig merken, selbst wenn man ihr schon fünfhundertmal gesagt hat, dass es nicht *Die Simpsons Familie* heißt.

Da sitzt sie nun und schält sich aus ihrer Weste. »Ich weiß *genau*, wie du dich fühlst«, sagt sie. »Mein Gedächtnis wird auch jeden Tag schlechter. Erst gestern habe ich …«

»Mum …« Ich hole tief Luft, um die Ruhe zu bewahren. »Du weißt überhaupt nicht, wie ich mich fühle. Es ist doch nicht so, als könnte ich mich nicht mehr erinnern, wo ich irgendwas hingelegt habe. Mir fehlen drei Jahre meines Lebens! Ich habe keine Ahnung, wer ich heute bin. Ich sehe nicht mehr so aus wie früher, meine Sachen sind nicht mehr dieselben, und ich habe diese Ringe gefunden, die anscheinend mir gehören, und ich muss wissen …« Meine Stimme überschlägt sich. »Mum … bin ich wirklich *verheiratet*?«

»Natürlich bist du verheiratet!« Mum ist sichtlich überrascht, dass ich frage. »Eric müsste jeden Moment hier sein. Das habe ich dir doch schon gesagt.«

»Eric ist mein Mann?« Ich starre sie an. »Ich dachte, Eric wäre ein Hund.«

»Ein *Hund*?« Mum zieht ihre Augenbrauen hoch. »Meine Güte, Kindchen! Du hast dir wirklich den Kopf gestoßen!«

Eric. Ich drehe und wende den Namen in Gedanken hin und her. *Eric, mein Mann.*

Sagt mir nichts. Der Name löst in mir rein gar nichts aus.

Ich liebe dich, Eric.

Dein ist mein ganzes Herz, Eric.

Ich erwarte irgendeine körperliche Reaktion. Darauf müsste ich doch reagieren, oder? Da müsste doch eigentlich mein Herz vor Freude hüpfen! Aber ich fühle mich völlig leer und nichtig.

»Er hatte heute Morgen ein wichtiges Meeting. Aber ansonsten war er Tag und Nacht bei dir.«

»Okay.« Das lasse ich erstmal sacken. »Und … und wie ist er so?«

»Er ist ein Prachtkerl«, sagt Mum, als spräche sie doch von einem ihrer Hunde.

»Ist er …« Ich stocke.

Ich kann doch nicht fragen, ob er gut aussieht. Das wäre zu oberflächlich. Und was ist, wenn sie mir ausweicht und von seinem wundervollen Sinn für Humor schwärmt?

Was ist, wenn er schwabbelig ist?

Oh, Gott. Was ist, wenn ich seine wunderbaren, inneren Werte übers Internet lieben gelernt habe, ich damit inzwischen aber gar nichts mehr anfangen kann und so tun muss, als mache es mir nichts aus?

Wir schweigen uns an, und ich ertappe mich dabei, wie ich Mums Laura Ashley-Kleid – Jahrgang '75 – anstarre. Die Rüschenmode kommt und geht, aber das scheint Mum irgendwie nicht aufzufallen. Sie trägt noch immer dieselben Sachen wie damals, als sie meinen Dad kennengelernt hat. Noch immer dasselbe zottelige Haar, dasselbe Lipgloss. Anscheinend hält sie sich noch immer für einen Twen.

Was ich ihr gegenüber allerdings niemals erwähnen würde. Wir hatten noch nie so kuschelige Mutter-Tochter-Gespräche. Nach der Trennung von meiner ersten großen Liebe habe ich einmal versucht, mich ihr anzuvertrauen. Ein Riesenfehler. Sie zeigte weder Mitgefühl, noch hat sie mich in den Arm genommen oder auch nur richtig zugehört. Stattdessen lief sie rot an und wurde bissig, als wollte ich sie verletzen, indem ich mit ihr über Liebesbeziehungen spreche. Ich kam mir vor wie auf einem Minenfeld, als wäre ich in einen mir unbekannten sensiblen Bereich ihres Lebens eingedrungen.

Also habe ich es aufgegeben und stattdessen lieber Fi angerufen.

»Hast du mir eigentlich diese Sofadecken bestellt, Lexi?«, unterbricht Mum meine Gedanken. »Im Internet«, fügt sie angesichts meines leeren Blickes hinzu. »Das wolltest du letzte Woche schon.«

Hat sie eigentlich irgendwas von dem mitbekommen, was ich gesagt habe?

»Mum, das weiß ich nicht«, sage ich langsam und deutlich. »Ich kann mich doch an die letzten drei Jahre nicht erinnern.«

»Entschuldige, Liebes.« Mum schlägt sich an den Kopf. »Wie dumm von mir.«

»Ich weiß nicht, was ich letzte Woche gemacht habe oder letztes Jahr … nicht mal, wer mein Mann ist …« Ich spreize die Finger. »Ehrlich gesagt, ist das alles ziemlich beängstigend.«

»Natürlich. Bestimmt.« Mum nickt geistesabwesend, als müsste sie meine Worte erst auf sich wirken lassen. »Liebchen, es ist nur so, ich kann mich nicht an den Namen der Website erinnern. Falls du dich also *doch* erinnern solltest …«

»Ich lass es dich wissen, okay?« Unwillkürlich fahre ich sie an. »Sollte ich mein Gedächtnis demnächst wiederfinden, werde ich mich gleich als Erstes bei dir wegen der Sofadecken melden. Himmelarsch!«

»Kein Grund, gleich laut zu werden, Lexi!«, sagt sie und sieht mich mit großen Augen an.

Okay. Meine Mum bringt mich also auch 2007 mit jeder Kleinigkeit auf die Palme. Eigentlich sollte ich inzwischen doch wohl erwachsen genug sein und über solchen Dingen stehen, oder? Reflexartig knabbere ich an meinem Daumennagel herum. Dann höre ich auf. Die achtundzwanzigjährige Lexi kaut keine Fingernägel.

»Und was macht er so?« Ich kehre zum Thema »Ehemann« zurück. Ich kann es immer noch nicht fassen.

»Wer, Eric?«

»Ja! Natürlich Eric!«

»Er verkauft Immobilien«, sagt Mum, als müsste ich es wissen. »Und das macht er ganz gut.«

Ich habe einen Makler namens Eric geheiratet.

Wie?

Warum?

»Wohnen wir in meiner Wohnung?«

»Deine Wohnung?« Mum sieht mich ratlos an. »Liebes, du hast deine Wohnung doch schon lange verkauft. Ihr habt doch jetzt ein eigenes Reich!«

»Ich habe sie *verkauft*?« Das versetzt mir einen Stich. »Aber ich habe sie doch gerade erst gekauft!«

Ich liebe meine Wohnung. Sie liegt in Balham und ist winzig, aber gemütlich, mit blauen Fensterrahmen, die ich selbst angemalt habe, und einem wundervollen, weichen Samtsofa und bergeweise bunten Kissen überall und kleinen farbigen Lichtern am Spiegel. Fi und Carolyn haben mir vor zwei Monaten beim Umzug geholfen, und wir haben das Badezimmer mit silberner Farbe angesprüht – und dann auch gleich unsere Jeans versilbert.

Jetzt ist alles weg. Ich wohne im Hafen der Ehe. Mit meinem Ehemann.

Zum hunderttausendsten Mal betrachte ich den Ehering und den Brillanten. Dann werfe ich einen kurzen Blick auf Mums Hand. Sie trägt noch immer Dads Ring, nach allem was er ihr angetan hat …

Dad. Dads Beerdigung.

Der Gedanke schnürt mir fast die Kehle zu.

»Mum«, sage ich vorsichtig. »Es tut mir wirklich leid, dass ich Dads Beerdigung verpasst habe. War es … du weißt schon, war es okay?«

»Du hast sie nicht verpasst, Liebes.« Sie sieht mich an, als wäre ich verrückt. »Du warst doch dabei.«

»Oh.« Im ersten Moment bin ich verdutzt. »Ach, ja. Natürlich. Ich kann mich nur nicht mehr daran erinnern.«

Schwer seufzend lehne ich mich in die Kissen. Ich erinnere

mich nicht an meine eigene Hochzeit, und ich erinnere mich nicht an die Beerdigung meines Vaters. Zwei der wichtigsten Ereignisse in meinem Leben, und es kommt mir vor, als hätte ich sie verpasst. »Und wie war es?«

»Oh, es war so, wie so was eben ist …« Mum wird unruhig, wie immer, wenn es um Dad geht.

»Waren viele Leute da?«

Sie verzieht das Gesicht.

»Lass uns nicht darauf herumreiten, Liebes. Es ist doch schon so lange her.« Sie steht auf, als könnte sie damit meiner Frage entkommen. »Hast du denn schon was zu Mittag gehabt? Ich hatte *überhaupt* keine Zeit, irgendwas zu essen, nur einen Bissen Toast mit Ei. Ich geh und besorg uns was. Pass ja auf, dass du ordentlich isst, Lexi!«, fügt sie hinzu. »Schluss mit diesem Wahn, keine Kohlenhydrate zu essen. Eine kleine Kartoffel wird dich schon nicht umbringen.«

Keine Kohlenhydrate? Deshalb bin ich so in Form? Ich begutachte meine befremdlich wohlgebräunten Beine. Ich muss zugeben, sie sehen aus, als wüssten sie nicht mal, was eine Kartoffel ist.

»Ich habe mich äußerlich ganz schön verändert, was?«, rutscht es mir heraus, etwas zu selbstverliebt. »Meine Haare … meine Zähne …«

»Vermutlich hast du dich wirklich verändert.« Sie mustert mich vage. »Es kam so allmählich, dass es mir gar nicht richtig aufgefallen ist.«

Ist das zu fassen? Wie kann einem nicht auffallen, dass sich die eigene Tochter von einem übergewichtigen Frettchen in eine gertenschlanke Sonnenanbeterin verwandelt?

»Ich bin gleich wieder da.« Mum schnappt sich ihre bestickte Schultertasche. »Und Amy müsste jeden Moment eintrudeln.«

»Amy ist hier?« Meine Laune hebt sich schlagartig, als ich mir meine kleine Schwester vorstelle, in ihrer pinken Fleece-Halbjacke, den blumenbestickten Jeans und diesen süßen Sneakern, die leuchten, wenn sie tanzt.

»Sie wollte sich unten nur eben noch Schokolade kaufen.« Mum macht die Tür auf. »Sie ist ganz verrückt nach diesem neuen Peppermint-Kitkat.«

Die Tür fällt ins Schloss, und ich starre sie an. Es gibt Kitkat mit Pfefferminzgeschmack?

2007 ist wirklich eine andere Welt.

Amy ist nicht etwa meine Halb- oder Stiefschwester, wie die meisten vermuten. Sondern sie ist voll und ganz zu hundert Prozent meine echte Schwester. Die Leute sind nur verunsichert, weil erstens zwölf Jahre zwischen uns liegen, und zweitens, weil Mum und Dad sich schon vor ihrer Geburt getrennt hatten.

Vielleicht ist »getrennt« auch zu viel gesagt. Ich weiß nicht genau, was damals passiert ist. Ich weiß nur, dass mein Dad kaum da war, als ich aufwuchs. Offiziell hieß es, er habe im Ausland zu tun. Aber in Wirklichkeit war er ein Windhund. Ich war erst acht, als ich hörte, wie eine meiner Tanten ihn an Weihnachten so nannte. Als sie mich bemerkten, wechselten sie sofort das Thema, sodass ich vermutete, »Windhund« müsse wohl ein richtig schlimmes Schimpfwort sein. Das habe ich nie vergessen. *Windhund.*

Als er zum ersten Mal wegging, war ich sieben. Mum sagte, er sei auf Geschäftsreise in Amerika, und als Melanie eines Tages in der Schule erzählte, sie habe ihn bei Co-op im Supermarkt mit einer Frau in roten Jeans gesehen, habe ich ihr ins Gesicht gesagt, sie sei fett und verlogen. Ein paar Wochen später kam er wieder und sah erschöpft aus, vom Jetlag, wie er sagte. Als ich ihn fragte, ob er mir etwas mitgebracht habe, zückte er ein Päckchen Wrigley's. Ich zeigte mein »amerikanisches Kaugummi« überall in der Schule herum – bis Melanie mich auf das Preisschild von Co-op aufmerksam machte. Ich habe Dad nie gesagt, dass ich die

Wahrheit wusste, und Mum auch nicht. Irgendwie hatte ich die ganze Zeit schon geahnt, dass er gar nicht in Amerika war.

Zwei Jahre später verschwand er wieder, diesmal für mehrere Monate. Als Nächstes eröffnete er ein Maklerbüro in Spanien, was aber schiefging. Dann hatte er mit so einem zwielichtigen Pyramidenspiel zu tun und versuchte, alle seine Freunde mit hineinzuziehen. Irgendwann wurde er schließlich zum Alkoholiker ... und lebte eine Weile bei einer Spanierin ... aber Mum hat ihn immer wieder aufgenommen. Dann, vor etwa drei Jahren, zog er endgültig nach Portugal, offenbar um der Steuerfahndung zu entkommen.

Mum hatte im Laufe der Jahre verschiedene »Bekannte«, aber Dad und sie haben sich nie scheiden lassen, haben einander im Grunde nie wirklich losgelassen. Und so wie es aussieht, haben die beiden bei einem seiner feuchtfröhlichen Besuche zu Weihnachten dann wohl ...

Na ja. Ich möchte es mir eigentlich gar nicht näher vorstellen. Neun Monate später kam jedenfalls Amy. Das wollte ich damit sagen. Und sie ist eine wirklich liebenswerte, kleine Tanzmaus, die unablässig auf ihrer Disco Dance Mat herumhüpft und mir ständig kleine Zöpfe flechten möchte.

Still und dämmrig ist es im Zimmer, seit Mum gegangen ist. Ich schenke mir ein Glas Wasser ein und trinke mit winzigen Schlucken. Meine Gedanken sind wie von Rauch umnebelt, wie nach einem Bombenanschlag. Ich komme mir vor wie ein Forensiker, der die Spuren betrachtet und versucht, sich daraus ein Bild zu machen.

Leise klopft es an der Tür, und ich blicke auf. »Hallo? Herein!«

»Hi, Lexi?«

Ein mir unbekanntes, etwa sechzehnjähriges Mädchen schiebt sich herein. Sie ist groß und dünn, in Jeans, die ihr von den Hüften rutschen, mit gepierctem Nabel, blauer Stachelhaarfrisur und mindestens sechs Schichten Wimperntusche. Ich habe keinen Schimmer, wer das ist.

»Oh, mein Gott.« Sie schlägt die Hand vor den Mund, als sie mich sieht. »Du bist ja völlig entstellt. Tut das weh?«

»Eigentlich nicht.« Ich lächle höflich. Das Mädchen kneift die Augen zusammen und mustert mich.

»Lexi ... ich bin's. Du weißt doch, wer ich bin, oder?«

»Klar!« Ich mache ein betretenes Gesicht. »Hör mal, es tut mir wirklich leid, aber ich hatte einen Unfall und kann mich nicht mehr so richtig erinnern. Ich meine, wir sind uns bestimmt schon mal begegnet, aber ...«

»Lexi?« Sie klingt, als könne sie es nicht glauben, beinah gekränkt. »Ich bin's doch! *Amy!*«

Ich bin sprachlos. Ich bin mehr als sprachlos. Das kann doch nicht meine kleine Schwester sein.

Ist es aber. Amy hat sich in einen frechen, schlaksigen Teenager verwandelt. Praktisch erwachsen. Während sie im Zimmer herumläuft, alles in die Hand nimmt und wieder weglegt, betrachte ich fasziniert, wie groß sie geworden ist. Wie *selbstbewusst* sie ist.

»Gibt's hier was zu essen? Ich bin am Verhungern.« Sie hat noch immer dieselbe süße, heisere Stimme wie früher, wenn auch ausdrucksvoller. Lässiger und abgeklärter.

»Mum holt gerade was. Wir können es uns teilen, wenn du magst.«

»Super.« Sie setzt sich auf einen Stuhl und schwingt ihre langen Beine über die Armlehne, als wollte sie mir ihre grauen Wildlederstiefeletten mit Pfennigabsätzen zeigen. »Und du kannst dich an nichts erinnern? Das ist ja so was von cool!«

»Das ist überhaupt nicht cool«, protestiere ich. »Es ist schrecklich. Ich weiß noch alles, bis zu dem Tag vor Dads Beerdigung ... bis dahin, aber weiter nicht. Ich kann mich nicht mal an meine ersten Tage im Krankenhaus erinnern. Als wäre ich gestern Abend zum ersten Mal aufgewacht.«

»Abgefahren.« Sie macht große Augen. »Du weißt also nicht, dass ich dich hier schon mal besucht habe?«

»Nein. Als wir uns das letzte Mal gesehen haben, warst du zwölf. Mit Pferdeschwanz und Zahnspange. Und diesen süßen Haarbändern, die du immer getragen hast.«

»Erinner mich bloß nicht daran!« Amy tut, als müsste sie kotzen. Dann runzelt sie die Stirn. »Also … damit ich dich richtig verstehe: Deine letzten drei Jahre sind völlig weg.«

»Da ist nur ein großes, schwarzes Loch. Und selbst *davor* ist alles irgendwie schwammig. Wie es aussieht, bin ich verheiratet.« Ich lache etwas nervös. »Ich hatte keine Ahnung! Warst du bei der Hochzeit meine Brautjungfer?«

»Ja«, sagt sie gedankenverloren. »War ganz cool. Hey, Lexi, ich möchte eigentlich nur ungern davon anfangen, wo du so krank bist und alles, aber …« Sie zwirbelt eine Strähne und wirkt verlegen.

»Was?« Überrascht sehe ich sie an. »Raus damit!«

»Na ja, es ist nur … du schuldest mir siebzig Pfund.« Sie zuckt bedauernd mit den Schultern. »Du hast sie dir letzte Woche geliehen, als deine Bankkarte nicht funktioniert hat, und du hast gesagt, du gibst sie mir wieder. Das weißt du wahrscheinlich nicht mehr …«

»Oh«, sage ich perplex. »Natürlich. Bedien dich.« Ich deute auf die Louis Vuitton-Tasche. »Ich weiß allerdings nicht, ob ich Bargeld habe.«

»Bestimmt«, sagt Amy und zieht leise lächelnd den Reißverschluss auf. »Danke!« Sie steckt die Scheine ein und schwingt ihre Beine wieder über die Lehne, spielt mit ihren silbernen Armreifen herum. Dann blickt sie auf, plötzlich hellwach. »Warte mal. Weißt du denn von …!« Sie stutzt.

»Was?«

Sie mustert mich ungläubig. »Keiner hat dir was gesagt, oder?«

»Was gesagt?«

»*Du meine Güte*! Wahrscheinlich wollen sie es dir langsam und schonend beibringen, aber ich finde …« Sie schüttelt den Kopf, knabbert an ihren Fingernägeln herum. »Ich persönlich finde, du solltest es lieber früher als später erfahren.«

»Was erfahren?« Ich schalte auf Alarm. »Was, Amy? Sag es mir!«

Einen Moment scheint Amy mit sich zu ringen, dann steht sie auf.

»Bleib, wo du bist.« Sie verschwindet kurz, und als sie zurückkommt, hält sie ein asiatisches Baby auf dem Arm. Es hat eine Latzhose an, hält einen Becher in der Hand und strahlt mich mit sonnigem Lächeln an.

»Das ist Lennon«, sagt sie, und ihre Miene entspannt sich. »Dein Sohn.«

Ich glotze die beiden an, starr vor Entsetzen. Was redet sie da?

»Du kannst dich wohl nicht erinnern, was?« Liebevoll streichelt Amy ihm übers Haar. »Du hast ihn adoptiert, vor einem halben Jahr in Vietnam. War echt 'ne harte Nummer. Du musstest ihn im Rucksack außer Landes schmuggeln. Fast wärst du verhaftet worden!«

Ich habe ein Baby adoptiert?

Mir wird ganz anders. Ich kann doch keine Mutter sein! Ich bin noch nicht so weit. Ich verstehe nichts von Babys.

»Sag deinem Sohn hallo!« Sie trägt ihn zum Bett herüber, klackt mit ihren Absätzen über den Boden. »Übrigens nennt er dich Muh-ma.«

Muh-ma?

»Hi, Lennon«, sage ich schließlich, steif und unsicher. »Ich bin's … deine Muh-ma!« Ich gebe mir Mühe, eine tröstende, mütterliche Stimme anzunehmen. »Komm zu Muh-ma!«

Ich blicke auf und sehe, dass Amys Lippen so seltsam zittern. Plötzlich schnaubt sie vor Lachen und hält sich den Mund zu. »Tut mir leid!«

»Amy, was ist los?« Ich starre sie an, und mir kommt ein Verdacht. »Ist das wirklich mein Kind?«

»Ich habe ihn draußen auf dem Flur gesehen«, prustet sie. »Ich konnte nicht widerstehen. Du hättest dein Gesicht sehen sollen!« Sie bekommt einen Lachkrampf. »*Komm zu Muh-ma!*«

Ich höre gedämpfte Stimmen und Schreie vor der Tür.

»Das müssen seine Eltern sein!«, fauche ich. »Du verdammtes, kleines … Bring ihn sofort zurück!«

Erleichtert lasse ich mich auf meine Kissen fallen. Früher war sie so süß und unschuldig. Immer und immer wieder hat sie sich Barbie als Dornröschen auf DVD angesehen und dabei Daumen gelutscht. Was ist *passiert?*

»Mich hätte fast der Schlag getroffen«, fahre ich sie an, als sie wieder hereinkommt. »Und du wärst schuld gewesen.«

»Vielleicht solltest du mal ein bisschen deinen Grips anstrengen«, erwidert sie ohne jede Reue. »Die Leute könnten dir jeden Quatsch erzählen.«

Sie holt einen Kaugummi hervor und wickelt ihn aus. Dann beugt sie sich vor.

»Hey, Lexi«, sagt sie mit leiser Stimme. »Hast du wirklich dein Gedächtnis verloren, oder denkst du dir das nur aus? Ich sag es auch nicht weiter.«

»*Was?* Warum sollte ich mir so was ausdenken?«

»Ich dachte, vielleicht willst du dich vor irgendwas drücken. Vielleicht vorm Zahnarzt.«

»Nein! Es ist echt!«

»Okay. Auch gut.« Sie zuckt mit den Achseln und bietet mir ein Kaugummi an.

»Nein, danke.« Ich schlinge meine Arme um die Knie, plötzlich entmutigt. Amy hat recht. Die Leute können mich total ausnutzen. Ich muss noch so viel herausfinden und weiß gar nicht, was ich zuerst fragen soll.

Nun, ich könnte mit dem Naheliegendsten anfangen.

»Okay.« Ich versuche, beiläufig zu klingen. »Wie ist mein Mann denn so? Wie … sieht er aus?«

»Wow.« Amys Augen werden groß. »Natürlich! Du hast ja keine Ahnung, wie er ist!«

»Mum sagt, er ist ein Prachtkerl.« Ich versuche, meine Anspannung zu unterdrücken.

»Er ist total liebenswert.« Sie nickt ernst. »Er hat einen tollen Sinn für Humor. Und sein Buckel wird bald wegoperiert.«

»Klar. Netter Versuch, Amy.« Ich verdrehe die Augen.

»Lexi! Er wäre echt verletzt, wenn er dich hören könnte!« Amy sieht aus, als könnte sie es nicht fassen. »Wir haben 2007. Niemand wird heutzutage noch wegen Äußerlichkeiten diskriminiert. Und Eric ist so ein liebevoller Mann. Es ist schließlich nicht seine Schuld, dass sein Rücken verletzt wurde, als er noch ganz klein war. Und er hat so viel erreicht. Er ist echt ein klasse Typ.«

Mir wird ganz heiß vor Scham. Vielleicht hat mein Mann tatsächlich einen Buckel. Ich sollte nicht buckelistisch sein. Egal wie er aussieht – sicher hatte ich gute Gründe, ihn mir auszusuchen.

»Kann er laufen?«, frage ich unruhig.

»Bei eurer Hochzeit ist er zum ersten Mal aufgestanden«, sagt Amy mit abwesendem Blick. »Er kam aus seinem Rollstuhl hoch, um dir das Ja-Wort zu geben. Alle hatten Tränen in den Augen … der Pastor konnte kaum sprechen …« Wieder zuckt ihr Mund.

»Du kleines Biest!«, zische ich. »Er hat überhaupt keinen Buckel, oder?«

»Tut mir leid.« Sie kichert hilflos. »Aber es ist *so* ein tolles Spiel.«

»Das ist kein Spiel!« Ich raufe mir die Haare, habe aber nicht an meine Kopfwunde gedacht und zucke zusammen. »Das ist mein Leben! Ich habe keine Ahnung, mit wem ich verheiratet bin, oder wie ich ihn kennengelernt habe und überhaupt …«

»Okay.« Sie scheint nachzugeben. »Es war folgendermaßen: Du kamst mit diesem fusselbärtigen Penner auf der Straße ins Gespräch. Und er hieß Eric …«

»Halt den Mund! Wenn du es mir nicht erzählst, frag ich Mum!«

»Also gut!« Sie hebt die Hände wie zur Kapitulation. »Willst du es wirklich wissen?«

»Ja!«

»Na, gut. Du hast ihn in einer Fernsehsendung kennengelernt.«

»Nächster Versuch.« Ich blicke zur Decke.

»Es stimmt! Ich erzähl keinen Scheiß! Du warst in dieser Reality-Show *Ambition*. Mit Leuten, die es in ihrer Branche ganz weit bringen wollen. Er war einer der Juroren, und du warst eine Kandidatin. Du bist nicht besonders weit gekommen, aber dafür hast du Eric kennengelernt, und ihr habt euch schwer verliebt.«

Stille. Ich warte darauf, dass sie vor Lachen nicht mehr an sich halten kann und so ihre Pointe setzt, doch sie nimmt nur einen Schluck von ihrer Cola Light.

»Ich war in einer Reality-Show?«, frage ich skeptisch.

»Ja. Das war echt cool. Alle meine Freunde haben es gesehen, und wir haben alle für dich gestimmt. Du hättest gewinnen sollen!«

Ich mustere sie eingehend, aber ihre Miene ist todernst. Sagt sie die Wahrheit? War ich tatsächlich in der *Glotze*?

»Warum um alles in der Welt sollte ich in so eine Sendung gehen?«

»Vielleicht um Chef zu werden?« Amy zuckt mit den Schultern. »Um voranzukommen? Jedenfalls hast du dir die Zähne und die Haare machen lassen, damit du im Fernsehen gut aussiehst.«

»Aber ich bin doch gar nicht ehrgeizig. Ich meine, ich bin nicht *so* ehrgeizig …«

»Soll das ein Witz sein?« Amy macht große Augen. »Du bist bestimmt der ehrgeizigste Mensch auf der Welt! Im selben Moment, als sich dein Chef zur Ruhe gesetzt hat, hast du dich auf seinen Job gestürzt. Die Oberbosse deiner Firma hatten dich in der Sendung gesehen und waren voll beeindruckt. Also haben sie dir den Job gegeben.«

Ich sehe diese Visitenkarten in meinem Kalender vor mir. *Lexi Smart, Abteilungsleitung.*

»Du bist die jüngste Abteilungsleiterin, die sie in der Firma je hatten. Es war so was von cool, als du den Job gekriegt hast«, fügt Amy hinzu. »Wir sind zusammen feiern gegangen, und du hast für alle Champagner bestellt …« Sie nimmt den Kaugummi aus dem Mund und zieht es lang. »Du kannst dich an *nichts* davon erinnern?«

»Nein! Nichts!«

Die Tür geht auf, und Mum trägt ein Tablett herein, mit einem zugedeckten Teller, einer Schale Mousse au Chocolat und einem Glas Wasser.

»Da bin ich wieder …«, sagt sie. »Ich hab dir Lasagne mitgebracht. Und rate mal, wer hier ist? Eric!«

»*Hier?*« Ich werde kreidebleich. »Du meinst … hier im Krankenhaus?«

Mum nickt. »Er kommt gleich! Ich habe ihm gesagt, er soll dir noch einen Moment Zeit lassen, damit du dich darauf einstellen kannst.«

Einen *Moment*? Ich brauche mehr als nur einen Moment. Das geht mir alles viel zu schnell. Ich bin noch nicht mal bereit, achtundzwanzig zu sein. Ganz zu schweigen davon, meinen angeblichen Ehemann kennenzulernen.

»Mum, ich weiß nicht, ob ich das kann«, sage ich entgeistert. »Ich meine … ich bin noch nicht bereit, mich der Situation zu stellen. Vielleicht sollte er lieber erst morgen kommen. Wenn ich mich etwas besser eingefunden habe.«

»Lexi, Liebes!«, protestiert meine Mutter. »Du kannst doch deinen Mann nicht wegschicken. Er kommt extra von der Arbeit, um nach dir zu sehen!«

»Aber ich kenne ihn doch überhaupt nicht! Ich weiß gar nicht, was ich zu ihm sagen soll, wie ich mich verhalten soll …«

»Schätzchen, er ist dein *Mann*.« Beruhigend tätschelt sie meine Hand. »Du musst dir keine Sorgen machen.«

»Vielleicht gibt er deinem Gedächtnis ja einen kleinen Schubs«, stimmt Amy mit ein, die sich den Becher Mousse au Chocolat geschnappt hat und gerade dabei ist, den Deckel abzureißen. »Vielleicht siehst du ihn und sagst: ›Eric! Geliebter! Jetzt fällt mir alles wieder ein!‹«

»Halt die Klappe!«, schnauze ich sie an. »Und das ist *meine* Mousse au Chocolat!«

»Du isst keine Kohlenhydrate«, erwidert sie. »Hast du das auch vergessen?« Verführerisch schwenkt sie den Löffel vor meinem Gesicht.

»Gib's auf, Amy«, sage ich und rolle mit den Augen. »Nie im Leben würde ich auf Schokolade verzichten.«

»Echt jetzt! Du isst keine Schokolade mehr! Oder, Mum? Du hast nicht mal deine Hochzeitstorte probiert – wegen der Kalorien!«

Die will mich doch durch den Kakao ziehen. Niemals nie nicht würde ich Schokolade verschmähen! Gerade will ich ihr sagen, sie kann mich mal gernhaben und soll sofort die Mousse rüberrücken, als es an der Tür klopft und eine dumpfe, männliche Stimme ruft: »Hallo?«

»Oh, mein Gott.« Wild blicke ich von einem zum anderen. »Oh, mein Gott! Ist er das? Jetzt schon?«

»Sekunde, Eric!«, ruft Mum durch die Tür, dann flüstert sie mir zu: »Mach dich ein bisschen frisch, Spätzchen! Du siehst aus, als hätte man dich durch eine Hecke gezerrt.«

»Sie kann nichts dafür, Mum«, sagt Amy. »Wenn man aus einem Wrack gezerrt wird, sieht man eben so aus.«

»Ich kämm dir nur schnell die Haare …« Mum kommt mit einem Taschenkamm auf mich zu und reißt an meinem Kopf herum.

»Autsch!«, protestiere ich. »Davon wird mein Gedächtnis bestimmt nicht besser!«

»So …!« Sie rupft ein letztes Mal an meinen Haaren, dann wischt sie mit einem Taschentuchzipfel in meinem Gesicht herum. »Bist du bereit?«

»Soll ich die Tür aufmachen?«, fragt Amy.

»Nein! Warte … eine Sekunde.«

Vor Angst kriege ich Magenkrämpfe. Ich kann doch keinem Fremden in die Augen sehen und so tun, als wäre ich mit ihm verheiratet. Das ist einfach zu … skurril.

»Mum. Bitte.« Ich flehe sie an. »Das geht mir zu schnell. Sag ihm, er soll später noch mal wiederkommen. Morgen. Oder in ein paar Wochen.«

»Sei nicht albern, Liebes!«, lacht Mum. Wie kann sie *lachen*? »Eric ist dein Mann. Du hast gerade einen Autounfall gehabt. Er macht sich schreckliche Sorgen um dich, und wir haben ihn lange genug warten lassen, den armen Kerl!«

Als Mum zur Tür geht, kralle ich mich fest in meine Decke.

»Was ist, wenn ich ihn nicht leiden kann? Was ist, wenn die Chemie zwischen uns nicht stimmt?« Nacktes Entsetzen packt mich. »Erwartet er, dass ich mit ihm *zusammenlebe*?«

»Lass es einfach auf dich zukommen«, sagt Mum. »Wirklich, Lexi, du musst dir keine Sorgen machen. Er ist *sehr* nett.«

»Solange du nicht sein Toupet erwähnst«, wirft Amy ein. »Oder seine Nazi-Vergangenheit.«

»Amy!« Mum schnalzt tadelnd mit der Zunge und öffnet die Tür ein Stück weit. »Eric! Entschuldige, dass du warten musstest. Komm rein!«

Es folgt eine unerträglich lange Pause – dann schwingt die Tür ganz auf. Und vor mir steht – mit einem gigantischen Blumenstrauß im Arm – der absolut atemberaubendste Mann, den ich je gesehen habe.

FÜNF

Ich kriege kein Wort raus. Ich kann ihn nur anstarren. Dieser Mann sieht wirklich unfassbar gut aus. Göttlich, wie ein Armani-Model. Er hat kurze, braune Locken. Blaue Augen, breite Schultern, und er trägt einen teuren Anzug. Er hat ein ausgeprägtes Kinn, frisch rasiert.

Wie habe ich mir bloß diesen Mann geangelt? Wie? Wie? *Wie?*

»Hi«, sagt er, und seine Stimme klingt tief und weich wie von einem Schauspieler.

»Hi!«, hauche ich atemlos.

Sieh dir seinen Oberkörper an! Der trainiert bestimmt jeden Tag. Und dann die polierten Schuhe und die Designer-Uhr ...

Mein Blick fällt auf sein Haar. Wer hätte gedacht, dass ich jemanden mit Locken heiraten würde? Komisch eigentlich. Nicht, dass ich was gegen Locken hätte. Ich meine, *ihm* stehen sie ausgezeichnet.

»Meine Liebste!« Er tritt ans Bett, raschelt mit den teuren Blumen. »Du siehst schon so viel besser aus als gestern.«

»Es geht mir gut. Ähm ... vielen Dank.« Ich nehme ihm die Blumen ab. Es ist das abgedrehteste, designermäßigste Gebinde, das ich je gesehen habe, alles in Weiß und Maulwurfsgrau. Woher um alles in der Welt kriegt man *maulwurfsgraue* Rosen?

»Du bist also ... Eric?«, füge ich hinzu, nur um hundertprozentig sicherzugehen.

Ich sehe ihm die Enttäuschung an, doch er bringt ein Lächeln zustande. »Ja. Richtig. Ich bin Eric. Erkennst du mich immer noch nicht?«

»Nicht wirklich. Eigentlich … überhaupt nicht.«

»Wie ich dir gesagt habe«, wirft Mum ein. »Es tut mir so leid, Eric! Aber wenn sie sich nur ordentlich Mühe gibt, wird sie sich bestimmt auch bald an dich erinnern.«

»Was soll das denn heißen?« Ich werfe ihr einen bösen Blick zu.

»Nun, Liebes …«, sagt Mum. »Ich habe gelesen, dass es nur eine Frage des Willens ist. Der Wille kann Berge versetzen.«

»Ich gebe mir sehr wohl Mühe, mich zu erinnern, okay?«, sage ich empört. »Glaubst du etwa, ich *möchte* so sein?«

»Wir werden es langsam angehen«, sagt Eric und ignoriert meine Mutter. Er setzt sich auf die Bettkante. »Mal sehen, ob wir irgendwelche Erinnerungen wachrufen können. Darf ich?« Mit einem Nicken deutet er auf meine Hand.

»Äh … ja. Okay.« Ich nicke, und er nimmt sie. Er hat schöne Hände, warm und fest. Aber es sind die Hände eines Fremden.

»Ich bin's doch, Lexi«, sagt er mit eindringlicher Stimme. »Eric. Dein Mann. Wir sind seit fast zwei Jahren verheiratet.«

Ich bin zu fasziniert, als dass ich antworten könnte. Aus der Nähe sieht er noch viel besser aus. Seine Haut ist ganz weich und leicht gebräunt, und seine Zähne sind strahlend weiß …

Oh, mein Gott, ich hatte Sex mit diesem Mann, schießt es mir durch den Kopf.

Er hat mich nackt gesehen. Er hat mir den Slip heruntergerissen. Wir haben Gott weiß was miteinander getrieben, und ich *kenne* ihn nicht mal. Zumindest … gehe ich davon aus, dass er mir den Slip heruntergerissen hat und wir Gott weiß was miteinander getrieben haben. Ich kann ihn ja nicht ernstlich fragen, solange Mum dabei ist.

Wie er wohl im Bett ist? Verstohlen sehe ich ihn mir genauer an. Nun, immerhin habe ich ihn geheiratet. Dann muss er wohl gut sein …

»Geht dir etwas Bestimmtes durch den Kopf?« Eric hat meinen forschenden Blick gesehen. »Liebling, wenn du eine Frage hast, frag einfach …«

»Nichts!« Ich laufe rot an. »Nichts! Entschuldige. Red bitte weiter!«

»Vor zweieinhalb Jahren haben wir uns kennengelernt«, sagt Eric. »Bei einem Empfang von Pyramid TV. Das ist die Produktionsfirma von *Ambition*, dieser Reality-Show, mit der wir beide zu tun hatten. Wir waren sofort voneinander fasziniert. Im Juni haben wir dann geheiratet und unsere Flitterwochen in Paris verbracht. Wir hatten eine Suite im *Hôtel George V.* Es war traumhaft. Wir waren auf dem Montmartre, wir haben den Louvre besucht, jeden Morgen Café au Lait getrunken …« Er stockt. »Kannst du dich an irgendwas davon erinnern?«

»Nicht so richtig«, sage ich und habe dabei ein schlechtes Gewissen. »Tut mir leid.«

Vielleicht hat Mum recht. Ich sollte mir mehr Mühe geben. Mach schon! Paris. Mona Lisa. Männer in gestreiften Hemden. *Denk nach!* Ich schicke meinen Verstand auf die Reise, versuche verzweifelt, Erics Gesicht mit Bildern von Paris zusammenzubringen, um eine Erinnerung hervorzukitzeln …

»Waren wir auf dem Eiffelturm?«, sage ich schließlich.

»Ja!« Seine Miene hellt sich auf. »Du erinnerst dich? Wir standen im Wind und haben uns gegenseitig fotografiert …«

»Nein.« Ich schneide ihm das Wort ab. »Das habe ich nur geraten. Du weißt schon: Paris … Eiffelturm … Es lag nahe.«

»Oh.« Enttäuscht nickt er, und wir schweigen. Zu meiner Erleichterung klopft es an der Tür, und ich rufe: »Herein!«

Nicole tritt ein, mit einem Klemmbrett in der Hand. »Müsste nur mal kurz den Blutdruck messen …« Da sieht sie, dass Eric meine Hand hält. »Oh, Verzeihung! Ich wollte nicht stören.«

»Keine Sorge«, sage ich. »Das ist Schwester Nicole, die sich rührend um mich kümmert.« Ich deute in die Runde. »Das ist meine Mum, meine Schwester … und das ist mein Mann. Er heißt …«, ich werfe ihr einen vielsagenden Blick zu, »… Eric.«

»*Eric!*« Nicoles Augen leuchten. »Wie schön, Sie kennenzulernen, Eric!«

»Es ist mir ein Vergnügen.« Eric nickt ihr zu. »Ich bin Ihnen unendlich dankbar, dass Sie sich um meine Frau kümmern.«

Meine Frau. Bei dem Gedanken will sich mir der Magen umdrehen. Ich bin seine Frau. Das klingt alles so erwachsen. Ich wette, wir haben auch eine Hypothek. Und eine Alarmanlage.

»Das Vergnügen ist ganz meinerseits.« Nicole schenkt ihm ein höfliches Lächeln. »Lexi ist eine vorbildliche Patientin.« Sie wickelt die Manschette um meinen Arm und wendet sich mir zu. »Ich will nur kurz das Ding hier aufpumpen … *Er ist fantastisch!*«, raunt sie mir zu und hebt heimlich den Daumen. Unwillkürlich strahle ich sie an.

Es stimmt. Er ist wirklich fantastisch. Mit Männern aus seiner Liga bin ich früher nicht mal ausgegangen. Geschweige denn, dass ich sie geheiratet hätte. Geschweige denn, dass ich mit ihnen im *Hôtel George V.* Croissants gegessen hätte.

»Ich würde dem Krankenhaus gern eine Spende zukommen lassen«, sagt Eric zu Nicole, und seine tiefe Schauspielerstimme erfüllt den ganzen Raum. »Falls es da gerade einen Spendenaufruf oder so etwas gibt …«

»Das wäre ja wundervoll!«, ruft Nicole aus. »Momentan wird für einen neuen Computertomograph gesammelt.«

»Vielleicht könnte ich den Marathon dafür mitlaufen?«, schlägt er vor. »Ich laufe jedes Jahr für einen anderen wohltätigen Zweck.«

Ich platze fast vor Stolz. Keiner meiner Freunde ist je bei einem Marathon mitgelaufen. Loser Dave schaffte es ja kaum vom Sofa bis zum Fernseher.

»Nun, denn!«, sagt Nicole, als sie der Manschette an meinem Arm die Luft rauslässt. »Es war mir ein Vergnügen, Sie kennenzulernen, Eric. Lexi, mit Ihrem Blutdruck ist alles in Ordnung …« Nicole schreibt etwas in meine Krankenakte. »Ist das etwa Ihr Mittagessen?«, fügt sie hinzu, als sie das unangetastete Tablett bemerkt.

»Ach, ja! Das habe ich ganz vergessen.«

»Sie müssen was essen. Und die anderen muss ich bitten, nicht mehr allzu lange zu bleiben.« Sie wendet sich Mum und Amy zu. »Ich weiß, Sie möchten Lexi gern Gesellschaft leisten, aber sie ist noch nicht wieder ganz auf dem Damm. Sie darf sich nicht überanstrengen.«

»Ich will alles tun, was nötig ist.« Eric drückt meine Hand. »Ich möchte nur, dass meine Frau wieder gesund wird.«

Mum und Amy fangen an, ihre Sachen einzusammeln, aber er rührt sich nicht von der Stelle.

»Ich würde gern noch einen Moment bei dir bleiben, nur wir zwei«, sagt er. »Wenn es für dich okay ist, Lexi …«

»Oh …«, sage ich mit leiser Sorge. »Okay.«

Mum und Amy kommen zu mir, um mich zum Abschied zu umarmen, und Mum unternimmt noch einen letzten Versuch, meine Haare zu bändigen. Dann fällt die Tür hinter ihnen ins Schloss, und ich bin mit Eric allein.

Stille.

»Also …«, sagt Eric schließlich.

»Also … komische Situation.« Ich versuche mich an einem kleinen Lachen. Eric sieht mich an, legt seine Stirn in Falten.

»Haben die Ärzte gesagt, ob du dein Erinnerungsvermögen jemals wiedererlangst?«

»Davon gehen sie aus. Aber sie wissen nicht, wann.«

Eric steht auf und tritt ans Fenster, nachdenklich. »Also können wir nur warten«, sagt er schließlich. »Kann ich irgendetwas tun, um den Vorgang zu beschleunigen?«

»Ich weiß nicht«, sage ich hilflos. »Vielleicht könntest du mir mehr über uns und unser Verhältnis zueinander erzählen?«

»Natürlich! Gute Idee.« Er dreht sich um, eine Silhouette vor dem Fenster. »Was möchtest du wissen? Du kannst mich alles fragen.«

»Na ja … wo wohnen wir?«

»Wir wohnen in Kensington, in einem Loft-Style-Apartment.« Er sagt es wie mit Großbuchstaben. »Damit verdiene ich mein Geld. Loft-Style Living.« Während er »Loft-Style Living« sagt, macht er eine Geste mit beiden Händen, als würde er einen Backstein neben den anderen setzen.

Wow! Wir wohnen in Kensington! Ich überlege, was ich noch fragen könnte, aber meine Fragen kommen mir so kindisch vor, als wollte ich nur Zeit schinden.

»Was machen wir denn so zusammen?«, frage ich schließlich.

»Wir essen gut, gehen ins Kino … letzte Woche waren wir im Ballett. Hinterher haben wir im Ivy gegessen.«

»Im *Ivy*?« Ich schnappe nach Luft. Ich war zum Essen im Ivy?

Wieso kann ich mich an nichts erinnern? Ich kneife die Augen zusammen und versuche meinem Hirn in den Hintern zu treten. Aber … nichts.

Schließlich schlage ich die Augen auf, fühle mich etwas benebelt und sehe, dass Eric die Ringe auf dem Nachtschränkchen betrachtet. »Das ist doch dein Ehering, oder?« Verstört sieht er mich an. »Warum liegt er da?«

»Sie haben ihn mir für das Röntgen abgenommen«, erkläre ich.

»Darf ich?« Er nimmt den Ring und hält meine linke Hand. Plötzlich steigt Panik in mir auf.

»Ich … äh … nein …« Bevor ich es verhindern kann, reiße ich meine Hand an mich, und Eric schreckt zurück. »Es tut mir leid«, sage ich nach einer betretenen Pause. »Es tut mir wirklich leid. Es ist nur … du bist mir fremd.«

»Natürlich.« Eric hat sich abgewendet, hält den Ring noch in der Hand. »Natürlich. Dumm von mir.«

Oh, mein Gott. Das hat ihn verletzt. Ich hätte nicht »fremd« sagen sollen. Ich hätte sagen sollen »wie ein Freund, den ich noch nicht kenne«.

»Es tut mir wahnsinnig leid, Eric.« Ich beiße mir auf die Lippe. »Ich möchte dich wirklich gern kennenlernen … und lieben lernen auch. Du bist bestimmt ein wunderbarer Mensch, sonst hätte ich dich sicher nicht geheiratet. Und du siehst richtig toll aus«, füge ich ermutigend hinzu. »Ich hatte nicht erwartet, dass du so unglaublich gut aussehen würdest. Ich meine, mein letzter Freund war *nichts* gegen dich.«

Eric starrt mich an.

»Es ist schon sehr befremdlich«, sagt er schließlich. »Du bist nicht mehr du selbst. Die Ärzte haben mich zwar gewarnt, aber mir war nicht klar, dass es so … so extrem sein würde.« Einen Moment sieht er aus, als würde er gleich zusammenbrechen, dann richtet er sich auf. »Egal. Wir kriegen dich schon wieder hin. Das weiß ich genau.« Behutsam legt er den Ring auf den Nachtschrank, setzt sich auf das Bett und nimmt meine Hand. »Und nur damit du es weißt, Lexi … ich liebe dich.«

»*Wirklich?*« Ich strahle ihn an, bevor ich es verhindern kann. »Ich meine … super. Vielen Dank!«

Keiner meiner Freunde hat je »Ich liebe dich« gesagt, zumindest nicht so richtig, mitten am Tag, wie ein Erwachsener, nicht besoffen oder beim Sex. Ich muss mich revanchieren. Was soll ich sagen?

Ich liebe dich auch?

Nein.

Wahrscheinlich liebe ich dich auch.

Nein.

»Eric, ich bin mir sicher, dass ich dich tief in meinem Inneren auch liebe«, sage ich schließlich und drücke seine Hand. »Und ich werde mich daran erinnern. Vielleicht nicht heute. Und vielleicht nicht morgen. Aber Paris bleibt unvergesslich.« Ich stutze, überlege noch mal. »Na ja, für dich zumindest. Und mir kannst du ja davon erzählen.«

Eric macht einen etwas verwirrten Eindruck.

»Iss erst mal was und ruh dich aus.« Er klopft mir auf die Schulter. »Ich lass dich in Ruhe.«

»Vielleicht wache ich morgen auf, und alles ist wieder da«, sage ich zuversichtlich, als er aufsteht.

»Hoffen wir das Beste.« Einen Moment blickt er mir tief in die Augen. »Aber selbst wenn nicht, Liebling … wir kriegen das hin. Abgemacht?«

»Abgemacht.« Ich nicke.

»Bis bald.«

Leise geht er hinaus. Einen Augenblick sitze ich nur da. Dann fängt es in meinem Kopf wieder an zu wummern. Das ist mir alles zu viel. Amy hat blaue Haare, Brad Pitt hat ein Wunschkind mit Angelina Jolie, und ich habe einen bezaubernden Ehemann, der eben gesagt hat, dass er mich liebt. Wenn ich jetzt gleich einschlafe, wache ich wahrscheinlich im Jahr 2004 wieder auf, verkatert, bei Carolyn auf dem Fußboden, und alles war nur ein Traum. Wundern würde mich das jedenfalls nicht!

SECHS

Aber es war kein Traum. Als ich am nächsten Morgen aufwache, ist immer noch 2007. Ich habe immer noch makellose Zähne und leuchtendes, kastanienbraunes Haar. Und in meiner Erinnerung klafft nach wie vor ein schwarzes Loch. Gerade bin ich bei meiner dritten Scheibe Toast und nehme einen Schluck Tee, als die Tür aufgeht und Nicole mit einem Rolltisch voller Blumen hereinkommt. Ich starre sie an, bin schwer beeindruckt. Es müssen mindestens zwanzig Sträuße sein. Frische Schnittblumen ... Rosen ... Orchideen ...

»Und ... ist davon auch irgendwas für mich?«, rutscht es mir heraus.

Nicole macht ein überraschtes Gesicht. »Alles!«

»*Alles*?« Ich schnaube in meinen Tee.

»Sie sind sehr beliebt! Uns gehen schon die Vasen aus!« Sie reicht mir einen Stapel kleiner Kärtchen. »Die gehören dazu.«

Ich nehme die erste Karte in die Hand und lese.

Lexi – meine Hübsche. Pass auf Dich auf, werd gesund, wir sehen uns bald – alles Liebe, Rosalie.

Rosalie? Ich kenne keine Rosalie. Verwirrt lege ich die Karte für später beiseite und lese die nächste.

Die besten Wünsche und gute Besserung!
Tim und Suki.

Tim und Suki kenne ich auch nicht.

Lexi, werd schnell wieder gesund! Bestimmt schaffst Du bald wieder Deine dreihundert Reps! Von allen Deinen Freunden im Fitnessstudio.

Dreihundert Wiederholungen? Ich?

Nun, das würde wohl erklären, woher ich so muskulöse Beine habe. Ich greife nach der nächsten Karte – und endlich: Sie ist von Leuten, die ich kenne.

Hoffentlich bist Du bald wieder auf den Beinen, Lexi. Gute Besserung wünschen Dir Fi, Debs, Carolyn und alle in der Abteilung Bodenbeläge.

Als ich die vertrauten Namen lese, wird mir ganz warm ums Herz. Es ist dumm von mir, aber fast dachte ich schon, meine Freundinnen hätten mich vergessen.

»Ihr Mann ist ja der Knaller!« Nicole unterbricht meine Gedanken.

»Finden Sie?« Ich versuche, lässig zu klingen. »Ja, er sieht ganz gut aus …«

»Er ist hinreißend! Gestern kam er sogar auf die Station und hat sich bei allen im Team bedankt. Das tun nicht viele.«

»In meinem ganzen Leben war ich noch nicht mit jemandem wie Eric zusammen!« Ich gebe mir keine Mühe mehr, lässig zu wirken. »Ehrlich gesagt, kann ich immer noch nicht fassen, dass ich mit ihm verheiratet bin. Ich meine: *ich*. Mit *ihm*.«

Es klopft, und Nicole ruft: »Herein!«

Die Tür geht auf, und Mum und Amy treten ein. Sie sind ganz erhitzt und verschwitzt und schleppen sechs volle Tüten mit Fotoalben und Briefumschlägen herein.

»Guten Morgen!« Nicole lächelt, als sie ihnen die Tür aufhält.

»Gute Nachrichten! Lexi geht es heute schon viel besser.«

»Oh, sagen Sie bloß nicht, dass sie sich an alles erinnern kann!« Mum macht ein langes Gesicht. »Wo wir gerade die ganzen Bilder hergeschafft haben. Wissen Sie, wie schwer Fotoalben sein können? Und dann konnten wir keinen Parkplatz finden …«

»Sie leidet nach wie vor unter Gedächtnisverlust«, fällt Nicole ihr ins Wort.

»Na, Gott sei Dank!« Da bemerkt Mum Nicoles Miene. »Ich meine … Lexi, Liebes. Wir haben dir ein paar Fotos mitgebracht. Vielleicht helfen sie deinem Gedächtnis auf die Sprünge.«

Begeistert mustere ich die Taschen mit den Fotos. Diese Bilder werden mir meine Geschichte erzählen. Sie werden mir meine Verwandlung vorführen, vom Frettchen zum … wer ich auch immer sein mag. »Fang an!« Ich lege die Grußkarten beiseite und setze mich auf. »Zeig mir mein Leben!«

Dieser Krankenhausaufenthalt ist für mich wirklich sehr lehrreich. Und wenn ich etwas gelernt habe, dann das: Will man dem Gedächtnis einer unter Amnesie leidenden Anverwandten auf die Sprünge helfen, sollte man ihr irgendein altes Foto *zeigen*, ganz egal welches. Inzwischen sind schon zehn Minuten vergangen, aber ich habe noch immer kein Einziges gesehen, weil Mum und Amy sich nicht einigen können, wo sie anfangen sollen.

»Wir wollen sie doch nicht *überwältigen*«, sagt Mum zum wiederholten Male, während sie die Taschen durchwühlt. »Ah, da haben wir es ja!« Sie hält einen Papprahmen hoch.

»*Niemals!*« Amy reißt es ihr aus der Hand. »Da hab ich einen fetten Pickel am Kinn. Das ist total hässlich!«

»Amy, es ist ein winziger Mitesser. Der ist doch kaum zu sehen!«

»Ist er wohl! Und das hier ist sogar noch hässlicher!« Sie zerreißt die beiden Fotografien in kleine Stücke.

Hier liege ich nun, bereit alles über mein vergessenes Leben zu erfahren, und Amy vernichtet die Beweise?

»Ich guck mir deine Pickel auch bestimmt nicht an«, rufe ich. »Zeigt mir endlich was! Irgendwas!«

»Na gut.« Mum tritt ans Bett, hält ein ungerahmtes Foto in der Hand. »Ich halte es hoch, Lexi. Sieh es dir genau an. Vielleicht passiert was. Fertig?« Mum dreht das Bild um.

Es zeigt einen Hund, der als Weihnachtsmann verkleidet ist.

»Mum …« Ich versuche, meine Enttäuschung zu verbergen. »Warum zeigst du mir einen Hund?«

»Schätzchen, das ist Tosca!« Mum ist gekränkt. »Die hat 2004 bestimmt ganz anders ausgesehen. Und hier ist Raphael mit Amy, letzte Woche. Die beiden sehen so süß aus …«

»Ich seh schrecklich aus!« Amy reißt das Foto an sich und zerfetzt es, bevor ich es überhaupt zu sehen kriege.

»Hör auf, die Bilder zu zerreißen!«, schreie ich fast. »Mum, hast du auch noch andere Fotos dabei? Vielleicht von Menschen?«

»Hey, Lexi, kannst du dich daran noch erinnern?« Amy kommt näher, hält eine auffällige Kette mit einem Jadeanhänger hoch. Ich sehe ihn mir genau an und gebe mir alle Mühe, meinen Hirnwindungen eine Erinnerung abzuluchsen.

»Nein«, sage ich schließlich. »Keinen blassen Schimmer.«

»Cool. Kann ich sie dann haben?«

»Amy!«, sagt Mum. Ungeduldig blättert sie die Bilder in ihrer Hand durch. »Vielleicht sollten wir lieber warten, bis Eric mit der Hochzeits-DVD kommt. Wenn die keine Erinnerungen wachruft, dann weiß ich auch nicht.«

Die Hochzeits-DVD.

Meine Hochzeit.

Jedes Mal, wenn ich daran denke, sticht mich die Vorfreude. Ich habe eine Hochzeits-DVD. Ich hatte eine Hochzeit! Der Gedanke ist mir fremd. Ich als Braut? Schwer vorstellbar. Hatte ich womöglich so ein altbackenes Kleid mit Schleppe und Schleier und so einem gruseligen Blumengebinde auf dem Kopf? Ich frage lieber erst gar nicht.

»Er scheint nett zu sein«, sage ich. »Eric, meine ich. Mein Mann.«

»Er ist super.« Mum nickt gedankenverloren, blättert ihre Hundefotos durch. »Er tut viel für wohltätige Zwecke. Oder besser: die Firma. Aber da die Firma ihm gehört, macht das ja keinen Unterschied.«

»Er hat seine eigene Firma?« Verwundert lege ich die Stirn in Falten. »Ich dachte, er ist Immobilienmakler.«

»Die Firma *verkauft* Immobilien, Liebes. Große Lofts in ganz London. Letztes Jahr hat er einen großen Teil der Firma abgestoßen, aber er hält immer noch die Kapitalmehrheit.«

»Er hat zehn Millionen kassiert«, sagt Amy, die immer noch vor der Tasche mit den Fotos kauert.

»Er hat *was*?« Ich starre sie an.

»Er ist stinkreich.« Sie blickt auf. »Ach, komm. Tu nicht so, als hättest du es nicht schon geahnt.«

»Amy!«, sagt Mum. »Sei nicht so vulgär!«

Ich bin sprachlos. Mir ist sogar ein bisschen schwindlig. Zehn Millionen?

Es klopft an der Tür. »Lexi? Darf ich reinkommen?«

Oh, mein Gott! Er ist es. Hektisch werfe ich einen Blick in den Spiegel und sprühe mich mit dem Parfüm von Chanel ein, das ich in der Louis Vuitton-Tasche gefunden habe.

»Komm rein, Eric!«

Die Tür geht auf … und da steht er, mit zwei Taschen, einem Blumenstrauß und einem riesigen Obstkorb. Er trägt ein gestreiftes Hemd und braune Hosen, einen gelben Kaschmirpullover und Slipper mit Troddeln.

»Hallo, Liebling!« Er stellt das Zeug auf den Boden und kommt ans Bett, küsst mich sanft auf die Wange. »Wie geht es dir?«

»Viel besser, danke.« Lächelnd blicke ich zu ihm auf.

»Aber sie weiß immer noch nicht, wer du bist«, wirft Amy ein. »Du bist nur irgend so ein Typ im gelben Pulli.«

Doch Eric macht absolut keinen entmutigten Eindruck. Vielleicht ist er Amys Dreistigkeit schon gewöhnt.

»Nun, darum werden wir uns heute kümmern.« Energisch hebt er eine Tasche an. »Ich habe Fotos, DVDs und Andenken dabei. Wir werden dir dein Leben vorführen. Barbara, sei doch so nett, und leg schon mal die Hochzeits-DVD ein.« Er reicht meiner Mum eine schimmernde Scheibe. »Und zur Einstimmung, Lexi … unsere Hochzeitsfotos.« Er hievt ein wertvolles Lederalbum aufs Bett, und etwas ungläubig betrachte ich die in Gold geprägten Worte:

ALEXIA UND ERIC
6. JUNI 2006

Als ich das Buch aufschlage, wird mir ganz flau im Magen. Da bin ich, in Schwarzweiß, als Braut. Ich trage ein knallenges, schneeweißes Kleid, mein Haar ist ein strammer Dutt, und ich halte einen minimalistischen Blumenstrauß in der Hand. Weit und breit nichts Gepufftes.

Wortlos blättere ich zur nächsten Seite. Da steht Eric neben mir, im Smoking. Auf der folgenden Seite halten wir Sektgläser in Händen und lächeln einander an. Wir sehen so *glamourös* aus. Wie in einer Illustrierten.

Das ist meine Hochzeit. Meine wirkliche, echte Hochzeit. Sollte ich einen Beweis gebraucht haben … das ist er.

Aus dem Fernseher hört man Stimmen, die lachen und plaudern. Ich blicke auf und komme aus dem Staunen nicht mehr heraus. Dort oben, auf dem Bildschirm, posiere ich mit Eric im Hochzeitsstaat. Wir stehen neben einer hohen, weißen Torte, halten gemeinsam ein Messer und lachen über etwas außerhalb des Bildschirms. Ich bin wie gebannt von mir selbst.

»Wir hatten uns dafür entschieden, die eigentliche Zeremonie nicht zu filmen«, erklärt Eric. »Das ist jetzt die Party danach.«

»Okay.« Meine Stimme ist etwas heiser.

Hochzeiten haben mich eigentlich noch nie zu Tränen gerührt. Aber als ich sehe, wie wir die Torte anschneiden, in die Kameras der Gäste lächeln, für jemanden etwas länger posieren, der die Einstellung verpasst hat … fängt meine Nase doch an zu jucken. Das ist immerhin mein Hochzeitstag, der sogenannte »glücklichste Tag« im Leben, und ich kann mich kein bisschen daran erinnern.

Die Kamera schwenkt herum, fängt die Gesichter von Leuten ein, die ich nicht kenne. Ich entdecke Mum im blauen Kostüm und Amy im dunkelroten Trägerkleid. Wir sind in einem modernen, hallenartigen Raum mit gläsernen Trennwänden, trendigen Stühlen und zahllosen Blumenarrangements. Die Gäste strömen auf eine großzügige Terrasse hinaus, mit Sektgläsern in Händen.

»Wo ist das?«, frage ich.

»Süße …« Eric lacht verstört. »Das ist unser Zuhause.«

»Da *wohnen* wir? Aber es ist riesig! Sieh dir das an!«

»Es ist das Penthouse.« Er nickt. »Es hat eine gute Größe.«

Eine »gute« Größe? Es ist wie ein Fußballfeld. Meine kleine Wohnung in Balham würde wahrscheinlich auf einen dieser Teppiche passen.

»Und wer ist *das*?« Ich deute auf eine hübsche, junge Frau im trägerlosen, babyrosa Kleidchen, die mir gerade etwas ins Ohr flüstert.

»Das ist Rosalie. Deine beste Freundin.«

Mein *beste Freundin*? Ich habe diese Frau noch nie gesehen. Sie ist dürr und braungebrannt, mit riesengroßen, blauen Augen, einem massiven Armreif ums Handgelenk und einer Sonnenbrille, die sie auf ihr goldenes *California Girl*-Haar geschoben hat.

Plötzlich fällt mir ein, dass sie auch Blumen geschickt hat. *Meine Hübsche. Alles Liebe, Rosalie.*

»Arbeitet sie bei Deller Carpets?«

»Nein!« Eric lächelt, als hätte ich einen Witz gemacht. »Jetzt kommt was Lustiges.« Er deutet auf den Bildschirm. Die Kamera folgt uns, als wir auf die Terrasse hinaustreten, und ich höre mich selbst lachen und sagen. »Eric, was hast du vor?« Aus unerfindlichem Grund blicken alle nach oben.

Und dann stellt sich die Kamera scharf, und ich sehe es. Am Himmel steht: *Lexi, ich werde dich immer lieben.* Die Umstehenden seufzen und zeigen hinauf, und ich sehe mich selbst, wie auch ich nach oben zeige, meine Augen vor der grellen Sonne schütze und schließlich Eric küsse.

Mein Mann hat mir an meinem Hochzeitstag etwas an den Himmel schreiben lassen, und ich *weiß nichts mehr davon?* Ich könnte heulen.

»Und das sind wir im Urlaub, letztes Jahr auf Mauritius ...« Eric ist zum nächsten Kapitel auf der DVD gesprungen. Ungläubig starre ich den Bildschirm an. Diese Frau, die da durch den Sand läuft ... bin *ich* das? Meine Haare sind zu Zöpfen geflochten, und ich bin braun und schlank und trage einen roten String-Bikini. Ich sehe aus wie eines dieser Mädchen, denen ich normalerweise neidvoll hinterherblicke.

»Und das sind wir auf einem Wohltätigkeitsball ...« Ich trage ein betörendes blaues Abendkleid und tanze mit Eric in einem pompösen Ballsaal.

»Eric ist ein *sehr* großzügiger Wohltäter«, sagt Mum, aber ich reagiere nicht. Ich bin gefesselt von einem gut aussehenden, dunkelhaarigen Mann, der an der Tanzfläche steht. Moment mal. Kenne ich den nicht von ... irgendwo?

Tu ich. Tu ich. Ich kenne ihn definitiv. Endlich!

»Lexi?« Eric hat meine Miene bemerkt. »Weckt das Erinnerungen?«

»Ja!« Ein freudiges Grinsen macht sich breit. »Ich kann mich an den Mann da links erinnern.« Ich deute auf den Bildschirm. »Ich weiß nicht genau, wer er ist, aber ich *kenne* ihn. Sehr gut sogar! Er ist warmherzig und lustig, und ich glaube, er ist vielleicht Arzt … oder ich habe ihn in einem Casino kennengelernt …«

»Lexi …« Eric unterbricht mich sanft. »Das ist George Clooney, der Schauspieler. Er war auch auf diesem Ball.«

»Oh.« Ernüchtert reibe ich mir die Nase. »Ach, so.«

George Clooney. Natürlich. Ich bin ein Idiot. Mutlos sinke ich in mich zusammen.

Da fallen mir doch gleich alle Peinlichkeiten ein, an die ich mich erinnern *kann*. Wie ich zum Beispiel in der Schule Griesbrei essen musste, als ich sieben war, und mich fast übergeben habe. Wie ich mit fünfzehn einen weißen Badeanzug trug, der total durchsichtig war, als ich aus dem Wasser kam, und alle Jungs gelacht haben. An die Erniedrigung kann ich mich so gut erinnern, als wäre es erst gestern gewesen.

Aber ich kann mich nicht daran erinnern, einen wundervollen Sandstrand auf Mauritius entlanggelaufen zu sein. Ich kann mich nicht erinnern, mit meinem Mann auf einem großen Ball getanzt zu haben. Hallo, Hirn? Setzt du eigentlich *überhaupt* keine Prioritäten?

»Ich hab gestern Abend was über Amnesie gelesen«, sagt Amy, die im Schneidersitz am Boden hockt. »Weißt du, was am besten Erinnerungen auslöst? Gerüche. Vielleicht solltest du mal ein bisschen an Eric *herumschnüffeln*.«

»Das stimmt«, wirft Mum unerwartet ein. »Wie dieser Proust. Einmal am Törtchen geschnuppert, und plötzlich ist ihm alles wieder eingefallen.«

»Mach schon!«, sagt Amy aufmunternd. »Es ist einen Versuch wert, oder?«

Peinlich berührt sehe ich zu Eric hinüber. »Hättest du was dagegen, wenn ich … an dir riechen würde, Eric?«

»Ganz und gar nicht! Den Versuch ist es wert.« Er setzt sich aufs Bett und hält die DVD an. »Soll ich meine Arme hochnehmen oder …?«

»Hm … wahrscheinlich schon …«

Feierlich hebt Eric seine Arme. Vorsichtig beuge ich mich vor und schnüffle an seiner Achsel. Ich rieche Seife und Aftershave und einen milden, männlichen Duft. Aber vor meinem inneren Auge taucht nichts weiter auf.

Nur Bilder von George Clooney in *Ocean's Eleven*.

Die sollte ich lieber für mich behalten.

»Irgendwas?« Eric sitzt starr da, hält die Arme hoch.

»Noch nichts«, sage ich, nachdem ich noch mal geschnüffelt habe. »Ich meine, noch nichts besonders Ausgeprägtes …«

»Du solltest an seiner Hose schnuppern«, sagt Amy.

»*Kindchen!*«, sagt Mum leise.

Unwillkürlich werfe ich einen Blick auf Erics Hose. Die Hose, die ich geheiratet habe. Sie sieht ganz gut bestückt aus, aber das kann man ja nie so sagen. Ich frage mich …

Nein. Das ist jetzt nicht das Thema.

»Ihr zwei solltet es miteinander treiben«, sagt Amy in das verlegene Schweigen hinein und knallt mit ihrem Kaugummi. »Ihr braucht den beißenden Gestank von Körperflüssig…«

»Amy!«, fällt Mum ihr ins Wort! »Jetzt reicht es aber!«

»Ich mein ja nur! Das ist die Kur von Mutter Natur für Amnesie!«

»Tja.« Eric lässt die Arme sinken. »Das war wohl nichts.«

»Nein.«

Vielleicht hat Amy recht. Vielleicht sollten wir tatsächlich miteinander schlafen. Ich werfe Eric einen Blick zu und bin mir sicher, dass er dasselbe denkt.

»Egal. Wir stehen ja noch ganz am Anfang.« Eric lächelt, als er das Hochzeitsalbum zuklappt, aber ich merke, dass auch er enttäuscht ist.

»Was ist, wenn ich mich nie mehr erinnere?« Ich sehe mich um. »Was ist, wenn alle diese Erinnerungen einfach verloren sind und ich sie nie mehr zurückbekomme? *Nie wieder?*«

Als ich die besorgten Mienen um mich herum sehe, fühle ich mich plötzlich ohnmächtig und verletzlich. Wie damals, als mein Computer abgestürzt ist und ich alle meine E-Mails verloren habe, nur tausendmal schlimmer. Der Reparaturmensch hat mir gesagt, ich hätte Sicherungskopien anlegen sollen. Aber wie legt man eine Sicherungskopie des eigenen Gehirns an?

Am Nachmittag gehe ich zu einem Neuropsychologen, einem freundlichen Jeansträger namens Neil. Wir sitzen am Tisch und machen Tests. Und ich muss sagen: Ich halte mich wacker. Ich kann mir fünfzig Worte von einer Liste merken. Ich kann mir eine Kurzgeschichte merken. Ich male ein Bild allein aus dem Gedächtnis.

»Das läuft ausgesprochen gut, Lexi«, sagt Neil, nachdem er das letzte Testfeld ausgefüllt hat. »Ihre motorischen Fähigkeiten sind voll da, Ihr Kurzzeitgedächtnis ist in Ordnung, Sie haben keine größeren kognitiven Probleme ... aber Sie leiden unter einer schweren retrograden Amnesie. So etwas ist sehr selten.«

»Aber *wieso?*«

»Nun, es hängt damit zusammen, wie Sie sich den Kopf gestoßen haben.« Eifrig beugt er sich vor, zeichnet die Umrisse eines Schädels auf ein Blatt Papier und fügt dann ein Gehirn hinzu. »Sie haben etwas, was wir Peitschenschlag-Syndrom nennen. Als Sie gegen die Windschutzscheibe geprallt sind, flog Ihr Gehirn im Schädel herum, und ein kleiner Bereich Ihres Hirns wurde – sagen wir – gequetscht. Es könnte sein, dass Ihr Erinnerungs- speicher Schaden genommen hat ... oder es könnte auch sein, dass eine Nervenbahn beschädigt wurde, Ihr *Zugang* zu den Er- innerungen. Der Speicher ist in Ordnung, wenn Sie so wollen, aber Sie kriegen die Tür nicht auf.«

Seine Augen leuchten, als wäre das alles wunderbar, und ich sollte stolz auf mich sein.

»Können Sie mir keinen Elektroschock verpassen?«, sage ich frustriert. »Oder mir eins über den Schädel ziehen?«

»Leider nicht.« Es scheint ihn zu amüsieren. »Entgegen der landläufigen Meinung kommt die Erinnerung leider nicht zurück, wenn man jemandem, der unter Amnesie leidet, etwas an den Kopf schlägt. Das sollten Sie lieber gar nicht erst versuchen.« Er schiebt seinen Stuhl zurück. »Kommen Sie, ich bringe Sie auf Ihr Zimmer zurück.«

Als wir dort ankommen, sitzen Mum und Amy immer noch da und sehen sich die DVD an, während Eric telefoniert. Sofort beendet er das Gespräch und klappt sein Handy zu. »Wie ist es gelaufen?«

»Woran hast du dich erinnert, Liebes?«, will Mum wissen.

»An nichts.«

»In vertrauter Umgebung kehrt Lexis Erinnerungsvermögen sicher von ganz allein zurück«, sagt Neil beschwichtigend. »Auch wenn es etwas dauern könnte.«

»Okay.« Eric nickt ernst. »Und was jetzt?«

»Nun.« Neil blättert meine Krankenakte durch. »Sie sind körperlich in guter Verfassung, Lexi. Ich würde sagen, Sie können morgen entlassen werden. Ich merke Sie als ambulante Patientin vor. Einen Monat sollten Sie am besten noch zu Hause bleiben.« Er lächelt. »Sicher können Sie es gar nicht erwarten.«

»Ja!«, sage ich nach einer kurzen Pause. »Zuhause. Toll.«

Während ich die Worte sage, merke ich, dass ich nicht weiß, was ich mit »Zuhause« meine. Zuhause war meine Wohnung in Balham. Und die ist weg.

»Wie ist Ihre Adresse?« Er holt einen Kuli hervor. »Für meine Unterlagen.«

»Ich … weiß nicht genau.«

»Ich schreibe es Ihnen auf«, sagt Eric hilfsbereit und nimmt den Stift.

Es ist doch verrückt. Ich weiß nicht mehr, wo ich wohne. Ich bin wie eine verwirrte, alte Dame.

»Nun denn, viel Glück, Lexi.« Neil sieht Eric und Mum an. »Sie können helfen, indem Sie Lexi so viele Informationen wie möglich über ihr Leben geben. Schreiben Sie alles auf. Bringen Sie sie an Orte, die sie kannte. Sollte es Probleme geben, rufen Sie mich an.«

Die Tür fällt hinter Neil ins Schloss, und es herrscht Schweigen, abgesehen vom Geplapper aus dem Fernseher. Mum und Eric tauschen Blicke. Wäre ich Verschwörungstheoretikerin, würde ich sagen, die beiden haben bereits einen Plan ausheckt.

»Was ist denn?«

»Liebling, deine Mutter und ich haben vorhin schon überlegt, wie wir …« Eric zögert. »Deine Entlassung handhaben.«

Meine Entlassung handhaben. Es hört sich an, als wäre ich ein gefährlicher Psychopath, der von einem Gefängnis ins nächste verlegt wird.

»Wir haben hier eine ausgesprochen seltsame Situation«, fährt er fort. »Selbstverständlich freue ich mich, wenn du nach Hause kommst, um dein altes Leben wieder aufzunehmen. Aber ich sehe auch ein, dass du dich vielleicht unwohl fühlen könntest. Schließlich … kennst du mich ja gar nicht.«

»Nein.« Ich kaue auf meiner Lippe herum. »Tu ich nicht.«

»Ich habe Eric gesagt, dass du gern eine Weile bei mir wohnen kannst«, wirft Mum ein. »Natürlich würde es ein bisschen Umstände machen, und du müsstest dir ein Zimmer mit Jake und Florian teilen, aber die beiden sind wirklich brave Hunde …«

»Das Zimmer stinkt«, sagt Amy.

»Es stinkt *nicht*, Amy!« Mum wirkt gekränkt. »Dieser Baummensch hat gesagt, es ist nur so was Ähnliches wie … irgendwas.« Sie macht eine undeutbare Geste.

»Schwamm«, sagt Amy, ohne sich vom Fernseher abzuwenden. »Und es stinkt doch.«

Mum blinzelt ärgerlich. Mittlerweile ist Eric herübergekommen, mit sorgenvoller Miene.

»Lexi, denk bitte nicht, dass es mich verletzen würde. Ich verstehe, wie schwer es für dich sein muss. Verdammt, ich bin für dich ein fremder Mann.« Er breitet die Arme aus. »Warum um alles in der Welt solltest du mit mir nach Hause kommen wollen?«

Ich weiß, dass das mein Stichwort ist … aber plötzlich werde ich vom Bildschirm abgelenkt. Ich sehe Eric und mich auf einem Speedboat. Gott weiß, wo wir da sind, aber die Sonne scheint, und das Meer ist so blau. Wir tragen beide Sonnenbrillen, und Eric lächelt mich an, während er das Boot lenkt, und wir sehen regelrecht filmreif aus, wie in einem James Bond.

Ich kann mich überhaupt nicht davon abwenden, bin völlig fasziniert. *Ich will dieses Leben*, zuckt es durch meinen Kopf. *Es ist meins. Ich habe es mir verdient. Ich werde nicht zulassen, dass es mir entgleitet.*

»Am allerwenigsten möchte ich deiner Genesung im Wege stehen.« Eric redet immer weiter. »Was du auch tust, ich werde es voll und ganz akzeptieren.«

»Gut. Ja.« Ich nehme einen Schluck Wasser, schinde Zeit. »Ich will nur … kurz mal überlegen.«

Okay. Damit meine Optionen hier absolut klar sind:

1. Ein schimmelndes Zimmer in Kent, das ich mit zwei Whippets teilen muss.

2. Ein palastartiges Loft in Kensington bei Eric, meinem attraktiven Ehemann, der Speedboat fahren kann.

»Weißt du was, Eric?«, sage ich vorsichtig, wäge meine Worte genau ab. »Ich glaube, ich sollte mitkommen und in deiner Nähe sein.«

»Ist das dein Ernst?« Seine Miene hellt sich auf, aber ich sehe, dass er es nicht glauben kann.

»Du bist mein Mann«, sage ich. »Ich sollte bei dir sein.«

»Aber du erinnerst dich nicht an mich«, sagt er unsicher. »Du kennst mich nicht.«

»Ich werde dich neu kennenlernen!«, sage ich mit wachsender Begeisterung. »Ich erinnere mich bestimmt am ehesten an mein Leben, wenn ich es lebe. Du kannst mir von dir erzählen und von mir und von unserer Ehe ... ich kann alles wieder neu lernen! Und dieser Arzt hat gesagt, ein familiäres Umfeld würde mir helfen. Dadurch wird mein Rückholsystem – oder wie das heißt – angeregt.«

Ich bin zunehmend überzeugt von dieser Idee. Dann kenne ich eben weder meinen Mann noch mein Leben. Der entscheidende Punkt ist doch: Ich habe einen attraktiven Multimillionär geheiratet, der mich liebt und ein riesiges Penthouse besitzt und mir maulwurfsgraue Rosen schenkt. Ich werde das nicht alles wegwerfen, nur wegen dieser Nebensächlichkeit, dass ich ihn nicht kenne.

Jeder muss auf die eine oder andere Weise an seiner Ehe arbeiten. Und ich muss eben daran arbeiten, mich an ihn zu erinnern.

»Eric, ich möchte wirklich gern mit dir nach Hause kommen«, sage ich so aufrichtig, wie ich nur kann. »Ich bin mir sicher, dass wir eine wunderbare, liebevolle Ehe führen. Wir kriegen das schon hin.«

»Es wäre so schön, wenn wir uns endlich wiederhätten.« Eric guckt immer noch ganz besorgt. »Aber fühl dich bitte nicht verpflichtet ...«

»Ich tue es nicht aus Pflichtgefühl! Ich tue es, weil ... es mir das Richtige zu sein scheint.«

»Nun, ich denke, das ist ein sehr guter Grund«, wirft Mum ein.

»Das wäre also geklärt«, sage ich. »Abgemacht.«

»Vermutlich möchtest du nicht ...« Eric zögert verlegen. »Ich meine ... ich nehme die Gästesuite.«

»Dafür wäre ich dir sehr dankbar«, sage ich und gebe mir Mühe, seinem förmlichen Tonfall zu entsprechen. »Danke, Eric.«

»Also, wenn du dir sicher bist …« Er strahlt über das ganze Gesicht. »Dann lass es uns auch richtig machen, ja?« Er wirft einen fragenden Blick auf meinen Ehering, der noch auf dem Nachtschrank liegt.

»Ja, tun wir das!« Ich nicke und bin plötzlich ganz aufgeregt.

Er nimmt die Ringe, und ich halte ihm etwas unsicher die linke Hand hin. Reglos sehe ich dabei zu, wie er mir die Ringe über den Finger streift. Erst den Ehering, dann den dicken Brillanten. Es ist ganz still im Zimmer, als ich meine beringte Hand betrachte.

Dieser Brillant *ist* aber auch riesig!

»Fühlst du dich wohl, Lexi?«, fragt Eric. »Fühlt es sich richtig an?«

»Es fühlt sich … toll an! Wirklich. Genau richtig.«

Ein gewaltiges Lächeln breitet sich auf meinem Gesicht aus, während ich meine Hand hin und her wende. Mir ist, als sollte jemand Konfetti werfen oder den Hochzeitsmarsch spielen. Vorgestern Abend hat mich Loser Dave noch in einem schmuddeligen Club versetzt. Und jetzt … bin ich verheiratet!

SIEBEN

Das kann nur Karma sein.

Wahrscheinlich war ich in einem früheren Leben unfassbar edel. Ich muss Kinder aus einem brennenden Haus gerettet oder mein Leben der Betreuung Leprakranker gewidmet oder das Rad erfunden haben oder irgendwas in der Art. Nur so kann ich mir erklären, wie ich zu diesem traumhaften Leben gekommen bin.

Hier sitze ich nun neben meinem attraktiven Ehemann, presche an der Themse entlang, *in seinem offenen Mercedes*.

Ich sage *presche*. De facto fahren wir allerdings mehr oder weniger Schrittgeschwindigkeit. Eric ist sehr besorgt und sagt, er könne sich vorstellen, wie schwer es für mich sein muss, wieder in ein Auto zu steigen, und wenn ich mich traumatisiert fühle, soll ich es ihm sofort sagen. Aber ehrlich, mir geht es prima. Ich kann mich an den Unfall ja überhaupt nicht erinnern. Es ist wie eine Geschichte, die jemand anderem passiert ist. Man neigt höflich den Kopf und sagt: »Oh, nein, wie schrecklich«, wenn man sie erzählt bekommt, hört aber eigentlich gar nicht richtig zu.

Ständig blicke ich staunend an mir herab. Ich trage abgeschnittene Jeans, *zwei* Größen kleiner als früher. Und ein Top von Miu Miu, was für mich sonst nur ein Name war, den ich aus Zeitschriften kannte. Eric hat mir eine Tasche mit Kleidern gebracht, eine kleine Auswahl, aber die Sachen waren alle so nobel und exklusiv, dass ich mich nicht getraut habe, sie anzurühren, geschweige denn, sie anzuziehen.

Auf der Rückbank stehen die Blumensträuße und Geschenke

aus dem Krankenhaus, einschließlich eines adretten Präsentkorbs von Deller Carpets. Darin steckte ein Brief von jemandem namens Clare, die schrieb, sie würde mir das Protokoll der letzten Vorstandssitzung schicken, für den Fall, dass ich mal einen Blick darauf werfen wolle, wenn mir danach zumute sei, und sie hoffe, es ginge mir schon besser. Unterschrieben hatte sie mit: »Clare Abrahams, Assistentin von Lexi Smart«.

Assistentin von Lexi Smart. Ich habe meine eigene, persönliche Assistentin. Ich bin im Firmenvorstand. Ich!

Meine Schnittwunden und Prellungen sind schon fast abgeheilt, und die Plastikklammer an meinem Kopf wurde entfernt. Mein Haar ist frisch gewaschen und schimmert, und meine Zähne sind so filmstarmäßig makellos wie eh und je. Ich kann gar nicht aufhören, in jede spiegelnde Oberfläche zu grinsen, an der ich vorüberkomme. Im Grunde kann ich überhaupt nicht aufhören zu grinsen.

Vielleicht war ich in einem früheren Leben Johanna von Orleans und wurde grausam zu Tode gefoltert. Ich war der Knabe aus *Titanic*. Ja. Ich bin im grausamen Eismeer ertrunken und habe Kate Winslet nicht bekommen, und das hier ist jetzt meine Belohnung. Ich meine, man kriegt schließlich nicht einfach ohne Grund ein perfektes Leben geschenkt. So was gibt es nicht.

»Alles in Ordnung, Liebling?« Eric legt kurz seine Hand auf meine. Sein lockiges Haar ist ganz zerzaust vom Wind, und seine teure Sonnenbrille glitzert im Sonnenschein. Er sieht aus wie jemand, den sich die PR-Leute von Mercedes am Steuer eines ihrer Autos wünschen.

»Ja!« Ich strahle ihn an. »Alles wunderbar!«

Ich bin Cinderella. Nein, ich bin *besser* als Cinderella, denn die kriegt nur den Prinzen, oder? Ich bin Cinderella mit tollen Zähnen und einem hammermäßigen Job.

Eric blinkt links. »So, da wären wir …« Er biegt von der Straße ab, durch eine vornehme, von Säulen begrenzte Einfahrt, vorbei an einem Portier in einem Glaskasten, direkt auf einen freien Parkplatz, und stellt den Motor ab. »Komm und sieh dir dein Zuhause an!«

Man kennt das ja, wie mitunter manches, um das ein Riesenrummel veranstaltet wird, einfach nur enttäuschend ist, wenn es dann wirklich passiert. Wenn man zum Beispiel jahrelang darauf spart, in einem teuren Restaurant essen zu gehen, und dann sind die Kellner patzig, der Tisch ist klein, und der Pudding schmeckt nach Mr. Whippy.

Also, mein neues Zuhause ist so ziemlich das komplette Gegenteil davon. Es ist noch viel *besser*, als ich es mir vorgestellt hatte. Ich bin einfach nur sprachlos. Es ist gigantisch. Es ist hell. Es bietet einen Blick über den Fluss. Es gibt ein riesiges, L-förmiges Sofa, cremefarben, und eine äußerst coole Cocktailbar aus schwarzem Granit. Die Dusche ist ein marmorner Raum mit Platz für fünf.

»Kannst du dich an irgendwas erinnern?« Eric beobachtet mich aufmerksam. »Löst es irgendetwas aus?«

»Nein. Aber es ist absolut atemberaubend.«

Bestimmt haben wir hier coole Partys gefeiert. Ich sehe Fi, Carolyn und Debs förmlich vor mir, wie sie an der Cocktailbar hocken und Tequila kippen, während Musik aus den Boxen dröhnt. Ich bleibe am Sofa stehen und fahre mit der Hand über den weichen Stoff. Die Kissen sind so perfekt aufgeschüttelt, dass ich es wahrscheinlich niemals wagen werde, mich daraufzusetzen. Vielleicht muss ich einfach schweben. Meinen Pomuskeln würde das sicher guttun.

»Ein irres Sofa!« Ich blicke zu Eric auf. »Das hat bestimmt ein Heidengeld gekostet.«

»Zehntausend Pfund.« Eric nickt.

Scheiße. Ich ziehe meine Hand weg. Wie kann ein Sofa so viel kosten? Womit ist es gefüttert? Kaviar? Ich weiche zurück.

Gott sei Dank habe ich mich nicht draufgesetzt. Memo an mich selbst: Trink niemals Rotwein auf/iss niemals Pizza auf/halt dich einfach fern von dem eleganten, cremefarbenen Zehntausend-Pfund-Sofa.

»Mir gefällt dieses … äh … Lichtobjekt.« Ich deute auf ein freistehendes, wogendes Metalldings.

»Das ist ein Heizkörper.« Eric lächelt.

»Ach, ja«, sage ich verblüfft. »Ich dachte, *das* da wäre die Heizung.« Ich zeige auf einen altmodischen Heizkörper aus Eisen, der schwarz angemalt ist und auf halber Höhe an der gegenüberliegenden Wand hängt.

»Das wiederum ist Kunst«, korrigiert mich Eric. »Von Hector James-John. *Disintegration Falls.*«

Ich gehe hinüber, neige meinen Kopf und sehe es mir gemeinsam mit Eric genauer an, hoffentlich mit einem Gesichtsausdruck, der mich als intelligente Kunstliebhaberin ausweist.

Disintegration Falls. Schwarzer Heizkörper. Nein, keine Ahnung.

»Es ist so … strukturell«, sage ich vorsichtig nach einer Weile.

»Wir hatten Glück, das Objekt überhaupt zu bekommen«, sagt Eric und nickt zu der Heizung hinauf. »Etwa alle acht Monate investieren wir in ein Stück abstrakte Kunst. Das Loft kann es vertragen. Und schließlich müssen wir unser Geld ja auch investieren.« Er zuckt mit den Schultern, als sei das ja wohl naheliegend.

»Selbstverständlich!« Ich nicke. »Der Wertzuwachs bei moderner Kunst ist ja wohl … absolut …« Ich räuspere mich.

Halt den Mund, Lexi. Du hast keinen blassen Schimmer von moderner Kunst oder was es bedeutet, reich zu sein, und du wirst dich noch verraten.

Ich lasse die Heizkörperkunst hinter mir und wende mich einem gewaltigen Bildschirm zu, der fast die ganze Wand einnimmt. Am anderen Ende des Raumes, drüben beim Esstisch, steht ein zweiter Bildschirm, und im Schlafzimmer war mir auch schon einer aufgefallen. Eric sieht offensichtlich gern fern.

»Woran hättest du Spaß?« Er bemerkt meine Blicke. »Versuch das hier!« Er nimmt eine Fernbedienung und knipst den Bildschirm an. Im nächsten Moment sehe ich ein großes, knisterndes Feuer vor mir.

»Wow!« Ungläubig starre ich es an.

»Oder so.« Das Bild wechselt zu einem knallbunten Tropenfisch, der sich durch Seegras schlängelt. »Das ist der letzte Schrei der Home Screen Technology«, sagt er stolz. »Es ist Kunst, es ist Unterhaltung, es ist Kommunikation. Du kannst mit diesen Geräten E-Mails schreiben, du kannst Musik hören, Bücher lesen … Ich habe tausend literarische Werke in dem System gespeichert. Du kannst sogar ein virtuelles Haustier haben.«

»Ein Haustier?« Noch immer starre ich benommen auf den Bildschirm.

»Wir haben jeder eins.« Eric lächelt. »Das ist meins: Titan.« Er drückt auf seiner Fernbedienung herum, und der Bildschirm zeigt eine riesengroße, gestreifte Spinne, die in einem Glaskäfig herumschleicht.

»Oh, mein *Gott*!« Ich weiche zurück. Mir wird ganz schlecht. Spinnen fand ich noch nie so toll, und die hier ist bestimmt drei Meter hoch. Man kann die Haare an ihren grässlichen Beinen sehen. Man kann sogar ihr *Gesicht* erkennen. »Könntest du das vielleicht … ausmachen?«

»Was ist denn?« Eric macht ein überraschtes Gesicht. »Ich habe dir Titan schon gezeigt, als du zum ersten Mal hier warst. Du hast gesagt, du findest ihn hinreißend.«

Na super. Es war unser erstes Date, und aus Höflichkeit habe ich wahrscheinlich gesagt, dass ich seine Spinne mag … damit muss ich jetzt klarkommen.

»Weißt du was?«, sage ich und versuche, Titan aus meinem

Blickfeld auszublenden. »Vielleicht hat der Unfall eine Spinnenphobie ausgelöst.« Ich versuche, so zu klingen, als hätte ich Ahnung davon, als hätte ich es von einem Arzt oder so.

»Möglich.« Eric runzelt leicht die Stirn, kurz davor meiner Theorie den Todesstoß zu versetzen. Wer will es ihm verdenken?

»Und ich hab auch ein Haustier?«, frage ich eilig, um ihn abzulenken. »Was ist es denn?«

»Hier.« Er zappt weiter. »Das ist Arthur.« Ein flauschiges, weißes Kätzchen erscheint auf dem Bildschirm. Ich quieke vor Freude.

»Ist der *niedlich*!« Ich sehe zu, wie er mit einem Wollknäuel spielt, es anspringt und dabei umkippt. »Wird daraus eines Tages ein erwachsener Kater?«

»Nein.« Eric lächelt. »Er bleibt ewig ein Kätzchen. Dein Leben lang, wenn du willst. Seine Lebenserwartung beträgt hunderttausend Jahre.«

»Aha«, sage ich nach einer Weile. Das ist doch unheimlich. Ein hunderttausend Jahre altes virtuelles Kätzchen.

Erics Handy piept, und er klappt es auf, dann zappt er wieder Richtung Bildschirm und weckt den Fisch. »Liebling, mein Fahrer ist da. Wie gesagt, ich muss kurz rüber ins Büro. Aber Rosalie ist auf dem Weg hierher, um dir Gesellschaft zu leisten. Sollte dich bis dahin irgendetwas stören, ruf mich sofort an, oder schick mir eine E-Mail über das System.« Er reicht mir ein rechteckiges, weißes Ding mit einem kleinen Bildschirm. »Hier ist deine Fernbedienung. Damit steuerst du Heizung, Lüftung, Beleuchtung, Türen, Jalousien … Ein intelligentes Haus eben. Hier läuft alles ferngesteuert. Aber wahrscheinlich brauchst du das gar nicht. Ist alles schon eingestellt.«

»Wir haben ein ferngesteuertes *Haus*?« Mir ist zum Lachen zumute.

»Das gehört alles zum Loft-Style Living!« Wieder macht er

diese Geste mit beiden Händen, ich nicke und versuche, mir nicht anmerken zu lassen, wie überwältigt ich bin.

Ich sehe ihm zu, wie er seine Jacke überzieht. »Und ... was genau verbindet mich mit Rosalie?«

»Sie ist die Frau von meinem Partner Clive. Ihr zwei habt immer viel Spaß.«

»Geht sie mit mir und den anderen Mädels aus dem Büro abends auf die Piste?«, frage ich. »Mit Fi und Carolyn?«

»Mit wem?« Eric sieht mich leeren Blickes an. Vielleicht gehört er zu diesen Männern, die nicht auf dem Laufenden sind, was das gesellschaftliche Leben ihrer Frauen angeht.

»Schon gut«, sage ich. »Ich finde es selbst raus.«

»Gianna ist nachher auch wieder da. Unsere Haushälterin. Wenn es Probleme gibt, hilft sie dir.« Er kommt zu mir, zögert, dann nimmt er meine Hand. Seine Haut ist weich und wirklich makellos, selbst aus der Nähe, und ich wittere ein faszinierendes, sandelholziges After Shave.

»Danke, Eric.« Ich lege meine Hand auf seine und drücke sie. »Ich weiß das wirklich zu schätzen.«

»Willkommen daheim, Liebling«, sagt er etwas eckig. Dann macht er seine Hand los, geht zur Tür, und kurz darauf fällt sie hinter ihm ins Schloss.

Ich bin allein. Allein in meinem ehelichen Heim. Als ich mich in dem riesigen Raum umsehe, den würfelförmigen Kaffeetisch aus Acryl betrachte, die lederne Chaiselongue, die Kunstbücher ... fällt mir auf, dass es kaum etwas gibt, was mit *mir* zu tun hat. Weit und breit gibt es weder bunte Becher noch bunte Lichter und auch keine Bücherstapel.

Egal. Vermutlich wollten Eric und ich gemeinsam neu anfangen und haben alles zusammen ausgesucht. Und vermutlich haben wir Unmengen von atemberaubenden Hochzeitsgeschenken bekommen. Diese blauen Glasvasen auf dem Kaminsims sehen aus, als hätten sie ein Vermögen gekostet.

Ich schlendere zu den großen Fenstern und werfe einen Blick auf die Straße tief unter mir. Man hört nichts, und es zieht auch nicht. Ich sehe einen Mann, der ein Paket zu einem Taxi schleppt, und eine Frau, die mit ihrer Hundeleine ringt. Dann zücke ich mein Handy und schreibe Fi eine SMS. Ich muss unbedingt mit ihr über das alles reden. Ich werde sie bitten, später vorbeizukommen. Wir können es uns auf dem Sofa gemütlich machen, und sie kann mich auf den neuesten Stand bringen – angefangen bei Eric. Während ich die Tasten drücke, muss ich lächeln, so sehr freue ich mich darauf.

Hi! Bin wieder da – ruf mich an! Kann es kaum erwarten, Dich zu sehen!!! Lxxxx

Dieselbe Nachricht schicke ich an Carolyn und Debs. Dann stecke ich das Handy weg und tanze über den glänzenden Holzfußboden. Ich habe mir alle Mühe gegeben, vor Eric die Fassung zu bewahren, doch da ich nun allein bin, bricht das Hochgefühl aus mir hervor. Ich hätte nie geglaubt, dass ich jemals auch nur in der Nähe von so etwas wohnen würde.

Plötzlich fange ich an zu kichern. Ich meine: Das ist doch irre. Ich. In diesem Haus!

Wieder tanze ich über das Parkett, drehe mich mit ausgestreckten Armen herum und lache wie irre. Ich, Lexi Smart, wohne hier in diesem hypermodernen, ferngesteuerten Palast!

Ich meine: Lexi Gardiner.

Dieser Gedanke bringt mich nur noch mehr zum Lachen. Als ich aufgewacht bin, kannte ich ja nicht mal meinen *Namen*. Es hätte auch Pickelpo sein können. Was hätte ich dann gesagt? »Tut mir leid, Eric. Du scheinst ein netter Kerl zu sein, aber ich werde nie und nimmer …«

Schepper. Das Klirren von Glas reißt mich aus meinen Gedanken. Entsetzt höre ich auf, herumzuwirbeln. Irgendwie bin ich versehentlich mit der Hand an einem gläsernen Leoparden hängen geblieben, der auf einem kleinen Regal durch die Luft sprang. Jetzt liegt er zerbrochen am Boden.

Ich habe ein unbezahlbares Kunstwerk ruiniert, und dabei bin ich noch keine drei Minuten hier.

Scheiße.

Zögernd bücke ich mich und betaste vorsichtig das Hinterteil. Es hat eine scharfe Kante, und am Boden liegen ein paar Splitter. Das Ding kann man bestimmt nicht wieder kleben.

Vor Schreck wird mir ganz heiß. Was mach ich denn jetzt? Was ist, wenn es zehntausend Pfund gekostet hat, genau wie das Sofa? Was ist, wenn es ein Familienerbstück von Eric ist? Was habe ich mir nur dabei *gedacht*, so herumzutoben?

Behutsam hebe ich das eine Stück auf, dann das andere. Ich muss nur noch die Splitter zusammenfegen und dann …

Ein elektronisches Piepen ertönt, und mein Kopf zuckt hoch. Der riesige Bildschirm leuchtet plötzlich blau, und darauf steht eine Nachricht, in grünen Buchstaben.

HI LEXI – WIE GEHT'S?

Mist! Er kann mich sehen. Er beobachtet mich. Ich bin hier bei Big Brother!

Entsetzt springe ich auf und schiebe die beiden Leoparden-hälften unter ein Sofakissen.

»Hi«, sage ich zu dem blauen Bildschirm gewandt, mit klopfen-dem Herzen. »Das wollte ich nicht! Es war ein Versehen …«

Stille. Auf dem Bildschirm tut sich nichts. Keine Reaktion.

»Eric?«, versuche ich es noch mal.

Es kommt keine Antwort.

Okay … vielleicht kann er mich doch nicht sehen. Wahrschein-lich hat er das vom Auto aus geschrieben. Bedächtig bewege ich mich auf den Bildschirm zu und finde an der Wand eine Tastatur mit einer winzig kleinen, silbernen Maus an der Seite. Ich klicke auf »Antworten« und tippe langsam: »GUT DANKE!«

Ich könnte es dabei belassen. Ich könnte ja versuchen, den Leoparden zu kleben … oder ihn irgendwie zu ersetzen …

Nein. Blödsinn. Ich kann doch nicht jetzt schon meinem Mann etwas verheimlichen. Am Anfang unserer nagelneuen Ehe! Ich muss tapfer sein und gestehen. »HABE AUS VERSEHEN GLASLEOPARDEN ZERBROCHEN«, tippe ich. »TUT MIR FURCHTBAR LEID. HOFFE, ER IST NICHT UNERSETZLICH.«

Ich drücke »Senden« und laufe hin und her, während ich auf Antwort warte und mir immer wieder sage, dass ich mir keine Sorgen machen muss. Ich meine, schließlich weiß ich ja gar nicht, ob es wirklich ein unbezahlbares Kunstwerk ist, oder? Vielleicht hat er es bei einer Tombola gewonnen. Vielleicht ist es meins, und Eric konnte es sowieso noch nie leiden. Wie soll ich das wissen?

Wie soll ich überhaupt irgendwas wissen?

Ich sinke auf einen Stuhl, schlagartig überwältigt davon, wie wenig ich über mein eigenes Leben weiß. Wenn ich gewusst hätte, dass ich mein Gedächtnis verliere, hätte ich mir wenigstens einen kleinen Brief geschrieben. Mir ein paar Tipps gegeben. *Pass auf den Glasleoparden auf. Der kostet ein Vermögen. PS: Du magst Spinnen.*

Der Bildschirm piept. Ich halte die Luft an und schaue hin. »NATÜRLICH IST ER NICHT UNERSETZLICH! KEINE SORGE.«

Eine gigantische Woge der Erleichterung geht über mich hinweg. Es ist nicht schlimm.

»DANKE!«, tippe ich lächelnd. »ICH MACHE AUCH NICHTS MEHR KAPUTT. VERSPROCHEN!«

Ich kann gar nicht fassen, dass ich derart überreagiert habe. Ich kann nicht fassen, dass ich die Einzelteile unter einem Kissen versteckt habe. Bin ich fünf Jahre alt, oder was? Das hier ist meine Wohnung. Ich bin eine verheiratete Frau. Ich muss endlich anfangen, mich auch dementsprechend zu verhalten. Noch immer lächle ich selig vor mich hin, als ich das Kissen anhebe, um die Bruchstücke hervorzuholen … und erstarre.

Scheiße.

Das verdammte Glas hat das verdammte, cremefarbene Sofa aufgeschlitzt. Vermutlich bin ich hängen geblieben, als ich die Einzelteile daruntergeschoben habe. Der weiche Stoff ist richtig ausgefranst.

Das Zehntausend-Pfund-Sofa.

Unweigerlich blicke ich zum Bildschirm, dann wende ich mich eilig ab, dumpf vor Angst. Ich kann Eric nicht beichten, dass ich auch noch das Sofa ruiniert habe. Das *kann* ich einfach nicht.

Okay. Am besten werde ich … werde ich … es ihm heute noch nicht sagen. Ich warte auf eine günstige Gelegenheit. Nervös arrangiere ich die Kissen so, dass der Riss nicht zu sehen ist. Na also. So gut wie neu. Es wird ja wohl niemand unter den Kissen nachsehen, oder?

Ich schnappe mir die Teile des gläsernen Leoparden und gehe in die Küche, die ganz aus grau lackierten Einbauschränken und einem PVC-Boden besteht. Ich finde eine Rolle Küchenpapier, wickle den Leoparden ein, finde den Mülleimer hinter einem stromlinienförmigen Türelement und werfe die Stücke hinein. Okay. Das war's. Von jetzt an mache ich nichts mehr kaputt.

Ein Summer ertönt, und ich blicke freudig auf. Das muss Rosalie sein, meine neue, beste Freundin. Ich kann es gar nicht erwarten, sie kennenzulernen.

Rosalie entpuppt sich als noch dünner als auf der Hochzeits-DVD. Sie trägt schwarze Capri-Hosen und einen pinkfarbenen Kaschmirpulli mit V-Ausschnitt, eine riesengroße Chanel-Sonnenbrille hält ihre blonden Haare zurück. Als ich die Tür aufmache, kreischt sie kurz auf und lässt ihre Jo Malone-Geschenk-Tüte fallen.

»Oh, *Gott*, Lexi! Sieh dir nur dein Gesicht an!«

»Es geht schon wieder!«, sage ich beruhigend. »Ehrlich, du hättest mich vor sechs Tagen sehen sollen. Ich hatte eine Plastikklammer im Kopf.«

»Du Ärmste. Was für ein *Alp*traum.« Sie hebt ihre Tüte auf und küsst mich auf beide Wangen. »Ich wäre früher vorbeigekommen, aber du *weißt*, wie lange ich auf diesen Termin im Cheriton Spa gewartet habe.«

»Komm rein.« Ich deute auf die Küche. »Möchtest du eine Tasse Kaffee?«

»Herzchen …« Sie sieht verblüfft aus. »Ich trinke keinen Kaffee. Dr. André hat es mir verboten. Das weißt du doch.«

»Ach, ja.« Ich nicke. »Es ist nur so … ich kann mich an nichts mehr erinnern. Ich hab eine Amnesie.«

Rosalie starrt mich an, höflich, aber leer. Weiß sie es nicht? Hat Eric es ihr nicht erzählt?

»Ich weiß rein gar nichts über die letzten drei Jahre«, probiere ich es noch einmal. »Ich habe mir den Kopf angeschlagen, und mein Gedächtnis ist wie leergefegt.«

»Oh, mein *Gott*!« Rosalies Hand zuckt zu ihrem Mund. »Eric hat ständig was von Amnesie gesagt und davon, dass du mich nicht erkennen würdest. Ich dachte, er macht Witze.«

Fast muss ich lachen, als ich ihre entsetzte Miene sehe. »Nein, das war kein Scherz. Du bist für mich … eine Fremde.«

»Ich bin eine Fremde?« Sie klingt verletzt.

»Eric war mir auch fremd«, füge ich eilig hinzu. »Als ich aufwachte, wusste ich nicht, wer er war. Und eigentlich weiß ich es immer noch nicht.«

Es folgt ein kurzes Schweigen, und ich sehe zu, wie Rosalie diese Information verarbeitet. Ihre Augen werden groß, ihre Wangen blähen sich auf, und dann kaut sie auf ihrer Lippe herum.

»Oh, mein *Gott*!«, sagt sie schließlich. »Ein *Alp*traum.«

»Das hier ist für mich alles neu.« Ich breite die Arme aus. »Ich kenne mein eigenes Zuhause nicht. Ich weiß nicht mal, wie mein Leben ist. Wenn du mir vielleicht helfen könntest, und … mir einfach ein paar Sachen erzählst …«

»Unbedingt! Setzen wir uns …« Sie geht voraus in die Küche, stellt die Jo Malone-Tüte auf den Tresen und setzt sich an den trendigen Frühstückstisch aus Edelstahl. Ich tue es ihr nach und frage mich dabei, wer wohl diesen Tisch ausgesucht hat – ich oder Eric oder wir beide zusammen.

Ich blicke auf und merke, dass Rosalie mich anstarrt. Sofort lächelt sie mich an, aber es ist nicht zu übersehen, dass sie gleich ausflippt.

»Ich weiß«, sage ich. »Es ist eine merkwürdige Situation.«

»Und *bleibt* das so?«

»Theoretisch wäre es möglich, dass ich mich irgendwann wieder erinnere, aber das kann keiner mit Gewissheit sagen. Und auch nicht, wann oder ob alles wieder da sein wird.«

»Aber abgesehen davon ist alles okay?«

»Mir geht es gut, nur meine linke Hand ist noch etwas langsam.« Ich hebe sie an und zeige sie ihr. »Ich muss Übungen machen.« Ich balle eine Faust, wie der Physiotherapeut es mir gezeigt hat, und Rosalie beobachtet mich mit fasziniertem Entsetzen.

»Ein *Alp*traum«, haucht sie.

»Aber das eigentliche Problem ist … ich weiß nichts über mein Leben seit 2004. Da ist nur ein großes, schwarzes Loch. Die Ärzte sagen, ich soll versuchen, mit meinen Freunden zu reden und mir ein Bild zu machen. Das könnte vielleicht etwas auslösen.«

»Natürlich.« Rosalie nickt. »Ich helf dir auf die Sprünge. Was willst du wissen?« Erwartungsvoll beugt sie sich vor.

»Also …« Ich überlege einen Moment. »Wie haben wir uns kennengelernt, du und ich?«

»Das war vor ungefähr zweieinhalb Jahren.« Rosalie nickt heftig. »Ich war auf einer Cocktailparty, und Eric sagte: ›Das ist Lexi‹. Und ich sagte: ›Hi!‹ Und so haben wir uns kennengelernt!« Sie strahlt mich an.

»Aha.« Ich zucke mit den Schultern. »Ich kann mich nicht erinnern.«

»Wir waren bei Trudy Swinson. Du weißt schon, sie war Stewardess, und auf einem Flug nach New York hat sie Adrian kennengelernt, und alle sagen, sie hat sich sofort auf ihn gestürzt, als sie seine schwarze Amex gesehen hatte …« Ihre Stimme erstirbt, als würde ihr das ungeheure Ausmaß der Situation zum ersten Mal bewusst. »Du kannst dich an den ganzen Klatsch und Tratsch *kein bisschen* erinnern?«

»Also … nein.«

»Oh, mein *Gott!*« Sie bläst Luft aus. »Da habe ich dir aber einiges zu erzählen! Wo soll ich bloß anfangen? Okay, also … da bin erst mal ich.« Sie holt einen Stift aus ihrer Tasche und fängt an zu schreiben. »Und mein Mann, Clive, und seine böse Ex Davina, die Hexe. *Warte*, bis ich dir von ihr erzähle. Und dann sind da noch Jenna und Petey …«

»Treffen wir uns auch mal mit meinen anderen Freundinnen?«, unterbreche ich sie. »Fi und Carolyn? Oder Debs? Kennst du die?«

»Carolyn. Carolyn.« Rosalie tippt mit dem Stift an ihre Zähne, legt nachdenklich die Stirn in Falten. »Ist das diese süße Französin aus dem Fitnessstudio?«

»Nein, Carolyn, meine Freundin bei der Arbeit. Und Fi. Von denen hab ich doch bestimmt gesprochen. Mit Fi bin ich schon ewig befreundet … wir gehen jeden Freitagabend auf die Piste …«

Rosalie sieht mich nur an.

»Liebes, wenn ich ehrlich sein soll, kann ich mich nicht erinnern, dass du sie je erwähnt hast. Soweit ich weiß, triffst du dich nie mit Arbeitskollegen.«

»Was?« Ich starre sie an. »Aber … das ist doch genau unser Ding! Wir brezeln uns auf, ziehen durch die Clubs und trinken Cocktails …«

Rosalie lacht. »Lexi. Ich habe dich noch nie mit einem Cocktail in der Hand gesehen! Du und Eric, ihr seid beide durch und durch Weinkenner.«

Wein? Das kann nicht stimmen. Ich verstehe nichts von Wein, nur dass er von Oddbins kommt.

»Du siehst ganz durcheinander aus«, sagt Rosalie besorgt. »Ich bombardiere dich mit zu vielen Informationen. Vergiss den Tratsch.« Sie schiebt ihr Blatt Papier beiseite, auf dem sie eine Liste von Namen aufgeschrieben hat, und daneben jeweils »Hexe« oder »Herzchen«. »Was möchtest du gern unternehmen?«

»Vielleicht einfach das, was wir sonst auch machen?«

»Absolut!« Rosalie überlegt einen Moment, dann glättet sich ihre Stirn. »Wir sollten zum Sport gehen.«

»Zum Sport«, wiederhole ich und versuche, begeistert zu klingen. »Natürlich. Und … gehe ich oft zum Sport?«

»Süße, du bist süchtig danach! Jeden zweiten Morgen um sechs Uhr joggst du mindestens eine Stunde.«

Sechs Uhr? Joggen?

Ich jogge nie. Es tut weh, und die Brüste hüpfen wild in der Gegend herum. Einmal habe ich aus Spaß mit Fi und Carolyn an einem Spendenlauf teilgenommen und bin dabei fast gestorben. Aber wenigstens war ich besser als Fi, die schon nach zwei Minuten aufgegeben hat und den Rest geschlendert ist, Zigarette rauchend, woraufhin sie mit den Veranstaltern Streit bekam und ihr eine Teilnahme an zukünftigen Spendenläufen im Namen der Krebsforschung bis in alle Ewigkeit verboten wurde.

»Aber keine Sorge, heute machen wir was Nettes, was Entspannendes«, sagt Rosalie beschwichtigend. »Eine Massage oder eine schöne, sanfte Stretching-Stunde. Schnapp dir einfach deine Sportsachen, und wir fahren los!«

»Okay!« Ich zögere. »Also, es ist mir ein bisschen peinlich … aber ich weiß nicht, wo meine Sachen sind. Die Schränke in unserem Schlafzimmer sind voll mit Erics Anzügen. Mein Zeug kann ich gar nicht finden.«

Rosalie sieht aus, als hätte sie einen Schlag vor den Kopf bekommen. »Du weißt nicht, wo deine *Sachen* sind?« Plötzlich hat sie Tränen in ihren großen, blauen Augen und fächert sich Luft zu. »Tut mir leid«, sagt sie schluckend. »Aber mir ist gerade klar geworden, wie grauenvoll und beängstigend das alles für dich sein muss. Dass du sogar vergessen hast, wo deine Kleider sind.« Sie holt tief Luft, reißt sich zusammen, dann drückt sie meine Hand. »Komm mit. Ich zeig es dir.«

Alles klar. Also, ich konnte meine Sachen nicht finden, weil sie nicht wie üblich in einem Schrank hängen, sondern ein Zimmer für sich allein haben – versteckt hinter einer Tür, die wie ein Spiegel aussieht. Und sie befinden sich allein deshalb in einem Extra-Zimmer, weil es *so unglaublich viele sind*.

Mir wird ganz schwindlig, als ich vor den Regalen stehe. Ich habe noch nie so viele Kleidungsstücke gesehen, außer im Laden natürlich. Gestärkte weiße Blusen, maßgeschneiderte schwarze Hosen, Kostüme in Steinpilzbraun und Maulwurfsgrau. Abendgarderobe aus Chiffon. Aufgerollte Strumpfhosen in einer eigenen Schublade. Gefaltete Seidenhöschen mit La Perla-Label. Ich finde nichts, was nicht nagelneu und tadellos aussieht. Hier gibt es keine ausgebeulten Jeans, keine ausgeleierten Pullis, keine kuscheligen, alten Pyjamas.

Ich durchforste eine ganze Reihe von Jacken, die eigentlich nur an den Knöpfen zu unterscheiden sind. Ich kann nicht fassen, dass ich so viel Geld für Kleider ausgegeben habe, die dann doch alle irgendwie gräulich beige sind.

»Was sagst du nun?« Rosalie beobachtet mich mit leuchtenden Augen.

»Einfach irre!«

»Ann hat wirklich Geschmack.« Sie nickt weise. »Ann, deine Stilberaterin.«

»Ich habe eine Stilberaterin?«

»Nur für die wichtigsten Teile der Saison ...« Rosalie hält ein dunkelblaues Kleid mit Spaghettiträgern und Rüschensaum hoch. »Guck mal, das ist das Kleid, das du getragen hast, als wir uns kennengelernt haben. Ich weiß noch, wie ich dachte: ›Ach, *das* ist also die Frau, die sich Eric geangelt hat.‹ Es war *das* Thema auf der Party! Und eins kann ich dir sagen, Lexi: Es gab *viele* gebrochene Mädchenherzen, als ihr zwei geheiratet habt ...« Sie greift nach einem langen, schwarzen Abendkleid. »Dieses Kleid hast du zu meinem Murder Mystery Dinner getragen.« Sie hält es mir an. »Mit einem kleinen Pelzjäckchen und Perlen ... weißt du noch?«

»Nicht wirklich.«

»Was ist mit diesem Catherine Walker? Daran *musst* du dich doch erinnern ... oder dein Roland Mouret ...« Rosalie reißt ein Kleid nach dem anderen heraus, aber keines kommt mir auch nur im Entferntesten bekannt vor. An einem hellen Kleidersack hält sie seufzend inne. »Dein Hochzeitskleid!« Langsam, ehrfürchtig, zieht sie den Reißverschluss auf und holt das seidenweiße Kleid hervor, das ich von der Hochzeits-DVD her kenne. »Fällt dir da nicht alles wieder ein?«

Ich starre das Kleid an und gebe mir die allergrößte Mühe, mich an irgendetwas zu erinnern ... nichts.

»Oh, mein *Gott*!« Plötzlich schlägt Rosalie ihre Hand vor den Mund. »Du und Eric ... ihr solltet euch noch mal das Ja-Wort geben! Und *ich* werde es für euch planen! Diesmal könnten wir ein japanisches Thema wählen! Du solltest einen Kimono tragen ...«

»Vielleicht!«, unterbreche ich sie. »Es ist alles noch so neu. Ich … denk drüber nach.«

»Hmm …« Rosalie sieht enttäuscht aus, als sie das Hochzeitskleid wieder weghängt. Dann hellt sich ihre Miene auf. »Probier mal die Schuhe! *Bestimmt* erinnerst du dich an deine Schuhe.«

Sie geht ans andere Ende des Raumes und reißt eine Schranktür auf. Ungläubig starre ich hinein. Noch nie habe ich so viele Schuhe gesehen. Alle ordentlich in Reih und Glied, die meisten mit hohen Absätzen. Was soll ich denn mit hochhackigen Schuhen?

»Nicht zu fassen!« Ich bin völlig entgeistert. »Auf hohen Absätzen kann ich doch überhaupt nicht laufen. Gott weiß, wieso ich mir die gekauft habe.«

»Kannst du *wohl*.« Rosalie ist verblüfft. »Selbstverständlich kannst du.«

»Nein.« Ich schüttle den Kopf. »Auf hohen Hacken kann ich noch nicht mal stehen. Ich kipp einfach um, ich verstauch mir den Knöchel, ich seh total bescheuert aus …«

»Süße …« Rosalies Augen werden groß. »Du *lebst* auf High Heels. Diese hier hast du getragen, als wir das letzte Mal zusammen essen waren.« Sie holt ein schwarzes Paar Pumps mit zehn Zentimeter langen, dünnen Stiletto-Absätzen hervor, die ich mir im Laden nicht mal ansehen würde.

Die Sohlen sind zerkratzt. Das Label im Schuh ist abgewetzt. Irgendwer hat sie getragen.

Ich?

»Zieh sie an!«, sagt Rosalie.

Vorsichtig streife ich meine Slipper ab und steige in die High Heels. Sofort komme ich ins Wanken und halte mich an Rosalie fest.

»Siehst du? Ich verliere das Gleichgewicht!«

»Lexi, du kannst in den Dingern laufen«, sagt Rosalie entschlossen. »Ich habe es doch selbst gesehen.«

»Kann ich nicht!« Ich will sie wieder ausziehen, doch Rosalie packt meinen Arm.

»Nein! Gib nicht gleich auf! Du hast es *in* dir! Ich weiß es! Du musst es … herauslassen!«

Ich wage noch einen Schritt, aber meine Knöchel biegen sich wie Plastilin. »Es hat keinen Sinn.« Ich schnaube frustriert. »Dafür bin ich einfach nicht gemacht.«

»Bist du wohl! Versuch es noch mal! Entspann dich: Finde die Mitte!« Rosalie klingt, als wollte sie mich mental auf einen Olympischen Wettkampf vorbereiten. »Du kannst es schaffen, Lexi!«

Ich stelze ans andere Ende des Raumes und klammere mich an den Vorhang. »Das schaff ich nie!«, rufe ich verzweifelt.

»Selbstverständlich schaffst du das! Denk einfach nicht darüber nach! Lenk dich ab! Ich weiß … wir singen ein Lied! *Land of hope and glor-eee* … komm schon, Lexi, *sing*!«

Widerwillig stimme ich mit ein. Und hoffe inständig, dass Eric keine Überwachungskamera auf uns gerichtet hält.

»Jetzt *lauf*!« Rosalie gibt mir einen kleinen Schubs. »Los!«

»*Land of hope and gloreee* …« Ich versuche, mich auf das Lied zu konzentrieren. Ich mache einen Schritt vorwärts. Dann noch einen. Und noch einen.

Oh, mein *Gott*. Ich tue es. Ich kann auf Hackenschuhen laufen!

»Siehst du?«, kräht Rosalie triumphierend. »Ich hab es doch gesagt! Du *bist* ein High Heels-Girl!«

Ich erreiche das andere Ende des Raumes, mache zuversichtlich kehrt, mit erhabenem Lächeln. Ich fühle mich wie ein Model!

»Ich kann es! Es ist ganz einfach!«

»Yeah!« Rosalie hebt ihre Hand und klatscht mich ab. Sie zieht eine Schublade auf, holt ein paar Sportsachen hervor und wirft sie in eine viel zu große Tasche. »Komm schon, gehen wir!«

Wir fahren in Rosalies Wagen zum Fitnessstudio. Es ist ein luxuriöser Range Rover mit dem Kennzeichen ROS 1 und haufenweise Designer-Einkaufstüten auf dem Rücksitz.

»Was machst du eigentlich so?«, sage ich, während sie in einem fort die Fahrbahn wechselt.

»Hauptsächlich arbeite ich ehrenamtlich.« Sie nickt ernst.

»Wow.« Ich schäme mich ein bisschen. Rosalie machte auf mich nicht gerade den Eindruck einer ehrenamtlichen Helferin, was nur zeigt, wie voreingenommen ich bin. »Was denn so?«

»Vorwiegend Eventplanung.«

»Für bestimmte Zwecke?«

»Nein, meistens für Freunde. Wenn sie jemanden brauchen, der ihnen mit Blumen oder Girlanden zur Hand geht …« Rosalie macht einem Fernfahrer schöne Augen. »*Bitte, bitte*, lass mich rein, Mister Truck-Driver … Dankeschön!« Sie zieht auf die andere Spur und wirft ihm einen Kuss zu.

»Hin und wieder mache ich auch was für die Firma«, fügt sie hinzu. »Eric ist ein solcher Schatz! Er holt mich immer zu Eröffnungen und so was dazu. Oh, Scheiße, Baustelle!« Unter wütendem Hupen der anderen Autofahrer zieht sie wieder auf die andere Spur und stellt das Radio lauter.

»Du magst Eric, was?« Ich gebe mir Mühe, beiläufig zu klingen, obwohl ich unbedingt wissen möchte, was sie von ihm hält.

»Oh, er ist der perfekte Ehemann. Absolut perfekt.« Sie hält an einem Zebrastreifen. »Meiner ist ein *Scheusal*.«

»Ehrlich?« Ich starre sie an.

»Aber ich bin auch ein Scheusal.« Sie wendet sich zu mir um, und ihre blauen Augen sind todernst. »Wir sind beide so impulsiv. Es ist die reine Hassliebe. Da sind wir!« Sie gibt Gas und biegt auf einen winzig kleinen Parkplatz ein, hält neben einem Porsche und stellt den Motor ab.

»Mach dir keine Sorgen«, sagt sie, als sie mich zur gläsernen

Doppeltür schiebt. »Ich weiß, dass das für dich alles sehr schwer sein muss, also überlass das Reden ruhig mir ... Hallihallo!« Wir betreten einen schicken Empfangsbereich mit braunen Ledersofas und einem Zimmerspringbrunnen.

»Hi, Ladys ...« Der Empfangsdame fällt alles aus dem Gesicht, als sie mich sieht. »Lexi! Sie Ärmste! Wir haben von Ihrem Unfall gehört. Wie geht es Ihnen?«

»Alles okay, danke.« Ich bringe ein Lächeln zustande. »Und vielen Dank für die Blumen ...«

»Die arme Lexi hat eine Amnesie«, sagt Rosalie feierlich. »Sie erinnert sich nicht mehr an diesen Laden hier. Sie kann sich an *überhaupt* nichts erinnern.« Rosalie sieht sich um. »Zum Beispiel kann sie sich nicht an diese Tür erinnern ... oder ... oder an diese Pflanze ...« Sie deutet auf einen großen Farn.

»Grundgütiger!«

»Ich weiß«, Rosalie nickt gewichtig. »Es ist für sie ein *Alptraum*.« Sie dreht sich zu mir um. »Weckt das hier bei dir irgendwelche Erinnerungen, Lexi?«

»Hm ... eigentlich nicht.«

Alle im Empfangsbereich starren mich an, mit offenen Mündern. Ich komme mir vor wie ein Freak im Zirkus Amnesia.

»Komm mit!« Rosalie nimmt mich beim Arm. »Wir ziehen uns um. Vielleicht fällt es dir wieder ein, wenn du deine Sportsachen anhast.«

Einen feudaleren Umkleidebereich habe ich noch nie gesehen: poliertes Holz, mosaikverzierte Duschen, aus den Lautsprechern plätschert sanfte Musik. Ich verschwinde in einer Kabine und ziehe mir Leggins an. Dann steige ich in meinen Body.

Zu meinem Entsetzen stelle ich fest, dass es ein String ist. Mein Hintern sieht bestimmt monströs aus. So was kann ich nicht tragen.

Aber ich habe nichts anderes. Widerstrebend steige ich hinein, dann trete ich aus der Kabine und halte mir die Augen zu.

Das könnte richtig, richtig peinlich werden. Ich zähle bis fünf … dann zwinge ich mich, hinzusehen.

Eigentlich … sehe ich gar nicht so schlecht aus. Ich nehme meine Hände vom Gesicht und betrachte mich. Ich sehe ganz rank und schlank und so … anders aus. Zur Probe spanne ich meinen Oberarm an … und ein Muskel, den ich noch nie gesehen habe, wölbt sich. Mit großen Augen starre ich ihn an.

»Okidoki!« Rosalie gesellt sich zu mir, in Leggins und bauchfreiem Top. »Hier entlang …« Sie führt mich in einen großen, luftigen Gymnastikraum, in dem reihenweise wohlfrisierte Frauen bereits in Position auf ihren Yogamatten warten.

»Tut mir leid, dass wir zu spät sind«, sagt sie bedeutungsschwanger in die Runde. »Aber Lexi leidet unter Amnesie. Sie kann sich an nichts erinnern. An *keine* von euch.«

Langsam habe ich das Gefühl, Rosalie amüsiert sich.

»Hi.« Schüchtern winke ich in die Runde.

»Ich habe von Ihrem Unfall gehört, Lexi.« Mitfühlend lächelnd kommt die Yogalehrerin auf mich zu. Sie ist eine schlanke Frau mit kurzgeschorenem, blondem Haar und einem Headset. »Bitte lassen Sie es heute ruhig angehen. Lassen Sie einfach die eine oder andere Übung aus, wenn Ihnen danach zumute ist. Wir beginnen mit ein paar Übungen auf der Matte …«

»Okay. Danke.«

»Versuchen wir, ihrem Gedächtnis auf die Sprünge zu helfen!«, stimmt Rosalie mit ein. »Tut einfach alle so, als wäre nichts gewesen.«

Während alle anderen die Arme heben, suche ich mir zittrig eine Matte und setze mich erst mal hin. Sport war noch nie meine Stärke. Vielleicht mache ich einfach mit, so gut es eben geht. Ich strecke die Beine und greife nach meinen Zehen, obwohl ich sicher nie im Leben …

Was ist das denn? Ich kann meine Zehen anfassen. Ich kann

meinen Kopf zwischen meine Knie drücken. Was ist mit mir *passiert?*

Ungläubig verfolge ich das nächste Manöver ... und kann es auch! Ich bin biegsam! Mein Körper nimmt jede Haltung ein, als könnte er sich erinnern.

»Und nun: für alle, denen danach zumute ist«, sagt die Lehrerin gerade, »der fortgeschrittene Tänzer ...«

Vorsichtig versuche ich, an meinem Knöchel zu ziehen ... und er gehorcht mir! Ich kriege das Bein bis hinter meinen Kopf! Am liebsten würde ich kreischen: »Hier, guckt mal!«

»Übertreiben Sie es nicht, Lexi!« Die Lehrerin sieht beunruhigt aus. »Vielleicht sollten Sie sich jetzt etwas schonen. Den Spagat würde ich diese Woche noch auslassen.«

Nicht möglich. Ich kann *Spagat?*

Hinterher, in der Umkleide, bin ich ganz außer mir. Ich sitze vor dem Spiegel, föhne mein Haar und sehe mir an, wie aus feuchtem Mausgrau leuchtendes Kastanienbraun wird. »Ich fass es nicht!«, sage ich zum wiederholten Male. »Sonst war ich immer so was von unsportlich!«

»Süße, du bist ein Naturtalent!« Rosalie cremt sich von oben bis unten mit Bodylotion ein. »Du bist die Beste im Kurs.«

Ich schalte den Föhn ab, fahre mit den Händen durch mein trockenes Haar und betrachte mich im Spiegel. Zum millionsten Mal bleibt mein Blick an diesen strahlend weißen Zähnen hängen – und an den vollen, rosigen Lippen. So hat mein Mund 2004 aber nicht ausgesehen. Das weiß ich *genau.*

»Rosalie.« Ich spreche ganz leise. »Darf ich dir eine ... eine persönliche Frage stellen?«

»Aber natürlich.«

»Habe ich irgendwas machen lassen? Mit meinem Gesicht? Botox vielleicht? Oder eine ...«, ich spreche noch leiser, kann kaum glauben, was ich da sage: »... *Operation?*«

»Süße!« Rosalie ist schockiert. »Schscht!« Sie hält ihren Zeigefinger an die Lippen.

»Aber ...«

»Schscht! Selbstverständlich haben wir nichts machen lassen! Alles total einhundert Prozent natürlich.« Sie zwinkert mir zu.

Was soll dieses Zwinkern bedeuten?

»Rosalie, du *musst* mir sagen, was bei mir gemacht wurde ...« Plötzlich erstirbt meine Stimme, abgelenkt von meinem Spiegelbild. Ohne zu merken, was ich tue, habe ich Haarnadeln aus einer Schale genommen und mir ganz automatisch die Haare hochgesteckt. In etwa dreißig Sekunden habe ich mir einen perfekten Chignon zurechtgebastelt.

Wie hab ich das denn gemacht?

Als ich meine Hände betrachte, spüre ich leise Hysterie in mir aufsteigen. Was kann ich sonst noch? Bomben entschärfen? Jemanden erdrosseln?

»Was ist?« Rosalie sieht meinen Blick.

»Ich habe mir gerade die Haare hochgesteckt.« Ich deute auf den Spiegel. »Sieh es dir an! Es ist unglaublich. Das habe ich vorher noch nie gemacht.«

»Hast du wohl!« Verblüfft sieht sie mich an. »Das trägst du jeden Tag zur Arbeit.«

»Aber ich kann mich nicht *erinnern*. Es ist ... es ist, als hätte Superwoman meinen Körper übernommen. Ich kann auf High Heels laufen. Ich kann mein Haar hochstecken. Ich kann Spagat ... ich bin wie dieses Superweib! Aber das bin doch nicht ich!«

»Süße, du *bist* es.« Rosalie drückt meinen Arm. »Gewöhn dich lieber daran.«

In der Saftbar essen wir zu Mittag und plaudern mit zwei Frauen, die mich zu kennen scheinen. Danach bringt Rosalie mich nach Hause. Als wir mit dem Lift nach oben fahren, bin ich plötzlich ganz erschöpft.

»So!«, sagt Rosalie, als wir in die Wohnung kommen. »Möchtest du noch einen Blick auf deine Sachen werfen? Vielleicht die Bademode?«

»Ehrlich gesagt, bin ich ziemlich fertig«, sage ich entschuldigend. »Hättest du was dagegen, wenn ich mich etwas ausruhe?«

»Überhaupt nicht!« Sie tätschelt meinen Arm. »Ich warte hier auf dich und pass auf ...«

»Sei nicht albern.« Ich lächle. »Ich komm schon zurecht, bis Eric wieder da ist. Und ... danke, Rosalie. Das war wirklich nett von dir.«

»Meine Hübsche.« Sie umarmt mich und nimmt ihre Tasche. »Ich ruf an. Pass auf dich auf!« Sie ist schon halb zur Tür hinaus, als mir etwas einfällt.

»Rosalie!«, rufe ich. »Was soll ich Eric heute Abend kochen?«

Sie dreht sich um und starrt mich verständnislos an. Es scheint eine ziemlich merkwürdige Frage zu sein, so aus heiterem Himmel.

»Ich dachte nur, du weißt vielleicht, was er gern isst.« Ich lache verlegen.

»Süße ...« Rosalie zwinkert mehrmals. »Süße, *du* kochst doch kein Abendessen. Gianna kocht das Abendessen. Deine Haushälterin. Sie ist bestimmt gerade einkaufen, dann kommt sie wieder, macht das Essen, schüttelt dein Bett auf ...«

»Ach ja. Natürlich!« Ich nicke und gebe mir Mühe, so auszusehen, als wüsste ich das alles längst.

Verdammt. Das ist wirklich ein völlig anderes Leben. Ich hatte noch nie eine Putzfrau, ganz zu schweigen von einer Fünf-Sterne-Hotel-mäßigen Haushälterin.

»Na, dann gehe ich eben einfach ins Bett«, sage ich. »Bye.«

Rosalie wirft mir einen Kuss zu und schließt die Tür hinter sich. Ich gehe in das cremefarbene Schlafzimmer mit der edlen, dunklen Holzvertäfelung und dem riesigen, wildledernen

Bett. Eric hat darauf bestanden, dass ich das große Schlafzimmer nehme, was wirklich sehr nett und nobel von ihm ist. Allerdings ist das Gästezimmer auch ziemlich luxuriös. Ich glaube, er hat da sogar seinen eigenen Whirlpool, also kann er sich wohl nicht beklagen.

Ich ziehe die Schuhe aus, steige unter die Decke und spüre, wie ich mich augenblicklich entspanne. Das ist das bequemste Bett, in dem ich je gelegen habe – *jemals*. Ich rolle herum, genieße die samtigen Laken, die weichen Kissen. Mmh, das tut gut. Ich mach einfach ein bisschen die Augen zu und gönn mir ein kleines Nickerchen …

Als ich aufwache, nehme ich dämmriges Licht wahr, und das Klappern von Geschirr.

»Liebling?«, höre ich eine Stimme von draußen vor der Tür. »Bist du wach?«

»Oh.« Mühsam setze ich mich auf und reibe mir die Augen. »Äh … hi.«

Die Tür geht auf, und Eric kommt herein, mit einem Tablett und einer Papiertüte.

»Du schläfst schon seit Stunden. Ich habe dir was zum Abendessen mitgebracht.« Er kommt ans Bett, stellt das Tablett ab und knipst die Nachttischlampe an. »Hühnersuppe vom Thailänder.«

»Ich liebe thailändische Hühnersuppe!«, sage ich begeistert. »Danke!«

Eric lächelt und reicht mir einen Löffel. »Rosalie hat erzählt, ihr zwei wart heute im Fitnessstudio?«

»Ja, es war genial.« Ich nehme einen Löffel Suppe. Sie schmeckt köstlich. Meine Güte, hab ich einen Kohldampf! »Eric, könntest du mir vielleicht ein Stückchen Brot holen?« Ich blicke auf. »Zum Stippen?«

»Brot?« Ratlos runzelt Eric die Stirn. »Liebling, wir haben nie Brot im Haus. Wir ernähren uns kohlenhydratarm.«

Ach, ja. Das hatte ich ganz vergessen.

»Kein Problem!« Ich lächle ihn an und nehme noch einen Löffel Suppe. Ich kann ohne Kohlenhydrate auskommen. Leicht.

»Was mich zu meinem kleinen Mitbringsel führt«, sagt Eric. »Oder eigentlich … zwei Mitbringseln. Das hier ist das erste …«

Er greift in die Tasche und holt ein laminiertes Ringbuch hervor, das er mir mit schwungvoller Geste überreicht. Auf dem Umschlag ist ein Farbfoto von mir und Eric als Hochzeitspaar. Darüber steht:

Eric und Lexi Gardiner: Ehe-Handbuch

»Der Arzt hat doch gemeint, wir sollen dein Leben in allen Einzelheiten aufschreiben …« Eric platzt beinah vor Stolz. »Und da habe ich dieses Buch für dich zusammengestellt. Alle Fragen, die du zu unserer Ehe und unserem gemeinsamen Leben hast, müssten hier eine Antwort finden.«

Ich schlage die erste Seite auf – und da steht:

Eric und Lexi – Eine bessere Ehe für eine bessere Welt

»Wir haben ein Motto?« Ich bin etwas überrascht.

»Das ist mir gerade so eingefallen.« Eric zuckt bescheiden mit den Schultern. »Wie findest du es?«

»Fantastisch.« Ich blättere im Buch herum. Es enthält eine Menge Text, mit Stichworten, Fotos und Zeichnungen. Ich finde Abschnitte über Urlaub, Familie, Wäsche, Wochenenden …

»Ich habe die Einträge alphabetisch geordnet«, erklärt Eric. »Und mit einem Register versehen. Es müsste ganz einfach zu benutzen sein.«

Ich blättere zum Register und lasse meinen Blick über die Seite schweifen.

Zungen? Sofort blättere ich zur Seite 89.

»Du solltest es nicht jetzt gleich lesen.« Sanft klappt Eric das Buch zu. »Du solltest erst einmal essen und dann schlafen.«

Ich werde »Zungen« später nachschlagen. Wenn er weg ist.

Ich löffle die Suppe aus und lehne mich zufrieden seufzend zurück. »Vielen Dank, Eric. Das war perfekt.«

»Es war mir ein Vergnügen, mein Liebling.« Eric nimmt das Tablett und stellt es auf die Frisierkommode. Dabei bemerkt er meine Schuhe auf dem Boden. »Lexi.« Er lächelt mich an. »Schuhe gehören in dein Ankleidezimmer.«

»Oh«, sage ich. »Entschuldige.«

»Kein Problem. Es gibt noch viel zu lernen.« Er kommt zum Bett zurück und greift in seine Tasche. »Und das hier ist mein anderes Mitbringsel …« Er holt ein ledernes Schmuckkästchen hervor.

Mir kribbelt der Kopf. Ich kann es kaum glauben. Mein Mann hat ein Geschenk für mich, in einer piekfeinen Schachtel. Wie im Film, bei Erwachsenen.

»Ich möchte, dass du etwas hast, bei dem du dich auch wirklich daran *erinnerst*, dass ich es dir geschenkt habe«, sagt Eric mit reumütigem Lächeln und nickt zum Kästchen hin. »Mach es auf!«

Ich öffne die Schachtel – und darin liegt ein Diamant an einem Goldkettchen.

»Gefällt er dir?«

»Er ist … er ist wundervoll!«, stottere ich. »Ich bin überwältigt! Vielen Dank dafür!«

Eric beugt sich vor und streicht mir übers Haar. »Schön, dich wieder zu Hause zu haben, Lexi.«

»Es tut so gut, zu Hause zu sein«, antworte ich mit Inbrunst. Was auch halbwegs stimmt. Auch wenn ich noch nicht wirklich behaupten kann, dass ich mich in dieser Wohnung definitiv zu Hause fühle. Sie kommt mir eher wie ein nobles Fünf-Sterne-Hotel vor, was ja vielleicht sogar noch *besser* ist. Ich nehme den Diamanten heraus und bestaune ihn. Währenddessen spielt Eric zärtlich mit meinem Haar.

»Eric«, sage ich etwas scheu. »Als wir uns kennengelernt haben … was hast du da in mir gesehen? Warum hast du dich in mich verliebt?«

Ein nostalgisches Lächeln streicht über sein Gesicht.

»Ich habe mich in dich verliebt, Lexi«, sagt er, »weil du so dynamisch bist. Du bist zielbewusst. Du suchst den Erfolg, genau wie ich. Man nennt uns hart, aber das sind wir nicht. Wir haben nur einen ausgeprägten Kampfgeist.«

»Genau«, sage ich nach einer kurzen Pause.

Wenn ich ehrlich sein soll, hatte ich noch nie das Gefühl, als hätte ich einen besonders ausgeprägten Kampfgeist. Aber andererseits … 2007 vielleicht schon.

»Und ich habe mich in deinen schönen Mund verliebt.« Sanft berührt Eric meine Oberlippe. »Und in deine langen Beine. Und in die Art und Weise, wie du deine Aktentasche schwingst.«

Er hat gesagt, ich bin schön.

Ich lausche wie in Trance. Ich könnte ihm ewig zuhören. Niemand hat jemals so mit mir gesprochen, in meinem ganzen Leben nicht.

»Ich werde dich jetzt allein lassen.« Er gibt mir einen Kuss auf die Stirn und nimmt das Tablett. »Schlaf gut. Wir sehen uns morgen früh.«

»Bis dann«, murmle ich. »Gute Nacht, Eric. Und … danke!«

Er schließt die Tür, und ich bleibe mit meinem Diamanten und meinem Ehe-Handbuch und meiner glühenden Euphorie allein. Ich habe einen Traummann geheiratet. Nein, er ist noch *besser* als ein Traummann. Er hat mir Hühnersuppe mitgebracht und einen Diamanten geschenkt und sich in mich verliebt, weil ich meine Aktentasche schwinge.

Wahrscheinlich war ich wirklich Gandhi.

ACHT

Das gibt's doch nicht. Er hat tatsächlich einen Abschnitt zum Thema *Vorspiel* eingefügt?

Seit ich heute Morgen aufgewacht bin, blättere ich in meinem Ehe-Handbuch herum – und es ist wirklich sehr aufschlussreich. Es fühlt sich an, als würde ich mir selbst nachspionieren. Und Eric auch. Ich weiß alles: wo er seine Manschettenknöpfe kauft, was er von der Regierung hält, dass er seine Hoden jeden Morgen nach Knötchen abtastet (Was ich eigentlich nicht wirklich wissen wollte. Musste er denn unbedingt seine Hoden erwähnen?).

Beim Frühstück sitzen wir gemeinsam in der Küche. Eric liest die *Financial Times*, und ich konsultiere das Inhaltsverzeichnis, um herauszufinden, was ich normalerweise esse. Aber *Vorspiel* klingt bedeutend interessanter als *Vorspeisen*. Heimlich blättere ich zur Seite 84.

Oh, Gott. Er hat allen Ernstes drei Absätze zum Thema Vorspiel geschrieben! Unter »Übliche Handhabung«.

»*... gleichmäßige, ausholende Bewegungen ... normalerweise im Uhrzeigersinn ... sanfte Stimulation der Oberschenkelinnenseiten ...*«

Ich pruste in meinen Kaffee, und Eric blickt auf.

»Alles in Ordnung, Liebling?« Er lächelt mich an. »Ist das Handbuch hilfreich? Findest du alles, was du brauchst?«

»Ja!« Hastig blättere ich zu einem anderen Abschnitt und komme mir vor wie ein kleines Mädchen, das im Lexikon unanständige Wörter nachschlägt. »Ich hab nur nachgesehen, was ich normalerweise so zum Frühstück esse.«

»Gianna hat noch etwas Rührei mit Schinken in den Ofen gestellt«, sagt Eric. »Und normalerweise trinkst du grünen Saft.« Er deutet auf einen Krug mit einer trüben Flüssigkeit, die aussieht, als käme sie direkt aus einem Froschteich. »Ein Vitamindrink mit natürlichem Appetitzügler.«

Ich schlucke mein Entsetzen herunter. »Das lasse ich heute vielleicht mal aus.« Ich hole mir etwas Rührei mit Schinken aus dem Ofen und versuche, meinen Heißhunger auf Vollkorntoast zu unterdrücken.

»Heute müsste eigentlich dein neuer Wagen geliefert werden.« Eric nimmt einen Schluck Kaffee. »Obwohl du es wahrscheinlich nicht besonders eilig hast, wieder hinterm Lenkrad zu sitzen.«

»Darüber habe ich mir noch gar keine Gedanken gemacht«, sage ich hilflos.

»Nun, wir werden sehen. Du darfst sowieso erst wieder fahren, wenn du deinen Führerschein neu gemacht hast.« Er tupft sich den Mund mit einer feinen Stoffserviette ab und steht auf. »Noch was, Lexi. Wenn es dir nichts ausmacht, würde ich nächste Woche gern eine kleine Dinnerparty geben. Nur ein paar alte Freunde.«

»Eine Dinnerparty?«, wiederhole ich ängstlich. Ich war noch nie so der Typ für Dinnerpartys. Es sei denn, Nudeln auf dem Sofa bei einer Folge *Will & Grace* zählten auch dazu.

»Du musst dir keine Sorgen machen.« Sanft legt er seine Hände auf meine Schultern. »Gianna wird sich um das Essen kümmern. Du musst nur hübsch aussehen. Aber wenn dir nicht danach zumute ist, können wir die Idee auch fallen lassen ...«

»Aber warum sollte mir nicht danach zumute sein?«, sage ich eilig. »Ich habe es satt, dass mich alle wie einen Pflegefall behandeln. Ich fühl mich großartig!«

»Gut. Das bringt mich auf ein anderes Thema. Arbeit.« Eric zieht sein Jackett über. »Selbstverständlich bist du noch nicht so weit, dass du wieder ganztags arbeiten könntest, aber Simon hat angefragt, ob du vielleicht Lust hättest, mal im Büro reinzuschauen. Simon Johnson«, erklärt er. »Du erinnerst dich an ihn?«

»Simon Johnson? Der geschäftsführende Direktor?«

»Mh-hm.« Eric nickt. »Er hat gestern Abend angerufen. Wir haben uns ganz gut unterhalten. Netter Kerl.«

»Ich wusste nicht mal, dass der überhaupt schon mal von mir gehört hat!«, sage ich ungläubig.

»Lexi, du bist ein wichtiges Mitglied der Geschäftsleitung«, sagt Eric geduldig. »Selbstverständlich hat er von dir gehört.«

»Ach, ja. Natürlich.«

Ich kaue meinen Schinken, versuche, lässig zu wirken – aber innerlich möchte ich jubeln. Mein neues Leben wird immer besser. Ich bin ein wichtiges Mitglied der Geschäftsleitung! Simon Johnson weiß, wer ich bin!

»Wir waren uns einig, dass es dir sicher guttun würde, wenn du dem Büro einen kleinen Besuch abstattest«, fährt Eric fort. »Vielleicht hilft es dir, dich wieder zu erinnern ... und außerdem ist es ein positives Zeichen für deine Mitarbeiter.«

»Ich finde, das ist eine großartige Idee«, sage ich begeistert. »Ich könnte meinen neuen Job kennenlernen, die anderen Mädels treffen, wir könnten zusammen was zu Mittag essen ...«

»Dein Stellvertreter ist vorübergehend für dich eingesprungen«, sagt Eric mit Blick auf einen Notizblock auf dem Küchentresen. »Byron Foster. Natürlich nur, bis du wieder da bist.«

»Byron ist jetzt mein Stellvertreter?«, sage ich ungläubig. »Aber Byron war doch mein Chef!«

Alles steht Kopf. Nichts ist, wie es war. Ich kann es kaum erwarten, ins Büro zu kommen und nachzusehen, was sonst noch so passiert ist.

Eric tippt etwas in seinen Blackberry, dann steckt er es weg und nimmt seine Aktentasche. »Ich wünsch dir einen schönen Tag, Liebling.«

»Ich dir auch … äh … Liebling.« Als er sich zu mir umdreht, stehe ich auf, und plötzlich ist da so eine seltsame Spannung zwischen uns. Eric steht ganz nah vor mir. Ich kann sein After Shave riechen und sehe einen kleinen Schnitt an seinem Hals, vom Rasieren.

»Ich hab das Handbuch noch nicht ganz durch.« Plötzlich werde ich verlegen. »Würde ich dich jetzt normalerweise küssen?«

»Normalerweise würdest du das tun, ja.« Auch Eric klingt steif. »Aber denk bitte nicht …«

»Nein! Ich möchte doch! Ich meine … wir sollten alles so machen wie immer.« Jetzt werde ich auch noch rot. »Und würde ich dich auf die Wange küssen … oder auf den Mund …?«

»Auf den Mund.« Eric räuspert sich. »Das wäre das Normale.«

»Okay.« Ich nicke. »Also … mh …« Ich halte ihn bei den Hüften, versuche ganz natürlich zu wirken. »So etwa? Sag mir, wenn es nicht so ist, wie ich es normalerweise mache …«

»Eher nur mit einer Hand«, sagt Eric, nachdem er kurz überlegt hat. »Und dann meistens auch ein bisschen höher.«

»Okay!« Ich lege ihm eine Hand auf die Schulter, lasse die andere sinken und komme mir vor wie in der Tanzschule. Dann halte ich die Position so gut ich kann und blicke auf.

Dabei entdecke ich, dass Eric so einen komischen Knubbel an der Zungenspitze hat. Okay … ich guck nicht hin. Konzen-

126

trier mich auf den Kuss. Er beugt sich vor, seine Lippen berühren sanft die meinen, und ich empfinde … nichts.

Ich hatte gehofft, unser erster Kuss würde alle möglichen Emotionen wecken, Erinnerungen wachrufen, vielleicht ein Bild von Paris oder unserer Hochzeit oder unserem allerersten Kuss … Doch bei mir regt sich überhaupt nichts. Ich kann die Vorfreude in Erics Gesicht sehen und überlege eilig, was ich Ermutigendes sagen könnte.

»Das war wunderschön! Sehr …«

Mein Satz versandet, weil mir kein anderes Wort als »kurz« einfällt, was sicher nicht den richtigen Ton trifft.

»Es weckt keine Erinnerungen?« Eric mustert meine Miene.

»Also … nein«, sage ich zerknirscht. »Aber, ich meine, das soll nicht heißen, dass es nicht total … ich meine, es war … es hat mich total angetörnt!« Die Worte kommen heraus, bevor ich es verhindern kann.

Warum zum Teufel habe ich das gesagt? Ich bin überhaupt nicht angetörnt.

»Ehrlich?« strahlt Eric und stellt seine Aktentasche ab.

Oh, nein. Nein, nein, nein. Neeeiiin.

Ich kann unmöglich jetzt schon Sex mit Eric haben. Erstens kenne ich ihn gar nicht, jedenfalls kaum. Und zweitens habe ich noch nicht gelesen, was nach der sanften Stimulation der Oberschenkelinnenseiten kommt.

»Noch nicht *so* angetörnt«, relativiere ich eilig. »Ich meine, gerade so viel, dass ich weiß … dass ich merke … ich meine, ganz offensichtlich haben wir ein tolles … wenn ich mir das Schlafzimmer so ansehe, eine tolle … äh … Spielwiese …«

Halt. Die. Klappe.

»Jedenfalls …« Ich lächle so freudestrahlend wie möglich. »Ich wünsch dir einen schönen Tag.«

»Ich dir auch.« Sanft berührt Eric meine Wange, dann dreht er sich um und geht. Ich höre die Tür ins Schloss fallen und sinke auf einen Stuhl. Das war ganz schön knapp. Ich greife mir das Ehe-Handbuch und blättere zum Buchstaben »V«. Ich muss mehr über das Vorspiel herausfinden.

Ganz zu schweigen von Fellatio, wie mir plötzlich bewusst wird. Und Ferkeleien.

Damit könnte ich eine Weile beschäftigt sein.

Zwei Stunden und drei Tassen Kaffee später klappe ich das Handbuch zu und lehne mich zurück. Mir raucht der Schädel. Ich habe es von vorn bis hinten durchgelesen und bin jetzt mehr oder weniger im Bilde.

Ich weiß jetzt, dass Eric und ich die Wochenenden oft in exquisiten Luxushotels verbringen. Ich weiß, dass wir uns gern Wirtschafts-Sendungen und *The West Wing* ansehen. Und dass wir über *Brokeback Mountain* unterschiedlicher Ansicht waren. Dabei musste ich feststellen, dass es da um schwule Cowboys geht. (Schwule *Cowboys*?)

Ich weiß jetzt, dass Eric und ich am liebsten Bordeaux-Weine trinken. Ich weiß, dass ich »rastlos« und »beharrlich« bin und »rund um die Uhr arbeite«. Ich habe »keine Geduld mit Schwachköpfen«, »verachte Zeitverschwendung« und weiß »die edleren Dinge des Lebens zu schätzen«.

Was mir irgendwie neu ist.

Ich stehe auf und trete ans Fenster, versuche zu verdauen, was ich da gelesen habe. Je mehr ich über die achtundzwanzigjährige Lexi erfahre, desto deutlicher wird das Gefühl, dass sie ein völlig anderer Mensch ist. Sie sieht nicht nur anders aus. Sie *ist* auch anders. Sie ist ein Boss. Sie trägt beigefarbene Designer-kleider und La Perla-Unterwäsche. Sie kennt sich mit Wein aus. Sie isst nie Brot.

Sie ist erwachsen. Genau das ist sie. Ich werfe einen Blick in den Spiegel, und mein achtundzwanzigjähriges Gesicht starrt mich an.

Wie um alles in der Welt wurde aus mir ... *die da*?

Einer spontanen Eingebung folgend gehe ich ins Schlafzimmer, dann weiter in die Kleiderkammer. Irgendwo muss es doch Hinweise geben. Ich setze mich an mein schickes, minimalistisches Schminktischchen und betrachte es schweigend.

Fangen wir doch gleich mal damit an! Mein alter Schminktisch war rosa angemalt und das totale Chaos – alles voller Tücher, überall Make-up-Töpfe. Kettchen hingen am Spiegel. Das hier ist so penibel. Silberne Döschen in Reih und Glied, eine einzelne Schale mit einem Paar Ohrringe darin und ein Art-Deco-Handspiegel.

Wahllos ziehe ich eine Schublade auf und finde einen Stapel ordentlich gefalteter Tücher. Darauf liegt eine glänzende DVD, mit Filzer beschriftet – *Ambition: Folge 1*. Ich nehme sie in die Hand, verwundert, und dann plötzlich wird mir klar, was das ist. Es ist diese Sendung, von der Amy gesprochen hat. Ich im Fernsehen!

Das muss ich sehen! Erstens weil ich unbedingt wissen will, wie ich aussah, und zweitens um das Puzzle meines Lebens zu vervollständigen. In dieser Sendung hat Eric mich zum ersten Mal gesehen. Sie hat mir den großen Durchbruch bei der Arbeit beschert. Damals hatte ich wahrscheinlich keine Ahnung, wie entscheidend das alles sein würde.

Eilig laufe ich ins Wohnzimmer, finde den DVD-Player schließlich hinter einer Milchglasscheibe und schiebe die DVD hinein. Es dauert nicht lange, bis der Vorspann auf allen Wandbildschirmen in der Wohnung läuft. Ich spule vor, bis mein Gesicht erscheint – dann drücke ich auf PLAY.

Ich bin darauf vorbereitet, dass ich mich möglicherweise vor Scham hinterm Sofa verstecken möchte. Aber eigentlich ... sehe ich gar nicht so schlecht aus! Meine Zähne sind schon verblendet oder überkront oder was ... aber meine Lippen sehen viel schmaler aus als jetzt. (Die sind *definitiv* aufgespritzt.) Mein kastanienbraunes Haar ist frisch geföhnt und zu einem Pferdeschwanz gebunden, und ich trage ein schwarzes Kostüm mit türkiser Bluse – durch und durch Geschäftsfrau.

»Ich brauche den Erfolg«, sage ich gerade zu jemandem hinter der Kamera. »Ich *muss* hier gewinnen.«

Mannomann, sehe ich *ernst* aus! Ich versteh das alles nicht. Wieso wollte ich plötzlich eine Karriere-Show gewinnen?

»Guten Morgen, Lexi!« Die Stimme jagt mir einen Heidenschrecken ein. Ich halte die DVD an, sehe mich um, und vor mir steht eine Frau von Mitte fünfzig. Ihr dunkles Haar hat graue Strähnen. Sie trägt es zusammengebunden, dazu einen geblümten Overall, und in der Hand hält sie einen Plastikeimer mit Putzmitteln. Ein iPod klemmt an ihrem Overall, und aus den Kopfhörern dringt leise Opernmusik.

»Sie sind ja wach!«, sagt sie mit durchdringender Stimme. »Wie geht es Ihnen? Schon besser?« Ihr Akzent ist schwer einzuordnen, irgendwie eine Mischung aus Cockney und Italienisch.

»Sind Sie Gianna?«, frage ich vorsichtig.

»Heilige Maria und Josef!« Sie bekreuzigt sich und küsst ihre Finger. »Eric hat mich gewarnt. Sie haben einen kleinen Schaden. Armes Kind.«

»Mir geht es gut, bestimmt!«, sage ich eilig. »Ich kann mich nur nicht an alles erinnern. Also muss ich alles neu kennenlernen.«

»Also, ich bin Gianna.« Sie tippt an ihre Brust.

»Schön! Dann … danke.« Ich trete beiseite, als Gianna summend an mir vorbeigeht und mit ihrem Staubwedel über den gläsernen Kaffeetisch wischt.

»Sie sehen sich gerade Ihren Fernsehauftritt an, was?«, sagt sie mit Blick auf den riesigen Bildschirm.

»Oh. Äh … ja. Nur um mich wieder zu erinnern.« Hastig stelle ich ihn aus. Mittlerweile hat Gianna angefangen, eine Reihe von Bilderrahmen abzustauben.

Verlegen biege ich an meinen Fingern herum. Ich kann hier doch nicht einfach *herumstehen* und einer anderen Frau dabei zusehen, wie sie meine Wohnung putzt. Sollte ich ihr nicht meine Hilfe anbieten?

»Was möchten Sie essen heute Abend? Was soll ich Ihnen kochen?«, sagt sie und schüttelt die Kissen auf.

»Oh«, sage ich verlegen. »Nichts! Wirklich!«

Ich weiß ja, dass Eric und ich stinkreich sind. Aber ich kann unmöglich jemand anderen bitten, für mich zu kochen. Es wäre schamlos.

»Nichts?« Sie stutzt. »Sie wollen ausgehen?«

»Nein! Ich dachte nur ... vielleicht sollte ich heute Abend mal selbst kochen.«

»Oh, verstehe«, sagt sie. »Nun, das müssen Sie ja selbst wissen.« Mit starrer Miene nimmt sie ein Kissen und schüttelt es energisch. »Ich hoffe, Ihnen hat die Suppe gestern Abend geschmeckt«, fügt sie hinzu, ohne mich anzusehen.

»Sie war köstlich!«, sage ich schnell. »Danke! Tolles ... Aroma.«

»Gut«, sagt sie steif. »Ich gebe mein Bestes.«

Oh Gott, sie ist doch jetzt nicht beleidigt, oder?

»Dann muss ich nur wissen, was ich Ihnen einkaufen soll«, fährt sie fort und schlägt weiter auf die Kissen ein. »Wenn Sie mal was Neues ausprobieren wollen ...«

Mist. Sie *ist* beleidigt.

»Oder ... äh ... na ja.« Meine Stimme kratzt. »Eigentlich ... wenn ich es mir recht überlege ... könnten Sie uns doch eine Kleinigkeit zubereiten. Aber machen Sie sich keine Mühe. Ein schlichtes Sandwich würde schon genügen.«

»Ein Sandwich?« Ungläubig blickt sie auf. »Zum Abendessen?«

»Oder ... was Sie wollen! Irgendwas, was *Sie* gern kochen!« Schon während ich es sage, weiß ich, wie blöd es klingt. Ich trete einen Schritt zurück, schnappe mir ein Immobilienmagazin von einem kleinen Tisch und schlage es bei einem Bericht über Zimmerspringbrunnen auf.

Wie soll ich mich nur je daran gewöhnen? Seit wann brauche ich eine Haushälterin?

»Aaaah! Das Sofa ist kaputt!« Plötzlich klingt Gianna ausgesprochen italienisch, gar nicht mehr so sehr nach Cockney. Sie zerrt sich die iPod-Hörer aus den Ohren und zeigt auf den Riss im Stoff. »Sehen Sie doch! Kaputt! Gestern Morgen war es noch in Ordnung.« Kampfbereit sieht sie mich an. »Bestimmt! Es war einwandfrei. Keine Risse, keine Flecken …«

Ich laufe rot an. »Das … das war ich«, stottere ich. »Ich war das.«

»*Sie?*«

»Aus Versehen«, brabble ich drauflos. »Es war keine Absicht. Mir ist dieser Glasleopard heruntergefallen, und …« Ich atme schwer. »Ich lasse das Sofa neu beziehen. Versprochen! Bitte sagen Sie Eric nichts davon. Er weiß es nicht.«

»Er weiß es nicht?« Gianna ist sprachlos.

»Ich wollte den Riss mit dem Kissen kaschieren.« Ich schlucke. »Damit man ihn nicht gleich sieht.«

Einige endlose Augenblicke lang starrt Gianna mich nur an. Flehend starre ich zurück, kann kaum atmen. Dann verzieht sich ihre ernste Miene zu einem Lächeln. Sie legt das Kissen beiseite und tätschelt meinen Arm.

»Ich werde es stopfen. Mit kleinen Stichen. Er wird nichts merken.«

»Wirklich?« Mir fällt ein Stein vom Herzen. »Oh, Gott sei Dank! Das wäre ja wundervoll. Ich wäre Ihnen so dankbar!«

Gianna mustert mich, die Arme vor der Brust verschränkt. »Sind Sie wirklich sicher, dass nichts Ernstes passiert ist, als Sie sich den Kopf gestoßen haben?«, sagt sie schließlich. »Vielleicht eine … Persönlichkeitstransplantation?«

»Wie bitte?« Ich lache unsicher. »Ich hoffe nicht …« Es klingelt an der Tür. »Oh. Da gehe ich lieber mal hin.« Ich laufe zur Wohnungstür und nehme den Hörer ab. »Hallo?«

»Hallo?«, höre ich eine sonore Stimme. »Fahrzeugauslieferung für Gardiner.«

Mein neues Auto steht vor dem Haus, auf einem Parkplatz, der nach Aussage des Portiers mir ganz allein gehört. Es ist ein silberner Mercedes, nach dem Stern am Kühler zu urteilen. Und es ist ein Cabrio. Viel mehr kann ich dazu gar nicht sagen, nur dass der Wagen vermutlich ein Vermögen gekostet hat.

»Unterschreiben Sie hier … und hier …« Der Neuwagenauslieferungsmensch hält mir ein Klemmbrett hin.

»Okay.« Ich kritzle irgendwas aufs Papier.

»Hier sind Ihre Schlüssel … Steuerplakette … Papiere … Viel Spaß damit.« Der Typ nimmt mir den Kuli aus der Hand und spaziert durchs Tor hinaus, lässt mich mit dem Auto, einem ganzen Stapel Unterlagen und den Autoschlüsseln zurück. Ich lasse sie von meinem Zeigefinger baumeln und spüre eine gewisse Erregung.

Mit Autos konnte ich noch nie was anfangen.

Aber andererseits habe ich auch noch nie vor einem funkelnagelneuen Mercedes gestanden. Einem nagelneuen Mercedes, der mir ganz allein gehört.

Vielleicht sollte ich ihn mir mal von innen ansehen. Instinktiv richte ich den Schlüsselanhänger auf die Tür und drücke den kleinen Knopf … und zucke zusammen, als der Wagen piept und alle Lichter angehen.

Okay. Das habe ich offenbar schon mal gemacht. Ich öffne die Tür, lasse mich auf den Fahrersitz gleiten und atme tief ein.

Wow. Also, *das* ist ein Auto! Das schlägt Loser Daves verbeulten Renault um Längen. Es duftet betörend nach neuem Leder. Die Sitze sind breit und bequem. Das Armaturenbrett ist aus Holz. Vorsichtig lege ich meine Hände auf das Lenkrad. Sie scheinen wie selbstverständlich danach zu greifen. Es ist, als gehörten sie dorthin. Ich möchte sie gar nicht mehr wegnehmen.

So sitze ich eine Weile da und sehe, wie das Tor auf- und zugeht, als ein BMW hinausfährt.

Wenn ich es recht bedenke … ich *kann* ja fahren. Irgendwann muss ich den Führerschein schließlich gemacht haben, auch wenn ich mich nicht daran erinnere.

Und es ist *so* ein cooles Auto! Es wäre doch eine Schande, es nicht wenigstens mal auszuprobieren.

Versuchsweise stecke ich den Schlüssel in den Schlitz neben dem Lenkrad. Er passt! Ich drehe ihn um, wie ich es schon oft genug gesehen habe, und irgendwas kreischt los. Scheiße. Was hab ich gemacht? Ich drehe ihn noch mal, vorsichtiger, und diesmal kreischt nichts, aber am Armaturenbrett gehen ein paar Lämpchen an.

Und jetzt? In der Hoffnung auf eine Eingebung suche ich die Lämpchen ab, aber bei mir klingelt nichts. Die Wahrheit ist schlicht: Ich habe keine Ahnung, wie man dieses Ding bedient. Ich kann mich nicht daran erinnern, jemals in meinem Leben ein Auto gefahren zu haben.

Aber schließlich und endlich … ich habe es doch schon mal getan! Es müsste sein wie das Gehen auf hohen Absätzen. So was verlernt man nicht. Ich muss nur meinen Körper machen lassen. Ich muss mich nur genügend ablenken. Dann werde ich bestimmt feststellen, dass ich ganz von selbst fahre.

Ich nehme das Lenkrad in die Hand. Los geht's. Denk an was anderes. La la la. Denk nicht ans Fahren. Lass deinen Körper einfach tun, was ihm so einfällt. Vielleicht sollte ich ein Lied singen. Das hat schon mal geklappt.

»*Land of hope and gloreee*«, summe ich ohne Melodie, »*mother of the freeee …*«

Jippie! Es funktioniert. Meine Hände und Füße bewegen sich synchron. Ich wage gar nicht, hinzusehen. Ich traue mich nicht, darüber nachzudenken, was sie tun. Ich weiß nur, dass ich den Motor angemacht und auf ein Pedal getreten habe und es irgendwie gerumpelt hat und ... ich hab's geschafft! Ich hab den Wagen angemacht!

Ich höre den Motor brummen, als wollte er gleich loslegen. Okay. Ganz ruhig. Ich hole tief Luft und spüre leise Panik in mir aufsteigen. Ich sitze am Lenkrad von einem Mercedes, mit laufendem Motor, und ich bin mir nicht mal sicher, wie es so weit gekommen ist.

Okay. Reiß dich zusammen, Lexi.

Handbremse. Kenn ich. Vorsichtig löse ich sie. Dann bewege ich den Ganghebel ... und sofort setzt sich der Wagen in Bewegung.

Hektisch stampfe ich auf irgendein Pedal, um den Wagen anzuhalten, und er bockt mit ominösem Knirschen. Mist. Das klang nicht so gut. Ich lasse das Pedal los, und der Wagen rollt wieder an. Ich bin mir nicht mehr sicher, ob ich das wirklich will. Ich versuche, die Ruhe zu bewahren und trete wahllos auf die Pedale. Doch diesmal hält er nicht an, sondern fährt unaufhaltsam immer weiter. Ich trete wieder zu, und der Motor brüllt auf wie bei einem Rennwagen.

»Sch-scheiße!« Ich fang schon fast an zu stottern. »Okay, halt ... an! Bleib stehen!« Ich rücke vom Lenkrad ab, aber es macht keinen Unterschied. Ich weiß nicht, wie man mit diesem Ding umgeht. Wir bewegen uns langsam auf einen teuer aussehenden Sportwagen zu, der gegenüber parkt, und ich habe keine Ahnung, wie man bremst. Verzweifelt trete ich mit beiden Füßen zu, treffe zwei Pedale gleichzeitig, und der Motor heult, als müsste er sterben.

Oh, Gott, oh Gott ... mein Gesicht ist heiß, meine Hände schwitzen. Ich hätte nie in dieses Auto steigen sollen. Wenn ich einen Unfall baue, lässt Eric sich von mir scheiden, und ich kann es ihm nicht mal verdenken ...

»Halt!«, schreie ich.

Plötzlich kommt ein dunkelhaariger Mann in Jeans durchs Tor. Er sieht mich auf den Sportwagen zurollen, und der Schock steht ihm ins Gesicht geschrieben.

»Halt!«, schreit er, was ich durchs Fenster nur ganz leise hören kann.

»Ich kann nicht halten!«, schreie ich verzweifelt zurück.

»Lenken!« Er mimt das Lenkrad.

Das *Lenkrad*. Natürlich. Ich bin vielleicht blöd. Ich reiße es nach rechts, wobei ich mir fast die Arme auskugle, und schaffe es, den Wagen von seinem Kurs abzubringen. Allerdings halte ich jetzt frontal auf eine Mauer zu.

»Bremsen!« Der Typ rennt neben mir her. »Bremsen, Lexi!«

»Aber ich …«

»Um Gottes willen, brems doch endlich!«, schreit er.

Plötzlich fällt mir die Handbremse ein. Schnell! Ich reiße sie mit beiden Händen hoch, und bebend kommt der Wagen zum Stehen. Der Motor läuft noch, aber der Wagen steht still. Und wenigstens bin ich nirgendwo gegen gefahren.

Mein Atem geht schnell und heiser. Meine Hände klammern sich an die Handbremse. Ich werde nie wieder Auto fahren. Nie wieder.

»Alles okay?« Der Typ steht an meiner Scheibe. Langsam schaffe ich es, eine Hand von der Bremse zu lösen. Planlos drücke ich auf den Knöpfen an der Tür herum, bis die Scheibe herunterfährt. »Was ist denn passiert?«

»Ich … hab Panik gekriegt. Ich kann eigentlich gar nicht Auto fahren. Ich dachte, ich wüsste noch, wie es geht, aber dann hab ich wohl kurz Panik bekommen …« Ich spüre, wie ohne Vorwarnung eine Träne über mein Gesicht läuft. »Tut mir leid.« Ich schlucke. »Ich bin wohl ausgeflippt. Ich habe mein Gedächtnis verloren …«

Ich blicke auf und sehe, dass der Typ mich anstarrt, als verstünde er kein Wort. Er hat ein unglaublich ausdrucksstarkes Gesicht. Hohe Wangenknochen, dunkelgraue Augen und geschwungene Brauen. Sein dunkelbraunes Haar ist eher verwuschelt. Er trägt ein schlichtes, graues T-Shirt über seinen Jeans und sieht etwas älter aus als ich, vielleicht Anfang dreißig.

Außerdem wirkt er ziemlich fassungslos. Was allerdings kaum überraschen kann, wenn man bedenkt, dass er gerade nichts Böses ahnend auf einen Parkplatz spaziert und dort einer Frau in die Arme gelaufen ist, die ihr Auto fast zu Schrott gefahren hätte. Und die ihm obendrein auch noch erzählt, dass sie ihr Gedächtnis verloren hätte.

Vielleicht glaubt er mir nicht, denke ich besorgt. Vielleicht denkt er, ich bin betrunken, und das ist alles nur erfunden.

»Ich hatte einen Autounfall, vor ein paar Tagen«, erkläre ich eilig. »Wirklich wahr. Ich habe mir den Kopf gestoßen – hier.« Ich deute auf die Schnitte in meinem Gesicht.

»Ich weiß, dass du einen Unfall hattest«, sagt er schließlich. Er hat eine sehr markante Stimme, irgendwie eindringlich. Als sei jedes seiner Worte wirklich, wirklich wichtig. »Ich hab davon gehört.«

»Moment mal!« Ich schnalze mit der Zunge, als mir plötzlich etwas klar wird. »Du hast meinen Namen gerufen. Kennen wir uns?«

Die Überraschung steht ihm ins Gesicht geschrieben. Ich sehe, dass er mich ungläubig mustert. Als suchte er nach irgendetwas.

»Du erinnerst dich nicht an mich?«, sagt er schließlich.

»Äh, nein«, sage ich mit bedauerndem Achselzucken. »Tut mir leid. Ich möchte wirklich nicht unhöflich sein. Ich kann mich an niemanden erinnern, den ich in den letzten drei Jahren kennengelernt habe. Nicht an meine Freunde … nicht mal an meinen Mann. Am Anfang war er mir total fremd! Mein eigener Mann! Ist das zu glauben?«

Ich lächle … doch der Typ lächelt nicht zurück und zeigt auch kein Mitgefühl. Ehrlich gesagt, macht mich seine Miene ein bisschen nervös.

»Soll ich den Wagen einparken?«, sagt er schroff.

»Oh. Ja, bitte!« Ängstlich werfe ich einen Blick auf meine linke Hand, die nach wie vor krampfhaft die Handbremse festhält. »Kann ich loslassen? Oder rollt der Wagen dann an?«

Ein winziges Lächeln zuckt über sein Gesicht. »Nein. Der rollt nicht an. Du kannst loslassen.«

Vorsichtig löse ich meine verkrampfte Hand und schüttle sie aus.

»Vielen, vielen Dank!«, sage ich und steige aus. »Das ist mein neues Auto. Wenn ich es kaputtgemacht hätte … Ich wage gar nicht, daran zu *denken* …« Bei der bloßen Vorstellung verziehe ich das Gesicht. »Mein Mann hat es mir gekauft, als Ersatz für das kaputte. Kennst du ihn? Eric Gardiner?«

»Ja«, sagt er nach einer Pause. »Ich kenne ihn.«

Er steigt in den Wagen, schließt die Tür und gibt mir Zeichen, dass ich aus dem Weg gehen soll. Schon hat er den Wagen rückwärts an Ort und Stelle eingeparkt.

»Danke!«, sage ich aus vollem Herzen, als er aussteigt. »Ich weiß deine Hilfe sehr zu schätzen.«

Ich warte darauf, dass er »Kein Problem« oder »Jederzeit« sagt, aber anscheinend ist er mit seinen Gedanken woanders.

»Was sagen die zu deiner Amnesie?«, fragt er und blickt unvermittelt auf. »Hast du dein Gedächtnis für immer verloren?«

»Es könnte jederzeit wiederkommen«, erkläre ich. »Aber vielleicht auch nicht. Das kann niemand sagen. Ich muss mich wieder neu zurechtfinden. Eric ist mir dabei eine große Hilfe und erklärt mir alles über unsere Ehe und so. Er ist der perfekte Ehemann!« Ich lächle wieder, um die Situation aufzulockern. »Und … wie passt du ins Bild?«

Der dunkelhaarige Mann reagiert nicht im Geringsten. Er hat

seine Hände in den Hosentaschen und blickt zum Himmel auf. Ich weiß *wirklich* nicht, was er für ein Problem hat.

Schließlich lässt er den Kopf sinken und mustert mich mit verzerrter Miene, fast als hätte er Schmerzen. Vielleicht hat er das. Vielleicht hat er Kopfschmerzen oder irgendwas.

»Ich muss los«, sagt er.

»Okay. Also, vielen Dank noch mal«, sage ich höflich. »Wirklich nett, dich kennenzulernen. Ich meine, ich weiß, wir sind uns in meinem früheren Leben schon begegnet, aber ... du weißt schon, was ich meine!« Ich reiche ihm die Hand ... doch er starrt sie nur an, als wüsste er damit nichts anzufangen.

»Bye, Lexi.« Er macht auf dem Absatz kehrt.

»Bye ...«, rufe ich ihm noch hinterher. Was für ein komischer Vogel. Er hat mir nicht mal seinen Namen gesagt.

NEUN

Fi ist einer der gradlinigsten Menschen, die ich kenne. Wir haben uns mit sechs Jahren kennengelernt, als ich die Neue auf dem Schulhof war. Damals war sie schon einen Kopf größer als ich, trug ihr dunkles Haar zu Zöpfchen geflochten und sprach mit lauter, selbstbewusster Stimme. Sie erklärte mir, mein Plastiksprungseil sei Mist und zählte lauthals alle Mängel auf. Und dann, als ich schon losheulen wollte, bot sie mir ihres zum Spielen an.

So ist Fi. Mit ihrer Schroffheit stößt sie andere Leute manchmal vor den Kopf, und das weiß sie auch. Wenn sie was Unpassendes gesagt hat, verdreht sie die Augen und hält sich den Mund zu. Aber im Grunde ist sie warmherzig und nett. Und in Meetings ist sie großartig. Wenn andere herumsalbadern, kommt sie direkt zur Sache, ohne Umschweife.

Fi hat mir überhaupt erst die Idee in den Kopf gesetzt, mich bei Deller Carpets zu bewerben. Sie arbeitete bereits zwei Jahre dort, als *Frenshaws*, die Firma, bei der ich vorher war, von einem spanischen Unternehmen übernommen wurde und ein paar von uns ihrer betriebsbedingten Kündigung zustimmten. Es gab eine freie Stelle in der Abteilung Bodenbeläge, und Fi schlug vor, ich solle Gavin, ihrem Chef, mal meinen Lebenslauf zeigen … und das war's schon. Ich hatte einen neuen Job.

Seit wir zusammenarbeiten, sind Fi und ich sogar noch enger verbunden. Wir machen gemeinsam Mittag, wir gehen am Wochenende ins Kino, wir schicken einander SMS, während Gavin versucht, uns eine Standpauke zu halten. Carolyn und Debs stehen mir auch sehr nah, aber Fi ist diejenige, die ich zuerst anrufe, wenn es was Neues gibt, an die ich denke, wenn was Komisches passiert.

Deshalb ist es auch so merkwürdig, dass sie sich nicht meldet. Ich habe sie schon mehrfach angesimst, seit ich aus dem Krankenhaus entlassen wurde. Ich habe zwei Nachrichten auf ihrer Mailbox hinterlassen. Ich habe ein paar lustige E-Mails geschrieben und ihr sogar eine Karte geschickt, um mich für die Blumen zu bedanken. Aber ich habe noch keine Antwort bekommen. Vielleicht hat sie zu tun, sage ich mir dauernd. Oder sie ist irgendwo auf einem Fortbildungsseminar oder sie hat Grippe ... Es gibt Millionen gute Gründe.

Egal. Heute gehe ich ins Büro, und da treffe ich sie dann sowieso. Und die anderen auch.

Ich betrachte mich im großen Spiegel in meinem Ankleidezimmer. Die 2004er Lexi ging noch mit schwarzen Hosen von Next, einer Bluse aus der Grabbelkiste bei New Look und abgelatschten Slippern ins Büro.

Jetzt nicht mehr. Ich stecke in der bestgebügelten klassischen Business-Bluse, die ich je anhatte, von Prada natürlich. Ich trage ein schwarzes, tailliertes Kostüm mit engem Rock. Meine Beine schimmern in hauchfeinen Charnos-Strumpfhosen. Meine Lackschuhe sind spitz, und mein Haar ist zu einem Nackenknoten gebunden, meinem Erkennungszeichen. Ich sehe aus wie eine Illustration aus einem Kinderbuch. Lady Boss.

Eric kommt herein, und ich tanze eine Pirouette.

»Wie seh ich aus?«

»Großartig!« Er nickt, aber mein Anblick scheint ihn nicht zu überraschen. Für ihn ist dieser Aufzug offenbar ganz normal. Für mich hingegen wird es wohl immer eine Verkleidung bleiben.

»Alles bereit?«

»Glaub schon!« Ich schnappe mir meine schwarze Bottega Veneta-Tasche, die im Schrank stand.

Gestern habe ich versucht, Eric über Fi auszufragen, aber anscheinend kennt er sie gar nicht, und dabei ist sie meine älteste Freundin und war sogar auf unserer Hochzeit. Von meinen Freundinnen scheint er überhaupt nur Rosalie zu kennen, was wohl daran liegt, dass sie mit Clive verheiratet ist.

Egal. Macht nichts. Heute treffe ich Fi. Es wird schon irgendeine Erklärung geben, und dann kommt alles wieder ins Lot. Wahrscheinlich gehen wir in der Mittagspause alle zusammen was trinken und erzählen uns den neuesten Tratsch.

»Hier, vergiss das nicht!« Eric öffnet einen Schrank in der Ecke. Er holt eine elegante, schwarze Aktenmappe hervor und gibt sie mir. »Die habe ich dir zur Hochzeit geschenkt.«

»Wow, ist die hübsch!« Sie ist aus butterweichem Kalbsleder, mit geprägten Initialen: L. G.

»Ich weiß, dass du bei der Arbeit immer noch deinen Mädchennamen verwendest«, sagt Eric, »aber ich wollte, dass du ein kleines Stück von mir mit ins Büro nimmst.«

Er ist *so* romantisch. Er ist *so* perfekt.

»Ich muss gehen. In fünf Minuten kommt der Wagen und holt dich ab. Amüsier dich gut.« Er gibt mir einen Kuss und geht hinaus.

Als ich höre, wie die Haustür ins Schloss fällt, betrachte ich meine Aktenmappe und frage mich, was ich hineintun soll. Ich habe noch nie eine Aktenmappe benutzt. Ich habe immer alles einfach in meine Tasche gestopft. Schließlich lege ich ein Päckchen Taschentücher und Pfefferminzbonbons in die Mappe. Dann nehme ich noch einen Kuli dazu. Ich komme mir vor, als würde ich den Ranzen für meinen ersten Tag in der neuen Schule packen. Als ich den Kuli in eine seidene Innentasche stecke, komme ich mit dem Finger gegen etwas Flaches, und hole es hervor.

Es ist ein altes Foto von Fi, Debs, Carolyn und mir. Noch mit meiner alten Frisur. Als ich noch Frettchenzähne hatte. Wir sitzen in einer Bar, aufgerüscht in Glitzertops, mit rosigen Wangen und bunten Luftschlangen über unseren Köpfen. Fi hat ihren Arm um meinen Hals gelegt, zwischen meinen Zähnen klemmt ein Cocktailschirmchen, und wir lachen uns gerade schlapp. Unwillkürlich muss ich grinsen.

Ich kann mich an den Abend noch sehr genau erinnern. Debs hatte ihren fürchterlichen Banker-Freund zum Mond geschossen, und wir wollten ihr helfen, ihn zu vergessen. Im Laufe des Abends rief dieser Mitchell irgendwann auf Debs Handy an, Carolyn ging ran und gab sich als russisches Callgirl aus, das ihn für einen Freier hielt. Carolyn hatte Russisch in der Schule und war daher ziemlich überzeugend. Mitchell ist voll darauf reingefallen, auch wenn er es hinterher nicht zugeben wollte. Wir haben alle mitgehört, und ich dachte, ich müsste sterben vor Lachen.

Lächelnd stecke ich das Foto wieder in die kleine Seitentasche und klappe die Aktenmappe zu. Ich nehme sie in die Hand und betrachte mich im Spiegel. Lady Boss geht zur Arbeit.

»Hi«, sage ich zu meinem Spiegelbild und versuche, wie eine Managerin zu klingen. »Hallo. Lexi Smart, Abteilungsleitung Bodenbeläge. Ja, genau, ich bin die Chefin.«

Oh, Gott. Ich fühle mich nicht wie eine Chefin. Na ja, vielleicht kommt es wieder, wenn ich erst da bin.

Deller Carpets ist eine Firma, die durch ihre Fernsehwerbung in den Achtzigern bekannt wurde. Die Erste zeigte eine Frau, die auf einem blau gemusterten Teppich im Laden lag und so tat, als sei er so weich und anschmiegsam, dass sie sofort und auf der Stelle mit dem spießigen Verkäufer Sex haben wollte. Dann kam die Fortsetzung, in der sie den spießigen Verkäufer heiratete und den ganzen Hausflur mit blumigem Teppichflor von Deller auslegen ließ. Und dann kriegten sie Zwillinge, die nur schlafen konnten, wenn ihre Gitterbettchen mit blauem beziehungsweise pinkem Teppich ausgelegt waren.

Die Werbung war eher geschmacklos, aber Deller Carpets wurde dadurch zu einem Begriff. Was aber andererseits auch das Problem ist. Vor einigen Jahren wollte die Firma ihren Namen ändern, in einfach nur *Deller*. Es gab ein neues Logo und ein neues Unternehmensprofil und alles was dazugehört. Aber kein Mensch nimmt es zur Kenntnis. Sagt man, man arbeitet bei Deller, sehen einen die Leute fragend an und sagen: »Sie meinen Deller *Carpets*?«

Was absurd ist, nachdem der Teppichverkauf inzwischen nur noch einen geringen Teil des Firmenumsatzes ausmacht. Vor etwa zehn Jahren hat die Kundendienstabteilung damit begonnen, einen Teppichreiniger ins Programm aufzunehmen, den man per Post bestellen konnte und der sich unerhörter Nachfrage erfreute. Sie erweiterten die Palette der Reinigungsprodukte und -geräte, und jetzt ist das Versandgeschäft riesig. Ebenso das mit Vorhang- und Gardinenstoffen. Die armen Teppiche blieben dabei auf der Strecke. Das Problem ist, dass Teppichböden heutzutage einfach nicht mehr cool sind. Alle wollen Schiefer oder Laminat. Wir verkaufen zwar auch Laminat, aber darauf kommt keiner, wenn er den Namen Deller Carpets hört. Es ist ein Teufelskreis.

Ich weiß, Teppichböden sind uncool. Ich weiß, gemusterte Teppichböden sind sogar noch uncooler. Aber insgeheim mag ich sie wirklich gern. Besonders das alte Design aus den Siebzigern. Ich habe ein altes Musterbuch auf meinem Schreibtisch, in dem ich immer herumblättere, wenn ich mal wieder eines dieser endlos langweiligen Telefonate führen muss. Und einmal habe ich im Lager eine ganze Kiste voll alter Teppichmuster gefunden. Keiner wollte sie haben, also habe ich sie mit ins Büro genommen und neben meinem Schreibtisch an die Wand gepinnt.

Ich meine: neben meinen *alten* Schreibtisch. Ich schätze, man hat mich wohl befördert. Als ich auf das vertraute Gebäude an der

Victoria Palace Road zusteuere, spüre ich ein leichtes Kribbeln im Magen. Es sieht so aus wie immer: ein hoher, hellgrauer Block mit Granitsäulen am Eingang. Ich drücke die Glastüren zum Empfang auf ... und bleibe stehen, bass erstaunt. Das Foyer hat sich verändert. Es sieht richtig cool aus! Sie haben den Schreibtisch versetzt und gläserne Raumteiler eingebaut, wo früher eine Wand war ... und der Bodenbelag ist aus hochwertigem Vinyl – in Blaumetallic. Das muss ein ganz neues Produkt sein.

»Lexi!« Eine stämmige Frau in pinkfarbener Bluse und knallenger schwarzer Hose kommt auf mich zugeeilt. Sie hat Strähnchen im Haar und trägt purpurroten Lippenstift und Pumps und heißt ... ich kenne sie ... die Personalchefin ...

»Dana.« Erleichtert seufze ich den Namen. »Hi.«

»Lexi.« Sie schüttelt mir die Hand. »Herzlich willkommen! Sie Ärmste! Wir waren alle *so* schockiert, als wir gehört haben, was passiert ist ...«

»Es geht mir gut, danke. Schon viel besser.« Ich folge ihr über den glänzenden Boden, bekomme einen Security-Pass und ziehe ihn durch das Lesegerät an der Sicherheitsschleuse. Auch das ist alles neu. Früher gab es hier keine Schleuse, nur einen Pförtner namens Reg.

»Gut! Also, hier entlang ...« Dana geht voraus. »Ich dachte mir, wir könnten uns erst in meinem Büro etwas unterhalten und dann kurz beim Etat-Meeting reinschauen. Sie werden sicher Ihre Abteilung sehen wollen!«

»Super! Gute Idee.«

Meine Abteilung. Früher hatte ich einen Schreibtisch und einen Hefter.

Wir fahren mit dem Fahrstuhl hinauf, steigen im zweiten Stock aus, und Dana führt mich in ihr Büro.

»Nehmen Sie Platz.« Sie schiebt einen plüschigen Sessel heran und setzt sich an ihren Schreibtisch. »Nun, also, wir müssen über Ihren ... *Zustand* sprechen.« Sie senkt diskret ihre Stimme, als hätte ich ein peinliches Gebrechen. »Sie leiden unter Gedächtnisverlust.«

»Das ist richtig. Aber abgesehen davon, bin ich wiederhergestellt.«

»Gut!« Sie kritzelt etwas auf ihren Notizblock. »Und ist dieser Gedächtnisverlust bleibender oder vorübergehender Natur?«

»Also … die Ärzte halten es für möglich, dass ich mich jeden Moment wieder an alles erinnern kann.«

»Wunderbar!« Ihre Miene hellt sich auf. »Von *unserem* Standpunkt aus betrachtet, wäre es natürlich schön, wenn Sie sich bis zum Einundzwanzigsten wieder vollständig erinnern könnten. Denn dann findet unsere Vertriebskonferenz statt«, fügt sie hinzu und mustert mich erwartungsvoll.

»Gut«, sage ich nach einer Pause. »Ich will tun, was in meiner Macht steht.«

»Mehr kann man wohl nicht verlangen!« Sie lacht fröhlich und schiebt ihren Stuhl zurück. »Dann lassen Sie uns Simon und den anderen Hallo sagen. Sie erinnern sich an Simon Johnson, unseren Geschäftsführenden Direktor?«

»Selbstverständlich!«

Wie könnte ich den obersten Chef der Firma vergessen? Ich weiß noch, wie er bei der Weihnachtsfeier eine Rede gehalten hat. Ich erinnere mich, wie er in unserer Abteilung auftauchte und nach unseren Namen fragte, wobei Gavin ihm wie ein Lakai hinterhergedackelt ist. Und heutzutage sitze ich mit ihm in Meetings!

Ich gebe mir alle Mühe, meine Nervosität zu verbergen, als ich Dana den Flur entlang folge und dann mit ihr im Fahrstuhl hinauf in den achten Stock fahre. Forsch führt sie mich zum Konferenzraum, klopft an die schwere Tür und drückt sie auf.

»Entschuldigen Sie die Störung, aber Lexi kommt uns besuchen.«

»Lexi! Unser Superstar!« Simon Johnson erhebt sich von seinem Sessel am Kopfende des Tisches. Er ist groß und breitschultrig gebaut, wie ein Ex-Offizier mit schütterem, braunem Haar. Er kommt mir entgegen, packt meine Hände, als wären wir alte Freunde, und küsst mich auf die Wange. »Wie geht es Ihnen, meine Liebe?«

Simon Johnson hat mich eben geküsst. Der oberste Chef unserer Firma hat mich *geküsst*.

»Öh … gut, danke!« Ich versuche, die Fassung zu bewahren. »Schon viel besser.«

Ich drehe mich um und sehe eine ganze Bande mächtiger Firmenleute in Anzügen. Byron, der früher mein direkter Vorgesetzter war, sitzt auf der anderen Seite vom Konferenztisch. Er ist blass und schlaksig, mit dunklen Haaren, und er trägt wie immer eine dieser bedruckten Retrokrawatten. Er schenkt mir ein verkniffenes Lächeln, und ich grinse zurück, freue mich, dass ich hier jemanden kenne.

»Sie haben sich ganz schön den Kopf gestoßen, wie man hört«, sagt Simon Johnson mit vornehmer, klangvoller Stimme.

»Das kann man wohl sagen.«

»Kommen Sie bloß bald zurück!« Er tut, als wollte er mich drängen. »Unser Byron hier macht sich zu gut auf Ihrem Platz.« Er deutet auf Byron. »Ob Sie allerdings darauf bauen können, dass er Ihr Budget auch hütet …«

»Ich weiß nicht.« Ich ziehe die Augenbrauen hoch. »Muss ich mir denn Sorgen machen?«

Am Tisch wird zustimmendes Gelächter laut, und ich sehe, wie Byron mir böse Blicke zuwirft.

Ehrlich, ich wollte nur einen Witz machen.

»Im Ernst, Lexi. Wir müssen dringend unser Gespräch von neulich noch mal aufgreifen.« Simon Johnson nickt mir vielsagend zu. »Wir essen zusammen, sobald Sie wieder auf dem Damm sind.«

»Unbedingt.« Ich versuche, seinem selbstbewussten Tonfall

zu entsprechen, obwohl ich keine Ahnung habe, wovon er eigentlich redet.

»Simon.« Diskret tritt Dana vor. »Die Ärzte wissen nicht, ob Lexis Amnesie bleibt oder nicht. Sie könnte Probleme damit haben, sich zu erinnern …«

»In unserer Branche vielleicht von Vorteil«, wirft ein Mann mit Halbglatze ein, und wieder wird am Tisch gelacht.

»Lexi, ich setze großes Vertrauen in Sie«, sagt Simon Johnson mit fester Stimme. Er wendet sich einem rothaarigen Mann zu. »Daniel, Sie beide sind sich noch nicht begegnet, oder? Daniel ist unser neuer Controller. Daniel, Sie kennen Lexi vielleicht aus dem Fernsehen …?«

»Stimmt!« Im Gesicht des Mannes sehe ich, dass ihm langsam etwas dämmert, als wir uns die Hände geben. »Sie sind also das Wunderkind, von dem ich gehört habe.«

Wunderkind?

»Nicht wirklich«, sage ich etwas unsicher, und man lacht.

»Nur nicht so bescheiden!« Simon schenkt mir ein warmherziges Lächeln, dann wendet er sich Daniel zu. »Diese junge Dame hat einen kometenhaften Aufstieg in unserer Firma hinter sich. In anderthalb Jahren von der Juniorassistentin zur Abteilungsleiterin. Wie ich Lexi schon oft genug gesagt habe … Es war ein Wagnis, ihr den Job zu geben, aber ich habe es bisher keinen einzigen Moment bereut. Sie ist als Führungskraft ein Naturtalent. Sie ist inspirierend. Sie ist rund um die Uhr im Einsatz, sie hat ein paar spannende Zukunftsvisionen in petto … sie ist eine sehr, *sehr* tüchtige Mitarbeiterin unserer Firma.«

Als Simon fertig ist, strahlt er mich an. Ebenso der Typ mit der Halbglatze und ein paar andere.

Ich stehe komplett unter Schock. Mein Gesicht ist puterrot, meine Beine drohen nachzugeben. So hat noch nie jemand von mir gesprochen. In meinem ganzen Leben nicht.

»Tja, also … danke!«, stottere ich schließlich.

»Lexi.« Simon deutet auf einen leeren Sessel. »Können wir Sie überreden, an unserem Etat-Meeting teilzunehmen?«

»Äh …« Hilfesuchend sehe ich zu Dana hinüber.

»Sie bleibt heute nicht lange, Simon«, sagt Dana. »Wir sind eigentlich auf dem Weg zu den Bodenbelägen.«

»Natürlich.« Simon Johnson nickt. »Nun, da entgeht Ihnen aber was. Ein Etat-Meeting ist doch das reinste Vergnügen!« Er hat Lachfältchen um die Augen.

»Wussten Sie denn nicht, dass ich das alles nur veranstaltet habe, um nicht an Etat-Meetings teilnehmen zu müssen?«

Ich deute auf meinen Kopf, und wieder lacht der ganze Raum.

»Bis bald, Lexi«, sagt Simon Johnson. »Passen Sie gut auf sich auf!«

Als Dana und ich den Konferenzraum verlassen, bin ich ganz berauscht vor lauter Euphorie. Ich kann gar nicht glauben, was da eben passiert ist. Ich habe mit Simon Johnson geschäkert. Ich bin ein Wunderkind! Ich habe strategische Zukunftsvisionen!

Ich hoffe nur, ich habe sie irgendwo aufgeschrieben.

»Und können Sie sich erinnern, wo die Abteilung Bodenbeläge ist?«, sagt Dana, als wir mit dem Fahrstuhl wieder hinunterfahren. »Bestimmt werden Sie schon sehnsüchtig erwartet.«

»Ich freue mich auch!«, sage ich mit wachsendem Selbstvertrauen. Wir steigen aus dem Fahrstuhl, und Danas Handy trällert. »Ach, du je!«, sagt sie mit einem Blick darauf. »Ich sollte das Gespräch annehmen. Wollen Sie vielleicht schon mal vorgehen, und wir treffen uns da?«

»Natürlich!« Ich laufe den Flur entlang. Er sieht so aus wie immer, mit demselben braunen Teppich, Brandschutzhinweisen und Plastikpflanzen. Die Abteilung Bodenbeläge befindet sich geradeaus links. Und rechts – genau gegenüber – ist Gavins Büro.

Beziehungsweise, *mein* Büro.

Mein eigenes, persönliches Büro.

Eine Weile stehe ich draußen vor der Tür und kann mich nicht entschließen, hineinzugehen. Es ist kaum zu fassen, dass das mein Büro sein soll. Mein Job.

Ganz ruhig. Kein Grund zur Sorge. Ich bin der Aufgabe gewachsen. Simon Johnson hat es selbst gesagt. Als ich den Türgriff nehmen will, sehe ich, wie ein etwa zwanzigjähriges Mädchen aus dem Großraumbüro gelaufen kommt. Vor Schreck hält sie sich den Mund zu.

»Oh!«, sagt sie. »Lexi! Sie sind wieder da!«

»Ja.« Unsicher starre ich sie an. »Seien Sie mir nicht böse, ich hatte einen Unfall, und ich kann mich nicht mehr erinnern …«

»Ja, ich weiß.« Sie wirkt nervös. »Ich bin Clare. Ihre Assistentin.«

»Oh, Hi! Nett, Sie kennenzulernen! Ich sitz also hier drinnen?« Ich deute auf Gavins Tür.

»Genau. Kann ich Ihnen eine Tasse Kaffee bringen?«

»Ja, bitte!« Ich gebe mir Mühe, meine Begeisterung zu verbergen. »Das wäre nett.«

Ich habe eine Assistentin, die mir tassenweise Kaffee bringt. Ich habe es also tatsächlich bis nach oben geschafft. Ich trete in das Büro ein und lasse die Tür mit einem wohltuenden Klicken ins Schloss fallen.

Wow. Ich hatte ganz vergessen, wie groß dieses Zimmer ist. Es hat einen geschwungenen Schreibtisch und eine Pflanze und ein Sofa. Ich lege meine Aktenmappe auf den Schreibtisch und trete ans Fenster. Ich habe sogar einen Ausblick! Zugegeben, auf das Nachbarhochhaus, aber immerhin. Es ist meiner! Ich bin hier der Boss! Vor lauter Begeisterung muss ich richtig lachen, als ich mich einmal um mich selbst drehe und dann auf das Sofa hüpfe. Ich springe ein paarmal auf und ab und erstarre, als es an der Tür klopft.

Verdammt. Wenn jetzt jemand hereinkommt und mich so

sieht … Ich atme einmal tief durch, dann wetze ich zum Schreibtisch, nehme mir irgendein Blatt Papier und lese es mit ernster Miene.

»Ja, bitte?«

»Lexi!« Dana kommt hereingerauscht. »Richten Sie sich schon wieder häuslich ein? Clare hat mir berichtet, Sie hätten sie gar nicht erkannt! Das wird ganz schön knifflig für Sie werden, was? Ich war mir nicht darüber im Klaren, wie sehr …« Sie schüttelt den Kopf, legt ihre Stirn in Falten. »Sie können sich also an rein *gar nichts* mehr erinnern?«

»Nun … nein«, gebe ich zu. »Aber bestimmt fällt mir alles bald wieder ein. Früher oder später.«

»Hoffentlich haben Sie recht!« Sie sieht etwas besorgt aus. »Gut. Dann lassen Sie uns durch die Abteilung gehen, damit Sie sich mit allen wieder vertraut machen können …«

Wir gehen hinaus, und plötzlich sehe ich Fi aus dem Großraumbüro kommen, in einem knappen, schwarzen Rock mit Stiefeln und einem grünen, ärmellosen Top. Sie sieht ganz anders aus, als ich sie in Erinnerung hatte, mit einer neuen, roten Strähne im Haar und irgendwie schmaler. Aber sie ist es. Sie trägt sogar dieselben Schildpatt-Armreifen wie früher.

»Fi!«, rufe ich begeistert und lasse fast meine Mappe fallen. »Ich werd verrückt! Ich bin's, Lexi! Hi! Ich bin wieder da!«

Fi zuckt sichtlich zusammen. Sie dreht sich um und starrt mich ein paar Sekunden lang nur an, als wäre ich nicht ganz bei Trost.

Wahrscheinlich klinge ich tatsächlich etwas übertrieben begeistert. Aber ich freue mich einfach so, sie wiederzusehen!

»Hi, Lexi«, sagt sie schließlich und beäugt mich. »Wie geht's?«

»Gut!«, sage ich, und die Worte taumeln eifrig aus meinem Mund. »Wie geht es *dir*? Du siehst toll aus! Deine neue Frisur gefällt mir!«

Inzwischen starren mich alle an.

»Wie dem auch sei …« Ich zwinge mich, gefasster zu klingen. »Vielleicht können wir nachher ein bisschen plaudern? Mit den anderen?«

»Hm … ja.« Fi nickt, ohne mich anzusehen.

Warum ist sie so abweisend? Was ist los? Das Ganze ist mir plötzlich unheimlich. Vielleicht hat sie deshalb auf keine meiner Nachrichten geantwortet. Wir haben uns total zerstritten. Und die anderen sind auf ihrer Seite. Ich kann mich einfach nur nicht mehr daran erinnern …

»Nach Ihnen, Lexi!« Dana führt mich ins Großraumbüro. Fünfzehn Augenpaare blicken auf, und ich verberge meine Panik.

Es ist so abgefahren.

Ich sehe Carolyn und Debs und Melanie und andere, die ich kenne. Alles vertraute Gesichter … nur drei Jahre älter. Ihre Haare und ihr Make-up und was sie anhaben, hat sich verändert. Debs hat superbraune Arme und sieht aus, als wäre sie gerade im Urlaub gewesen, irgendwo weit weg. Carolyn trägt eine neue, rahmenlose Brille, und ihr Haar ist noch kürzer als sonst …

Da ist mein Schreibtisch. Ein Mädchen mit blondierten Zöpfen sitzt daran und scheint sich ganz heimisch zu fühlen.

»Sie wissen alle, dass Lexi seit ihrem Unfall krankgeschrieben ist«, verkündet Dana. »Wir freuen uns über ihre kleine Stippvisite. Ihre Verletzungen haben gewisse Nebenwirkungen zur Folge, insbesondere einen Gedächtnisverlust. Sicher werden Sie ihr alle helfen, sich wieder zu erinnern, und heißen sie herzlich willkommen!« Sie dreht sich zu mir um und murmelt: »Lexi, möchten Sie ein paar motivierende Worte an Ihre Abteilung richten?«

»Motivierende Worte?«, wiederhole ich unsicher.

»Einfach irgendwas Inspirierendes.« Dana strahlt mich an. »Bauen Sie die Truppe auf!« Wieder trällert ihr Handy. »Entschuldigung. Verzeihen Sie.« Eilig läuft sie auf den Gang hinaus, und ich bleibe allein zurück, stehe meiner Abteilung gegenüber.

Komm schon. Simon Johnson sagt, ich bin als Führungskraft ein Naturtalent. Ich kann das!

»Also … hallo alle zusammen!« Ich deute ein Winken an, das niemand erwidert. »Ich wollte nur sagen, dass ich bald wieder da bin, und … äh … weiter so …« Ich suche nach etwas Motivierendem. »Wer ist die beste Abteilung in der Firma? Wir! Wer ist der absolute Hit? Bodenbeläge!« Ich balle meine Faust in der Luft wie ein Cheerleader. »B! O! D! N! B! …«

»Da fehlt ein E«, unterbricht mich ein Mädchen, das ich nicht kenne. Mit verschränkten Armen steht es da, gänzlich unbeeindruckt.

»Bitte?« Ich stutze, atemlos.

»Boden schreibt man mit E.« Sie verdreht die Augen. Die beiden Mädchen neben ihr kichern hinter vorgehaltener Hand, während Carolyn und Debs mich nur mit offenem Mund anstarren.

»Stimmt«, sage ich, völlig durcheinander. »Jedenfalls … gut gemacht … gute Arbeit …«

»Und kommen Sie jetzt wieder, Lexi?«, will eine Frau in Rot wissen.

»Noch nicht sofort …«

»Meine Spesenabrechnung müsste dringend unterschrieben werden.«

»Meine auch!«, sagen etwa sechs Leute.

»Hast du schon mit Simon über unsere Zielvorgaben gesprochen?« Melanie tritt vor, runzelt die Stirn. »Die sind völlig unerfüllbar, weil …«

»Was ist mit den neuen Computern?«

»Haben Sie meine E-Mail gelesen?«

»Ist die Bestellung von der Thorne Group geklärt?«

Plötzlich kommen alle im Raum auf mich zu, stellen Fragen. Ich verstehe kaum eine davon, weiß gar nicht, was sie bedeuten sollen.

»Keine Ahnung!«, sage ich verzweifelt. »Es tut mir leid, ich kann mich nicht erinnern … wir sehen uns später!«

Schwer atmend weiche ich zurück, auf den Gang hinaus, in mein Büro. Dort knalle ich die Tür hinter mir zu.

Hilfe! Was hatte das denn zu bedeuten?

Es klopft an der Tür. »Hallo?«, rufe ich mit erstickter Stimme.

»Hi!«, sagt Clare und kommt mit einem riesigen Stapel von Briefen und Unterlagen herein. »Tut mir leid, wenn ich Sie belästige, Lexi, aber wenn Sie schon mal da sind: Könnten Sie vielleicht kurz einen Blick darauf werfen? Sie müssen dringend Tony Dukes von Biltons zurückrufen und die Zahlung an Sixpack anweisen und diese Verzichtserklärungen unterschreiben, und ein Mensch namens Jeremy Northpool hat mehrfach angerufen und gesagt, er hofft, man käme wieder miteinander ins Gespräch …«

Sie hält mir einen Schreiber hin. Sie geht davon aus, dass ich sofort loslege.

»Ich kann überhaupt nichts entscheiden«, sage ich verzweifelt. »Ich kann nichts unterschreiben. Ich habe noch nie was von Tony Dukes gehört. Ich kann mich an das alles nicht erinnern!«

»Oh.« Clares Stapel neigt sich ein wenig, während sie mich mit großen Augen mustert. »Na dann … und wer leitet jetzt die Abteilung?«

»Ich weiß nicht. Ich meine … ich. Ich mach es ja. Ich brauch nur noch ein bisschen Zeit … Hören Sie zu, lassen Sie alles hier.« Ich versuche, mich zusammenzureißen. »Ich seh es mir mal an. Vielleicht fällt mir alles wieder ein.«

»Okay«, sagt Clare erleichtert. Sie legt den Stapel auf meinen Schreibtisch. »Ich bringe Ihnen erst mal Ihren Kaffee.«

Mir dreht sich alles. Ich setze mich an den Schreibtisch und nehme den ersten Brief in die Hand. Es geht um eine Beschwerde. »Wie Sie sich denken können ... erwarten wir eine umgehende Antwort.«

Ich blättere zum nächsten Dokument. Es ist eine monatliche Erwartungsrechnung für alle Abteilungen der Firma. Sie enthält sechs Statistiken, und daran klebt ein gelber Notizzettel, auf den jemand etwas geschrieben hat. »Was meinen Sie dazu, Lexi?«

»Ihr Kaffee ...« Clare klopft leise an die Tür.

»Ah, ja!«, sage ich und bemühe mich um einen chefmäßigen Ton. »Danke, Clare.« Als sie die Tasse abstellt, deute ich auf die Statistiken. »Sehr interessant. Ich werde ... meine Überlegungen dazu später ausformulieren.«

Sobald sie draußen ist, sinkt mein Kopf auf die Tischplatte. Was soll ich nur tun? Dieser Job ist richtig schwer. Ich meine ... er ist echt so richtig schwer.

Wie soll ich das nur schaffen? Woher weiß ich, was ich sagen soll, welche Entscheidungen ich treffen soll? Es klopft schon wieder. Eilig setze ich mich aufrecht hin und schnappe mir wahllos irgendein Blatt Papier.

»Alles in Ordnung, Lexi?« Es ist Byron, mit einer Flasche Wasser und einem Stapel Unterlagen. Er steht an den Türrahmen gelehnt, und aus seinen weißen Hemdsärmeln ragen knochige Handgelenke. An einem trägt er eine überdimensionierte Hightech-Armbanduhr, die bestimmt teuer war, aber total albern aussieht.

»Prima! Sehr gut! Ich dachte, Sie sind im Etat-Meeting.«

»Wir machen Mittagspause.«

Er hat so eine leiernde, sarkastische Art zu sprechen, als wäre man ein kompletter Idiot. Ehrlich gesagt, bin ich mit Byron noch nie besonders gut ausgekommen. Jetzt schweift sein Blick über die Papiere auf meinem Schreibtisch. »Schon wieder am Ball, wie ich sehe?«

»Noch nicht so ganz.« Ich lächle, aber er lächelt nicht zurück.

»Haben Sie sich schon entschieden, was Sie wegen Tony Dukes unternehmen wollen? Die Buchhaltung hat mir damit gestern schon wieder die Ohren vollgejammert.«

»Also …« Ich zögere. »Eigentlich kann ich dazu … ich bin nicht …« Ich schlucke, spüre, wie ich rot werde. »Es ist so, dass ich seit meinem Unfall unter Amnesie leide, und …« Mein Satz verendet, und ich knete meine Finger.

Plötzlich erkenne ich an Byrons Gesichtsausdruck, dass er begreift. »Großer Gott«, sagt er, nachdem er mich eine Weile betrachtet hat. »Sie haben keine Ahnung, wer Tony Dukes ist, oder?«

Tony Dukes. Tony Dukes. Panisch zermartere ich mir das Hirn … nichts.

»Ich … äh … also … nein. Aber Sie könnten mir ja auf die Sprünge helfen …«

Byron ignoriert mich. Er kommt näher, tippt mit der Wasserflasche an sein Handgelenk, runzelt versonnen seine Stirn.

»Damit ich es auch richtig verstehe«, sagt er langsam. »Sie erinnern sich an … überhaupt nichts?«

Alle meine Instinkte sind in Alarmbereitschaft. Er ist wie eine Katze, die mit einer Maus spielt …

Er will meinen Job.

Ich komme mir vor wie ein Vollidiot, weil ich nicht gleich darauf gekommen bin. Selbstverständlich. Ich habe ihn auf der Karriereleiter links überholt. Bestimmt hasst er mich, und seine Höflichkeit ist reine Fassade.

»Ich erinnere mich nicht an *nichts*!«, rufe ich hastig, als sei die bloße Vorstellung absurd. »Nur die letzten drei Jahre sind ein bisschen schwammig …«

»Die letzten drei Jahre?« Byron wirft seinen Kopf in den Nacken und lacht ungläubig. »Tut mir leid, Lexi. Aber Sie wissen genauso gut wie ich, dass in diesem Geschäft drei Jahre eine Ewigkeit sind!«

»Na, ich werde mir bestimmt bald alles wieder aneignen«, sage ich im Brustton der Überzeugung. »Und die Ärzte haben gesagt, jederzeit könnte mir alles wieder einfallen.«

»Oder auch nicht.« Er setzt seine Mitleidsmiene auf. »Das muss Ihnen doch reichlich zu schaffen machen, Lexi … dass Ihr Kopf so leer ist.«

Ich halte seinem Blick so eisern wie möglich stand. *Netter Versuch. Aber so schnell bringst du mich nicht aus der Fassung.*

»Zweifelsohne werde ich bald völlig wiederhergestellt sein«, sage ich barsch. »Und wieder bei der Arbeit, als Abteilungsleiterin … Ich hatte vorhin ein kleines Gespräch mit Simon Johnson«, füge ich zur Sicherheit hinzu.

»Mh-hm.« Nachdenklich tippt er an seine Wasserflasche. »Also … was wollen Sie wegen Tony Dukes unternehmen?«

Verdammt. Er hat mich ausgetrickst. Ich kann zu Tony Dukes nichts sagen, und das weiß er. Ich sortiere die Papiere auf meinem Schreibtisch, um Zeit zu schinden.

»Vielleicht … könnten *Sie* in dieser Sache eine Entscheidung treffen?«, sage ich schließlich.

»Liebend gern.« Herablassend lächelt er mich an. »Ich werde mich um alles kümmern. Passen Sie nur gut auf sich auf, Lexi. Werden Sie gesund, und lassen Sie sich so viel Zeit, wie Sie brauchen. Machen Sie sich keine Sorgen!«

»Tja, also … danke.« Ich zwinge mich, freundlich zu klingen. »Das weiß ich zu schätzen, Byron.«

»Aha!« Dana steht in der Tür. »Ein kleines Pläuschchen? Sind Sie schon auf dem neuesten Stand, Lexi?«

»Absolut!« Ich lächle mit zusammengebissenen Zähnen. »Byron ist mir eine große Hilfe.«

»Wo ich helfen kann …« Mit einer Geste der Bescheidenheit breitet er die Arme aus. »Ich bin voll da. Gedächtnis intakt!«

»Super!« Dana sieht auf ihre Armbanduhr. »Also, Lexi, ich muss fix zum Mittagessen, aber ich könnte Sie noch zur Tür begleiten, falls Sie jetzt schon mitkommen wollen ...«

»Keine Sorge, Dana«, sage ich hastig. »Ich bleibe noch etwas hier und sehe mir den Papierkram an.«

Ich werde dieses Gebäude nicht verlassen, ohne mit Fi gesprochen zu haben. Auf gar keinen Fall.

»Okidoki.« Sie strahlt mich an. »Tja, also. Schön Sie zu sehen, Lexi. Rufen Sie an, wenn Sie wissen, wann Sie offiziell zurückkommen wollen.« Sie macht diese Telefonhörer-Geste mit der rechten Hand, und ich merke, wie ich sie nachmache.

»Bis bald!«

Die beiden ziehen los, und ich höre Byron sagen: »Dana, kann ich Sie kurz sprechen? Wir müssen diese Situation klären. Bei allem Respekt Lexi gegenüber ...«

Meine Bürotür fällt ins Schloss, und ich schleiche mich auf Zehenspitzen an. Ich öffne sie ein Stück und schiebe meinen Kopf hindurch.

»... sie ist *offensichtlich* nicht in der Lage, diese Abteilung zu leiten ...« Byrons Stimme ist deutlich zu hören, als er mit Dana um die Ecke zu den Fahrstühlen biegt.

Mistkerl. Er hat nicht mal darauf gewartet, bis er nicht mehr zu hören war. Ich kehre in mein Büro zurück, sinke an meinem Schreibtisch in mich zusammen und schlage die Hände vors Gesicht. Meine ganze Euphorie ist verflogen. Ich habe keinen Schimmer, wie ich jemals zu diesem Job gekommen bin. Ich nehme wahllos irgendein Blatt vom Stapel und starre es an. Es hat irgendwas mit Versicherungsprämien zu tun. Woher *weiß* ich so was eigentlich? Wann habe ich das alles gelernt? Ich komme mir vor, als wäre ich eben aufgewacht und klammerte mich an den Gipfel des Mount Everest, ohne überhaupt zu wissen, was ein Steigeisen ist.

Mit schwerem Seufzer lege ich das Blatt beiseite. Ich muss mit jemandem reden. Fi. Ich nehme den Hörer ab und wähle 352, was ihre Durchwahl ist, sofern das System nicht geändert wurde.

»Abteilung Bodenbeläge. Fiona Roper am Apparat.«

»Fi, ich bin's!«, sage ich. »Lexi. Hör mal, können wir reden?«

»Natürlich«, sagt Fi förmlich. »Möchtest du, dass ich jetzt gleich rüberkomme? Oder soll ich mir bei Clare einen Termin holen?«

Mich verlässt der Mut. Sie klingt so ... distanziert.

»Ich meinte, ob wir plaudern können! Es sei denn, du bist gerade beschäftigt ...«

»Ehrlich gesagt, wollte ich eben Mittag machen ...«

»Oh, da komme ich mit!«, sage ich begeistert. »Wie in alten Zeiten! Eine heiße Schokolade wär jetzt genau das Richtige! Und gibt es bei Morellis immer noch diese leckeren Panini?«

»Lexi ...«

»Fi, ich muss dringend mit dir reden, okay?« Ich klammere mich an den Hörer. »Ich ... ich kann mich an nichts erinnern. Und es macht mich total verrückt. Die ganze Situation.« Ich versuche, zu lachen. »Warte kurz, ich bin gleich da ...«

Ich knalle den Hörer auf und schnappe mir ein Blatt Papier. Ich zögere, dann schreibe ich: »Byron, bitte sorgen Sie dafür, dass alles ordnungsgemäß erledigt wird. Vielen Dank, Lexi.«

Ich weiß, dass ich ihm geradezu in die Hände spiele. Aber im Moment will ich nur noch meine Freundinnen wiedersehen. Ich schnappe mir meine Tasche und die Aktenmappe und renne hinaus, an Clares Schreibtisch vorbei ins Großraumbüro.

»Hi, Lexi«, sagt eine fremde Frau. »Kann ich was für Sie tun?«

»Nein, ist schon okay. Ich bin mit Fi zum Mittagessen verabredet ...« Ich stutze. Ich kann Fi nirgends im Büro entdecken. Und auch Carolyn nicht. Oder Debs.

»Ich glaube, sie sind schon los zur Pause.« Die Frau wirkt überrascht. »Sie haben sie nur knapp verpasst ...«

»Ach, so.« Ich versuche, mir nicht anmerken zu lassen, dass ich jeden Moment die Fassung verliere. »Danke. Wahrscheinlich meinten sie, wir treffen uns unten in der Lobby.«

Ich mache auf dem Absatz kehrt, dann laufe ich so schnell, wie es mir auf meinen hohen Absätzen möglich ist, den Flur entlang … und sehe gerade noch, wie Debs im Fahrstuhl verschwindet.

»Wartet!«, rufe ich und renne los. »Ich bin hier, Debs!« Doch die Fahrstuhltüren schließen sich bereits.

Sie hat mich gehört. Ich weiß es genau.

Alle möglichen Gedanken schießen mir in den Kopf, als ich die Tür zum Treppenhaus aufstoße und hinunterklappere. Sie wussten, dass ich komme. Gehen sie mir aus dem Weg? Was ist in den drei Jahren nur passiert? Wir sind doch *Freundinnen*. Okay, ich weiß, ich bin jetzt hier die Chefin … aber man kann auch mit seiner Chefin befreundet sein, oder nicht?

Oder nicht?

Ich komme im Erdgeschoss an und stolpere fast ins Foyer. Als Erstes sehe ich, wie Carolyn und Debs durch die großen Glastüren hinausmarschieren, immer hinter Fi her.

»Hey!«, rufe ich beinah verzweifelt. »Wartet!« Ich hetze dem Ausgang entgegen und hole sie endlich auf den Eingangsstufen des Gebäudes ein.

»Oh. Hi, Lexi.« Fi stößt ein leises Schnauben aus, was bedeutet, dass sie sich ein Lachen verkneift.

Wahrscheinlich sehe ich wirklich etwas lächerlich aus, wie ich so renne, mit rotem Kopf und Dutt, im feinen Kostüm.

»Ich dachte, wir gehen zusammen Mittag essen!«, sage ich keuchend. »Ich hab doch gesagt, dass ich komme!«

Schweigen. Keine sieht mir in die Augen. Debs spielt an ihrem langen, silbernen Anhänger herum. Ihr blondes Haar weht im Wind. Carolyn hat ihre Brille abgenommen und putzt sie an ihrer weißen Bluse.

»Was ist denn los?« Ich würde gerne locker klingen, aber die Kränkung in meiner Stimme ist selbst für mich nicht zu überhören. »Fi, warum antwortest du nicht auf meine Nachrichten? Gibt es zwischen uns irgendein … Problem?«

Keiner sagt was. Ich kann die Gedankenblasen, die zwischen ihnen hin und her schweben, förmlich sehen. Aber ich kann sie nicht mehr lesen. Ich gehöre nicht mehr dazu.

»Leute!« Ich versuche zu lächeln. »Bitte! Ihr müsst mir helfen. Ich habe mein Gedächtnis verloren. Ich kann mich nicht erinnern. Hatten wir … hatten wir Streit oder irgendwas?«

»Nein.« Fi zuckt mit den Schultern.

»Aber dann verstehe ich es nicht.« Flehend blicke ich in die Gesichter. »Ich weiß nur noch, dass wir uns echt gut verstanden haben! Freitagabend waren wir alle auf der Piste. Wir hatten Bananencocktails, Loser Dave hat mich versetzt, wir haben Karaoke gesungen … wisst ihr noch?«

Fi atmet scharf aus und sieht Carolyn mit hochgezogenen Augenbrauen an. »Das ist *lange* her.«

»Und was ist inzwischen passiert?«

»Hör zu.« Fi seufzt. »Lassen wir es einfach so, wie es ist. Du hattest diesen Unfall, du bist krank, wir wollen dich nicht aufregen …«

»Na, dann komm! Holen wir uns zusammen ein Sandwich.« Debs sieht Fi an, als wollte sie sagen: »Lass ihr doch ihren Willen!«

»Tut nicht so *gönnerhaft*!« Meine Stimme klingt schärfer, als es gemeint war. »Vergesst das mit dem Unfall! Ich bin nicht krank und gebrechlich. Es geht mir gut. Aber ihr müsst mir die Wahrheit sagen.« Verzweifelt sehe ich sie an. »Wenn wir keinen Streit hatten, was ist dann los? Was ist passiert?«

»Nichts ist passiert, Lexi.« Fi klingt etwas betreten. »Es ist nur … wir hängen einfach nicht mehr mit dir rum. Wir sind nicht mehr miteinander befreundet.«

»Aber wieso nicht?« Mein Herz hämmert, aber ich versuche, ruhig zu bleiben. »Hat es damit zu tun, dass ich eure Chefin bin?«

»Es hat nichts damit zu tun, dass du unsere *Chefin* bist. Das wäre egal, wenn du nicht …« Fi stockt. Sie rammt ihre Hände in die Jackentaschen, sieht mich nicht an. »Wenn ich ehrlich sein soll, hat es damit zu tun, dass du eine …«

»Was?« Verwundert blicke ich von einem Gesicht ins nächste. »Sag es mir!«

Fi zuckt mit den Schultern. »… dass du eine *Bitch* bist.«

»Wohl eher eine *Bossbitch* aus der Hölle«, murmelt Carolyn.

Mir bleibt die Luft weg. Bossbitch aus der Hölle? Ich?

»Ich … ich verstehe nicht«, stottere ich schließlich. »Bin ich denn keine gute Chefin?«

»Doch, doch!« Carolyns Stimme quillt über vor Sarkasmus. »Du stellst uns zur Rede, wenn wir zu spät kommen. Du schreibst auf, ob wir die Mittagspause auch genau einhalten, du überprüfst stichprobenartig unsere Spesenabrechnungen … oh, wir haben einen Mordsspaß bei den Bodenbelägen.«

Meine Wangen pochen, als hätte sie mir ins Gesicht geschlagen.

»Aber ich würde nie … so bin ich gar nicht …«

»Doch.« Carolyn schneidet mir das Wort ab. »Bist du.«

»Du hast gefragt, Lexi.« Fi verdreht die Augen, wie sie es immer tut, wenn ihr eine Situation unangenehm ist. »Deshalb ziehen wir nicht mehr zusammen rum. Du machst dein Ding, und wir machen unsers.«

»Ich bin doch keine Bitch«, bringe ich schließlich hervor, mit zitternder Stimme. »Das kann nicht sein. Wir sind doch befreundet! Ich bin's, Lexi! Wir haben Spaß zusammen, wir gehen tanzen, wir besaufen uns …« Tränen brennen in meinen Augen. Ich sehe in die Gesichter, die ich so gut kenne – und dann auch wieder nicht –, und versuche verzweifelt, einen Funken des Erkennens zu entdecken. »Ich bin's! Lexi! Das Frettchen! Kennt ihr mich denn nicht mehr?«

Fi und Carolyn werfen sich einen Blick zu.

»Lexi …«, sagt Fi fast sanft. »Du bist unsere Chefin. Wir tun, was du sagst. Aber wir gehen nicht zusammen Mittag essen. Oder abends was trinken.« Sie schwingt ihre Tasche auf die Schulter und seufzt. »Na gut, meinetwegen kannst du heute mitkommen, wenn du willst …«

»Nein«, sage ich zutiefst verletzt. »Ist schon okay. Danke.« Mit zitternden Knien drehe ich mich um und gehe.

ZEHN

Ich bin benommen, schockiert.

Auf dem Weg vom Büro nach Hause saß ich wie in Trance in meinem Taxi. Irgendwie habe ich es trotzdem noch geschafft, mit Gianna unsere Dinnerparty durchzusprechen und mir am Telefon Mums Tirade über ihren jüngsten Zusammenstoß mit den Behörden anzuhören. Jetzt ist es früher Abend, und ich liege in der Badewanne. Aber meine Gedanken kreisen ununterbrochen immer nur um ein und dasselbe.

Ich bin eine Bossbitch aus der Hölle. Alle meine Freundinnen hassen mich. Was zum Teufel ist passiert?

Jedes Mal, wenn ich an Carolyns schneidende Stimme denke, zucke ich förmlich zusammen. Gott weiß, was ich ihr angetan habe, aber ganz offensichtlich hat sie keine Zeit mehr für mich.

Habe ich mich in den letzten drei Jahren tatsächlich in eine Bitch verwandelt? Aber … wie? Und *warum?*

Das Wasser ist nur noch lauwarm, und schließlich steige ich aus der Wanne. Ich rubble mich kräftig ab, um etwas in Schwung zu kommen. Aber ich kann an gar nichts anderes denken. Es ist schon sechs, und in einer Stunde soll ich eine Dinnerparty geben …

Wenigstens muss ich nicht kochen. Als ich zu Hause ankam, war Gianna bereits mit zwei ihrer Nichten in der Küche, und alle sangen zu der Oper mit, die aus den Lautsprechern tönte. Der Kühlschrank stand voller Teller mit Sushi und Cocktailhäppchen, und überall duftete es nach gebratenem Fleisch. Ich wollte mich nützlich machen (Knoblauchbrot kann ich ziemlich gut), aber sie haben mich bald verscheucht. Also kam ich zu dem Schluss, dass ich in der Wanne wahrscheinlich am wenigsten im Weg bin.

Ich hülle mich in ein frisches Handtuch und tappe ins Schlafzimmer, dann biege ich in die Kleiderkammer ab. Meine Güte. Jetzt weiß ich, warum reiche Leute so schlank sind: Sie müssen einfach die ganze Zeit in ihren riesigen Häusern umherwandern. In meiner Wohnung in Balham konnte ich vom Bett aus den Schrank erreichen. Und den Fernseher. Und den Toaster.

Ich suche mir ein kleines Schwarzes aus, dazu schwarze Unterwäsche und schwarze Satinpumps. In meiner 2007er Garderobe gibt es nichts Großes. Keine kuscheligen Pullis, keine warmen Puschen. Alles ist schmal und maßgeschneidert.

Als ich wieder ins Schlafzimmer komme, lasse ich mein Handtuch auf den Boden fallen.

»Hi, Lexi!«

»*Aaaaaaah!*« Ich mache vor Schreck einen Satz. Der Bildschirm am Fußende vom Bett zeigt Erics Gesicht im Großformat. Ich halte meine Hände vor die Brust und ducke mich hinter einem Stuhl.

Ich bin nackt. Und er kann mich sehen.

Du bist mit ihm verheiratet. Vergiss das nicht. Er hat dich schon nackt gesehen. Alles ist gut.

Es fühlt sich aber nicht gut an.

»Eric, kannst du mich sehen?«, frage ich mit hoher, erstickter Stimme.

»Im Moment nicht.« Er lacht. »Stell das Gerät auf ›Kamera‹.«

»Oh! Okay!«, sage ich erleichtert. »Kleinen Moment mal …«

Ich werfe mir einen Bademantel über und sammle hastig die Sachen ein, die überall herumfliegen. Wenn ich etwas ziemlich schnell gelernt habe, dann dass Eric es nicht gern sieht, wenn etwas auf dem Boden liegt. Oder auf Stühlen. Oder überhaupt irgendwelche Unordnung. Ich stopfe alles so schnell wie möglich unter die Tagesdecke, drapiere ein Kissen darauf und streiche alles so glatt wie möglich.

»Fertig!« Ich gehe zum Bildschirm und stelle auf »Kamera«.

»Du musst etwas Abstand halten«, sagt Eric, und ich trete einen Schritt zurück. »Jetzt kann ich dich sehen! Also, ich hab noch eine Besprechung, dann mache ich mich auf den Weg. Ist fürs Abendessen alles vorbereitet?«

»Ich glaube schon!«

»Ausgezeichnet.« Sein pixeliger Mund zieht sich zuckend in die Breite. »Und wie war's bei der Arbeit?«

»Super!« Irgendwie bringe ich es fertig, fröhlich zu klingen. »Ich habe Simon Johnson getroffen und bei meiner Abteilung und meinen Freundinnen vorbeigeschaut …«

Meine Stimme erstirbt, plötzlich trifft mich die Demütigung mit voller Wucht. Kann ich sie überhaupt noch als Freundinnen bezeichnen?

»Wunderbar.« Ob Eric mir eigentlich zugehört hat? »Jetzt solltest du dich aber wirklich langsam fertigmachen. Bis später, Liebling …«

»Warte!«, sage ich aus einem Impuls heraus. »Eric.«

Er ist mein Mann. Ich kenne ihn vielleicht kaum, aber er kennt mich. Und er liebt mich. Wenn ich irgendwem meine Probleme anvertrauen sollte, wenn mich irgendwer beruhigen kann, dann doch wohl er.

»Leg los.« Eric nickt. Auf dem Bildschirm sind seine Bewegungen langsam, ruckartig.

»Heute … Fi hat gesagt …« Ich schaffe es kaum, die Worte auszusprechen. »Sie hat gesagt, ich bin eine Bitch. Stimmt das?«

»Selbstverständlich bist du keine Bitch.«

»Wirklich?« Hoffnung keimt in mir auf. »Dann bin ich also keine grässliche Bossbitch aus der Hölle?«

»Liebling, nie im Leben bist du grässlich. Und auch keine Bossbitch aus der Hölle.«

Eric klingt so überzeugend, dass ich mich vor Erleichterung ein wenig entspanne. Vielleicht gibt es eine Erklärung. Vielleicht ist irgendetwas schiefgelaufen, ein Missverständnis, und bestimmt wird alles wieder …

»Ich würde sagen, du warst … knallhart«, fügt er hinzu.

Mein entspanntes Lächeln gefriert. Knallhart? Der Klang dieses Wortes gefällt mir nicht.

»Du meinst ›knallhart‹ im positiven Sinne?« Ich versuche, beiläufig zu klingen. »So wie ›knallhart‹, aber trotzdem nett und freundlich?«

»Liebling, du bist ergebnisorientiert. Du bist zielstrebig. Du treibst deine Abteilung an. Du bist eine großartige Chefin.« Er lächelt. »Also, ich muss jetzt los. Wir sehen uns später.«

Der Bildschirm wird schwarz, und ich starre ihn an, komplett unberuhigt. Ich bin sogar noch erschrockener als vorher.

Knallhart. Ist das nicht ein anderes Wort für »Bossbitch aus der Hölle«?

Wie dem auch sei, ich sollte es nicht zu nah an mich herankommen lassen. Ich darf das alles nicht so eng sehen. Eine Stunde ist vergangen, und ich bin inzwischen etwas zuversichtlicher. Ich trage meinen neuen Diamanten. Ich habe mich von Kopf bis Fuß mit einem teuren Duft eingesprüht. Und ich habe mir heimlich ein Gläschen Wein genehmigt, was alles etwas freundlicher erscheinen lässt.

Dann ist eben nicht alles so rosig, wie ich dachte. Dann habe ich mich eben mit meinen Freundinnen zerstritten, dann ist Byron eben hinter meinem Job her, dann habe ich eben keinen Schimmer, wer Tony Dukes ist. Aber ich kann das alles wieder richten. Ich kann meinen Job neu lernen. Ich kann Brücken zu Fi und den anderen bauen. Und Tony Dukes kann ich googlen.

Die Hauptsache ist doch, dass ich immer noch die glücklichste Frau der Welt bin. Ich habe einen hinreißenden Mann, eine wundervolle Ehe und eine bezaubernde Wohnung. Man muss sich doch nur mal umschauen! Und heute Abend sieht es hier noch atemberaubender aus als sonst. Die Floristin war da, und überall stehen jetzt Blumenarrangements, Lilien und Rosen. Den Esstisch hat man ausgezogen und mit glitzerndem Besteck und Kristall gedeckt, mit einem Tafelaufsatz wie bei einer Hochzeit. Es gibt sogar handgeschriebene Platzkarten.

Eric sagt, es sollte nur ein »informelles, kleines Abendessen« sein. Gott weiß, was wir machen, wenn es förmlich wird. Vielleicht haben wir dann zehn Butler mit weißen Handschuhen oder so was in der Art.

Sorgsam trage ich meinen Lancôme-Lippenstift auf und tupfe ihn ab. Als ich fertig bin, betrachte ich mein Spiegelbild. Mein Haar ist hochgesteckt, mein Kleid sitzt perfekt, und ich trage Brillantohrringe. Ich sehe aus wie in einem Werbespot. Als würde jeden Augenblick unter meinem Gesicht auf dem Bildschirm ein Schriftzug erscheinen.

Ferrero Rocher. Für die goldenen Momente.

British Gas. Hält Sie in Ihrem trendigen Trillionen-Pfund-Loft warm.

Ich trete zurück, und automatisch ändert sich die Beleuchtung – vom Spiegelstrahler zu einem warmen indirekten Licht. Die »intelligente Beleuchtung« in diesem Zimmer ist die reine Zauberei. Mit Hilfe von Wärmesensoren merkt sie, wo man gerade ist, und stellt sich dementsprechend ein.

Ich trickse sie gern aus, indem ich im Zimmer herumrenne und rufe: »Ha! *Doch* nicht so intelligent, was?«

Natürlich nur, wenn Eric nicht dabei ist.

»Liebling!« Ich zucke zusammen. Da steht er in der Tür, im Anzug. »Du siehst wunderschön aus.«

»Danke!« Ich glühe vor Freude und streiche mir übers Haar.

»Eins noch. Aktenmappe im Flur. Gute Idee?« Sein Lächeln kommt keine Sekunde ins Wanken, aber ich höre die Verärgerung aus seiner Stimme.

Mist. Offenbar habe ich sie stehen lassen. Ich war so in Gedanken, als ich nach Hause kam.

»Ich hol sie schon«, sage ich eilig. »Entschuldige.«

»Gut.« Er nickt. »Aber vorher: Probier mal!« Er reicht mir ein Glas mit rubinrotem Wein. »Das ist der Château Branaire-Ducru. Wir haben ihn auf unserem letzten Frankreichtrip gekauft. Ich wüsste gern, wie du ihn findest.«

»Okay.« Ich versuche, selbstbewusst zu klingen. »Gern.«

Oh, nein. Was soll ich sagen? Vorsichtig nehme ich einen Schluck und spüle ihn im Mund herum, durchforste mein Hirn nach allen Weinkenner-Worten, die mir einfallen. Ledrig. Holzig. Ein guter Jahrgang.

Wenn ich es recht bedenke, bluffen die doch alle, oder? Okay, ich sage, es ist eine traumhaft vollmundige Traube mit einem Hauch Erdbeere. Nein, Schwarze Johannisbeere. Ich schlucke herunter und nicke Eric wissend zu.

»Also, für mich ist das Sch…«

»Schockierend, nicht?«, fällt Eric mir ins Wort. »Verkorkt. Ungenießbar.«

Ungenießbar?

»Oh! Äh … ja!« Ich finde meine Fassung wieder. »Haltbarkeitsdatum weit überschritten. Igitt.« Ich verziehe das Gesicht. »Ekelhaft!«

Das war knapp. Ich stelle das Glas auf einen Beistelltisch, und das Licht passt sich mir an.

»Eric«, sage ich und versuche, mir meine Verzweiflung nicht anmerken zu lassen. »Könnten wir eventuell eine Beleuchtung haben, die den ganzen Abend gleich bleibt? Ich weiß nicht, ob das möglich ist …«

»*Alles* ist möglich.« Er klingt etwas gekränkt. »Wir haben

immer die Wahl. Darum geht es ja beim Loft-Style Living.«
Er reicht mir eine Fernbedienung. »Hier. Damit kannst du die
Einstellung ändern. Such dir einfach eine Stimmung aus. Ich
kümmere mich um den Wein.«

Ich gehe ins Wohnzimmer, finde »Beleuchtung« auf der
Fernbedienung und fange an, mit den Einstellungen herum-
zuexperimentieren. »Tageslicht« ist zu hell. »Kino« ist zu dunkel.
»Relax« zu langweilig … Ich scrolle ganz nach unten. »Lesen« …
»Disco« …

Hey, wir haben Disco-Lights? Ich drücke auf die Fernbedienung … und lache laut, als der Raum plötzlich von bun-
tem, pulsierendem Licht erfüllt ist. Versuchen wir es mal mit
»Stroboskop«. Gleich darauf blinkt und blitzt der ganze Raum
schwarzweiß, und ich tanze begeistert wie ein Roboter um den
Couchtisch. Das ist ja wie in einem Club! Wieso hat Eric mir
nicht gesagt, dass wir so was haben? Vielleicht gibt es ja auch
Trockeneis und eine Diskokugel …

»Gütiger Gott, Lexi, was machst du da?« Erics Stimme
schneidet durch den blitzenden Raum. »Du hast in der ganzen
Wohnung Stroboskope angestellt! Gianna hätte sich eben fast
den Arm abgehackt!«

»Oh, nein! Tut mir leid.« Zerknirscht suche ich nach der Fernbedienung und tippe darauf herum, bis wir wieder bei Disco sind.
»Du hast mir gar nicht erzählt, dass wir Disco-Lights und Stroboskope haben! Das ist ja fantastisch!«

»Die benutzen wir nie.« Erics Gesicht leuchtet in allen Farben. »Und jetzt such uns endlich was Vernünftiges!« Er dreht
sich um und verschwindet.

Wie kann man Disco-Lights haben und sie nie benutzen?
Was für eine Verschwendung! Ich muss Fi und die anderen zu
einer Party einladen. Wir holen uns Wein und Knabberkram und
räumen alles frei und drehen voll auf …

Und dann verkrampft sich mein Herz, als es mir wieder einfällt. Daraus wird in absehbarer Zeit wohl kaum was werden. Wenn überhaupt.

Mutlos stelle ich die Beleuchtung auf »Empfangsbereich«, was nicht besser oder schlechter ist als alles andere. Ich lege die Fernbedienung weg, trete ans Fenster und werfe einen Blick auf die Straße unter mir – plötzlich fest entschlossen. Ich werde nicht aufgeben. Sie sind meine *Freundinnen*. Ich finde heraus, was passiert ist. Und dann werde ich mich wieder mit ihnen vertragen.

Ich hatte mir für die Dinnerparty vorgenommen, mir das Gesicht und den Namen jedes einzelnen Gastes mit Hilfe gewisser Visualisierungstechniken einzuprägen. Ein derartiger Plan wird im selben Moment null und nichtig, in dem drei von Erics Golferfreunden gleichzeitig mit identischen Anzügen, identischen Gesichtern und ihren noch identischeren Frauen eintreffen. Dann haben sie auch noch Namen wie Greg und Mick und Suki und Pooky und fangen sofort an, sich über einen Skiurlaub zu unterhalten, den wir offenbar alle gemeinsam verlebt haben.

Ich nippe an meinem Glas und lächle in die Runde, und dann treffen etwa zehn Gäste auf einmal ein … und ich habe keine Ahnung mehr, wer wer ist – außer Rosalie, die sofort zu mir kommt, mir ihren Mann Clive vorstellt (der mir gar nicht wie ein Scheusal vorkommt, einfach ein gutmütiger Kerl im Anzug), und schon ist sie wieder weg.

Nach einer Weile summt es in meinen Ohren, und mir wird schwindlig. Gianna versorgt uns mit Getränken, ihre Nichten verteilen Cocktailhäppchen, und alles scheint in bester Ordnung. Also entschuldige ich mich bei diesem Typen mit Halbglatze, der mir gerade irgendwas von Mick Jaggers elektrischer Gitarre erzählt, die er bei einer Wohltätigkeitsauktion erstanden hat, stehe auf und steuere die Terrasse an.

Ich atme die frische Luft tief ein, bin immer noch ganz benommen. Blaugraue Dämmerung legt sich über die Stadt, und die Straßenlaternen gehen an. Als mein Blick über London schweift, ist mir so unwirklich zumute. Ich fühle mich, als würde ich nur die *Rolle* einer Frau spielen, die im kleinen Schwarzen auf einer schicken Dachterrasse steht, mit einem Glas Champagner in der Hand.

»Liebling! Da bist du ja!«

Ich drehe mich um und sehe Eric, der die große Glastür aufschiebt. »Hi!«, rufe ich zurück. »Ich wollte nur etwas Sauerstoff tanken.«

»Ich möchte dir gern Jon vorstellen, meinen Architekten.« Er führt einen dunklen Mann in schwarzen Jeans und anthrazitgrauem Leinensakko auf die Terrasse.

»Hallo«, antworte ich höflich, dann stutze ich. »Hey, wir kennen uns doch!«, rufe ich, freue mich über das vertraute Gesicht. »Stimmt doch, oder? Du bist der Mann vom Parkplatz.«

Ein sonderbarer Ausdruck blitzt in seinem Gesicht auf. Fast so etwas wie Enttäuschung. Dann nickt er.

»Das stimmt. Ich bin der Mann vom Parkplatz.«

»Jon ist unser kreativer Kopf«, sagt Eric und klopft ihm auf die Schulter. »Seine Ideen sind einfach genial. Ich mag Sinn für das Finanzielle haben, aber Jon ist der Mann, der der Welt …« Er legt eine kurze Pause ein. »… Loft-Style Living geschenkt hat.«

Während er es sagt, macht er wieder diese Geste mit den Händen, als würde er einen Backstein neben den anderen setzen.

»Toll.« Ich gebe mir Mühe, begeistert zu klingen. Ich weiß ja, Eric verdient damit seine Brötchen, aber langsam geht mir diese Phrase »Loft-Style Living« auf den Keks.

»Danke noch mal für neulich.« Ich lächle Jon freundlich an. »Du hast mir das Leben gerettet!« Ich wende mich Eric zu. »Ich habe es dir gar nicht erzählt, Liebling, aber ich wollte nur mal kurz den neuen Wagen ausprobieren, und wäre dabei fast an der Mauer gelandet. Jon hat mir geholfen.«

»Es war mir ein Vergnügen.« Jon nimmt einen Schluck aus seinem Glas. »Und du kannst dich noch immer an nichts erinnern?«

»An rein gar nichts.« Ich schüttle den Kopf.

»Das muss seltsam für dich sein.«

»Ist es … aber ich gewöhne mich irgendwie daran. Und Eric ist eine große Hilfe. Er hat mir sogar ein Buch zusammengestellt, damit ich mich wieder erinnere. Ein Ehe-Handbuch. Mit einzelnen Kapiteln und einem Register.«

»Ein Handbuch?«, sagt Jon, und seine Nase fängt an zu zucken. »Im Ernst? Ein Handbuch?«

»Ja, ein Handbuch.« Argwöhnisch starre ich ihn an.

»Ah, da ist Graham!« Eric hört uns gar nicht zu. »Den muss ich mal kurz sprechen. Entschuldigt mich …« Er geht nach drinnen und lässt mich mit Jon, dem Architekten, allein.

Ich weiß auch nicht, was es mit diesem Mann auf sich hat. Ich meine, ich *kenne* ihn doch überhaupt nicht, aber irgendwie provoziert er mich.

»Ist gegen ein Ehe-Handbuch denn was einzuwenden?«, höre ich mich sagen.

»Nein. Nichts. Gar nichts.« Er schüttelt feierlich den Kopf. »Das ist sehr vernünftig. Sonst wisst ihr ja überhaupt nicht, wann ihr euch küssen sollt.«

»Genau! Eric hat ein ganzes Kapitel über …« Ich stutze. Jon verzieht den Mund, als müsste er sich ein Lachen verkneifen. Findet er das etwa *komisch*? »Das Handbuch umfasst alle erdenklichen Themen«, sage ich frostig. »Und es hilft uns beiden. Schließlich ist es ja auch für Eric schwierig, dass sich seine Frau nicht mehr an ihn erinnert! Oder kannst du das etwa nicht verstehen?« Schweigen. Anscheinend ist ihm sein Humor abhandengekommen.

»Glaub mir«, sagt er schließlich. »Ich verstehe das sehr gut.« Er trinkt sein Glas leer und starrt einen Moment hinein. Dann scheint er etwas sagen zu wollen, doch in diesem Moment gehen die Schiebetüren auf, und er überlegt es sich anders.

»Lexi!« Rosalie schwankt uns entgegen, mit einem halbvollen Glas in der Hand. »*Traumhafte* Cocktailhäppchen!«

»Oh, ja … danke!«, sage ich, peinlich berührt, weil ich für etwas gelobt werde, mit dem ich absolut nichts zu tun habe. »Ich hab sie noch gar nicht probiert. Schmecken sie dir?«

Perplex sieht Rosalie mich an. »Keine Ahnung, Liebes. Aber sie sehen *himmlisch* aus. Und Eric sagt, das Essen wird gleich serviert.«

»Oh, Gott«, sage ich beschämt. »Ich habe ihn damit allein gelassen. Wir sollten besser reingehen. Kennt ihr zwei euch?«, füge ich hinzu, auf dem Weg ins Haus.

»Sicher«, sagt Jon.

»Jon und ich sind *alte* Freunde«, sagt Rosalie zuckersüß. »Stimmt's, Schätzchen?«

»Bis später.« Jon nickt, geht voraus und verschwindet durch die Glastüren.

»Schrecklicher Mensch.« Rosalie verzieht hinter seinem Rücken das Gesicht.

»Schrecklich?«, wiederhole ich überrascht. »Eric scheint ihn zu mögen.«

»Oh, Eric mag ihn«, sagt sie verächtlich. »Und Clive hält ihn für ein Gottesgeschenk. Ein Visionär, der Preise gewinnt, bla bla bla …« Sie schüttelt sich. »Aber er ist der gröbste Klotz, dem ich je begegnet bin. Als ich ihn letztes Jahr um eine Spende für meine Wohltätigkeitssammlung gebeten habe, hat er sich einfach geweigert. Er hat mich sogar ausgelacht.«

»Er hat dich *ausgelacht*?«, sage ich schockiert. »Das ist abscheulich! Worum ging es bei der Sammlung?«

»Es hieß *Ein Apfel am Tag*«, sagt sie stolz. »Ich habe es mir selbst ausgedacht. Die Idee war, einmal jährlich in einem bestimmten Stadtbezirk jedem Schulkind einen Apfel zu schenken.

Voll kostbarer Vitamine! Ist das nicht so simpel, dass es schon wieder genial ist?«

»Äh … tolle Idee«, sage ich vorsichtig. »Und hat es geklappt?«

»Na ja, es fing ganz gut an«, murrt Rosalie verärgert. »Wir haben *Tausende* Äpfel verteilt, und wir hatten uns passende T-Shirts machen lassen und sind mit einem Lieferwagen mit Apfel-Logo rumgefahren. Es hat solchen Spaß gebracht! Bis uns die Behörde blöde Briefe geschrieben hat, dass das Obst auf der Straße rumliegt und Ungeziefer anlockt.«

»Ach, du je.« Ich beiße mir auf die Unterlippe. Jetzt würde ich am liebsten selbst laut loslachen.

»Das ist immer das Problem bei karitativer Arbeit«, sagt sie düster. »Die Bürokraten *wollen* gar nicht, dass man den Bedürftigen hilft.«

Als wir bei der Terrassentür angekommen sind, sehe ich mir die Leute an. Zwanzig unbekannte Gesichter lachen und reden und diskutieren miteinander. Ich sehe Juwelen glitzern und höre tiefes Männerlachen.

»Mach dir keine Sorgen.« Rosalie nimmt mich beim Arm. »Eric und ich haben uns was ausgedacht. Beim Essen stehen alle nacheinander auf und stellen sich dir vor.« Sie legt die Stirn in Falten. »Süße, du siehst völlig verstört aus.«

»Nein!« Ich bringe ein Lächeln zustande. »Nicht verstört.«

Das ist gelogen. Ich bin total verstört. Als ich meinen Platz an dem langen, gläsernen Esstisch suche und nicke und lächle, wenn man mich begrüßt, kommt mir alles so unwirklich vor. Angeblich sind diese Leute meine Freunde. Alle kennen mich. Aber ich habe keinen von ihnen je gesehen.

»Lexi, *Liebes*.« Eine dunkelhaarige Frau nimmt mich beiseite, als ich bei meinem Stuhl ankomme. »Können wir kurz reden?« Sie spricht ganz leise. »Wir waren am Fünfzehnten und Einundzwanzigsten den ganzen Tag zusammen, okay?«

»Waren wir?«, sage ich verblüfft.

»Ja. Falls Christian fragt. Christian, mein Mann?« Sie zeigt auf die Halbglatze, die Mick Jaggers Gitarre gekauft hat und gerade gegenüber Platz nimmt.

»Ach, ja.« Ich denke kurz darüber nach. »Waren wir wirklich zusammen?«

»Natürlich!«, sagt sie nach kurzer Pause. »Selbstverständlich waren wir das, Liebes!« Sie drückt meine Hand und geht.

»*Ladies and Gentlemen!*« Eric steht am anderen Ende der Festtafel auf, während das Geplapper erstirbt und sich alle setzen.

»Herzlich willkommen in unserem trauten Heim. Lexi und ich freuen uns, dass ihr es einrichten konntet.«

Alle Blicke schwenken zu mir herum, und ich lächle peinlich berührt.

»Wie ihr wisst, leidet Lexi noch immer unter den Nachwirkungen ihres Unfalls, was bedeutet, dass ihr Gedächtnis nicht allzu gut funktioniert.« Eric lächelt schief. Ein Mann gegenüber lacht und wird von seiner Frau zum Schweigen gebracht.

»Ich schlage also vor, dass jeder von euch sich Lexi kurz vorstellt. Steht auf, nennt euren Namen und vielleicht ein Erlebnis, das euch verbindet.«

»Glauben die Ärzte, dass es Lexis Gedächtnis stimulieren könnte?«, fragt ein ernst wirkender Mann rechts von mir.

»Das kann leider niemand sagen«, antwortet Eric gefasst. »Aber wir müssen es auf jeden Fall versuchen. Also ... wer möchte anfangen?«

»Ich! Lass mich anfangen!«, ruft Rosalie und springt auf. »Lexi, ich bin deine beste Freundin Rosalie, was du ja schon weißt. Und *unser* erinnerungswürdigstes Erlebnis war, als wir beide bei der Heißwachs-Enthaarung waren und dieses Mädchen es ein bisschen übertrieben hat ...« Sie fängt an zu kichern. »Dein *Gesicht* ...«

»Was war denn los?«, fragt eine Frau in Schwarz.

»Das sage ich doch nicht vor allen Leuten!«, ruft Rosalie empört. »Aber ehrlich, es war absolut unvergesslich.« Sie strahlt einmal in die Runde, dann setzt sie sich wieder hin.

»Gut«, sagt Eric und klingt etwas befremdet. »Wer ist der Nächste? Charlie?«

»Ich bin Charlie Mancroft.« Ein bärbeißiger Mann gleich neben Rosalie steht auf und nickt mir zu. »Unser erinnerungswürdigstes Erlebnis dürfte vermutlich der Betriebsausflug nach Wentworth gewesen sein. Montgomerie hatte am Achtzehnten einen Birdie gespielt. Fantastisches Spiel.« Erwartungsvoll sieht er mich an.

»Natürlich!« Ich habe keine Ahnung, wovon er redet. Golf? Oder Snooker vielleicht. »Äh ... danke.«

Er setzt sich, und ein dürres Mädchen neben ihm steht auf.

»Hi, Lexi.« Sie winkt mir zu. »Ich bin Natalie. Und unser erinnerungswürdigstes Erlebnis war bestimmt deine Hochzeit.«

»Wirklich?«, sage ich überrascht und gerührt. »Wow.«

»Es war so ein glücklicher Tag!« Sie beißt sich auf die Lippe. »Und du sahst so wunderschön aus, und ich dachte: ›So möchte ich auch aussehen, wenn *ich* heirate.‹ Eigentlich hatte ich ja gedacht, Matthew würde an diesem Tag endlich um meine Hand anhalten, aber ... hat er nicht.« Ihr Lächeln erstarrt.

»Meine Güte, Natalie«, knurrt ein Mann ihr gegenüber. »Nicht schon wieder.«

»Nein, nein! Ist alles super!«, ruft sie fröhlich aus. »Inzwischen sind wir verlobt! Es hat halt nur drei Jahre gedauert!« Sie lässt ihren Brillanten in meine Richtung blitzen. »Ich kriege sogar dein Kleid! Genau das Gleiche, von Vera Wang, in Weiß ...«

»Sehr schön, Natalie!«, stimmt Eric herzlich mit ein. »Ich denke, wir sollten weitermachen ... Jon? Du bist dran.«

Mir gegenüber kommt Jon auf die Beine.

»Hi«, sagt er mit seiner rauen Stimme. »Ich bin Jon. Wir sind uns schon begegnet.« Er schweigt.

»Also, Jon?«, sagt Eric. »Was ist dein erinnerungswürdigstes Erlebnis mit Lexi?«

Jon mustert mich einen Moment mit diesen dunklen, eindringlichen Augen, und ich frage mich, was er wohl gleich sagen wird. Er kratzt sich am Hals, runzelt die Stirn und nimmt einen Schluck Wein, als müsste er schwer nachdenken. Schließlich breitet er die Arme aus. »Mir fällt nichts ein.«

»Nichts?« Ich bin etwas pikiert.

»Irgendwas!«, sagt Eric ermunternd. »Irgendein besonderer Moment, der euch verbindet ...«

Alle beobachten Jon. Wieder runzelt er die Stirn, offensichtlich überfragt.

»Ich kann mich an nichts erinnern«, sagt er schließlich. »Nichts, was ich erzählen könnte.«

»Irgendwas *muss* es doch geben, Jon«, sagt die Frau neben ihm eifrig. »Es könnte ihr helfen, sich zu erinnern!«

»Das möchte ich bezweifeln.« Er lächelt mich kurz an.

»Nun denn«, sagt Eric und klingt schon etwas ungeduldig. »Macht ja nichts. Weiter geht's.«

Als schließlich alle am Tisch aufgestanden sind und ihre Anekdote erzählt haben, weiß ich schon nicht mehr, wer die Ersten waren. Aber es ist immerhin ein Anfang, denk ich mir. Gianna und ihre Nichten servieren Tunfisch-Carpaccio, Rucola-Salat und gebackene Birne, während ich mich mit jemandem namens Ralph über seine Scheidungsvereinbarungen unterhalte. Als die Teller abgeräumt sind, geht Gianna um den Tisch herum und nimmt Kaffeebestellungen entgegen.

»Ich koch den Kaffee!«, sage ich und springe auf. »Sie haben heute Abend schon so viel getan, Gianna. Gönnen Sie sich mal eine Pause!«

Im Laufe des Abends war es mir zunehmend unangenehmer geworden, mit ansehen zu müssen, wie sie und ihre Nichten die schweren Teller herumschleppten. Und dass keiner sie auch nur eines Blickes gewürdigt hatte, als sie das Essen servierten. Und wie dieser fürchterliche Charlie sie auch noch angeblafft hat, als er mehr Wasser wollte. Das war so was von *unhöflich*!

»Lexi!«, sagt Eric. »Das wird nicht nötig sein.«

»Ich möchte aber!«, sage ich stur. »Gianna, setzen Sie sich hin. Nehmen Sie sich einen Keks oder irgendwas. Ich kann ohne Weiteres ein paar Tassen Kaffee kochen. Wirklich, ich bestehe darauf!«

Gianna ist sprachlos. »Ich gehe und bereite Ihr Bett«, sagt sie schließlich und macht sich auf den Weg zum Schlafzimmer, mit einer ihrer Nichten im Fahrwasser.

So hatte ich mir das mit der Pause eigentlich nicht vorgestellt. Aber egal.

»Na gut …« Lächelnd sehe ich mich am Tisch um. »Also, wer möchte Kaffee? Hände hoch …« Ich zähle durch. »Und möchte irgendwer Pfefferminztee?«

»Ich komme mit und helfe dir«, sagt Jon plötzlich und schiebt seinen Stuhl zurück.

»Oh«, sage ich erstaunt. »Ja … okay. Danke.«

Ich gehe in die Küche, lasse den Kessel volllaufen und stelle ihn an. Dann durchsuche ich die Schränke nach Geschirr. Vielleicht haben wir irgendwelche superfeinen Kaffeetassen für Dinnerpartys. Ich blättere kurz im Ehe-Handbuch nach, kann aber nichts finden.

Währenddessen läuft Jon in der Küche auf und ab, verzieht das Gesicht, als wäre er mit den Gedanken ganz woanders. Eine große Hilfe ist er jedenfalls nicht.

»Alles okay?«, sage ich schließlich leicht verärgert. »Du weißt nicht zufällig, wo die Kaffeetassen sind, oder?«

Jon scheint nicht mal die Frage zu hören.

»Hallo?« Ich winke. »Wolltest du mir nicht eigentlich helfen?«

Endlich bleibt er stehen und sieht mich an, mit so einem seltsamen Gesichtsausdruck.

»Ich weiß nicht, wie ich anfangen soll«, sagt er. »Also sage ich es einfach geradeheraus.« Er holt tief Luft, dann scheint er es sich doch wieder anders zu überlegen, kommt ganz nah heran und sieht mir in die Augen. »Du kannst dich wirklich nicht erinnern? Du spielst nicht irgendein Spielchen mit mir?«

»*Woran* erinnern?«, sage ich verblüfft.

»Okay. Okay.« Er dreht sich um und läuft schon wieder hin und her, rauft sich die dunklen Haare, bis sie in alle Richtungen abstehen. Schließlich dreht er sich zu mir um. »Ich halt's nicht mehr aus: Ich liebe dich.«

»Was?« Sprachlos starre ich ihn an.

»Und du liebst mich«, fährt er fort, ohne mir Zeit zu lassen, etwas darauf zu erwidern. »Wir sind ein Liebespaar.«

»Schätzchen!« Die Tür fliegt auf, und Rosalies Gesicht erscheint. »Noch zweimal Pfefferminztee und einen Koffeinfreien für Clive.«

»Schon unterwegs!«, sage ich mit erstickter Stimme.

Rosalie verschwindet, und die Küchentür fällt zu. Wir schweigen das kribbelndste Schweigen, das ich je erlebt habe. Ich kann mich weder rühren noch sprechen. Absurderweise zuckt mein Blick immer wieder zu meinem Ehe-Handbuch, das noch auf dem Tresen liegt, als könnte ich dort eine Antwort finden.

Jon folgt meinem Blick.

»Lass mich raten …«, sagt er. »Davon steht wohl nichts im Handbuch.«

Okay. Ich muss mich zusammenreißen.

»Ich … verstehe nicht«, sage ich und versuche, Haltung zu bewahren. »Was meinst du mit ›Liebespaar‹? Willst du mir erzählen, wir hätten eine *Affäre*?«

»Wir sind seit acht Monaten zusammen.« Er fixiert mich mit düsterem Blick. »Du willst Eric meinetwegen verlassen.«

Unwillkürlich prustet ein Lachen aus mir hervor. Sofort halte ich mir den Mund zu. »Tut mir leid. Ich wollte nicht gemein sein, aber … Eric verlassen? *Deinetwegen?*«

Bevor Jon reagieren kann, geht die Tür wieder auf.

»Hi, Lexi!« Ein rotgesichtiger Mann kommt herein. »Kann ich noch etwas Mineralwasser bekommen?«

»Hier.« Ich drücke ihm zwei Flaschen in die Hand. Die Tür fällt hinter ihm ins Schloss, und Jon vergräbt seine Hände in den Taschen.

»Du wolltest Eric gerade beibringen, dass du nicht mehr mit ihm zusammen sein kannst«, sagt er und spricht immer schneller. »Du wolltest ihn verlassen, wir hatten Pläne …« Seine Stimme erstirbt, und er atmet aus. »Dann hattest du deinen Unfall.«

Sein Gesicht ist todernst. Er meint das alles wirklich so.

»Aber … das ist doch absurd!«

In diesem Moment sieht Jon aus, als hätte ich ihm eine runtergehauen. »Absurd?«

»Ja, absurd! Ich bin kein Mensch, der fremdgeht. Außerdem führe ich eine großartige Ehe, habe einen wundervollen Ehemann. Ich bin glücklich …«

»Du bist mit Eric nicht glücklich«, unterbricht mich Jon. »Glaub mir.«

»Aber natürlich bin ich mit Eric glücklich!«, sage ich erstaunt. »Er ist so aufmerksam! Er ist perfekt!«

»*Perfekt?*« Jon sieht aus, als müsste er sich eine scharfe Antwort verkneifen. »Lexi, er ist nicht perfekt.«

»Na ja, aber fast«, gebe ich leicht erschüttert zurück. Für wen hält sich dieser Typ eigentlich, dass er meine Dinnerparty sprengt und behauptet, mein Geliebter zu sein? »Hör zu, Jon … wer du auch sein magst. Ich glaube dir nicht. Ich würde meinen Mann niemals betrügen, okay? Ich führe eine traumhafte Ehe! Ich habe ein traumhaftes Leben!«

»Ein traumhaftes Leben?« Jon reibt sich die Stirn, als müsste er seine Gedanken sammeln. »Das glaubst du wirklich?«

Irgendwas an diesem Mann geht mir unter die Haut.

»Selbstverständlich!« Ich rudere mit den Armen. »Sieh dich doch um! Sieh dir Eric an! Alles ist fantastisch! Warum sollte ich das alles wegwerfen für einen …«

Abrupt schweige ich, als die Küchentür aufgeht.

»Liebling.« Eric strahlt mich an. »Was macht der Kaffee?«

»Der ist … unterwegs«, sage ich verdattert. »Entschuldige, Liebster.« Ich wende mich ab, damit er nicht sieht, wie mir das Blut in die Wangen schießt, und löffle mit zitternden Händen Kaffee in die Maschine. Ich will nur noch, dass dieser Mann *verschwindet*.

»Eric, ich fürchte, ich muss gehen«, sagt Jon hinter mir, als könnte er meine Gedanken lesen. »Danke für den netten Abend.«

»Jon! Mein Bester!« Ich höre, wie Eric ihm auf die Schulter klopft. »Wir sollten uns morgen zusammensetzen und über das Planungsmeeting sprechen.«

»Machen wir«, antwortet Jon. »Wiedersehen, Lexi. Schön dich neu kennengelernt zu haben.«

»Wiedersehen, Jon.« Irgendwie zwinge ich mich dazu, mich umzudrehen, und schenke ihm ein gnädiges Lächeln. »Nett, dass du da warst.« Er beugt sich vor und gibt mir einen sanften Kuss auf die Wange.

»Du weißt rein gar nichts über dein Leben«, raunt er mir ins Ohr, dann marschiert er aus der Küche, ohne sich noch einmal umzusehen.

ELF

Das kann doch alles nicht wahr sein.

Morgenlicht scheint um den Rand der Jalousie herum ins Zimmer. Ich liege schon eine Weile wach, will aber nicht aufstehen. Ich starre an die Decke, atme gleichmäßig ein und aus. Meiner Theorie nach muss ich einfach nur lange genug still daliegen, bis sich der Wirbelsturm in meinem Kopf beruhigt und alles wieder seine Ordnung hat.

Bisher war diese Theorie allerdings Schrott.

Jedes Mal, wenn ich mir den gestrigen Abend vor Augen führe, wird mir ganz schwindlig. Ich dachte, ich finde mich in meinem neuen Leben langsam zurecht. Ich dachte, alles wird gut. Aber jetzt ist es, als würde mir alles entgleiten. Fi sagt, ich bin eine Bossbitch aus der Hölle. Irgendein Typ sagt, ich bin seine heimliche Geliebte. Was kommt als Nächstes? Finde ich heraus, dass ich FBI-Agentin bin?

Das kann alles nicht wahr sein. Punkt. Aus. Warum sollte ich Eric betrügen? Er sieht gut aus und ist liebevoll und Multimillionär und kann mit einem Speedboat umgehen. Wohingegen Jon etwas verlottert ist. Und irgendwie ... impertinent.

Einfach zu behaupten, ich wüsste nichts über mein Leben. Der hat vielleicht Nerven. Ich weiß sogar ganz *viel* über mein Leben, danke der Nachfrage. Ich weiß, wo ich mir die Haare machen lasse. Ich weiß, was es auf meiner Hochzeit zum Nachtisch gab. Ich weiß, wie oft Eric und ich Sex haben ... Es steht alles im Handbuch.

Und außerdem ... wie dreist ist das denn? Man taucht nicht

einfach bei einer Dinnerparty auf und sagt zur Dame des Hauses: »Wir sind ein Liebespaar.« Man … man wartet auf einen geeigneteren Zeitpunkt. Oder man schreibt einen Brief.

Nein, man schreibt keinen Brief. Man …

Wie dem auch sei. Denk an was anderes!

Ich setze mich auf, drücke den Knopf für die Jalousien und fahre mit den Fingern durch mein verwuscheltes Haar. Der Bildschirm vor meiner Nase ist schwarz und das Zimmer gespenstisch still. Nach meiner zugigen Wohnung in Balham finde ich es immer noch merkwürdig, in einem derart hermetisch abgeschlossenen Kasten zu wohnen. Dem Handbuch nach zu urteilen, sollen wir die Fenster nicht aufmachen, weil es die Klimaanlage durcheinanderbringt.

Dieser Jon ist wahrscheinlich ein Psychopath. Wahrscheinlich hat er es auf Leute abgesehen, die ihr Gedächtnis verloren haben, und erklärt ihnen dann, er sei ihr Liebhaber. Schließlich gibt es keinen Beweis für eine Affäre. Keinen einzigen. Sein Name taucht nirgendwo auf, es gibt keine Briefchen, keine Fotos, keine heimlichen Nachrichten.

Aber andererseits … würde ich sie ja auch kaum offen rumliegen lassen, damit Eric sie findet, oder?, sagt eine leise Stimme in meinem Hinterkopf.

Einen Moment lang sitze ich ganz still da und lasse meine Gedanken fliegen. Dann stehe ich abrupt auf und laufe in mein Ankleidezimmer. Ich renne förmlich zum Schminktisch und reiße die oberste Schublade auf. Sie ist voller Chanel-Make-up, von Gianna ordentlich sortiert. Ich schließe die Schublade und ziehe die nächste auf, in der lauter zusammengefaltete Tücher liegen. Die letzte enthält eine Schmuckrolle und ein wildledernes Fotoalbum, ebenfalls leer.

Langsam drücke ich die Schublade zu. Selbst hier, in meinem privaten Allerheiligsten, ist alles so ordentlich und irgendwie nichtssagend. Wo ist die Unordnung? Wo sind meine Sachen?

Wo sind die Briefe und die Fotos? Wo sind meine Nietengürtel und Gratislippenstifte aus Frauenzeitschriften? Wo ... bin *ich*?

Ich stütze mich auf meinen Ellenbogen und knabbere einen Moment an meinem Fingernagel herum. Plötzlich fällt mir was ein. Unterwäsche. Wenn ich etwas verstecken wollte, dann dort. Ich öffne den Schrank und ziehe meine Schublade mit den Slips auf. Ich greife in das Meer aus La Perla-Satin, finde aber nichts. Auch in meiner BH-Schublade nicht ...

»Suchst du was Bestimmtes?« Erics Stimme lässt mich zusammenfahren. Ich drehe mich um, und er steht in der Tür, beobachtet mich beim Suchen. Ich laufe rot an.

Er weiß es.

Nein, tut er nicht. Sei nicht blöd. Da gibt es nichts zu wissen.

»Hi, Eric!« Ich ziehe meine Hände so lässig wie möglich aus dem Schrank zurück. »Ich dachte nur, ich such mir mal ein paar ... Büstenhalter.«

Okay, das ist wohl der Hauptgrund, wieso ich keine Affäre haben kann. Ich bin die erbärmlichste Lügnerin der Welt. Was sollte ich mit ein *paar* Büstenhaltern wollen? Hab ich auf einmal sechs Brüste?

»Ehrlich gesagt, habe ich mich gefragt ...«, füge ich eilig hinzu, »ob eigentlich noch irgendwo Sachen von mir sind?«

»Sachen?« Eric runzelt die Stirn.

»Briefe, Tagebücher, solche Sachen.«

»Du hast deinen Schreibtisch im Arbeitszimmer. Da bewahrst du deine Unterlagen auf.«

»Natürlich.« Das Arbeitszimmer hatte ich ganz vergessen. Oder besser gesagt: Ich hielt es eher für Erics Domäne.

»Ich fand, es war ein toller Abend gestern.« Eric kommt ein paar Schritte ins Zimmer. »Bravo, Liebling! Das war bestimmt nicht leicht für dich.«

»Es hat Spaß gemacht.« Ich gehe in die Hocke und fummle

an meinem Uhrenarmband herum. »Es waren ein paar … interessante Leute dabei.«

»War es dir nicht zu viel?«

»Ein bisschen.« Ich schenke ihm ein strahlendes Lächeln. »Ich muss so viel Neues verarbeiten.«

»Du weißt, dass du mich alles fragen kannst, was dein Leben angeht. Absolut alles.« Eric breitet die Arme aus. »Dafür bin ich doch da.«

Sprachlos starre ich ihn einen Augenblick lang an.

Du weißt nicht zufällig, ob ich mit deinem Architekten ins Bett gehe, oder?

»Also …« Ich räuspere mich. »Wo du es mir gerade so anbietest. Ich habe mich schon gefragt … Wir sind doch glücklich miteinander, oder? Wir führen eine glückliche … treue Ehe?«

Ich glaube, ich habe *treue* geschickt eingeflochten, doch Eric hat es sofort mit spitzen Ohren herausgehört.

»Treu?« Er sieht mich fragend an. »Lexi, ich war dir niemals untreu. Ich würde nicht mal im Traum daran denken. Wir haben uns ewige Treue geschworen. Wir haben uns doch füreinander entschieden.«

»Natürlich!«, rufe ich eilig. »Absolut!«

»Ich verstehe überhaupt nicht, wie du auf diese Idee kommst.« Er sieht schockiert aus. »Hat dir jemand was anderes erzählt? Einer unserer Gäste? Denn wenn ja …«

»Nein! Niemand hat was gesagt! Ich fand nur … alles ist noch so neu und seltsam …«, stottere ich herum, mit heißen Wangen. »Ich dachte … ich frag einfach mal. Nur so aus Interesse.«

Okay, wir führen also keine zwanglose, offene Ehe. Nur damit dieser Punkt auch geklärt ist.

Ich schließe die BH-Schublade, öffne irgendeine andere und starre drei Reihen aufgerollter Strumpfhosen an. In meinem Kopf dreht sich alles. Ich sollte mich von diesem Thema fernhalten. Aber ich kann nicht anders. Ich muss einfach weiterbohren.

»Also, äh, dieser Typ …« Ich lege meine Stirn gezielt in Falten, als könnte ich mich an seinen Namen nicht erinnern. »Dieser Architekt.«

»Jon.«

»*Jon.* Natürlich. Er scheint ziemlich gut zu sein.« Ich zucke mit den Schultern und versuche, so beiläufig wie möglich zu klingen.

»Oh, er ist einer der Besten«, sagt Eric mit fester Stimme. »Er hat einen Riesenanteil an unserem Erfolg. Ich kenne sonst niemanden mit einer derart ausgeprägten Fantasie.«

»Fantasie?« Leise Hoffnung macht sich breit. »Ist er denn gelegentlich etwas *über*-fantasievoll? Womöglich ein … Fantast?«

»Nein.« Eric wirkt verdutzt. »Ganz und gar nicht. Er ist meine rechte Hand. Jon kann man sein Leben anvertrauen.«

Glücklicherweise schrillt in diesem Moment das Telefon, bevor Eric fragen kann, weshalb ich mich eigentlich so für Jon interessiere.

Eric geht ins Schlafzimmer, und ich schließe die Schublade mit den Strumpfhosen. Schon will ich meine Suche aufgeben, als ich plötzlich etwas sehe, was mir bisher noch gar nicht aufgefallen ist. Ein Geheimfach, ganz unten, und rechts davon eine kleine Tastatur.

Ich habe ein Geheimfach?

Mein Herz fängt an zu rasen. Langsam strecke ich meine Hand aus und tippe die Kombination ein, die ich schon immer benutzt habe – 4591 –, und die Schublade öffnet sich. Ich werfe einen Blick auf die Tür, um sicherzugehen, dass Eric nicht da ist, dann greife ich hinein, und meine Hand ertastet etwas Hartes, wie den Griff einer …

Peitsche!?

Im ersten Moment bin ich zu baff, um mich zu rühren. Es ist tatsächlich eine kleine Peitsche mit Lederriemen, als käme sie direkt aus dem Bondage-Shop. Ich bin völlig fasziniert von diesem Anblick. Ist das meine Ehebruch-Peitsche? Bin ich denn ein anderer Mensch geworden? Bin ich jetzt Fetischistin und gehe in S/M-Bars, um Männer im nietenbesetzten Korsett an der Leine spazieren zu führen?

Plötzlich fühle ich mich beobachtet, und als ich herumfahre, steht Eric wieder in der Tür. Sein Blick fällt auf die Peitsche, und erstaunt zieht er die Augenbrauen hoch.

»Oh!«, sage ich erschrocken. »Ich hab … das hab ich eben gefunden! Ich wusste nicht …«

»Die solltest du lieber nicht offen herumliegen lassen, damit Gianna sie nicht findet.« Er klingt amüsiert.

Ich starre ihn an. Mein benebeltes Hirn macht Überstunden. Eric weiß über die Peitsche Bescheid. Er grinst. Das würde ja bedeuten …

Oh. Nein.

Oh nein oh nein oh nein.

»Davon stand aber nichts im Handbuch, Eric!« Ich würde gern belustigt klingen, doch meine Stimme klingt zu schrill.

»Im Handbuch steht ja auch nicht alles.« Seine Augen blitzen.

Okay, das ändert die Lage. Ich dachte, im Handbuch müsste *alles* stehen.

Nervös betrachte ich die Peitsche. Und … was passiert damit? Peitsche ich ihn aus? Oder er …

Nein. Ich mag gar nicht daran denken. Ich werfe das Ding wieder in die Schublade und stoße sie zu. Meine Hände sind ganz feucht.

»Genau.« Eric zwinkert mir zu. »Versteck sie gut. Bis nachher.« Er geht hinaus, und wenig später höre ich die Haustür.

Jetzt könnte ich einen kleinen Wodka vertragen.

Am Ende gebe ich mich mit einer Tasse Kaffee und zwei Keksen zufrieden, die mir Gianna aus ihrer privaten Notreserve zuspielt. Mein Gott, wie ich Kekse vermisse. Und Brot. Und *Toast*. Ich könnte sterben für ein Scheibchen Toast, so knusprig und golden, mit dick Butter …

Egal. Hör auf, von Kohlenhydraten zu träumen! Und hör auf, über diese Peitsche nachzudenken! Ist doch nur ne kleine Peitsche. Na und?

Mum kommt um elf zu Besuch. Bis dahin habe ich nichts weiter vor. Ich schlendere ins Wohnzimmer, setze mich auf die Lehne des teuren Sofas und schlage eine Illustrierte auf. Nach zwei Minuten klappe ich sie wieder zu. Ich bin viel zu angespannt zum Lesen. Sieht so aus, als bekäme mein perfektes Leben plötzlich kleine Risse. Ich weiß nicht, was ich glauben soll. Und ich weiß nicht, was ich machen soll.

Ich stelle meine Kaffeetasse ab und starre meine Fingernägel an. Ich war ein ganz normales Mädchen mit krausen Haaren und Frettchenzähnen und einem bescheuerten Freund. Und einem ziemlich beschissenen Job, aber Freundinnen, mit denen ich Spaß hatte, und einer gemütlichen, kleinen Wohnung.

Und jetzt … Ich muss immer noch zweimal hinsehen, wenn ich mich im Spiegel betrachte. In dieser Wohnung gibt es rein gar nichts, in dem ich mich wiederfinde. Die Fernsehshow … die hohen Absätze … meine Freundinnen, die nichts mehr mit mir zu tun haben wollen … ein Mann, der behauptet, er sei mein Liebhaber … Ich begreife einfach nicht, was aus mir geworden ist. Was zum Teufel ist bloß mit mir passiert?

Schließlich lege ich die Zeitschrift beiseite und gehe ins Arbeitszimmer. Da steht mein Schreibtisch, blitzblank, der Stuhl akkurat darunter geschoben. In meinem ganzen Leben hatte ich noch keinen so ordentlichen Schreibtisch. Kein Wunder, dass mir gar nicht erst in den Sinn gekommen ist, es könnte meiner sein. Ich setze mich und ziehe die oberste Schublade auf. Sie ist voller Briefe, ordentlich in Plastikfolien abgelegt. Die zweite ist voller Bankauszüge, von einer blauen Heftzunge zusammengehalten.

Himmelarsch. Seit wann bin ich denn so verklemmt?

Ich öffne die letzte, größte Schublade und rechne schon mit ordentlich sortierten Tipp-Ex-Fläschchen oder irgendwas, aber sie ist leer, bis auf zwei Zettel.

Ich nehme die Kontoauszüge hervor und blättere sie durch. Meine Augen werden immer größer, als ich mein monatliches Gehalt sehe, mindestens das Dreifache von dem, was ich früher verdient habe. Der Löwenanteil scheint auf das Gemeinschaftskonto mit Eric zu gehen, bis auf eine große Summe, die jeden Monat an etwas namens Unito Acc. überwiesen wird. Ich muss unbedingt rausfinden, was das ist. Ich lege die Kontoauszüge beiseite und hole die beiden Zettel in der untersten Schublade hervor. Auf dem einen erkenne ich meine Handschrift, aber es sind nur Kürzel, und ich verstehe nicht, was es heißen soll. Sieht fast aus wie ein Code. Der andere Zettel wurde aus einem Block herausgerissen, und ich habe mit Bleistift etwas darauf geschrieben – drei Worte.

Ich wünschte nur

Ich starre den Zettel an, gebannt. Was? Was habe ich mir gewünscht?

Während ich das Papier hin und her drehe, versuche ich mir vorzustellen, wie ich dasitze und diese Worte schreibe. Ich versuche sogar (obwohl ich weiß, dass es sinnlos ist), mich daran zu erinnern, *wann* ich sie aufgeschrieben habe. War es vor einem Jahr? Vor sechs Monaten? Vor drei Wochen? Was habe ich damit gemeint?

Die Türklingel reißt mich aus meinen Gedanken. Ich falte den Zettel sorgfältig zusammen und stecke ihn ein. Dann knall ich die Schublade zu und setz mich in Bewegung.

Mum hat drei ihrer Hunde mitgebracht. Drei riesengroße, aufgedrehte Whippets. In eine makellose Wohnung voll makelloser Möbel.

»Hi, Mum!« Ich nehme ihr die schäbige Daunenjacke ab und versuche, ihr einen Kuss zu geben, als sich zwei der Hunde losreißen und direkt zum Sofa wetzen. »Wow. Du hast … Hunde dabei!«

»Die armen Dinger sahen so einsam aus, als ich wegmusste.« Sie umarmt einen von ihnen, drückt ihre Wange an seine Schnauze. »Agnes ist momentan so *sensibel*.«

»Ach …«, sage ich und gebe mir alle Mühe, mitfühlend zu klingen. »Arme, alte Agnes. Könnte sie nicht vielleicht im Auto bleiben?«

»Schätzchen, ich kann sie doch nicht einfach allein lassen!« Mit Märtyrermiene blickt sie zu mir auf. »Es war schon schwierig genug, diese Fahrt nach London zu organisieren.«

Ach, du je. Ich hab doch schon geahnt, dass sie gar nicht kommen wollte. Der ganze Besuch beruht auf einem Missverständnis. Ich habe am Telefon nur gesagt, dass ich mir etwas komisch vorkomme, weil ich von Fremden umgeben bin, und schon fing Mum an, sich zu rechtfertigen, und sagte, *selbstverständlich* sei sie immer für mich da. Und am Ende haben wir uns dann verabredet.

Entsetzt sehe ich mit an, wie einer der Hunde seine Pfoten auf den Glastisch stellt, während der andere auf dem Sofa liegt und in ein Kissen beißt.

Himmel! Wenn das Sofa schon zehntausend Pfund wert ist, dann kostet allein dieses Kissen mindestens tausend.

»Mum, könntest du vielleicht diesen Hund da vom Sofa holen?«

»Raphael tut doch gar nichts!«, sagt Mum gekränkt. Sie lässt Agnes los, die sofort zu Raphael und dem anderen Hund rennt. Und schon toben drei Whippets fröhlich auf Erics Sofa herum. Hoffentlich schaltet er nicht gleich die Kameras ein!

»Hast du 'ne Cola Light?« Amy kommt hinter Mum hereingeschlendert, die Hände in den Hosentaschen.

»In der Küche, glaube ich«, sage ich zerstreut und mache meinen Arm lang. »Hier, Hunde! Runter vom Sofa!«

Die drei beachten mich überhaupt nicht.

»Kommt her, meine Süßen!« Mum holt ein paar Hundekuchen aus ihrer Strickjacke, und wie von Zauberhand hören die Hunde auf, an den Polstern herumzukauen. Einer sitzt ihr zu Füßen, und die anderen beiden kuscheln sich an sie, legen die Köpfe auf ihren bunt gemusterten Rock.

»Na also«, sagt Mum. »Nichts passiert.«

Ich betrachte das vollgesabberte Kissen, das Raphael gerade fallen gelassen hat, aber es lohnt sich nicht, etwas dazu zu sagen.

»Da ist keine Cola Light.« Amy kommt mit ihren endlos langen Beinen in weißen Jeans und Cowboystiefeln aus der Küche gestakst und wickelt gerade einen Chupa Chups-Lolly aus. »Hast du Sprite?«

»Könnte sein …« Ich starre sie an, plötzlich verwundert. »Müsstest du nicht in der Schule sein?«

»Nein.« Mit trotzigem Achselzucken schiebt sie sich den Lolly in den Mund.

»Warum nicht?« Mein Blick wandert von ihr zu Mum. Auf einmal liegt so eine Spannung in der Luft.

Ich bekomme keine Antwort. Mum rückt erst mal ihren samtenen Haarreif zurecht, mit verträumtem Blick, als gäbe es im Augenblick nichts Wichtigeres, als diesen Haarreif korrekt zu positionieren.

»Amy hat ein klitzekleines Problemchen«, sagt sie schließlich. »Hat sie doch, oder was meinst du, Raphael?«

»Ich bin vorübergehend von der Schule geflogen.« Großspurig stolziert Amy auf einen Sessel zu, setzt sich und legt die Füße auf den Kaffeetisch.

»*Von der Schule geflogen?* Wieso das denn?«

Schweigen. Mum scheint mich nicht gehört zu haben. »Mum, *wieso*?«

»Ich fürchte, Amy hat schon wieder mit ihren Tricks angefangen«, sagt Mum und verzieht das Gesicht.

»Tricks?«

Die einzigen Tricks, an die ich mich im Zusammenhang mit Amy erinnern kann, sind Kartentricks aus einem Zauberkasten, den sie mal zu Weihnachten bekommen hat. Ich sehe sie noch vor mir, wie sie in ihrem pinkfarbenen Pyjama mit Häschenpuschen vor dem Kamin stand und uns aufforderte, eine Karte zu ziehen, und wir alle so taten, als würden wir nicht sehen, dass sie noch ein Ass im Ärmel versteckt hatte.

Mir wird ganz warm ums Herz. Sie war so ein süßes Kind.

»Was hast du angestellt, Amy?«

»Nichts! Die haben so was von *total* überreagiert.« Amy nimmt ihren Lolly aus dem Mund und seufzt theatralisch. »Ich hab doch nur diese Hellseherin mit zur Schule gebracht.«

»Eine Hellseherin?«

»Na ja.« Hämisch grinsend sieht Amy mir in die Augen. »Diese Frau, die ich in einer Disko kennengelernt habe. Ich weiß nicht genau, wie hellsichtig sie wirklich ist. Aber alle haben es geglaubt. Ich habe zehn Pfund pro Nase kassiert, und sie hat allen Mädchen erzählt, dass sie morgen einen Jungen kennenlernen. Alle waren glücklich. Bis einer von den Lehrern dahintergekommen ist.«

»Zehn Pfund pro Nase?« Ungläubig starre ich sie an. »Kein Wunder, dass du Ärger gekriegt hast!«

»Noch eine Verwarnung und ich fliege von der Schule«, erklärt sie stolz.

»Wie bitte? Amy, was hast du denn noch alles angestellt?«

»Eigentlich nichts! Nur … in den Ferien hab ich Geld gesammelt, für unsere Mathelehrerin, Mrs. Winters, die im Krankenhaus lag.« Amy zuckt mit den Achseln. »Ich hab gesagt, sie macht es nicht mehr lange, und alle haben gespendet. Über fünfhundert hab ich zusammengekriegt.« Sie schnaubt vor Lachen. »So was von cool!«

»Schätzchen, das nennt man Vorspiegelung falscher Tatsachen.« Mum spielt mit einer Hand an ihren Bernsteinperlen herum, während sie mit der anderen einen der Hunde krault. »Mrs. Winters war sehr aufgebracht.«

»Ich hab ihr immerhin Pralinen geschenkt, oder etwa nicht?«, erwidert Amy ungerührt. »Und außerdem war es noch nicht mal gelogen. Beim Fettabsaugen kann man sehr wohl sterben!«

Mir fehlen die Worte. Ich bin schlicht und einfach geplättet. Wie konnte aus meiner süßen, kleinen Schwester ... *so was* werden?

»Ich brauch dringend was für meine spröden Lippen«, fügt Amy hinzu und schwingt ihre Beine vom Sofa. »Kann ich mir was von deinem Schminktisch holen?«

»Hm ... klar.« Sobald sie draußen ist, wende ich mich Mum zu. »Was ist los? Seit wann macht Amy solche Sachen?«

»Ach ... in den letzten beiden Jahren.« Mum sieht mich nicht an, spricht stattdessen mit dem Hund auf ihrem Schoß. »Sie ist ein süßes, liebes Mädchen, *stimmt's*, Agnes? Sie kommt nur manchmal vom rechten Weg ab. Ein paar ältere Mädchen haben sie zum Klauen angestiftet ... das war nun wirklich nicht ihre Schuld ...«

»Zum Klauen?«, wiederhole ich entsetzt.

»Ja. Nun.« Mum verzieht das Gesicht. »Es war etwas unglücklich. Sie hat die Jacke einer Mitschülerin genommen und ihr eigenes Namensschild reingenäht. Aber sie hat es wirklich sehr bereut!«

»Und ... warum das alles?«

»Schätzchen, das weiß niemand. Sie hat den Tod ihres Vaters

nicht so gut verkraftet, und seitdem … passiert eins nach dem anderen.«

Ich weiß nicht, was ich dazu sagen soll. Vielleicht geraten alle Teenies, deren Väter sterben, hin und wieder auf die schiefe Bahn.

»Da fällt mir was ein. Ich hab was für dich, Lexi.« Mum langt in ihren Leinenbeutel und holt eine schlichte DVD-Hülle hervor. »Das hier ist die letzte Botschaft von deinem Vater. Er hat vor der Operation seine Abschiedsworte aufgezeichnet, für alle Fälle. Die Aufnahme wurde bei der Beerdigung gezeigt. Da du dich nicht daran erinnerst, solltest du sie dir vielleicht ansehen.« Mum reicht sie mir mit zwei Fingern, als wäre sie verseucht.

Ich nehme die DVD und starre sie an. Dads letzte Botschaft. Ich kann immer noch nicht glauben, dass er schon drei Jahre tot sein soll.

»So sehe ich ihn doch noch mal.« Ich drehe die Silberscheibe hin und her. »Ungewöhnlich, dass er sich gefilmt hat.«

»Ja. Na ja.« Mum kriegt wieder diesen nervösen Blick. »Du kanntest ja deinen Vater. Er musste immer im Mittelpunkt stehen.«

»Mum! Bei der eigenen Beerdigung ist das doch wohl völlig in Ordnung!«

Wieder tut sie, als hätte sie mich nicht gehört. Das ist immer ihre Masche, wenn jemand etwas sagt, was ihr nicht gefällt. Sie blendet einfach das ganze Gespräch aus und wechselt das Thema. Und tatsächlich – einen Moment später blickt sie auf und sagt:

»Vielleicht könntest *du* Amy helfen. Du wolltest ihr doch einen Praktikumsplatz in deinem Büro besorgen.«

»Einen Praktikumsplatz?« Zweifelnd sehe ich sie an. »Mum, ich weiß nicht so recht …«

Meine Arbeitssituation ist momentan kompliziert genug, auch ohne Amy.

»Nur für ein, zwei Wochen. Du hast gesagt, du hättest schon

mit den entsprechenden Leuten gesprochen, und es sei alles in die Wege geleitet …«

»Das mag ja sein.« Eilig falle ich ihr ins Wort. »Aber inzwischen sieht die Sache etwas anders aus. Ich hab ja selbst noch nicht wieder angefangen zu arbeiten. Erst mal muss ich selbst sehen, dass ich zurechtkomme …«

»Du hast es beruflich doch so weit gebracht«, sagt Mum beschwörend.

Jep, das hab ich super hingekriegt. In einem Rutsch von der Juniorassistentin zur Bossbitch aus der Hölle …

Stille – bis auf die Hunde, die in der Küche herumschliddern. Ich wage nicht, daran zu denken, was die da eigentlich treiben.

»Mum, darüber habe ich auch schon nachgedacht …«, sage ich und beuge mich vor. »Ich versuche, mein Leben zusammenzupuzzlen … aber es ergibt einfach keinen Sinn. Warum bin ich in diese Fernsehshow gegangen? Warum bin ich über Nacht so hart und ehrgeizig geworden? Das kapier ich einfach nicht.«

»Ich habe keine Ahnung.« Mum wirkt beschäftigt, kramt in ihrer Handtasche. »Du hast ganz normal Karriere gemacht.«

»Aber das *war* nicht normal.« Ich beuge mich noch weiter vor und versuche, ihre Aufmerksamkeit auf mich zu lenken. »Ich war nie eine Karrierefrau. Das weißt du genau. Wieso sollte ich mich plötzlich ändern?«

»Schätzchen, das ist alles so lange her, ich kann mich wirklich nicht daran erinnern … *So* ein braves Mädchen! Das hübscheste Mädchen der Welt!«

Sie spricht mit einem der Hunde, wie mir plötzlich bewusst wird. Sie hört mir nicht mal zu. Typisch.

Ich blicke auf und sehe, wie Amy vom anderen Ende des Wohnzimmers herüberkommt, noch immer Lolly lutschend.

»Amy, Lexi hat gerade vorgeschlagen, dass du bei ihr im Büro ein Praktikum machen könntest!«, sagt Mum fröhlich. »Hättest du Lust dazu?«

»Vielleicht!«, werfe ich ein. »Erst wenn ich wieder eine Weile gearbeitet habe.«

»Ja. Glaub schon.«

Die Dankbarkeit steht ihr nicht gerade ins Gesicht geschrieben.

»Wir müssten uns allerdings auf ein paar Grundregeln einigen«, sage ich. »Du darfst meine Kollegen nicht abzocken. Und auch nicht beklauen.«

»Ich klaue nicht!« Amy sieht gekränkt aus. »Es war nur eine Jacke, und das war eine Verwechslung. *Meine Fresse!*«

»Schätzchen, es war nicht nur die Jacke, oder?«, sagt Mum nach einer Pause. »Auch das Make-up.«

»Alle denken immer nur das Schlechteste von mir. Immer wenn irgendwas fehlt, bin ich der Sündenbock.« Amys Augen funkeln in ihrem blassen Gesicht. Sie zieht die schmalen Schultern an, und plötzlich fühle ich mich schlecht. Sie hat recht. Ich habe sie verurteilt, ohne die Fakten zu kennen.

»Tut mir leid«, sage ich verlegen. »Ich weiß doch, dass du nicht klaust.«

»Ja, ja.« Sie hat sich abgewendet. »Gib du mir ruhig auch die Schuld an allem. Genau wie die anderen.«

»Aber das tue ich doch nicht.« Ich gehe zu ihr ans Fenster. »Amy, ich möchte mich bei dir entschuldigen. Ich weiß, wie schwer es für dich war, seit Dad nicht mehr da ist … Komm her!« Ich breite die Arme aus, um sie an mich zu drücken.

»Lass mich in Ruhe«, faucht sie.

»Aber, Amy …«

»Geh weg!« Sie weicht vor mir zurück und hebt die Arme, als müsste sie mich abwehren.

»Aber du bist doch meine kleine Schwester!« Ich trete einfach vor und drücke sie fest an mich. Abrupt weiche ich zurück und reibe mir die Rippen. »Autsch! Was zum … Du hast da irgendwas Hartes in der Tasche!«

»Nein, hab ich nicht«, stößt Amy hervor.

»Doch, hast du wohl!« Ich sehe mir ihre ausgebeulte Jeansjacke näher an. »Was um alles in der Welt hast du denn da drin?«

»Dosenfutter«, sagt Amy ohne nachzudenken. »Tunfisch und Mais.«

»Mais?« Sprachlos starre ich sie an.

»Nicht schon wieder.« Mum schließt die Augen. »Amy, was hast du dieses Mal eingesteckt?«

»Jetzt reicht's mir aber!«, schreit Amy. »Ich hab überhaupt nichts eingesteckt!« Abwehrend hebt sie eine Hand, und aus ihrem Jackenärmel fliegen zwei Lippenstifte von Chanel, gefolgt von einer Puderdose. Klappernd landet alles auf dem Boden, und wir starren es an.

»Sind das etwa … meine?«, sage ich schließlich.

»Nein«, bellt Amy kampfbereit, aber sie ist schon knallrot angelaufen.

»Sind sie wohl!«

»Als ob du es überhaupt merken würdest …« Schmollend zuckt sie mit den Schultern. »Du hast doch Tausende Lippenstifte.«

»Oh, Amy«, sagt Mum traurig. »Leer deine Taschen aus!«

Amy wirft Mum einen vernichtenden Blick zu und fängt schnaubend an, ihre Taschen auszuleeren, knallt alles nacheinander auf den Couchtisch. Zwei ungeöffnete Feuchtigkeitscremes. Eine Jo Malone-Kerze. Haufenweise Make-up. Ein Parfüm-Geschenk-Set von Christian Dior. Wortlos beobachte ich sie dabei, staune über ihre Dreistigkeit.

»Und jetzt zieh dein T-Shirt aus!«, kommandiert Mum wie ein Zollbeamter.

»Das ist so was von *unfair*!«, murmelt Amy. Sie kämpft sich aus ihrem T-Shirt, und mir fällt glatt die Kinnlade herunter. Sie hat sich ein Armani-Trägerkleidchen, das in meinem Schrank lag, in ihre Jeans gestopft. Um ihre Taille hat sie mindestens fünf La Perla-BHs gewickelt, und daran baumeln – wie Glücksbringer an einem Armreif – zwei perlenbesetzte Ausgehtäschchen.

»Du hast ein *Kleid* eingesteckt?« Ich muss mir das Lachen verkneifen. »Und *BHs*?«

»*Na toll.* Du willst dein Kleid zurück. *Ganz toll.*« Sie zieht alles aus und legt es auf den Tisch. »Zufrieden?« Dann blickt sie auf und sieht meinen Gesichtsausdruck. »*Ich* kann nichts dafür! Mum will mir kein Geld für Klamotten geben!«

»Amy, das ist Unsinn!«, ruft Mum scharf. »Du hast so viele Sachen.«

»Die sind doch alle von vorgestern!«, schreit sie Mum an, und es scheint, als hätten sie diese Diskussion schon öfter geführt. »Heute trägt man was anderes! Wann merkst du endlich, dass wir im 21. Jahrhundert angekommen sind?« Sie deutet auf Mums Kleid. »Das Teil da ist doch schlimm!«

»Amy, hör auf!«, sage ich. »Darum geht es hier nicht. Und außerdem passen dir meine BHs noch nicht mal!«

»BHs kann man auch über eBay verkaufen«, erwidert sie schneidend. »Zumindest so überteuerte Marken-BHs.«

Sie zieht ihr T-Shirt über, lässt sich auf den Boden sinken und tippt eine SMS in ihr Handy.

Das Ganze hat mich völlig aus dem Konzept gebracht. »Amy«, sage ich schließlich, »vielleicht sollten wir uns mal unterhalten. Mum, wieso gehst du nicht kurz raus und kochst uns einen Kaffee oder irgendwas?«

Mum ist völlig aufgelöst und scheint dankbar zu sein, dass sie in die Küche darf. Als sie draußen ist, setze ich mich auf den Boden, Amy gegenüber. Starr sitzt sie da und würdigt mich keines Blickes.

Okay. Ich muss verständnisvoll und mitfühlend sein. Ich weiß, dass zwischen mir und Amy ein erheblicher Altersunterschied besteht. Ich weiß, dass ich mich an einen Großteil ihres Lebens nicht erinnern kann. Aber wir sind doch Schwestern und verstehen uns, oder?

»Hör zu, Amy«, sage ich wie eine verständnisvolle, erwachsene, aber immer noch ziemlich coole, große Schwester. »Du kannst nicht einfach so klauen, okay? Du kannst die Leute nicht einfach um ihr Geld bringen.«

»Leck mich«, sagt Amy, ohne den Kopf zu heben.

»Du wirst Ärger kriegen. Sie werden dich von der Schule werfen!«

»Leck …«, sagt Amy gelangweilt. »Mich. Leck mich, leck mich, leck mich …«

»Hör mal!«, sage ich und versuche, Ruhe zu bewahren. »Ich weiß, dass das Leben schwierig sein kann. Und wahrscheinlich bist du mit Mum allein zu Hause ziemlich einsam. Aber wenn du reden willst, egal worüber, wenn du Probleme hast: Ich bin für dich da. Ruf mich an oder schick mir eine SMS, jederzeit. Wir gehen Kaffee trinken oder ins Kino oder …« Mein Satz erstirbt.

Amy tippt immer noch mit einer Hand. Die andere hat sie langsam angehoben und zeigt mir das »Loser«-Zeichen.

»Ach, leck dich doch selbst!«, fahre ich sie wütend an. Blöde Kuh. Wenn Mum glaubt, ich hole Amy für ein Praktikum zu mir ins Büro, dann hat sie sich aber *geschnitten!*

Eine Weile schweigen wir uns mürrisch an. Dann greife ich mir die DVD mit Dads Botschaft, rutsche über den Boden und schiebe sie in das Gerät. Der große Bildschirm leuchtet auf, und einen Moment später erscheint das Gesicht von meinem Vater.

Ergriffen starre ich den Bildschirm an. Dad sitzt auf einem Lehnstuhl und trägt einen plüschigen, roten Hausmantel. Das Zimmer kenne ich nicht – allerdings habe ich ihn auch nie in seinen diversen Wohnungen besucht. Sein Gesicht ist durch die Krankheit ausgemergelt. Es war damals, als würde ihm langsam die Luft ausgehen. Doch seine grünen Augen blitzen, und er hält eine Zigarre in der Hand.

»Hallo«, sagt er mit heiserer Stimme. »Ich bin's. Na ja. Das wisst ihr wohl.« Er lacht kurz auf, dann muss er trocken husten, was er mit einem Zug an seiner Zigarre lindert. Er trinkt einen Schluck Wasser. »Wir wissen alle, dass die Chancen bei dieser Operation fifty-fifty stehen. Ich bin ja selbst schuld, dass ich mit meinem Körper Schindluder getrieben habe. Also dachte ich mir, ich sollte euch, meiner Familie, eine kleine Botschaft hinterlassen, für alle Fälle.«

Er macht eine Pause und nimmt einen großen Schluck aus einem Whiskyglas. Ich merke, dass seine Hand zittert, als er es abstellt. Wusste er, dass er sterben würde? Plötzlich habe ich einen dicken Kloß im Hals. Ich sehe zu Amy hinüber. Sie hat ihr Handy sinken lassen und sieht zu, sitzt da wie angewurzelt.

»Genießt euer Leben«, sagt Dad in die Kamera. »Seid glücklich. Seid nett zueinander. Barbara, hör auf, nur für die blöden Hunde zu leben. Es sind keine Menschen. Sie werden dich niemals lieben, sie werden dich nie ernähren und auch nicht mit dir ins Bett gehen. Es sei denn, du hättest es wirklich nötig.«

Ich schlage mir die Hand vor den Mund. »Das hat er nicht gesagt!«

»Doch, hat er.« Amy schnaubt vor Lachen. »Mum ist sofort rausgegangen.«

»Ihr habt nur dieses eine Leben, meine Lieben. Verplempert es nicht.« Mit glänzenden Augen blickt er in die Kamera, und plötzlich erinnere ich mich an ihn, als ich klein war und er mich mit einem Sportwagen von der Schule abholte. Ich habe ihn allen gezeigt: *Das da drüben ist mein Daddy!* Alle Kinder haben mit offenem Mund das Auto bestaunt, und alle Mütter warfen ihm verstohlene Blicke zu, in seinem smarten Leinensakko und gebräunt von der spanischen Sonne.

»Ich weiß, ich habe hier und da Scheiße gebaut«, sagt Dad.

»Ich weiß, ich war nicht gerade der beste Familienvater. Aber ich schwöre: Ich habe immer mein Bestes gegeben. Macht's gut, Mädels. Wir sehen uns.« Er hebt sein Glas zur Kamera und trinkt. Dann ist der Bildschirm schwarz.

Die DVD stoppt automatisch, doch keine von uns beiden rührt sich, Amy nicht und ich auch nicht. Als ich den dunklen Bildschirm anstarre, fühle ich mich noch verlorener als vorher. Mein Dad ist tot. Schon seit drei Jahren. Ich kann nie wieder mit ihm reden. Ich kann ihm nie wieder etwas zum Geburtstag schenken. Ich kann ihn nie wieder um Rat fragen. Auch wenn man von Dad kaum einen anderen Rat bekommen konnte, als wo man am besten sexy Dessous kaufte. Ich sehe zu Amy hinüber, die meinen Blick mit leichtem Achselzucken beantwortet.

»Das war wirklich eine schöne Botschaft«, sage ich und bin entschlossen, nicht sentimental zu werden oder zu heulen oder so. »Unerwartet.«

»Ja.« Amy nickt. »Stimmt.«

Die eisige Stimmung zwischen uns scheint aufgetaut zu sein. Amy greift in ihre Tasche und holt ein winziges Make-up-Kästchen hervor, auf dessen Deckel mit Strass *Babe* geschrieben steht. Sie nimmt einen Konturenstift und zeichnet fachmännisch ihre Lippen nach, mit Hilfe eines winzigen Spiegels. Ich habe noch nie gesehen, dass sie sich schminkt, außer wenn wir uns verkleidet haben.

Amy ist kein Kind mehr, denke ich, als ich sie betrachte. Sie ist fast schon erwachsen. Ich weiß wohl, dass es heute zwischen uns nicht so gut gelaufen ist, aber vielleicht war sie mir in den letzten Jahren doch so etwas wie eine Freundin.

Eine Vertraute.

»Hey, Amy«, sage ich leise und vorsichtig. »Haben wir vor dem Unfall viel miteinander geredet? Wir beide, meine ich. Über so … Sachen?« Ich werfe einen Blick zur Küchentür, um sicherzugehen, dass Mum uns nicht hören kann.

»Manchmal.« Sie zuckt mit den Achseln. »Was für Sachen?«

»Ich dachte nur gerade.« Meine Stimme soll natürlich klingen. »Nur so aus Interesse: Habe ich jemals jemanden erwähnt, der … Jon hieß?«

»Jon?« Amy stutzt, mit ihrem Lippenstift in der Hand. »Du meinst den, mit dem du Sex hattest?«

»*Was?*« Meine Stimme schießt los wie eine Rakete. »Bist du sicher?«

Oh, mein Gott. Es stimmt.

»Ja.« Meine Reaktion scheint Amy zu überraschen. »An Sylvester hast du mir davon erzählt. Du warst ziemlich breit.«

»Was habe ich dir sonst noch erzählt?« Mein Herz hämmert wie wild. »Sag mir alles, woran du dich erinnern kannst.«

»Du hast mir einfach alles erzählt!« Ihre Augen leuchten. »Bis ins Detail. Es war dein erstes Mal überhaupt, und er hatte das Gummi verloren, und du bist fast erfroren da draußen auf dem Schulsportplatz …«

»Schulsportplatz?« Ich starre Amy an und versuche, zu begreifen. »Du meinst … redest du von *James*?«

»Ach, ja!« Sie schnalzt mit der Zunge. »Den meinte ich! James. Der Typ aus der Band, als du noch auf der Schule warst. Wieso, wen meinst du denn?« Sie malt sich die Lippen fertig und mustert mich interessiert. »Wer ist Jon?«

»Niemand«, schießt es aus mir heraus. »Nur so ein … Typ. Niemand eigentlich.«

Alles klar! Es gibt keinen einzigen Beweis. Hätte ich wirklich eine Affäre, hätte ich auch Spuren hinterlassen. Einen Brief oder ein Foto oder einen Tagebucheintrag. Oder Amy wüsste Bescheid oder sonst was …

Aber entscheidend ist doch, dass ich mit Eric glücklich verheiratet bin. *Das* ist das Einzige, was zählt.

Es ist spät geworden. Mum und Amy sind schon vor einer

ganzen Weile gegangen, nachdem wir es endlich geschafft hatten, den einen Whippet vom Balkon und den anderen aus Erics Whirlpool zu locken, wo er begeistert mit einem der Handtücher kämpfte. Und jetzt sitze ich mit Eric im Auto und fahre an der Themse entlang. Er trifft sich mit Ava, seiner Innenarchitektin, und meinte, ich sollte doch mitkommen und mir die Musterwohnung seines neuesten Projekts – »Blue 42« – ansehen.

Erics Gebäude heißen alle »Blue« mit irgendeiner Zahl. Es ist das Markenzeichen seiner Firma. Wie sich herausstellt, ist es im »Loft-Style Living«-Geschäft von ebenso entscheidender Bedeutung, ein Markenzeichen zu haben wie die richtige Musik, wenn man hereinkommt, und das richtige Besteck auf dem Mustertisch. Offenbar ist Ava ein Genie in der Auswahl des richtigen Bestecks.

Ich habe schon im Ehe-Handbuch einiges über Ava erfahren. Sie ist 48 und geschieden, hat zwanzig Jahre in L. A. gearbeitet und eine ganze Reihe von Büchern geschrieben, die Titel wie *Troddel* oder *Gabel* haben, und stattet alle Musterwohnungen für Erics Firma aus.

»Hey, Eric«, sage ich, als wir so durch die Gegend fahren. »Ich habe mir heute meine Kontoauszüge angesehen. Offenbar zahle ich regelmäßig Geld an etwas, das sich Unito nennt. Ich habe die Bank angerufen, und die haben gesagt, es ist ein Offshore-Konto.«

»Mh-hm.« Eric nickt, als würde es ihn nicht im Geringsten interessieren. Ich warte, dass er noch etwas dazu sagt, aber er stellt das Radio an.

»Weißt du vielleicht mehr darüber?«, rufe ich gegen die Nachrichten an.

»Nein.« Er zuckt mit den Achseln. »Ist aber eigentlich keine schlechte Idee, etwas von deinem Geld in einer Steueroase anzulegen.«

»Okay.« Ich bin mit seiner Antwort ziemlich unzufrieden. Mir ist fast, als würde ich mich gleich mit ihm darüber streiten. Ohne eigentlich zu wissen, warum.

»Ich muss kurz tanken.« Eric hält an einer BP-Tankstelle. »Dauert nicht lange …«

»Hey«, sage ich, als er die Tür aufmacht. »Könntest du mir ein paar Chips mitbringen? *Salt'n'Vinegar*, wenn sie die haben.«

»Chips?« Er dreht sich um und starrt mich an, als hätte ich ihn um Heroin angehauen.

»Ja, Chips.«

»Liebling.« Eric ist richtig konsterniert. »Du isst keine Chips. Das steht doch alles im Handbuch. Unsere Ernährungsberaterin empfiehlt kohlenhydratarme, proteinreiche Kost.«

»Ja, ja … ich weiß. Aber jeder hat doch hin und wieder mal eine kleine Belohnung verdient, oder? Und ich hätte wirklich Lust auf Chips.«

Eric scheint nicht zu wissen, was er darauf antworten soll.

»Die Ärzte haben mich gewarnt, dass du vielleicht irrational werden und untypische Dinge tun könntest«, sagt er fast wie zu sich selbst.

»Es ist nicht irrational, eine Tüte Chips zu essen!«, protestiere ich. »Das ist doch kein *Gift*!«

»Liebste … ich denke dabei doch nur an dich.« Eric spricht mit liebevoller Stimme. »Ich weiß, wie schwer es dir gefallen ist, diese zwei Kleidergrößen abzubauen. Und wir haben einiges in deinen persönlichen Fitnesstrainer investiert. Aber wenn du das alles wirklich wegen einer Tüte Chips wegwerfen willst, kann ich dich nicht davon abhalten … also, möchtest du die Chips immer noch?«

»Ja«, sage ich etwas trotziger als beabsichtigt.

Ich kann Eric ansehen, dass er genervt ist, aber er verwandelt seinen Ärger in ein Lächeln.

»Kein Problem.« Laut fällt die Fahrertür ins Schloss. Ein paar

Minuten später sehe ich, wie er forschen Schrittes aus der Tankstelle kommt, mit einer Tüte Chips in der Hand.

»Hier, bitteschön.« Er wirft sie mir auf den Schoß und lässt den Motor an.

»Dankeschön!« Ich lächle ihn an, bin aber nicht sicher, ob er es überhaupt merkt. Als er losfährt, versuche ich, die Tüte aufzureißen, aber meine linke Hand ist nach dem Unfall immer noch zu linkisch, und ich kann das Plastik nicht richtig festhalten. Schließlich nehme ich die Tüte zwischen die Zähne und reiße mit der rechten Hand daran, so fest ich kann ... und die ganze Tüte explodiert.

Scheiße. Alles voller Chips. Auf den Sitzen, auf der Mittelkonsole – und auf Eric.

»Herrgott noch mal!« Genervt schüttelt er den Kopf. »Hab ich die jetzt etwa auch in den *Haaren*?«

»Tut mir leid«, stöhne ich und bürste an seinem Jackett herum. »Tut mir wirklich, ehrlich leid ...«

Das ganze Auto riecht nach Salz und Essig. Mmmh. Wie das duftet!

»Jetzt muss ich den Wagen reinigen lassen.« Angewidert rümpft Eric die Nase. »Und mein Jackett ist bestimmt auch voller Fettflecken.«

»Verzeih mir, Eric«, sage ich kleinlaut und bürste ihm die letzten Krümel von der Schulter. »Ich bezahl dir die Reinigung.« Ich lehne mich zurück, nehme einen großen Chip, der auf meinem Schoß gelandet ist, und stecke ihn in den Mund.

»*Isst* du den jetzt etwa noch?« Eric klingt, als ginge das endgültig zu weit.

»Der ist doch nur auf meinen Schoß gefallen«, protestiere ich. »Der ist sauber!«

Eine Weile fahren wir schweigend. Heimlich esse ich noch ein paar Chips und versuche, so leise wie möglich zu knabbern.

»Du kannst nichts dafür«, sagt Eric mit starrem Blick auf die

Straße. »Du hast dir den Kopf gestoßen. Ich kann keine Normalität erwarten.«

»Ich fühle mich vollkommen normal«, sage ich.

»Natürlich tust du das.« Gönnerhaft tätschelt er meine Hand, und ich erstarre. Okay, vielleicht bin ich noch nicht ganz wiederhergestellt. Aber ich weiß sehr wohl, dass man nicht den Verstand verliert, nur weil man eine Tüte Chips isst. Das will ich Eric gerade erklären, als er blinkt und in eine Auffahrt einbiegt, deren elektrische Tore sich bereits für uns geöffnet haben. Wir halten in einem kleinen Vorhof, und Eric stellt den Motor ab.

»Da wären wir.« Der Stolz in seiner Stimme ist nicht zu überhören. Er deutet aus dem Fenster. »Das ist unser neuestes Baby.«

Ich blicke auf, völlig überwältigt, vergesse die Chips. Vor uns steht ein nagelneues, weißes Haus. Es hat geschwungene Balkone, eine Markise und schwarze Granitstufen, die zu ein paar pompösen, silbern eingefassten Türen führen.

»Das hast *du* gebaut?«, sage ich schließlich.

»Nicht ich persönlich.« Eric lacht. »Komm mit.« Er macht die Fahrertür auf, bürstet die letzten Chips von seiner Hose, und ich folge ihm mit offenem Mund. Ein uniformierter Portier öffnet uns die Tür. Das Foyer besteht aus hellem Marmor und schneeweißen Säulen. Dieses Haus ist ein *Palast*.

»Es ist unglaublich! Und so mondän!« Überall fallen mir geschmackvolle Details auf: die eingearbeitete Bordüre, die Decke mit blauem Himmel und weißen Wölkchen.

»Das Penthouse hat einen eigenen Fahrstuhl.« Eric nickt dem Portier zu und führt mich in einen wunderschönen, mit Intarsien verzierten Lift. »Im Keller gibt es einen Pool, ein Sportstudio und sogar ein Kino. Obwohl die meisten Wohnungen natürlich sowieso eigene Sportstudios und Kinos haben«, fügt er hinzu.

Abrupt blicke ich auf, um festzustellen, ob er mich auf den

Arm nimmt, aber es sieht nicht danach aus. Ein Sportstudio und ein eigenes Kino? In einer *Wohnung*?

»Und da sind wir auch schon …« Der Fahrstuhl öffnet sich mit einem ultraleisen *pling*, und wir treten in ein rundes, verspiegeltes Foyer. Fast zärtlich drückt Eric gegen einen der Spiegel, der sich als Tür entpuppt. Sie schwingt auf, und ich kriege meinen Mund gar nicht wieder zu.

Ich stehe vor einem unfassbar großen Raum. Nein, es ist eher eine *Halle*. Die Fenster reichen vom Boden bis zur Decke, an der einen Wand ein offener Kamin, an der anderen eine gigantische Stahlplatte, an der auf breiter Fläche Wasser herunterläuft.

»Ist das echtes Wasser?«, frage ich dümmlich. »Im Haus?« Eric lacht.

»Unsere Kunden zeigen gern, was sie haben. Nett, nicht?« Er nimmt eine Fernbedienung und richtet sie auf den Wasserfall … und im nächsten Augenblick ist dieser in blaues Licht getaucht. »Es gibt zehn programmierte Lightshows. Ava?« Gleich darauf erscheint eine dürre, blonde Frau mit rahmenloser Brille, grauen Hosen und weißer Bluse in einem Durchgang neben dem Wasserfall.

»Hi, zusammen!«, sagt sie mit einer seltsamen Mischung aus englischem und amerikanischem Akzent. »Lexi! Sie sind wieder auf den Beinen!« Mit beiden Händen nimmt sie meine Rechte. »Ich habe davon gehört. Sie Ärmste!«

»Es geht mir gut, wirklich.« Ich lächle. »Muss nur noch mein Leben wieder zusammenflicken.« Ich deute auf den Raum. »Diese Wohnung ist der Wahnsinn! Das ganze Wasser …«

»Wasser ist das Thema dieser Musterwohnung«, sagt Eric. »Wir haben uns streng an die Prinzipien des Feng Shui gehalten, stimmt's Ava? Sehr wichtig für einige unserer Ultra-Nettos.«

»Ultra-was?«, sage ich verdutzt.

»Die besonders Reichen«, übersetzt Eric. »Unsere Zielgruppe.«

»Feng Shui ist für die Ultras von entscheidender Bedeutung«, sagt Ava und nickt ernst. »Eric, die Fische für die Master Suite sind gerade gekommen. Sie sind sensationell! Jeder Einzelne ist seine dreihundert Pfund wert«, sagt sie zu mir zugewandt. »Wir haben sie extra gemietet.«

Ultra-Netto-was-weiß-ichs. Gemietete Fische. Das ist eine völlig andere Welt. Mir fehlen die Worte. Ich sehe mich in dieser gewaltigen Wohnung um: die geschwungene Cocktailbar und der in den Boden eingelassene Sitzbereich und die gläserne Skulptur, die von der Decke hängt. Ich habe nicht die leiseste Ahnung, wie viel diese Wohnung wohl kosten mag. Und ich will es auch gar nicht wissen.

»Hier ist es.« Ava reicht mir ein detailliertes, maßstabgetreues Modell aus Papier und kleinen Holzstäbchen. »Das ist das ganze Gebäude. Wie Sie sehen, finden sich die geschwungenen Balkone in den abgerundeten Ecken der Kissen wieder«, fügt sie hinzu. »*Art Deco trifft Gaultier.*«

»Äh … fantastisch!« Ich zermartere mir das Hirn nach einem passenden Kommentar zu *Art Deco trifft Gaultier*, scheitere aber kläglich. »Und wie kommen Sie auf so was alles?« Ich deute auf den Wasserfall, der inzwischen Orange leuchtet. »Das zum Beispiel: Wie kommt man darauf?«

»Ach, das ist gar nicht von mir.« Ava schüttelt energisch den Kopf. »Mein Bereich sind Raumtextilien, Stoffe, sinnliche Finessen. Das große Konzept stammt allein von Jon.«

Etwas in mir tut einen Ruck.

»Jon?« Ich neige meinen Kopf und setze die undurchsichtigste Miene auf, die ich zustande bringen kann, als wäre »Jon« irgendein mir unbekanntes Wort aus einer obskuren Fremdsprache.

»Jon Blythe«, wirft Eric hilfreich ein. »Der Architekt. Du kennst ihn von der Dinnerparty, weißt du noch? Hast du dich nicht erst vorhin nach ihm erkundigt?«

»Ach, ja?«, sage ich nach einer winzigen Pause. »Ich … kann

mich gar nicht mehr so recht erinnern.« Ich drehe das Modell zwischen meinen Fingern herum und ignoriere die leichte Rötung, die an meinem Hals hinaufkriecht.

Es ist lächerlich. Jetzt verhalte ich mich sogar schon wie eine untreue Ehefrau.

»Jon, da bist du ja!«, ruft Ava. »Gerade haben wir von dir gesprochen!«

Er ist *hier*? Unwillkürlich klammere ich mich an das Modell. Ich will ihn nicht sehen. Ich will nicht, dass er mich sieht. Ich muss eine Ausrede finden und gehen …

Zu spät. Da ist er, nähert sich mit großen Schritten, in Jeans und dunkelblauem Pullover, und liest in irgendwelchen Unterlagen.

Okay. Bleib ruhig. Alles in Ordnung. Du bist glücklich verheiratet, und es gibt keinen Beweis für einen Seitensprung, eine Liebelei oder eine heimliche Affäre mit diesem Mann.

»Hi, Eric. Lexi.« Er nickt höflich … dann starrt er meine Hände an. Ich sehe hin und erstarre. Das Modell ist total zerdrückt. Das Dach ist eingebrochen, und einer der Balkone hat sich gelöst.

»*Lexi*!« Jetzt hat Eric es auch bemerkt. »Wie konnte das passieren?«

»Jon.« Bekümmert runzelt Ava die Stirn. »Dein Modell!«

»Es tut mir so leid!«, sage ich verwirrt. »Ich weiß nicht, wie das passieren konnte. Ich habe es nur festgehalten, und irgendwie …«

»Macht doch nichts.« Jon zuckt mit den Schultern. »Ich habe ja nur fast einen Monat daran gebastelt.«

»Einen *Monat*?«, wiederhole ich entgeistert. »Gib mir eine Rolle Tesa, und ich mach's dir wieder heil …« Verzweifelt versuche ich, das zerquetschte Dach in Form zu drücken.

»Vielleicht nicht ganz einen Monat«, sagt Jon und sieht mich an. »Vielleicht auch nur ein paar Stunden.«

»Oh.« Ich höre auf, herumzudrücken. »Na ja, jedenfalls ... Es tut mir leid.«

Jon wirft mir einen kurzen Blick zu. »Du kannst es wiedergutmachen.«

Es wiedergutmachen? Was soll das denn heißen? Ohne es eigentlich wirklich zu wollen, hake ich mich bei Eric unter. Ich brauche Bestätigung. Ich brauche Halt. Ich brauche einen starken Ehemann an meiner Seite.

»Dieses Apartment ist wirklich beeindruckend, Jon.« Ich spiele die höfliche, farblose Ehefrau eines Geschäftsfreundes und deute in die Runde. »Herzlichen Glückwunsch.«

»Danke, mir gefällt es auch«, antwortet er ebenso unverbindlich. »Was macht dein Gedächtnis?«

»Unverändert.«

»Dir ist noch immer nichts wieder eingefallen?«

»Nein. Nichts.«

»Das ist wirklich sehr schade.«

»Ja.«

Ich versuche, natürlich zu bleiben, aber während wir einander gegenüberstehen, lädt sich die Atmosphäre zwischen uns immer weiter auf. Langsam werde ich kurzatmig. Ich blicke zu Eric auf, überzeugt, dass er etwas gemerkt haben muss, aber er zuckt mit keiner Miene. Spürt er es denn nicht? Er muss es doch *sehen*?

»Eric, wir müssen uns über das Bayswater-Projekt unterhalten«, sagt Ava, die in ihrer weichen Ledertasche herumgekramt hat. »Ich war gestern auf der Baustelle und habe mir ein paar Notizen gemacht ...«

»Lexi, wieso siehst du dich nicht ein bisschen um, während ich mit Ava rede?« Eric fällt ihr ins Wort und macht sich von mir los. »Jon zeigt dir alles.«

»Oh.« Ich erstarre. »Nein ... nur keine Umstände.«

»Ich führe dich gern ein bisschen herum.« Jons Stimme klingt fast etwas gelangweilt. »Falls es dich interessiert.«

»Wirklich, das ist nicht nötig ...«

»Liebling, Jon hat das ganze Haus entworfen«, sagt Eric tadelnd. »Das ist eine großartige Gelegenheit, die Vision unserer Firma zu begreifen.«

»Na, komm! Ich erkläre dir das ursprüngliche Konzept.« Jon deutet zum anderen Ende des Raumes.

Da komme ich wohl nicht mehr raus.

»Das wäre nett«, sage ich schließlich.

Gut. Wenn er mit mir reden will, meinetwegen. Ich folge Jon, und wir bleiben neben dem plätschernden Wasserfall stehen. Wie kann jemand in einem Apartment wohnen, in dem das Wasser von der Wand läuft?

»Also«, sage ich höflich. »Wie kommt man auf solche Ideen? Solche ›Statements‹ oder wie man sie nennen will.«

Nachdenklich sieht Jon mich an, und ich rechne mit dem Schlimmsten. Hoffentlich kommt er jetzt nicht mit einem Haufen prätentiösem Schwachsinn über künstlerische Eingebung. Ich bin wirklich nicht in der Stimmung für so was.

»Ich frage mich einfach: Was würde einem reichen Wichser gefallen?«, sagt er schließlich. »Und das baue ich ein.«

Unwillkürlich rutscht mir ein Lachen heraus. »Also, wenn ich ein Wichser wäre, würde es mir gefallen.«

»Da hast du's.« Er kommt einen Schritt näher und spricht extra leise. »Du kannst dich wirklich noch immer nicht erinnern?«

»Nein. Überhaupt nicht.«

»Okay.« Er atmet scharf aus. »Wir müssen uns sehen. Wir müssen reden. Wir treffen uns im Old Canal House in Islington. Dir werden die hohen Decken aufgefallen sein, Lexi«, fügt er erheblich lauter hinzu. »Sie sind eines unserer Markenzeichen bei allen Bauprojekten.« Er sieht mich an und bemerkt meinen Gesichtsausdruck. »Was ist?«

»Bist du verrückt?«, zische ich mit einem Blick auf Eric, um sicherzugehen, dass er mich nicht hört. »Ich werde mich nicht mit dir treffen!« Ich spreche noch leiser. »Zu deiner Information: Ich habe immer noch keinen Beweis dafür gefunden, dass wir beide eine Affäre hatten. Keinen einzigen. Was für ein wunderbares Raumgefühl!«, füge ich mit lauter Stimme hinzu.

»Einen Beweis?« Ratlos sieht Jon mich an. »Was zum Beispiel?«

»Zum Beispiel ... ich weiß nicht. Einen Liebesbrief.«

»Wir haben uns keine Liebesbriefe geschrieben.«

»Oder irgendwelchen Schnickschnack.«

»*Schnickschnack?*« Jon sieht aus, als müsste er gleich loslachen. »Wir hatten auch nichts für Schnickschnack übrig.«

»Na, dann kann es ja wohl keine große Liebe gewesen sein!«, erwidere ich. »Ich habe in meiner Frisierkommode nachgesehen – nichts. Ich habe in meinem Kalender nachgesehen – nichts. Ich habe meine Schwester gefragt, und die hat noch nie von dir gehört.«

»Lexi.« Er macht eine Pause, als müsste er sich überlegen, wie er mir die Lage am besten erklären soll. »Es war eine heimliche Affäre. Was mit sich bringt, dass man die Affäre *geheim hält*.«

»Dann hast du also keinen Beweis. Ich wusste es.«

Ich drehe mich auf dem Absatz um und schreite zum Kamin hinüber. Jon folgt mir auf dem Fuße.

»Du willst einen Beweis?«, höre ich ihn ungläubig murmeln.

»Was zum Beispiel ... dass du ein erdbeerförmiges Muttermal an der linken Pobacke hast?«

»Ich habe *kein* ...« Triumphierend fahre ich herum und erstarre, da Eric zu uns herübersieht. »Wie bist du nur darauf gekommen, das Licht auf so unglaubliche Art und Weise zu nutzen!« Ich winke Eric, der zurückwinkt und sein Gespräch fortsetzt.

»Ich *weiß*, dass du kein Muttermal am Hintern hast.« Jon verdreht die Augen. »Du hast überhaupt keine Muttermale. Nur einen Leberfleck am Arm.«

Das bringt mich kurz zum Schweigen. Er hat recht. Na, und?

»Das könntest du auch geraten haben.« Ich verschränke meine Arme.

»Ich weiß. Habe ich aber nicht.« Ungerührt sieht er mir in die Augen. »Lexi, ich denk mir das nicht aus. Wir haben eine Affäre. Wir sind in einander verliebt. Rettungslos und leidenschaftlich.«

»Hör mal …« Ich fahre mir mit den Händen durchs Haar. »Das ist doch … verrückt! Ich hätte nie eine Affäre. Weder mit dir, noch mit sonst wem. Ich war in meinem ganzen Leben noch nie untreu …«

»Vor vier Wochen haben wir uns hier auf dem Boden geliebt«, fällt er mir ins Wort. »Da drüben.« Er nickt zu einem großen, flauschigen Schaffell.

Sprachlos starre ich es an.

»Du warst oben«, fügt er hinzu.

»Hör auf!« Wütend fahre ich herum und lasse ihn stehen, marschiere zum anderen Ende der Wohnung, wo eine hypermoderne Acrylglastreppe in ein Zwischengeschoss hinaufführt.

»Sehen wir uns mal den Feuchtraumbereich an«, sagt Jon laut, als er mir folgt. »Ich glaube, der wird dir gefallen …«

»Nein, wird er nicht«, fauche ich über meine Schulter hinweg. »Lass mich in Ruhe.«

Oben angekommen, drehen wir uns beide um und blicken über die stählerne Balustrade hinweg. Ich sehe Eric unter mir und dahinter – durch die riesigen Fenster – die Lichter Londons. Das muss man ihm lassen – die Wohnung ist ein Traum.

Neben mir steht Jon und schnüffelt.

»Hey«, sagt er. »Hast du Chips mit Salz und Essig gegessen?«

»Möglich.« Ich schenke ihm einen vielsagenden Blick.

Jons Augen werden groß. »Ich bin beeindruckt. Wie hast du die an deinem Ernährungsnazi vorbeigeschmuggelt?«

»Er ist kein Ernährungsnazi«, sage ich, weil ich den unmittelbaren Drang verspüre, Eric zu verteidigen. »Er macht sich einfach nur … Gedanken um gesunde Ernährung.« Mein Mund will sich zum Lachen verziehen, und ich wende mich ab.

Dieser Typ ist lustiger, als ich anfangs dachte. Und er ist irgendwie sexy, so aus der Nähe, mit den verwuschelten, dunklen Haaren.

Dann wiederum ist vieles andere auch lustig und sexy. *Friends* ist lustig und sexy. Das heißt aber noch lange nicht, dass ich eine Affäre mit einem der Schauspieler aus der Serie habe.

»Was willst du?« Schließlich drehe ich mich zu Jon um, ratlos. »Was erwartest du von mir? Was soll ich tun?«

»Was ich will?« Er macht eine Pause und runzelt die Stirn, als müsste er darüber nachdenken. »Ich will, dass du deinem Mann sagst, dass du ihn nicht liebst, dass du zu mir kommst und wir zusammen ein neues Leben anfangen.«

Er meint es ernst. Fast möchte ich lachen.

»Du möchtest also, dass ich bei dir einziehe«, sage ich, als ob es hier etwas zu verhandeln gäbe. »Jetzt gleich. Einfach so.«

»In – sagen wir – fünf Minuten.« Er sieht auf seine Uhr. »Ich muss vorher noch ein paar Sachen erledigen.«

»Du bist doch total gestört.« Ich schüttle den Kopf.

»Ich bin nicht gestört«, sagt er geduldig. »Ich liebe dich. Du liebst mich. Ehrlich. Das musst du mir glauben.«

»Ich muss dir überhaupt nichts glauben!« Plötzlich stört mich seine Vertraulichkeit. »Ich bin *verheiratet*, okay? Ich habe einen Mann, den ich liebe, dem ich ewige Treue geschworen habe. Hier ist der Beweis!« Ich schwenke meinen Ehering. »Das ist der Beweis!«

»Du liebst ihn?« Jon ignoriert den Ring. »Ganz tief hier drin?« Er schlägt sich an die Brust.

Am liebsten möchte ich ihn anschnauzen: »Ja, ich liebe Eric von ganzem Herzen«, und ihn damit ein für alle Mal zum

Schweigen bringen. Aber aus unerfindlichem Grunde bringe ich diese Lüge nicht über meine Lippen.

»Vielleicht ist es noch nicht ganz so weit … aber das wird bestimmt noch«, sage ich und klinge trotziger als beabsichtigt. »Eric ist ein fantastischer Mensch, zwischen uns ist alles wunderbar …«

»Mh-hm.« Jon nickt höflich. »Ihr hattet noch keinen Sex seit dem Unfall, oder?«

Misstrauisch starre ich ihn an.

»Oder?« Er hat so ein Blitzen in den Augen.

»Ich … wir …« Ich komme ins Stottern. »Vielleicht hatten wir welchen, vielleicht auch nicht! Mein Privatleben geht dich eigentlich nichts an.«

»Doch, tut es.« Plötzlich hat sein Gesichtsausdruck so was Ironisches. »Und das ist genau der Punkt.« Zu meiner Überraschung nimmt er meine Hand. Er hält sie einen Moment, betrachtet sie. Dann streicht er mit dem Daumen langsam über meine Haut.

Ich kann mich nicht rühren. Meine Haut kribbelt. Ich kann genau spüren, wo sein Daumen mich berührt hat. Mir läuft ein Schauer über den Rücken.

»Und wie gefällt es dir?« Erics Stimme tönt von unten herauf, und ich mache einen meterhohen Satz, reiße meine Hand an mich. Was *denke* ich mir bloß dabei?

»Es ist hübsch, Liebling!«, trällere ich über die Balustrade hinweg, mit unnatürlich hoher Stimme. »Wir brauchen nur noch ein paar Sekunden …« Ich weiche zurück, sodass ich von unten nicht mehr zu sehen bin, und winke Jon, mir zu folgen. »Hör mal zu. Mir reicht's jetzt«, fauche ich leicht hysterisch. »Lass mich in Frieden. Ich kenne dich nicht. Ich liebe dich nicht. Momentan ist alles schon schwer genug für mich. Ich möchte einfach mein Leben weiterleben, und zwar mit meinem Mann, okay?« Ich mache mich auf den Weg die Treppe hinunter.

»Nein! Nicht okay!« Jon packt mich beim Arm. »Lexi, du weißt nicht alles. Du bist unglücklich mit Eric. Er liebt dich nicht, er *versteht* dich nicht …«

»Natürlich liebt Eric mich!« Inzwischen bin ich völlig durcheinander. »Er hat im Krankenhaus Tag und Nacht an meinem Bett gesessen. Er hat mir diese wunderschönen, maulwurfsgrauen Rosen mitgebracht …«

»Glaubst du etwa, ich hätte *nicht* Tag und Nacht an deinem Bett sitzen wollen?« Jons Blick verfinstert sich. »Lexi, es hat mich innerlich zerrissen.«

»Lass mich los!« Ich will meinen Arm befreien, aber Jon hält ihn fest.

»Du darfst unsere Liebe nicht wegwerfen!« Verzweifelt sucht er in meinem Gesicht. »Es ist da drinnen. Es ist alles irgendwo da drinnen. Ich weiß es …«

»Du täuschst dich!« Mit Schwung reiße ich mich von ihm los. »Ist es nicht!« Ohne mich noch einmal umzusehen, klappere ich die Treppe hinunter, direkt in Erics Arme.

»Hi!« Er lacht. »Du hast es aber eilig. Ist alles in Ordnung?«

»Ich … fühl mich nicht so gut.« Ich lege eine Hand an meine Stirn. »Kopfschmerzen. Können wir jetzt gehen?«

»Aber natürlich können wir das, Liebling.« Er drückt meine Schultern und blickt die Treppe hinauf. »Hast du dich schon von Jon verabschiedet?«

»Ja. Lass uns einfach … gehen.«

Auf dem Weg zur Tür klammere ich mich an sein teures Jackett, beruhige meine strapazierten Nerven damit, dass ich ihn spüre. Das ist mein Mann. Das ist der Mann, den ich liebe. Das ist die Realität.

ZWÖLF

Okay. Ich muss meinem Gedächtnis dringend nachhelfen. Ich hab endgültig genug von dieser Amnesie. Ich hab genug davon, dass mir alle Leute erzählen, sie wüssten mehr über mein Leben als ich selbst.

Es sind *meine* Erinnerungen. Sie gehören mir.

Ich blicke tief in meine Augen, die sich direkt vor meiner Nase in der Schranktür spiegeln. Ich habe mir angewöhnt, immer so nah vor dem Spiegel zu stehen, dass ich nichts anderes sehe, nur meine Augen. Das beruhigt mich irgendwie. Es gibt mir das Gefühl, dass mein altes Ich noch da ist.

»Erinnere dich, du Spatzenhirn!«, sage ich zu mir, mit tiefer, böser Stimme. »*Er-in-ne-re dich*!«

Meine Augen stieren mich an, als wüssten sie alles, wollten aber nicht raus damit. Ich seufze und lehne meinen Kopf frustriert gegen den Spiegel.

Seit unserem Besuch in der Musterwohnung bin ich vollends in die vergangenen drei Jahre abgetaucht. Ich habe tagelang Fotoalben durchforstet, Filme angesehen, von denen ich wusste, dass ich sie »kenne«, mich mit Songs beschäftigt, die die alte Lexi hundertmal gehört hat … Aber es bringt alles nichts. Die mentale Schublade, in der meine fehlenden Erinnerungen weggeschlossen sind, scheint ziemlich stabil zu sein. Sie wird sich nicht öffnen lassen, nur weil ich mir »You're Beautiful« von James … Wie-heißt-er-noch anhöre.

Dämliches, geheimnistuerisches Hirn! Ich meine, wer hat denn hier das Kommando? Ich oder du?

Gestern war ich bei diesem Neurologen – Neil. Er nickte zwar mitfühlend, während ich ihm alles erzählte, und machte sich reichlich Notizen. Aber dann meinte er nur, das sei alles ausgesprochen faszinierend, und vielleicht wolle er eine Forschungsarbeit über mich schreiben. Auf mein Drängen fügte er hinzu, es könne vielleicht helfen, eine Zeitleiste anzulegen, und vielleicht sei es zudem sinnvoll, einen Therapeuten aufzusuchen.

Aber ich brauche keine Therapie. Ich brauche mein Gedächtnis. Der Spiegel beschlägt von meinem Atem. Ich drücke meine Stirn so fest dagegen, als lägen die Antworten allesamt bei meinem Spiegel-Ich, als könnte ich sie finden, wenn ich mich nur genügend konzentrierte …

»Lexi? Ich muss los.« Eric kommt ins Schlafzimmer, hält mir eine DVD hin, ohne Hülle. »Schatz, die hast du auf dem Teppich liegen lassen. Keine sonderlich sinnvolle Aufbewahrung für eine DVD …«

Ich nehme ihm die Disc ab. »Entschuldige, Eric«, sage ich eilig. Es ist die *Ambition: Folge 1*-DVD, von der ich mir neulich den Anfang angesehen habe. »Ich weiß gar nicht, wie die dahin gekommen ist.«

Das ist gelogen. Sie ist dahin gekommen, als Eric weg war und ich mindestens fünfzig DVDs auf dem Teppich verteilt hatte, zusammen mit Zeitschriften und Fotoalben und Schokoladenpapier. Gut, dass er nicht da war, sonst hätte er bestimmt einen Herzinfarkt bekommen.

»Dein Taxi ist für zehn Uhr bestellt«, sagt Eric. »Ich bin jetzt weg.«

»Gut!« Ich küsse ihn wie inzwischen jeden Morgen. Langsam kommt es mir schon ganz normal vor. »Hab einen schönen Tag!«

»Du auch.« Er drückt meine Schulter. »Hoffentlich geht alles gut.«

»Wird schon«, sage ich zuversichtlich.

Heute gehe ich wieder zur Arbeit, Vollzeit. Nicht, um die Abteilung zu übernehmen – so weit bin ich noch nicht. Aber um meinen Job neu zu lernen, um aufzuholen, was ich verpasst habe. Fünf Wochen sind seit dem Unfall vergangen. Ich kann nicht mehr nur zu Hause herumsitzen. Ich muss was *tun*. Ich muss mir mein Leben zurückerobern. Und meine Freundinnen …

Auf dem Bett stehen drei glänzende Präsenttüten bereit – mit Geschenken für Fi, Debs und Carolyn, die ich ihnen heute mitbringen will. Ich habe eine Ewigkeit gebraucht, das Richtige auszuwählen, und offen gesagt, möchte ich mich jedes Mal, wenn ich nur daran denke, vor Freude am liebsten selbst umarmen.

Summend gehe ich ins Wohnzimmer und schiebe die *Ambition*-DVD in den Player. Ich habe sie noch gar nicht zu Ende gesehen. Vielleicht hilft es mir, mich in »Büro«-Stimmung zu versetzen. Ich spule bis zu der Stelle, wo ich mit zwei Schlipsträgern in einer Limo sitze, und drücke auf START.

»… Lexi und ihre Mitspieler werden es heute sicher nicht ruhig angehen lassen«, sagt eine männliche Stimme aus dem Off. Die Kamera macht eine Nahaufnahme von mir, und ich halte die Luft an.

»Wir werden diese Aufgabe meistern!«, sage ich mit scharfer Stimme und klatsche dabei in die Hände. »Und wenn wir rund um die Uhr arbeiten müssen, wir werden gewinnen! Okay? Keine Ausflüchte!«

Mir fällt die Kinnlade herunter. Bin ich wirklich dieses gruselige Karriereweib? So habe ich in meinem ganzen Leben noch nie geredet.

»Wie immer treibt Lexi ihr Team an«, sagt die männliche Stimme aus dem Off. »Doch ist die Kobra dieses Mal zu weit gegangen?«

Ich verstehe nicht ganz, wovon er redet. Welche Kobra?

Dann wechselt das Bild zu einem der beiden Männer, die eben

noch mit mir in der Limo saßen. Er kauert auf einem Bürostuhl vor einer Fensterfront. Man sieht, dass Nacht ist. »Sie ist kein Mensch«, murmelt er. »Der Tag hat nun mal nur vierundzwanzig Stunden. Wir geben alle unser Bestes, aber interessiert sie das überhaupt?«

Während er redet, sieht man mich auf dem Bildschirm, wie ich in irgendeinem Lagerhaus herumlaufe. Spricht er etwa von *mir*? Ich bin irritiert. Dann wechselt das Bild zu einem lautstarken, heftigen Streit zwischen mir und diesem Mann. Wir stehen irgendwo in London auf der Straße, und er versucht, sich zu verteidigen, aber ich lasse ihn gar nicht erst zu Wort kommen.

»Du bist raus!«, schnauze ich ihn an, mit derart schneidender Stimme, dass ich zusammenzucke. »Du bist *raus* aus meinem Team!«

»Und wieder hat die Kobra zugeschlagen!«, meldet sich die unbeschwerte Stimme. »Sehen wir uns diese Szene ruhig noch einmal an!«

Sekunde mal. Soll das etwa heißen …

Ich bin die Kobra? Zu bedrohlicher Musik sieht man auf dem Bildschirm eine Zeitlupenwiederholung, und mein Gesicht wird herangezoomt.

»Du bist rausssssss!«, zische ich. »Du bist rausssss aussss meinem Team.«

Entsetzt starre ich den Bildschirm an, leicht benommen. Was zum Teufel haben die gemacht? Sie haben meine Stimme bearbeitet. Ich klinge wie eine Schlange.

»Und auch in dieser Woche ist Lexi in giftiger Höchstform!«, sagt die Männerstimme aus dem Off. »Wahrenddessen, drüben bei unserem anderen Team …«

Eine weitere Gruppe von Schlipsträgern erscheint auf dem Bildschirm und streitet über Preisvorstellungen. Aber ich bin viel zu verstört, als dass ich mich noch rühren könnte.

Warum … wie …

Warum hat mir keiner was gesagt? Warum hat mich keiner davor *gewarnt*? Wie ferngesteuert greife ich nach dem Telefon und tippe Erics Nummer ein.

»Hi, Lexi.«

»Eric, ich habe gerade die DVD von dieser Fernsehshow gesehen!« Meine Stimme schießt nur so heraus. »Die haben mich *Kobra* genannt! Ich war einfach nur gemein zu allen! Wieso hast du mir nie was davon erzählt?«

»Liebling, es war eine grandiose Sendung!«, sagt Eric beschwichtigend. »Du kamst extrem gut rüber.«

»Aber sie haben mich als *Schlange* bezeichnet!«

»Na, und?«

»Na … ich will keine Schlange sein!« Ich weiß, ich klinge fast hysterisch, aber ich kann nichts dagegen tun. »Kein Mensch mag Schlangen! Ich bin viel eher ein … Eichhörnchen. Oder ein Koala.«

Koalas sind weich und kuschelig. Und ein bisschen zottelig.

»Ein *Koala*? Lexi!« Eric lacht. »Schatz, du bist eine Kobra! Du hast das perfekte Timing. Du hast Biss. Das macht dich zu einer großartigen Geschäftsfrau.«

»Aber ich will gar keine …« Mein Satz erstirbt, weil es an der Tür klingelt. »Mein Taxi ist da. Ich muss los.«

Ich gehe ins Schlafzimmer, schnappe mir die drei Geschenktüten und versuche, meinen ursprünglichen Optimismus wiederzufinden, mich auf diesen Tag zu freuen. Doch mittlerweile hat sich meine Zuversicht in Luft aufgelöst.

Ich bin eine Schlange. Kein Wunder, dass mich alle hassen.

Während sich mein Taxi zur Victoria Palace Road vorankämpft, sitze ich starr auf der Rückbank, klammere mich an meine Tüten und versuche, mich aufzumuntern. Erstens weiß doch jeder, dass das Fernsehen immer alles verzerrt darstellt. Niemand hält mich wirklich für eine Schlange. Außerdem ist die Sendung schon

222

Ewigkeiten her, und wahrscheinlich denkt heute kein Mensch mehr daran …

Oh, Gott. Das große Problem mit der Selbstaufmunterung ist, dass man im Grunde weiß, dass man Blödsinn redet.

Das Taxi setzt mich direkt vor dem Gebäude ab, und ich hole tief Luft, zupfe mein beigefarbenes Armani-Kostüm zurecht. Beklommen mache ich mich auf den Weg in den dritten Stock. Als ich aus dem Fahrstuhl trete, sehe ich als Erstes Fi, Carolyn und Debs an der Kaffeemaschine stehen. Fi deutet auf ihr Haar, redet mit Händen und Füßen, während Carolyn ihr widerspricht, doch als ich auftauche, reißt das Gespräch sofort ab, als hätte jemand den Stecker aus einem Radio gezogen.

»Hey, Leute!« Ich setze das freundlichste Lächeln auf, das ich zustande bringe. »Ich bin wieder da!«

»Hi, Lexi.« Allgemeines Gemurmel antwortet mir, und Fi zuckt mit den Schultern. Okay, das war kein Lächeln, aber zumindest eine Reaktion.

»Du siehst wirklich toll aus, Fi! Dieses Top steht dir total gut.« Ich deute auf ihre cremefarbene Bluse, und überrascht folgt sie meinem Blick. »Und, Debs! Du siehst auch richtig klasse aus. Und, Carolyn! Deine Haare sind so was von cool, so superkurz, und … diese Wildlederstiefel sind fantastisch!«

»Die hier?« Carolyn schnaubt vor Lachen und tippt mit dem einen braunen Stiefel gegen den anderen. »Die hab ich doch schon seit Jahren.«

»Na, trotzdem … die sind echt klasse!«

Aus reiner Nervosität quassle ich einfach drauflos und rede einen Haufen Müll. Kein Wunder, dass sie mich so entgeistert ansehen. Fi hat ihre Arme verschränkt, und Debs sieht aus, als würde sie gleich loskichern.

»Also, jedenfalls …« Ich zwinge mich, etwas langsamer zu sprechen. »Ich habe euch was mitgebracht. Fi, das hier ist für dich, und Debs …«

Als ich die Geschenktüten verteile, kommen sie mir plötzlich lächerlich glänzend und verdächtig schleimig vor.

»Wofür sind die?«, sagt Debs mit leerem Blick.

»Ach, wisst ihr … einfach nur … ähm …« Ich fange an zu stottern. »Schließlich sind wir doch befreundet, und … na los! Macht sie auf!«

Die drei sehen einander skeptisch an, dann reißen sie das Geschenkpapier auf.

»Gucci?«, sagt Fi ungläubig, als sie ein grünes Schmuckkästchen hervorholt. »Lexi, das kann ich nicht …«

»Doch, das kannst du! Bitte. Mach es auf … du wirst sehen …«

Wortlos klappt Fi das Kästchen auf und bringt eine goldene Armreifuhr zum Vorschein.

»Weißt du noch?«, sage ich eifrig. »Wir haben sie uns immer im Schaufenster angesehen. Jedes Wochenende. Und jetzt hast du eine!«

»Ehrlich gesagt …« Fi seufzt und macht einen betretenen Eindruck. »Lexi, ich hab schon seit zwei Jahren eine.«

Sie schiebt ihren Ärmel hoch und trägt genau die gleiche Uhr, nur etwas matter und älter.

»Oh«, sage ich etwas entmutigt. »Na, gut. Macht nichts. Ich kann sie umtauschen. Wir können dir was anderes …«

»Lexi, das kann ich nicht gebrauchen«, fängt Carolyn an und gibt mir das Parfüm-Geschenk-Set zurück, das ich ihr gekauft habe, zusammen mit der passenden Ledertasche. »Von dem Geruch wird mir schlecht.«

»Aber es ist doch dein Lieblingsduft!«, sage ich verwirrt.

»*War*«, korrigiert sie mich. »Bevor ich schwanger wurde.«

»Du bist *schwanger*?« Überwältigt starre ich sie an. »Oh, mein Gott! Carolyn, herzlichen Glückwunsch! Das ist ja wunderbar! Ich *freu* mich so für dich! Matt wird bestimmt der beste Vater auf der ganzen …«

»Es ist nicht Matts Baby.« Sie schneidet mir das Wort ab.

»Nicht?«, sage ich benommen. »Aber was … Habt ihr zwei euch *getrennt*?«

Sie können sich doch nicht getrennt haben! Das ist unmöglich. Alle sind davon ausgegangen, dass Carolyn und Matt für immer zusammenbleiben.

»Ich will nicht darüber reden, okay?«, flüstert Carolyn. Zu meinem Entsetzen sehe ich, dass ihre Augen hinter der Brille ganz rot geworden sind, und sie atmet schwer. »Bis dann.« Sie wirft das Geschenkpapier mit den Schleifen nach mir, dreht sich um und marschiert ins Büro.

»Toll, Lexi!«, sagt Fi sarkastisch. »Wo wir gerade dachten, sie hätte die Sache mit Matt endlich verdaut.«

»Das wusste ich nicht!«, sage ich entgeistert. »Ich hatte ja keine Ahnung. Es tut mir so leid …« Nervös wische ich mir übers Gesicht. Mir ist ganz heiß. »Debs, pack du dein Geschenk aus!«

Ich habe Debs ein kleines Kreuz gekauft, mit Brillanten. Sie ist so verrückt nach Schmuck, und mit einem Kreuz kann man eigentlich nichts verkehrt machen. *Bestimmt* ist sie begeistert!

Schweigend wickelt Debs das Papier ab.

»Ich weiß, es ist etwas extravagant«, sage ich nervös. »Aber ich wollte etwas ganz Besonderes …«

»Das ist ein Kreuz!« Debs drückt mir das Kästchen in die Hand und rümpft die Nase. »Das kann ich nicht tragen! Ich bin doch Jüdin!«

»Du bist *Jüdin*?« Mein Mund steht offen. »Seit wann?«

»Seit ich mit Jacob verlobt bin«, sagt sie, als wäre es das Naheliegendste auf der Welt. »Ich bin konvertiert.«

»Wow!«, sage ich begeistert. »Du bist *verlobt*?« Und natürlich fällt mir jetzt auch der Platinring an ihrer linken Hand auf, mit einem Diamanten besetzt. Debs trägt so viele Ringe, dass er mir gar nicht aufgefallen war. »Wann ist die Hochzeit?« Meine Worte sprudeln nur so aus mir hervor. »Wo soll sie stattfinden?«

»Nächsten Monat.« Sie wendet sich ab. »In Wiltshire.«

»Nächsten *Monat*! Oh, mein Gott, Debs! Aber ich habe gar keine …«

Ich versinke in heißem, brodelndem Schweigen. Fast hätte ich gesagt: ›Aber ich habe gar keine Einladung bekommen!‹

Ich habe keine Einladung bekommen, weil ich nicht eingeladen bin.

»Ich meine … äh … herzlichen Glückwunsch!« Irgendwie halte ich mein starres Lächeln aufrecht. »Ich hoffe, alles läuft prima. Und keine Sorge, ich kann das Kreuz problemlos umtauschen … und die Uhr … und das Parfüm.« Mit zitternden Fingern stopfe ich das zerrissene Geschenkpapier in eine der glänzenden Tüten.

»Ja«, sagt Fi mit so merkwürdigem Unterton. »Also, bis dann, Lexi.«

»Bye.« Debs kann mir immer noch nicht in die Augen sehen. Die beiden gehen, und ich blicke ihnen hinterher. Ich beiß die Zähne zusammen, um nicht loszuheulen.

Volltreffer, Lexi! Du hast deine Freundinnen nicht zurückgewonnen. Du hast alles nur noch schlimmer gemacht.

»Ein Geschenk für mich?« Byrons Sarkasmus trifft mich am Hinterkopf, und als ich mich umdrehe, kommt er den Flur entlangmarschiert, mit einem Kaffee in der Hand. »Wie nett von Ihnen, Lexi!«

Gott im Himmel, dieser Typ ist mir unheimlich. *Er* ist eine echte Schlange.

»Hi, Byron«, sage ich so forsch wie möglich. »Schön, Sie zu sehen.«

Mit letzter Kraft hebe ich mein Kinn und streiche mir eine Haarsträhne aus dem Gesicht. Ich darf nicht zusammenbrechen.

»Wirklich tapfer von Ihnen, zurückzukommen, Lexi«, sagt Byron, als wir den Korridor hinuntergehen. »Geradezu bewundernswert.«

»Eigentlich nicht«, sage ich so selbstbewusst wie möglich. »Ich freue mich darauf.«

»Nun, sollten Sie Fragen haben: Sie wissen, wo Sie mich finden. Obwohl ich heute den größten Teil des Tages bei James Garrison sein werde. Sie erinnern sich an James Garrison?«

Mist, Mist, Mist. *Wieso* sucht er sich immer Leute aus, von denen ich noch nie gehört habe?

»Erinnern *Sie* mich«, sage ich unwillig.

»Er ist Chef unserer Auslieferungsfirma. Southey's? Die liefern unsere Ware aus? Bodenbeläge? Teppiche und das andere Zeug, das wir verkaufen? Sie fahren mit Lastwagen rum?« Er klingt zwar höflich, grinst aber breit.

»Ja, ich erinnere mich an Southey's«, sage ich scharf. »Danke. Worum geht es bei diesem Termin?«

»Nun«, sagt Byron nach einer Pause. »Offen gesagt, haben sie sich verzettelt. Es knirscht im Gebälk. Wenn die ihr System nicht verbessern, müssen wir uns woanders umsehen.«

»Okay.« Ich nicke chefmäßig. »Gut, halten Sie mich auf dem Laufenden.« Wir sind bei meinem Büro angekommen. »Bis später, Byron.«

Ich schließe die Tür hinter mir, werfe meine Geschenktüten auf das Sofa, öffne den Aktenschrank und nehme eine ganze Schublade voller Unterlagen heraus. Ich will mich nicht entmutigen lassen! Ich setze mich an den Schreibtisch und klappe den ersten Ordner auf, mit den Protokollen der Abteilungsleiterkonferenzen.

Drei Jahre. Die drei Jahre kann ich aufholen. *So* lang ist das nicht.

Zwanzig Minuten später raucht mir der Schädel. Es kommt mir vor, als hätte ich seit Monaten nichts Ernsthaftes oder Anspruchsvolles mehr gelesen … und dieses Zeug ist zäh wie Sirup. Budgetbesprechungen. Verträge, die zur Verlängerung anstehen.

Leistungsbeurteilungen. Ich komme mir vor wie auf dem College, als wollte ich sechs Abschlüsse gleichzeitig machen.

Ich habe eine Liste angelegt: *Was ich fragen muss*, und bin jetzt schon auf der zweiten Seite.

»Wie läuft's?« Die Tür geht lautlos auf, und Byron sieht herein. Klopft der etwa nicht an?

»Gut«, sage ich frostig. »Sehr gut. Ich hätte nur ein paar klitzekleine Fragen …«

»Schießen Sie los.« Er lehnt sich an den Türrahmen.

»Okay. Erstens: Was ist QAS?«

»Das ist unsere neue Buchhaltungssoftware. Alle sind darin geschult.«

»Na, ich kann mich auch schulen lassen«, sage ich forsch und schreibe auf meinem Zettel herum. »Und wer ist Services. Com?«

»Unser Online-Provider für den Kundenservice.«

»Wie?« Verdutzt runzle ich die Stirn. »Und was ist mit unserer Service-Abteilung?«

»Die wurde schon vor Jahren überflüssig«, sagt Byron gelangweilt. »Die Firma wurde umstrukturiert und die Arbeit einiger Abteilungen extern vergeben.«

»Aha.« Ich nicke, versuche, mir das alles zu merken, und werfe noch einen Blick auf meinen Zettel. »Und was ist mit BD Brooks? Was ist das?«

»Das ist unsere Werbeagentur«, sagt Byron übertrieben geduldig. »Sie machen die Werbung für uns. Radio und Fernsehen …«

»Ich weiß, was eine Werbeagentur ist!«, fahre ich ihn an, aufgebrachter als beabsichtigt. »Und was ist mit Pinkham Smith passiert? Zu denen hatten wir doch so ein gutes Verhältnis …«

»Die gibt es nicht mehr.« Byron rollt mit den Augen. »Die sind pleite. Meine Güte, Lexi, Sie wissen ja wirklich überhaupt nichts mehr, was?«

Ich mache den Mund auf, um etwas zu entgegnen, bringe aber nichts heraus. Er hat recht. Es ist, als hätte ein Sturm die Welt weggefegt. Jetzt ist alles neu, und ich kenne mich nicht mehr aus.

»Das kriegen Sie doch nie wieder alles zusammen.« Byron mustert mich mitleidig.

»Krieg ich doch!«

»Lexi, sehen Sie den Tatsachen doch lieber ins Gesicht. Sie sind geisteskrank. Sie sollten Ihren Kopf nicht einer solchen Belastung …«

»Ich bin nicht *geisteskrank*!«, rufe ich wütend und springe auf. Rüde stürme ich an Byron vorbei aus dem Büro. Clare blickt bestürzt auf und klappt ihr Handy zu.

»Hi, Lexi. Kann ich etwas für Sie tun? Eine Tasse Kaffee?«

Sie sieht richtig entsetzt aus, als würde ich ihr gleich den Kopf abreißen oder sie feuern oder irgendwas. Okay, das ist jetzt meine Chance, ihr zu zeigen, dass ich keine Bossbitch aus der Hölle bin. Ich bin *ich*.

»Hi, Clare!«, sage ich freundlich und setze mich auf die Ecke ihres Schreibtischs. »Alles okay?«

»Mh … ja.« Ihre Augen sind groß und argwöhnisch.

»Ich dachte nur gerade, ob ich Ihnen vielleicht einen Kaffee holen soll?«

»Sie?« Sie starrt mich an, als wollte ich sie in eine Falle locken. »Mir einen Kaffee holen?«

»Ja, warum nicht?« Ich strahle sie an, und sie zuckt zusammen.

»Ist … ist schon okay.« Sie gleitet von ihrem Stuhl, lässt mich nicht aus den Augen, als würde sie mich tatsächlich für eine Kobra halten. »Ich geh schon.«

»Moment!«, sage ich fast verzweifelt. »Wissen Sie, Clare, ich würde Sie gern besser kennenlernen. Vielleicht könnten wir irgendwann mal zusammen Mittag essen … plaudern … shoppen gehen …«

Clare sieht aus, wie eine Kuh wenn's donnert.

»Äh … ja. Okay, Lexi«, murmelt sie und huscht den Flur hinunter. Als ich mich umdrehe, sehe ich Byron in der Tür stehen. Er krümmt sich vor Lachen.

»Was?«, schnauze ich ihn an.

»Sie sind wirklich ein anderer Mensch geworden, was?« Staunend zieht er die Augenbrauen hoch.

»Unter Umständen möchte ich einfach nur einfühlsam mit meinen Mitarbeitern umgehen und ihnen zeigen, dass ich sie schätze«, sage ich trotzig. »Haben Sie was dagegen einzuwenden?«

»Nein!« Byron hebt die Hände. »Lexi, das ist eine ganz tolle Idee.« Er mustert mich von oben bis unten, mit diesem sarkastischen Grinsen auf dem Gesicht, dann schnalzt er mit der Zunge, als hätte er etwas vergessen. »Da fällt mir noch was ein … bevor ich mich auf den Weg mache … Ich habe Ihnen noch eine Aufgabe übrig gelassen, um die Sie sich in Ihrer Funktion als Abteilungsleiterin persönlich kümmern sollten. Ich fand es nur angemessen.«

Endlich. Er behandelt mich wie seine Chefin.

»Ach, ja?« Ich hebe mein Kinn. »Was denn?«

»Wir haben eine E-Mail von oben bekommen, dass einige Mitarbeiter ihre Pausen überziehen.« Er greift in seine Tasche und holt ein Blatt Papier hervor. »SJ möchte, dass alle Abteilungsleiter ihren Teams die Ohren langziehen. Am besten heute noch.« Byron zieht die Augenbrauen hoch, als könne er kein Wässerchen trüben. »Darf ich Ihnen das überlassen?«

Mistkerl. *Mistkerl.*

Ich laufe in meinem Büro auf und ab und trinke Kaffee. Mein Magen krampft sich zusammen. Ich habe noch nie mit jemandem geschimpft. Geschweige denn mit einer ganzen Abteilung. Außerdem wollte ich doch beweisen, dass ich ein netter Mensch und keine Bossbitch aus der Hölle bin.

Zum hundertsten Mal sehe ich mir die ausgedruckte E-Mail von Natasha an, Simon Johnsons persönlicher Assistentin.

Kollegen,

Simon ist zu Ohren gekommen, dass manche Mitarbeiter regelmäßig die Mittagspause überziehen. Das ist inakzeptabel. Er wäre Ihnen dankbar, wenn Sie Ihre Teams davon sobald wie möglich in Kenntnis setzen und strengere Kontrollen einführen könnten.

Danke.

Natasha

Okay. Entscheidend ist doch: Da steht nicht wörtlich »Reißen Sie Ihrer Abteilung den Kopf ab«. Ich muss also nicht aggressiv werden oder so. Ich kann ruhig und freundlich auf die Sache hinweisen.

Vielleicht kann ich es humorvoll rüberbringen! Ich fange an mit: »Hey, Leute! Ist eure Mittagspause lang genug?« Dann verdrehe ich die Augen, um zu zeigen, dass ich es ironisch meine, und alle lachen, bis jemand sagt: »Gibt es da ein Problem, Lexi?« Und ich lächle schief und sage: »Ich kann nichts dafür. Es liegt an den Spießern von oben. Also lasst uns versuchen, pünktlich zu sein, okay?« Einige werden nicken, als wollten sie sagen: »Na, gut.« Und alles ist bestens.

Ja. Das klingt gut. Ich atme tief durch, falte die E-Mail zusammen und stecke sie ein, dann gehe ich hinüber ins Großraumbüro der Abteilung Bodenbeläge.

Man hört Geschnatter und Geplapper von Leuten, die telefonieren und tippen und miteinander plaudern. Minutenlang bemerken sie mich nicht einmal. Dann blickt Fi auf und stößt Carolyn an, die wiederum eine Frau antippt, die ich nicht kenne. Sie legt sofort den Hörer auf. Überall im Büro verstummen die Gespräche, die Leute blicken von ihren Bildschirmen auf, und

Stühle kreiseln herum, bis das ganze Büro zum Stillstand gekommen ist.

»Hallo, alle zusammen!«, sage ich, und mir bricht der kalte Schweiß aus. »Ich … äh … Hey, Leute! Wie geht's denn so?«

Niemand antwortet oder lässt sich auch nur anmerken, dass ich etwas gesagt habe. Alle starren mich mit derselben, stummen Sieh-zu-dass-du-fertig-wirst-Miene an.

»Jedenfalls …« Ich versuche, gut gelaunt zu klingen. »Ich wollte nur sagen … Ist eure Mittagspause lang genug?«

»Was?« Das Mädchen direkt vor mir sieht mich verdutzt an. »Kriegen wir ne längere?«

»Nein!«, sage ich eilig. »Ich meine … sie ist eher *zu* lang.«

»Ich finde sie ganz okay.« Das Mädchen zuckt mit den Achseln. »Eine Stunde reicht gerade für eine kleine Shopping-Runde.«

»Ja«, stimmt ein anderes Mädchen zu. »Da schafft man es gerade zur King's Road und zurück.«

Okay. Scheinbar kommt meine Pointe hier nicht so richtig rüber. Und inzwischen haben zwei Frauen in der Ecke auch schon wieder angefangen zu quatschen.

»Alle mal zuhören! Bitte!« Meine Stimme wird schrill. »Ich muss euch was sagen. Wegen der Mittagspause. Es gibt Leute in dieser Firma … mh … ich meine, nicht unbedingt jemand von *euch* …«

»Lexi«, sagt Carolyn vernehmlich. »Wovon redest du eigentlich?« Fi und Debs prusten laut los, und ich laufe rot an.

»Hört zu, Leute!« Ich versuche, die Fassung zu bewahren. »Es ist ernst.«

»Ernsssssst«, wiederholt jemand, und irgendwer kichert. »Essssss isssssst ernsssssst.«

»Sehr komisch!« Ich versuche zu lächeln. »Aber hört doch mal, jetzt im Ernst …«

»Im Ernsssssssst …«

232

Mittlerweile scheinen alle im Raum zu zischeln oder zu lachen oder beides. Alle strahlen, alle scheinen sich über den Scherz zu amüsieren, nur ich nicht. Plötzlich fliegt ein Papierflugzeug an meinem Ohr vorbei und landet auf dem Boden. Erschrocken zucke ich zusammen, und Lachsalven lassen das ganze Büro erbeben.

»Okay, gut, passt auf, macht nicht zu lange Mittag, okay?«, sage ich verzweifelt.

Keiner hört mir zu. Ein weiteres Papierflugzeug trifft mich an der Nase, gefolgt von einem Radiergummi. Unwillkürlich schießen mir die Tränen in die Augen.

»Jedenfalls. Wir sehen uns!«, bringe ich hervor. »Und danke, dass ihr … dass ihr so hart arbeitet.« Brüllendes Gelächter folgt mir, als ich aus dem Büro stolpere. Wie benebelt steuere ich auf die Damentoilette zu und komme an Dana vorbei

»Sie wollen hier zur Toilette, Lexi?«, fragt sie überrascht, als ich die Tür aufstoße. »Sie haben doch einen Schlüssel für den Waschraum der Geschäftsleitung! Der ist viel schöner!«

»Es geht schon.« Ich zwinge mich zu einem Lächeln. »Wirklich.«

Ich steuere direkt auf die letzte Kabine zu, knalle mit der Tür, schlage die Hände vors Gesicht und spüre, wie die Spannung nachlässt. Das war der demütigendste Augenblick in meinem ganzen Leben.

Abgesehen von der Sache mit dem Badeanzug.

Wieso wollte ich bloß jemals Chef sein? *Wieso?* Man verliert nur seine Freunde und muss Leute zusammenscheißen und alle zischeln einen an. Und wofür? Ein Sofa im Büro? Eine geprägte Visitenkarte?

Schließlich hebe ich müde den Kopf und starre die Rückseite der Kabinentür an, die wie üblich mit Graffiti vollgekritzelt ist. Wir haben diese Tür schon immer als eine Art schwarzes Brett benutzt, um Dampf abzulassen, Witze zu reißen oder Quatsch zu machen. Irgendwann ist alles voll, dann schrubbt sie jemand sauber, und wir fangen wieder von vorn an. Die Putzfrauen sagen nichts dazu, und von der Geschäftsleitung kommt nie jemand hierher. Daher ist die Sache ziemlich sicher.

Mein Blick schweift über die Sprüche. Grinsend lese ich eine verleumderische Geschichte über Simon Johnson, als mir eine jüngere Nachricht mit blauem Filzer auffällt. Es ist Debs Schrift, und da steht: »Die Kobra ist zurück.«

Und darunter, mit blassem, schwarzem Kugelschreiber: »Keine Sorge. Ich hab ihr in den Kaffee gespuckt.«

Jetzt bleibt mir nur noch eins: mich richtig, richtig, *richtig* zu betrinken. Eine Stunde später sitze ich zusammengesunken an der Bar vom Bathgate Hotel gleich um die Ecke vor meinem dritten Mojito. Schon jetzt erscheint mir die Welt etwas verschwommen, aber das ist ja auch der Sinn der Sache. Je verschwommener, desto besser. Solange ich nur nicht von diesem Barhocker rutsche.

»Hi.« Ich hebe meine Hand, um den Barkeeper auf mich aufmerksam zu machen. »Ich möchte bitte noch einen.«

Der Barmann zieht ganz leicht die Augenbrauen hoch, dann sagt er: »Gern.«

Leicht eingeschnappt beobachte ich, wie er die Minze holt. Will er mich gar nicht fragen, *wieso* ich noch einen möchte? Hat der denn keine pseudopsychologischen Tresenweisheiten im Angebot?

Er stellt den Cocktail auf einen Untersetzer und bringt mir eine Schale Erdnüsse, die ich verächtlich beiseiteschiebe. Ich möchte nicht, dass irgendwas den Alkohol aufsaugt. Ich will ihn unverfälscht in meiner Blutbahn.

»Kann ich Ihnen noch irgendetwas bringen? Einen kleinen Snack vielleicht?«

Er deutet auf die Speisekarte, aber ich stiere darüber hinweg und nehme einen großen Schluck Mojito. Er ist kalt und stark, lecker und limettig.

»Sehe ich für Sie aus wie eine Bitch?«, sage ich, als ich aufblicke. »Ehrlich jetzt …«

»Nein.« Der Barmann lächelt.

»Na, aber allem Anschein nach bin ich eine.« Ich nehme noch einen Schluck Mojito. »Alle meine Freunde sagen das.«

»Tolle Freunde.«

»Früher schon.« Ich stelle meinen Cocktail ab und starre missmutig hinein. »Ich habe keine Ahnung, wann und wo ich in meinem Leben die falsche Abzweigung genommen habe.«

Ich klinge ziemlich nuschelig, selbst für meine eigenen Ohren.

»Das sagen sie alle.« Ein Mann am anderen Ende des Tresens blickt von seinem *Evening Standard* auf. Er hat einen amerikanischen Akzent und dunkles, nicht mehr ganz volles Haar. »Keiner weiß, wann es eigentlich schiefgegangen ist.«

»Aber ich weiß es *wirklich* nicht.« Ich hebe meinen Zeigefinger, um diesen Satz zu unterstreichen. »Ich hatte einen Autounfall … und *bamm* wache ich auf – gefangen im Körper einer Bitch.«

»Für mich sieht es aus, als wären Sie im Körper einer Barbie gefangen.«

Der Amerikaner rückt zum nächsten Hocker auf, mit einem Lächeln im Gesicht. »Diesen Körper würde ich an Ihrer Stelle auf keinen Fall eintauschen.«

Einen Moment betrachte ich ihn verdutzt, bis mir etwas klar wird.

»Ach! Sie *flirten* mit mir! Tut mir leid, aber ich bin verheiratet. Mit einem Mann. Meinem Mann.« Ich hebe meine linke Hand, finde nach einer Weile meinen Ehering und deute darauf. »Sehen Sie? Verheiratet.« Einen Moment denke ich angestrengt nach. »Aber es könnte auch sein, dass ich einen Geliebten habe.«

Ich höre ein ersticktes Lachen vom Barmann. Argwöhnisch blicke ich auf, aber ihm ist nichts anzusehen. Ich nehme noch einen Schluck von meinem Drink und spüre, wie sich der Alkohol bemerkbar macht und in meinem Kopf herumtanzt. Es summt in meinen Ohren, und langsam fängt die Bar um mich herum an zu schweben.

Was gut ist. Räume *sollten* schweben.

»Wissen Sie, ich trinke nicht, um zu vergessen«, sage ich beiläufig zum Barkeeper. »Ich hab ja schon alles vergessen.« Das kommt mir plötzlich so komisch vor, dass ich wie wild loskichere. »Ein Schlag an den Kopf, und schon ist alles weg.« Ich halte mir den Bauch. Mir kommen die Tränen vor Lachen. »Ich hatte sogar vergessen, dass ich verheiratet bin. Bin ich aber!«

»Mh-hm.« Der Barkeeper und der Amerikaner tauschen Blicke.

»Und angeblich bin ich nicht zu heilen. Aber Ärzte können sich auch irren, oder?« Ich drehe mich um und suche in der Bar nach Zustimmung. Anscheinend hören mir einige der Leute zu, und zwei von denen nicken.

»Ärzte irren sich eigentlich immer«, sagt der Amerikaner energisch. »Alles Arschgeigen!«

»Genau!« Ich rotiere zu ihm herum. »Sie haben völlig recht! Okay.« Ich nehme einen großen Schluck von meinem Mojito, dann wende ich mich wieder dem Barmann zu. »Dürfte ich Sie um einen kleinen Gefallen bitten? Könnten Sie mir den Cocktail-Shaker an den Kopf knallen? Angeblich nützt es nichts, aber woher wollen die das eigentlich wissen?«

Der Barmann lächelt. Er glaubt, ich mache einen Scherz.

»Na, super.« Ich seufze ungeduldig. »Dann muss ich es wohl selber machen.« Bevor er mich daran hindern kann, schnappe ich mir den Cocktail-Shaker und schlage ihn mir an die Stirn. »Au!«, ich lasse den Shaker fallen und halte meinen Kopf. »Autsch! Das tat weh!«

»Hast du das gesehen?«, höre ich jemanden hinter mir. »Die ist total durchgeknallt!«

»Miss, ist alles in Ordnung?« Der Barmann sieht besorgt aus. »Soll ich Ihnen einen …«

»Augenblick!« Ich hebe eine Hand. Einen Moment lang sitze ich reglos da, atme kaum und warte, dass die Erinnerungen mein Gehirn fluten. Enttäuscht sinke ich in mich zusammen. »Es hat nicht geklappt. Nichts. Scheiße.«

»Ich würde ihr einen starken Kaffee geben«, sagt der Amerikaner mit so einem Unterton zum Barmann. Der hat vielleicht Nerven! Ich *will* keinen Kaffee! Genau das will ich ihm gerade sagen, als mein Handy piept. Nach einem kurzen Kampf mit dem Reißverschluss an meiner Tasche hole ich das Telefon hervor – es ist eine SMS von Eric.

Hi, komme gleich nach Hause. E

»Die ist von meinem Mann«, teile ich dem Barkeeper mit, während ich das Handy wegstecke. »Wissen Sie, er kann Speedboat fahren.«

»Schön«, sagt der Barmann höflich.

»Ja, ist es.« Ich nicke begeistert, etwa sieben Mal. »Das *ist* schön. Es ist die perfekte, perfekte Ehe …« Ich überlege kurz. »Nur dass wir noch keinen Sex hatten.«

»Sie hatten noch keinen Sex?«, fragt der Amerikaner ungläubig.

»Wir hatten bestimmt Sex.« Ich nehme einen Schluck Mojito und neige mich ihm vertraulich zu. »Nur kann ich mich nicht daran erinnern.«

»So gut, hm?« Er fängt an zu lachen. »Dass es Sie glatt umgehauen hat, was?«

Glatt umgehauen. Die Worte blinken wie ein großes Neonschild in meinem Kopf. *Glatt umgehauen.*

»Wissen Sie was?«, sage ich langsam. »Es ist Ihnen wahrscheinlich gar nicht bewusst. Aber das war jetzt gerade echt sifni ... sigfi ... signifikant.«

Ich bin mir nicht sicher, ob das Wort richtig herauskam ... Aber *ich* weiß ja, was ich meine. Vielleicht könnte ... Vielleicht wird alles wieder gut, wenn ich Sex habe. Vielleicht ist es genau das, was ich brauche! Vielleicht hatte Amy von Anfang an recht, und das ist die Amnesie-Kur der Natur.

»Ich tu's!« Mit einem Knall stelle ich mein Glas ab. »Ich gehe mit meinem Mann ins Bett!«

»Auf ihn mit Gebrüll!«, lacht der Amerikaner. »Viel Spaß dabei.«

Ich werde Sex mit Eric haben. Das ist meine Mission. Auf dem Heimweg im Taxi bin ich ganz aufgeregt. Sobald ich zu Hause bin, werde ich über ihn herfallen. Und wir werden grandiosen Sex haben und es haut mich völlig um, und plötzlich wird mir alles wieder klar.

Ein klitzekleines Problem ist nur, dass ich mein Ehe-Handbuch nicht dabeihabe. Und ich kann mich nicht mehr so ganz an die Reihenfolge beim Vorspiel erinnern.

Ich schließe die Augen, versuche, meinen duseligen Schädel zu ignorieren und mir genau in Erinnerung zu rufen, was Eric geschrieben hat. Irgendwas mit Uhrzeigersinn. Und irgendwas war mit »sanftem, später forderndem Zungenschlag«. Schenkel? Brust? Ich hätte es mir einprägen sollen. Oder auf einen von diesen gelben Notizzetteln schreiben. Den hätte ich schön ans Bett kleben können.

Okay. Ich glaube, jetzt hab ich's. Erst der Hintern, dann die Oberschenkelinnenseite, *dann* der Hodensack ...

»Bitte?«, sagt der Taxifahrer.

Uups. Ich hab gar nicht gemerkt, dass ich laut gedacht habe.

»Nichts!«, sage ich eilig.

Irgendwann zwischendurch kommen noch die Ohrläppchen, wie mir plötzlich einfällt. Vielleicht war *das* der fordernde Zungenschlag? Wie dem auch sei. Ist auch egal. Was ich nicht mehr weiß, denk ich mir aus. Ich meine, es kann ja nicht sein, dass wir ein langweiliges, altes Ehepaar sind und es jedes Mal *ganz genau gleich* machen, oder?

Oder?

Mir kommen leise Bedenken, die ich sofort ersticke. Es wird bestimmt großartig. Außerdem trage ich fantastische Unterwäsche. Aus Seide und sogar passend. Und überhaupt nicht ausgeleiert.

Das Taxi hält vor dem Haus, und ich bezahle den Fahrer. Als ich mit dem Lift nach oben fahre, nehme ich das Kaugummi aus dem Mund, das seine Schuldigkeit getan hat, und knöpfe meine Bluse ein Stückchen auf.

Zu weit. Man kann meinen BH sehen.

Ich knöpfe sie wieder zu, schließe die Wohnungstür auf und rufe: »Eric!«

Es kommt keine Antwort, also steuere ich das Arbeitszimmer an. Wenn ich ehrlich sein soll, bin ich ziemlich betrunken. Ich schwanke ganz schön auf meinen High Heels, und auch die Wände scheinen zu taumeln. Wir sollten es lieber nicht im Stehen treiben.

Im Türrahmen zum Arbeitszimmer bleibe ich stehen und betrachte Eric eine Weile, wie er da am Computer sitzt und arbeitet. Auf dem Bildschirm sehe ich die Broschüre für Blue 42, sein neues Projekt. Die Einweihungsparty ist in ein paar Tagen, und er verbringt seine ganze Zeit mit den Vorbereitungen für die Präsentation.

Okay, jetzt müsste er eigentlich die sexgeladene Atmosphäre im Raum spüren, sich umdrehen und mich sehen. Tut er aber nicht.

»Eric«, sage ich mit meiner rauchigsten, sinnlichsten Stimme, aber er rührt sich noch immer nicht. Dann erst merke ich, dass er Kopfhörer auf den Ohren hat. »Eric!«, schreie ich, und endlich dreht er sich um. Er nimmt die Hörer ab und lächelt.

»Hi. Schönen Tag gehabt?«

»Eric … nimm mich!« Ich fahre mir mit einer Hand durchs Haar. »Lass es uns tun! Nimm mich! Gib's mir!«

Sekundenlang starrt er mich nur an. »Liebling, hast du getrunken?«

»Ich hatte vielleicht ein, zwei Cocktails. Oder drei.« Ich nicke und halte mich am Türrahmen fest, um das Gleichgewicht nicht zu verlieren. »Entscheidend ist aber: Ich weiß jetzt, was ich will. Was ich *brauche*. Sex.«

»Ooo-kay.« Eric zieht die Augenbrauen hoch. »Vielleicht solltest du erst mal nüchtern werden und was essen. Gianna hat uns einen exquisiten Eintopf mit Meeresfrüchten zubereitet …«

»Ich will keinen Eintopf mit Meeresfrüchten!« Am liebsten würde ich mit dem Fuß aufstampfen. »Wir müssen es *tun*! Nur so kann ich mich jemals erinnern!«

Was ist los mit ihm? Ich hatte erwartet, dass er sich auf mich stürzen würde, aber stattdessen reibt er mit dem Handrücken an seiner Stirn herum.

»Lexi, ich möchte dich zu nichts drängen. Das ist eine wichtige Entscheidung. Der Arzt im Krankenhaus hat gesagt, wir sollten nur das tun, womit du dich auch wohlfühlst …«

»Ja, und ich würde mich wohlfühlen, wenn wir es jetzt tun könnten.« Ich knöpfe meine Bluse weiter auf und lege meinen Balconette-BH von La Perla frei. *Gott*, sehen meine Brüste darin toll aus!

Na ja, das sollten sie aber auch – bei dem Preis.

»Komm schon!« Herausfordernd hebe ich das Kinn. »Ich bin deine Frau.«

Ich sehe, wie es in Erics Kopf arbeitet, während er mich anstarrt.

»Also … okay!« Er schließt die Datei und stellt den Computer aus, dann kommt er herüber, legt seine Arme um mich und fängt an, mich zu küssen. Und es ist … nett.

Wirklich. Es ist … angenehm.

Sein Mund ist ganz weich. Das ist mir vorher schon aufgefallen. Etwas merkwürdig für einen Mann. Zwar nicht ganz und gar *un*sexy, aber …

»Gefällt es dir so, Lexi?«, haucht Eric mir ins Ohr.

»Ja …«, hauche ich zurück.

»Wollen wir ins Schlafzimmer gehen?«

»Okay!«

Eric geht voraus, und ich folge ihm, schwankend auf den hohen Hacken. Es kommt mir alles seltsam förmlich vor, als wäre ich auf dem Weg zu einem Vorstellungsgespräch.

Im Schlafzimmer machen wir zunächst mit dem Küssen weiter. Eric scheint total darauf abzufahren, aber ich habe keine Ahnung, was ich als Nächstes tun soll. Ich sehe das Ehe-Handbuch auf dem Kanapee liegen und frage mich, ob ich wohl schnell mal mit den Zehen unter »Vorspiel« nachschlagen könnte.

Jetzt zieht er mich aufs Bett. Ich muss irgendwie reagieren. Aber womit? Ene-mene-mink-mank … Nein. Hör auf. Ich entscheide mich für … die Brust. Hemd aufknöpfen. Kreisende Streicheleinheiten. Im Uhrzeigersinn.

Er hat wirklich eine tolle Brust. Das muss man ihm lassen. Fest und muskulös vom täglichen Training.

»Wäre es für dich in Ordnung, wenn ich deine Brust berühre?«, raunt er mir zu, während er den BH öffnet.

»Vermutlich schon«, raune ich zurück.

Wieso knetet er mich? Das ist ja, als wollte er Obst kaufen. Davon kriege ich noch blaue Flecken.

Egal. Sei nicht so wählerisch. Es ist doch alles wunderbar. Ich habe einen fantastischen Mann mit einem fantastischen Körper, und wir sind im Bett und …

Autsch. Das war mein *Nippel!*

»Entschuldige«, flüstert Eric. »Sag, Liebling, wäre es in Ordnung für dich, wenn ich deinen Unterleib berühre?«

»Äh … vermutlich!«

Warum hat er das gefragt? Wieso sollte es mir an der Brust gefallen, aber am Unterleib nicht? Das ergibt doch keinen Sinn. Und wenn ich ehrlich sein soll, weiß ich nicht mal, ob »gefallen« das richtige Wort ist. Das Ganze ist etwas surreal. Wir fummeln herum und stöhnen und machen alles genau nach Vorschrift, aber ich habe nicht das Gefühl, dass sich bei mir irgendwas tut.

Ich spüre Erics warmen Atem an meinem Nacken. Es wird wohl Zeit, dass ich etwas anderes mache. Hintern vielleicht oder … ach, ja. So wie Eric die Hände bewegt, gehen wir wahrscheinlich direkt zu den Oberschenkelinnenseiten über.

»Du bist so heiß«, sagt er erregt. »Mein Gott, bist du heiß. Das ist so … heiß.«

Das glaub ich jetzt nicht! Er sagt auch ständig »heiß«! Er sollte unbedingt mit Debs schlafen.

Oh. Nein. Selbstverständlich sollte er nicht mit Debs schlafen. Streich den Gedanken.

Plötzlich merke ich, dass ich etwa drei Schritte hinterherhänge, was die Sache mit dem Vorspiel angeht, ganz zu schweigen vom Bettgeflüster.

»Lexi, Liebling?«, stöhnt er mir voll ins Ohr.

»Ja?«, stöhne ich zurück und frage mich, ob er gleich »Ich liebe dich« sagt.

»Meinst du, es wäre in Ordnung für dich, wenn ich meinen Penis in deine …«

Uuuaaarks!

Bevor ich darüber nachdenken kann, stoße ich ihn von mir und rolle weg.

Ups. So fest wollte ich ihn gar nicht schubsen.

»Was ist denn los?« Besorgt setzt Eric sich auf. »Lexi! Was ist passiert? Ist alles okay? Hattest du einen Flashback?«

»Nein.« Ich beiße mir auf die Unterlippe. »Tut mir leid. Ich fühlte mich nur plötzlich so … so …«

»Ich hab's gewusst. Ich *wusste*, dass wir es überstürzen.« Eric seufzt und nimmt meine Hände. »Lexi, rede mit mir! Warum hast du dich nicht wohlgefühlt? Hattest du eine traumatische Erinnerung?«

Oh, Gott. Er sieht richtig ernst aus. Ich muss lügen.

Nein, ich kann nicht lügen. Ehen funktionieren nur, wenn man vollkommen ehrlich ist.

»Ich hatte keine traumatische Erinnerung«, sage ich schließlich und weiche seinem Blick aus, starre die Bettdecke an. »Es lag daran, dass du ›Penis‹ gesagt hast.«

»Penis?« Eric macht einen absolut ratlosen Eindruck. »Was ist denn an ›Penis‹ so falsch?«

»Es ist nur … weißt du … nicht gerade sexy. So als Wort.«

Eric lehnt sich ans Kopfteil des Bettes und legt die Stirn in tiefe Falten. »Ich finde ›Penis‹ sexy«, sagt er.

»Ja, ja, natürlich!« Eilig rudere ich zurück. »Also, ich meine, natürlich ist es *ziemlich* sexy …«

Wie kann er das Wort »Penis« sexy finden?

»Außerdem war es ja nicht nur das.« Abrupt wechsle ich das Thema. »Es liegt daran, dass du mich alle zwei Sekunden fragst, ob es okay ist, was du tust. Es macht alles etwas … über-förmlich. Findest du nicht?«

»Ich wollte nur rücksichtsvoll sein«, sagt Eric steif. »Diese Situation ist für uns beide seltsam.« Er wendet sich ab, und mit eckigen Bewegungen zieht er sein Hemd an.

»Ich weiß!«, sage ich eilig. »Und ich weiß es auch zu schätzen, ganz bestimmt.« Ich lege ihm meine Hand auf die Schulter. »Aber vielleicht könnten wir uns etwas entspannen. Etwas … spontaner sein?«

Eric schweigt einen Moment, als würde er versuchen, meine Worte richtig einzuschätzen.

»Also … soll ich heute Nacht hier schlafen?«, fragt er auf einmal.

»Oh!« Unwillkürlich schrecke ich zurück.

Was ist *los* mit mir? Eric ist mein Mann. Eben wollte ich noch unbedingt Sex mit ihm haben. Aber die Vorstellung, dass er die ganze Nacht hier bei mir schläft … Das scheint mir doch zu … intim.

»Vielleicht sollten wir es vorerst lieber noch sein lassen. Tut mir leid, ich …«

»Alles klar. Verstehe.« Ohne mich anzusehen, steht er auf. »Ich glaube, ich geh duschen.«

»Okay.«

Als ich allein bin, lasse ich mich auf die Kissen sinken. Na super. Ich hatte keinen Sex. Also kann ich mich auch an nichts erinnern. Meine Mission ist restlos fehlgeschlagen.

Ich finde Penis »sexy«.

Plötzlich gluckse ich los und halte mir schnell die Hand vor den Mund, für den Fall, dass er mich noch hören kann. Direkt neben meinem Bett klingelt das Telefon, aber ich rühre mich nicht. Wahrscheinlich ist es sowieso für Eric. Dann fällt mir ein, dass er inzwischen bestimmt schon im Gästebad unter der Dusche steht. Also hebe ich den ultramodernen Bang&Olufsen-Hörer ab.

»Hallo?«

»Hi«, höre ich eine raue, vertraute Stimme. »Hier ist Jon.«

»*Jon?*« Mir läuft ein heißer Schauer über den Rücken. Eric ist nirgendwo in Sicht. Trotzdem renne ich mit dem Hörer in der Hand ins angrenzende Badezimmer und schließe die Tür hinter mir ab.

»Bist du verrückt?«, fauche ich böse. »Wieso rufst du hier an? Das ist doch viel zu riskant! Und wenn Eric jetzt rangegangen wäre?«

»Ich hatte eigentlich erwartet, dass Eric rangeht.« Jon klingt verblüfft. »Ich muss ihn sprechen.«

»Oh!« Verstehe. Ich bin so *blöd*. »Ach … natürlich.« Um die Situation zu retten, versuche ich, förmlich und ehefraulich zu klingen. »Gewiss, Jon. Ich hole ihn …«

»Aber dich muss ich viel dringender sprechen«, fällt er mir ins Wort. »Wir müssen uns treffen. Wir müssen reden.«

»Das geht nicht! Hör endlich auf damit! Mit dem ganzen … Reden. Am Telefon. Und nicht am Telefon auch.«

»Lexi, bist du betrunken?«, sagt Jon.

»Nein.« Ich betrachte meine blutunterlaufenen Augen im Spiegel. »Okay … ein kleines bisschen vielleicht.«

Ich höre so etwas wie ein Schniefen am anderen Ende der Leitung. *Lacht* er etwa?

»Ich liebe dich«, sagt er.

»Du kennst mich doch überhaupt nicht.«

»Ich liebe das Mädchen … das du warst. Das du bist.«

»Du liebst die Kobra?«, erwidere ich scharf. »Du liebst die Bitch aus der Hölle? Dann kannst du eigentlich nur verrückt sein.«

»Du bist keine Bitch aus der Hölle.« Er lacht mich definitiv aus.

»Alle anderen scheinen zu glauben, dass ich eine bin. War. Was weiß ich?«

»Du warst unglücklich. Und du hast ein paar ziemlich folgenschwere Fehler begangen. Aber du warst keine Bitch.«

In meinem berauschten Zustand sauge ich die Worte förmlich in mich auf. Es ist, als würde er Salbe auf eine alte Wunde reiben. Ich will mehr davon.

»Was …« Ich schlucke. »Was für Fehler?«

»Das erzähle ich dir, wenn wir uns treffen. Dann reden wir über alles. Lexi, ich vermisse dich so sehr …«

Plötzlich kommt mir sein vertraulicher Ton etwas zu nah. Da

stehe ich in meinem ehelichen Badezimmer und flüstere mit jemandem, den ich gar nicht kenne. Worauf lasse ich mich hier bloß ein?

»Schluss! Aufhören!« Ich falle ihm ins Wort. »Ich muss … nachdenken.«

Ich gehe ans andere Ende vom Badezimmer, raufe mir die Haare, versuche verzweifelt, meinem duseligen Schädel ein paar vernünftige Gedanken abzuringen. Wir könnten uns treffen und einfach nur reden …

Nein. *Nein.* Ich kann mich nicht hinter Erics Rücken mit jemandem treffen. Ich will, dass meine Ehe funktioniert.

»Eric und ich hatten gerade eben Sex!«, sage ich trotzig.

Dabei bin ich mir nicht mal sicher, wieso ich das jetzt sage.

Die Leitung ist totenstill, und ich frage mich, ob Jon so verletzt ist, dass er aufgelegt hat. Nun, wenn dem so sein sollte, ist es nur gut.

»Und was willst du mir damit sagen?«, kommt seine Stimme aus dem Hörer.

»Na ja. Das ändert doch sicher alles.«

»Ich kann dir nicht folgen. Glaubst du, ich liebe dich nicht mehr, weil du Sex mit Eric hattest?«

»Ich … ich weiß nicht. Könnte sein.«

»Oder meinst du, wenn du Sex mit Eric hast, würde das irgendwie beweisen, dass du ihn liebst?« Seine Stimme klingt gnadenlos.

»Ich weiß es nicht!«, sage ich schon wieder … Ich sollte dieses Gespräch überhaupt nicht führen. Ich sollte rausmarschieren, den Hörer weit von mir halten und rufen: »Liebling? Jon ist am Apparat!«

Aber irgendetwas hält mich hier im Badezimmer, mit dem Hörer fest am Ohr.

»Ich dachte, es könnte vielleicht mein Gedächtnis zurückbringen«, sage ich schließlich und setze mich auf den Rand der

Badewanne. »Ich muss ständig daran denken, dass die Erinnerung vielleicht noch da ist, nur eingesperrt. Wenn ich doch bloß da rankommen könnte … es ist so *frustrierend* …«

»Wem sagst du das?«, knurrt Jon, und plötzlich stelle ich mir vor, wie er in seinem grauen T-Shirt und der Jeans dasteht und das Gesicht verzieht, wie er es immer tut, mit dem Hörer in der einen Hand, die andere hinter seinem Kopf, sodass man fast die Achselhöhle sehen kann …

Das Bild vor meinem inneren Auge ist so lebendig, dass ich zwinkern muss.

»Und wie war er so? Der Sex?« Seine Stimme hat sich verändert, klingt entspannter.

»Es war …« Ich räuspere mich. »Na ja. Sex eben. Du weißt ja, wie Sex ist.«

»Ich weiß *allerdings*, wie Sex ist«, gibt er mir recht. »Und ich weiß auch, wie Sex mit Eric ist. Er ist geschickt … rücksichtsvoll … er hat Fantasie …«

»Hör auf! Aus deinem Mund klingt das alles, als wäre es was *Schlechtes* …«

»Wir müssen uns treffen.« Jon fährt mir über den Mund. »Unbedingt.«

»Das geht nicht.« Ich spüre ein unheilvolles Beben in mir. Als würde ich gleich eine unsichtbare Grenze überschreiten. Als müsste ich mich bremsen.

»Du fehlst mir so sehr.« Seine Stimme ist leiser, sanfter. »Lexi, du hast überhaupt keine Ahnung, wie sehr du mir fehlst. Es zerreißt mich, dass ich nicht bei dir sein kann …«

Meine Hand am Hörer ist ganz feucht. Ich kann ihm nicht mehr zuhören. Er verwirrt mich. Er krempelt mich total um. Denn wenn es wahr wäre, wenn alles, was er sagt, wahr wäre …

»Hör zu, ich muss los«, sage ich hektisch. »Ich hol Eric.« Mit zitternden Knien schließe ich die Badezimmertür auf und gehe hinaus, halte den Hörer weit von mir, als wäre er verstrahlt.

»Lexi, warte!« Ich höre seine Stimme, achte aber nicht darauf.

»Eric!«, rufe ich fröhlich, als ich vor der Tür zum Gästebad stehe, und er kommt heraus, mit einem Handtuch um die Hüften. »Liebling? Jon ist am Apparat. Jon, der Architekt.«

DREIZEHN

Ich habe es versucht. Ich habe es wirklich versucht. Ich habe alles Erdenkliche getan, um der Abteilung zu zeigen, dass ich keine Bitch bin.

Ich habe einen Anschlag ausgehängt und um Vorschläge für einen vergnüglichen Abteilungsausflug gebeten – aber keiner hat was eingetragen. Ich habe Blumen auf die Fensterbänke gestellt, aber keiner hat auch nur ein Wort darüber verloren. Heute habe ich einen riesengroßen Korb mit Blaubeer-, Vanille- und Schokoladen-Muffins mitgebracht und ihn auf den Fotokopierer gestellt, zusammen mit einem Schild, auf dem steht: »Von Lexi – Bedient Euch!!!«

Vor ein paar Minuten bin ich rüber ins große Büro geschlendert. Bisher hatte niemand auch nur einen Muffin genommen. Aber es ist ja noch früh. Ich warte lieber zehn Minuten, bis ich wieder nachsehe.

Ich blättere eine Seite weiter in der Akte, die ich mir gerade vorgenommen habe, dann klicke ich die Datei auf meinem Bildschirm an. Ich arbeite mich gleichzeitig durch Aktenordner und Computerdateien und versuche, Querverweise zu finden. Ohne dass ich etwas dagegen tun könnte, muss ich gewaltig gähnen und lege meinen Kopf auf den Schreibtisch. Ich bin müde. Ich meine, ich bin total *erledigt*. Ich gehe jeden Morgen um sieben ins Büro, nur um diesen Riesenaktenberg durchzuackern. Meine Augen sind schon ganz rot vom vielen Lesen.

Fast wäre ich gar nicht wieder hergekommen. An dem Tag, nachdem Eric und ich mehr oder weniger Sex hatten, bin ich totenbleich aufgewacht, mit den irrsinnigsten Kopfschmerzen, und verspürte absolut keinen Drang, je wieder arbeiten zu gehen. Ich bin in die Küche geschlurft, habe mir eine Tasse Tee mit drei Löffeln Zucker gemacht, einen Zettel genommen, mich hingesetzt und unter Schmerzen aufgeschrieben:

OPTIONEN
1. Aufgeben
2. Nicht aufgeben

Ich habe die Worte endlos angestarrt. Irgendwann habe ich *Aufgeben* durchgestrichen.

Das Problem mit dem Aufgeben ist nämlich, dass man es dann nie erfahren wird. Man wird nie erfahren, ob man die Aufgabe vielleicht doch bewältigt hätte. Und ich hab die Schnauze voll davon, über mein Leben nicht Bescheid zu wissen. Und da sitze ich nun also in meinem Büro und quäle mich durch eine Studie zu Kostentrends bei Teppichfasern aus dem Jahr 2005. Für den Fall, dass es wichtig werden könnte.

Nein. Komm schon. Das kann nicht wichtig sein. Ich schließe die Akte, stehe auf und schleiche mich auf Zehenspitzen zur Tür. Ich öffne sie einen Spalt und spähe hoffnungsfroh hinüber ins Hauptbüro. Der Korb ist durch die Scheibe gut sichtbar. Er ist nach wie vor unangetastet.

Ich bin am Boden zerstört. Was ist *los*? Wieso nimmt sich keiner einen? Vielleicht sollte ich noch mal unmissverständlich klarmachen, dass diese Muffins für alle gedacht sind. Ich gehe hinüber.

»Hi!«, sage ich frohen Mutes. »Ich wollte nur sagen, dass diese Muffins für alle da sind. Ich habe sie heute Morgen frisch aus der Bäckerei geholt. Also … nehmt nur! Bedient euch!«

Niemand antwortet. Alle machen einfach weiter, so als wäre ich gar nicht da. Bin ich plötzlich unsichtbar geworden?

»Na, wie auch immer.« Ich zwinge mich zu einem Lächeln. »Guten Appetit!« Ich mache auf dem Ansatz kehrt und gehe hinaus.

Ich habe getan, was ich konnte. Wenn sie Muffins wollen, dann können sie sich ja welche nehmen. Und wenn nicht, dann eben nicht. Thema durch. Ist mir jetzt echt egal. Ich setze mich an meinen Schreibtisch, schlage einen aktuelleren Finanzbericht auf und fahre mit dem Finger die relevanten Spalten hinunter. Nach einer Weile lehne ich mich zurück und reibe mir mit den Fäusten die Augen. Diese Zahlen bestätigen nur, was ich bereits weiß: Die Ergebnisse meiner Abteilung sind katastrophal.

Die Verkaufszahlen haben im letzten Jahr zwar ein bisschen zugelegt, sind aber noch immer viel, viel zu gering. Wir kriegen ernste Probleme, wenn wir das Ruder nicht herumreißen. Das habe ich Byron gegenüber neulich erwähnt, aber es schien ihm überhaupt nichts auszumachen. Wie kann er nur so blasiert sein? Ich mache mir eine Notiz auf einem Klebezettel – Verkäufe mit Byron besprechen. Dann lege ich den Stift weg.

Warum wollen sie meine Muffins nicht?

Ich war so zuversichtlich, als ich sie heute Morgen gekauft habe. Ich stellte mir vor, wie ihre Gesichter bei dem Anblick aufleuchten, und sie sagen: »Wie nett, dass du an uns gedacht hast, Lexi! Danke!« Aber inzwischen bin ich ziemlich niedergeschlagen. Die müssen mich echt hassen. Ich meine, man muss jemanden schon richtig abgrundtief verachten, wenn man nicht mal einen Muffin von ihm nimmt, oder? Und das sind wirklich gute Muffins. Sie sind groß und rund und frisch, und die mit Blaubeeren haben sogar Zitronenguss oben drauf.

Zaghaft meldet sich die Stimme der Vernunft in meinem Kopf und sagt: Denk nicht mehr daran. Vergiss es einfach. Meine Güte, es ist doch nur ein Korb mit Muffins!

Aber ich kann nicht. Ich kann hier nicht einfach so still sitzen bleiben. Abrupt springe ich auf und gehe hinüber ins Büro. Der

Korb steht noch da, unberührt. Alle tippen vor sich hin oder telefonieren und ignorieren geflissentlich meine Muffins und mich.

»Also!« Ich gebe mir Mühe, entspannt zu klingen. »Möchte denn niemand einen Muffin? Die sind echt lecker!«

»Muffin?«, sagt Fi endlich mit fragendem Blick. »Ich sehe keine Muffins.« Sie sieht sich im Büro um, tut ganz überrascht. »Hat hier jemand irgendwelche Muffins gesehen?«

Alle zucken mit den Schultern, als wären sie ebenso überrascht.

»Meinst du einen Englischen Muffin?« Carolyn runzelt die Stirn. »Oder einen Französischen Muffin?«

»Drüben bei Starbucks gibt es Muffins. Ich könnte rüberlaufen, wenn du willst«, sagt Debs und kann ihr Kichern kaum verbergen.

Ha ha. Sehr komisch.

»Auch gut!«, sage ich und versuche, nicht zu zeigen, wie verletzt ich eigentlich bin. »Soll mir recht sein, wenn ihr so kindisch sein wollt. Dann vergesst es einfach. Ich wollte nur nett sein.«

Schwer atmend stolziere ich hinaus. Ich kann das Kichern und Gackern hinter mir hören, versuche aber, es nicht an mich heranzulassen. Ich muss mir meine Würde bewahren. Ich muss ruhig und chefmäßig bleiben. Ich darf mich nicht aufregen, ich darf einfach nicht darauf reagieren …

Oh, Gott, ich kann nicht anders. Schmerz und Wut steigen in mir auf, wie in einem Vulkan. Wie kann man nur so gemein sein?

»Eigentlich ist es *überhaupt* nicht gut!« Ich marschiere ins Büro zurück, puterrot. »Hört mal zu! Ich habe viel Zeit und Mühe aufgebracht, um diese Muffins zu besorgen, weil ich dachte, es wäre nett, euch was mitzubringen, und jetzt tut ihr so, als könntet ihr sie nicht mal *sehen* …«

»Tut mir leid, Lexi.« Fi sieht mich mit bedauernder Miene an. »Ich weiß ehrlich nicht, was du meinst.«

Carolyn schnaubt vor Lachen – und dann zerreißt etwas in mir.

»*Ich meine das hier*!« Ich schnappe mir einen Schokoladen-Muffin und schwenke ihn vor Fis Gesicht, so dass sie zurückweicht. »Das ist ein Muffin! Das ist ein gottverdammter Muffin! Also, gut! Wenn ihr sie nicht essen wollt, werde ich es eben tun!« Ich stopfe mir den Muffin in den Mund und kaue wütend darauf herum, dann beiße ich gleich noch einmal ab. Lauter große Krümel fallen auf den Boden, aber das ist mir ganz egal. »Wenn es sein muss, esse ich sie eben alle allein!«, füge ich hinzu. »Warum auch nicht?« Ich nehme einen Blaubeer-Muffin mit Zuckerguss und stopfe mir den auch noch in den Mund. »Mmmh, lecker!«

»Lexi?« Ich drehe mich um, und mein Innerstes schrumpelt zusammen. Simon Johnson und Byron stehen in der Tür.

Byron sieht aus, als wollte er vor Freude platzen. Simon mustert mich, als wäre ich ein durchgeknallter Gorilla, der im Zoo seine Bananen durch die Gegend wirft.

»Simon!« Entsetzt spucke ich Muffinkrümel. »Äh … hi! Wie geht es Ihnen?«

»Ich wollte nur kurz mit Ihnen sprechen. Es sei denn, Sie sind gerade zu … beschäftigt.« Simon zieht die Augenbrauen hoch.

»Natürlich nicht!« Ich streiche meine Haare glatt und versuche verzweifelt, diesen Teigklumpen runterzuschlucken. »Kommen Sie mit in mein Büro.«

Als ich an der Glastür vorbeikomme, erschrecke ich vor meinem Spiegelbild. Meine Augen haben dunkle Schatten. Meine Haare sehen ziemlich wild aus. Vielleicht hätte ich sie lieber hochstecken sollen. Na gut, das kann ich jetzt auch nicht mehr ändern.

»Also, Lexi«, sagt Simon, als ich die Tür schließe und meine halb gegessenen Muffins auf dem Schreibtisch deponiere. »Ich hatte gerade ein gutes Gespräch mit Byron über Juni 07. Er hat Sie bestimmt über die Vorgänge in Kenntnis gesetzt.«

»Natürlich.« Ich nicke und bemühe mich, so auszusehen, als wüsste ich, wovon er redet. Aber »Juni 07« sagt mir rein gar nichts. Soll da irgendwas passieren?

»Ich habe für Montag ein Meeting angesetzt, auf dem eine endgültige Entscheidung fallen muss. Mehr werde ich momentan dazu nicht sagen. Diskretion ist von entscheidender Bedeutung …« Simon schweigt, runzelt die Stirn. »Ich weiß, dass Sie Bedenken hatten, Lexi. Die haben wir alle. Aber tatsächlich bleibt uns keine andere Wahl.«

Wovon redet er? *Wovon?*

»Ich bin mir sicher, dass wir uns einig werden, Simon«, bluffe ich in der verzweifelten Hoffnung, dass er nicht weiter nachfragt.

»Das freut mich, Lexi. Ich wusste doch, dass Sie Vernunft annehmen.« Er spricht lauter und klingt auch schon viel entspannter. »Also, ich treffe mich nachher mit James Garrison, dem neuen Mann bei Southey's. Was halten Sie von ihm?«

Gott sei Dank! Endlich jemand, von dem ich schon mal gehört habe.

»Ach, ja«, sage ich forsch. »Leider scheint Southey's unseren Erwartungen nicht ganz zu entsprechen, Simon. Wir werden uns nach einem anderen Auslieferer umsehen müssen.«

»Ich bedaure, widersprechen zu müssen, Lexi!«, fällt Byron mir lachend ins Wort. »Southey's hat uns gerade ein verbessertes Preis-und-Service-Paket angeboten.« Er wendet sich Simon zu. »Ich war letzte Woche einen ganzen Tag bei denen. James Garrison hat den Laden komplett auf den Kopf gestellt. Ich war ausgesprochen beeindruckt.«

Mein Gesicht steht in Flammen. *Mistkerl.*

»Sie sind also nicht Byrons Ansicht, Lexi?« Überrascht wendet sich Simon mir zu. »Haben Sie James Garrison denn kennengelernt?«

»Ich … äh … nein, hab ich nicht.« Ich schlucke. »Sie … Sie haben sicher recht, Byron.«

Er hat mich voll ins Messer laufen lassen. Absichtlich.

Erdrückendes Schweigen macht sich breit. Simon mustert mich enttäuscht. »Gut«, sagt er schließlich. »Ich muss wieder los. Schön, Sie zu sehen, Lexi.«

»Wiedersehen, Simon.« Ich begleite ihn hinaus und gebe mir alle Mühe, zuversichtlich und managermäßig zu klingen. »Ich freue mich, schon bald wieder dabei zu sein. Vielleicht können wir demnächst mal zusammen Mittag essen ...«

»Hey, Lexi«, sagt Byron unvermittelt und zeigt auf meinen Hintern. »Sie haben da was am Rock.« Als ich mich abtaste, finde ich einen gelben Klebezettel. Ich sehe ihn mir an, und die Erde scheint unter mir nachzugeben, als stünde ich im Treibsand. Irgendjemand hat mit pinkem Filzer geschrieben:

Ich bin scharf auf Simon Johnson.

Ich kann Simon Johnson gar nicht in die Augen sehen. Mein Kopf fühlt sich an, als müsste er gleich explodieren.

Byron schnaubt vor Lachen. »Da ist noch einer.« Er deutet mit dem Kopf auf mich, und leicht benommen ziehe ich noch einen Klebezettel ab.

Mach's mir, Simon!

»Nur ein dummer Streich!« Verzweifelt knülle ich die Zettel zusammen. »Unsere Mitarbeiterinnen gönnen sich wohl ein kleines ... Späßchen ...«

Simon Johnson scheint es aber nicht besonders lustig zu finden.

»Okay«, sagt er nach einer Weile. »Wir sehen uns, Lexi.«

Er dreht sich um und geht den Flur hinunter – mit Byron. Dann höre ich Byron sagen: »Simon, glauben Sie mir *jetzt*? Sie ist absolut ...«

Ich stehe einfach nur da und sehe ihnen hinterher, zittere vor Scham. Das war's. Meine Karriere ist ruiniert, bevor ich überhaupt die Gelegenheit hatte, mich zu beweisen. Benommen kehre ich in mein Büro zurück und sinke auf den Schreibtischstuhl. Ich bin diesem Job nicht gewachsen. Ich bin am Ende. Byron hat mich reingelegt. Keiner will meine Muffins.

Bei diesem letzten Gedanken durchbohrt mich ein stechender Schmerz, und plötzlich kann ich mich einfach nicht mehr beherrschen. Eine Träne läuft mir über die Wange. Ich vergrabe mein Gesicht in der Armbeuge, und schon bald schluchze ich drauflos. Ich dachte, alles würde ganz wunderbar laufen. Ich dachte, es wäre lustig und aufregend, Chefin zu sein. Mir war nicht klar … ich hätte nie gedacht …

»Hi.« Eine Stimme dringt in meine Gedanken, und ich hebe den Kopf. Fi steht in der Tür.

»Oh. Hi.« Energisch wische ich mir die Augen. »Entschuldige. Ich war nur …«

»Alles okay?«, sagt sie betreten.

»Es geht mir gut. Sehr gut.« Ich krame in meiner Schreibtischschublade nach einem Taschentuch und putze mir die Nase. »Kann ich was für dich tun?«

»Tut mir leid, das mit den Post-its.« Sie beißt auf ihre Lippe. »Wir hatten nicht damit gerechnet, dass Simon kommt. Es sollte nur ein kleiner Scherz sein.«

»Schon gut.« Meine Stimme zittert. »Das konntet ihr ja nicht ahnen.«

»Was hat er gesagt?«

»Er war nicht gerade begeistert.« Ich seufze. »Aber er ist sowieso nicht sonderlich begeistert von mir, also ist es auch egal.« Ich breche ein Stück Schokoladen-Muffin ab, stopfe es mir in den Mund und fühle mich augenblicklich besser. Für etwa eine Nanosekunde.

Fi starrt mich nur an.

»Ich dachte, du isst keine Kohlenhydrate mehr«, sagt sie schließlich.

»Ja, genau. Als könnte ich ohne Schokolade leben.« Ich nehme einen großen Bissen. »Frauen brauchen Schokolade. Das ist wissenschaftlich erwiesen.«

Wir schweigen. Ich blicke auf und sehe, dass Fi mich noch immer unsicher mustert. »Es ist echt merkwürdig«, sagt sie. »Du klingst wie die alte Lexi.«

»Ich *bin* die alte Lexi.« Plötzlich habe ich es satt, alles immer wieder erklären zu müssen. »Fi ... stell dir doch mal vor, du würdest morgen aufwachen und plötzlich wäre es 2010. Und auf einmal müsstest du dich in ein neues Leben einfinden und ein ganz neuer Mensch sein. So ist es nämlich für mich.« Ich breche noch ein Stück vom Muffin ab, sehe es mir einen Moment lang an, dann lege ich es wieder weg. »Und ich kenne diesen neuen Menschen nicht mal. Ich verstehe überhaupt nicht, wieso sie ist, wie sie ist. Und das ist irgendwie ... das ist schlimm.«

Wir schweigen lange. Reglos starre ich den Schreibtisch an, atme schwer, zerkrümele den Muffin in kleine Brocken. Ich wage nicht, aufzublicken, falls Fi wieder etwas Sarkastisches sagt oder mich auslacht und ich in Tränen ausbreche.

»Es tut mir leid, Lexi.« Ihre Stimme ist so leise, dass ich sie kaum hören kann. »Das war mir nicht ... das war uns nicht klar. Ich meine, du siehst nicht anders *aus* ...«

»Ich weiß.« Kläglich lächle ich sie an. »Ich sehe aus wie eine brünette Barbie.« Ich nehme eine kastanienbraune Strähne und lasse sie fallen. »Als ich mich im Krankenhaus im Spiegel gesehen habe, bin ich vor Schreck fast gestorben. Ich wusste nicht, wer ich war ...«

»Hör mal ...« Sie kaut auf ihrer Lippe herum und spielt mit ihren Ohrringen. »Es tut mir leid. Das mit den Muffins und den Post-its und ... alles. Willst du nicht heute mit uns Mittagspause machen?« Voller Tatendrang tritt sie an meinen Tisch. »Lass uns noch mal neu anfangen!«

»Das wäre schön.« Ich lächle sie dankbar an. »Aber heute kann ich leider nicht. Ich treffe mich mit Loser Dave.«

»*Loser Dave*?« Sie klingt dermaßen schockiert, dass ich unwillkürlich lachen muss. »Wieso willst du dich mit ihm treffen? Lexi, du wirst doch wohl nicht etwa …?«

»Nein! Natürlich nicht! Ich möchte nur rausfinden, was in den letzten drei Jahren in meinem Leben passiert ist. Das Puzzle zusammensetzen.« Ich zögere. Mir fällt ein, dass Fi vermutlich alle Antworten auf meine Fragen kennt. »Fi, weißt du, warum Loser Dave und ich uns getrennt haben?«

»Keine Ahnung.« Fi zuckt mit den Schultern. »Das hast du uns nie erzählt. Du hast uns total ausgegrenzt. Sogar mich. Du … du hast dich nur noch für deine Karriere interessiert. Also haben wir irgendwann aufgehört, es weiter zu versuchen.«

Ich sehe ihr die Kränkung an.

»Das tut mir leid, Fi«, sage ich verlegen. »Ich wollte dich nicht ausgrenzen. Jedenfalls *glaube* ich das …« Es ist doch absurd, sich für etwas zu entschuldigen, woran man sich nicht erinnern kann. Als wäre ich ein Werwolf oder so was.

»Mach dir keine Gedanken. Das warst ja nicht du. Ich meine, du warst es … aber eben nicht *du* …« Fis Stimme erstirbt. Sie scheint auch ziemlich verwirrt zu sein.

»Ich sollte mich auf den Weg machen.« Ich werfe einen Blick auf meine Armbanduhr und stehe auf. »Vielleicht hat Loser Dave ein paar Antworten parat.«

»Hey, Lexi«, sagt Fi kleinlaut. »Du hast einen übersehen.« Sie deutet mit dem Daumen auf meinen Rock. Ich greife hinter mich und reiße noch einen Klebezettel ab. Darauf steht: *Mit Simon Johnson – Jederzeit!*

»Mit dem würde ich ganz bestimmt nicht ins Bett steigen«, sage ich und zerknülle den Zettel.

»Nein?« Fi grinst böse. »Ich schon.«

»Nein, würdest du nicht!« Bei ihrem Gesichtsausdruck rutscht mir ein Kichern raus.

»Der sieht doch noch ganz fit aus.«

»Der ist uralt! Wahrscheinlich kann er gar nicht mehr …« Wir sehen uns in die Augen, und plötzlich lachen wir beide los, wie in alten Zeiten. Ich lasse meine Jacke fallen, setz mich auf die Sofalehne und halte mir den Bauch, kann gar nicht mehr aufhören. Ich glaube, seit dem Unfall habe ich kein einziges Mal so gelacht. Der immense Druck und alle meine Spannungen kommen heraus. Es wird alles weggelacht.

»Gott, habe ich dich vermisst!«, presst Fi schließlich glucksend hervor.

»Und ich dich erst.« Ich hole tief Luft. »Ehrlich, Fi. Es tut mir schrecklich leid, wie ich war … und was ich getan habe …«

»Sei nicht albern!« Freundlich, aber entschlossen, fällt mir Fi ins Wort und reicht mir meine Jacke. »Geh und rede mit Loser Dave.«

Wie sich herausstellt, ist es für Loser Dave ziemlich gut gelaufen. Und ich meine: *ziemlich* gut. Er arbeitet jetzt für *Auto Repair Shop*, in deren Hauptgeschäftsstelle, und hat da einen hohen Posten im Verkauf. Als er aus dem Fahrstuhl tritt, macht er einen sehr gepflegten Eindruck – im Nadelstreifenanzug, die Haare etwas länger, nicht mehr dieser Bürstenschnitt, und dazu eine randlose Brille. Begeistert springe ich auf und rufe:

»Loser Dave! Ich *fass* es nicht!«

Er zuckt förmlich zusammen und sieht sich um. »Keiner sagt mehr Loser Dave zu mir«, faucht er mich an. »Ich heiße David, okay?«

»Oh. Okay. Entschuldige … äh … David. Nicht mehr *Butch*?« Ich kann es mir einfach nicht verkneifen, und er wirft mir einen vernichtenden Blick zu.

Sogar sein Bauch ist weg, was mir auffällt, als er sich an den Empfangstresen im Foyer lehnt und mit der Rezeptionistin spricht. Offenbar trainiert er regelmäßig. Früher hat er seine Hanteln nie mehr als fünfmal gestemmt. Dann hat er sich eine Dose Bier aufgemacht und Fußball angestellt.

Wenn ich so darüber nachdenke, ist es mir ein Rätsel, wieso ich das alles mitgemacht habe. Ausgeleierte Boxershorts auf dem Fußboden. Derbe, frauenfeindliche Witze. Seine Paranoia, dass ich ihm drei Kinder andrehen und ihn an Haus und Heim binden wollte.

Wovon träumt er eigentlich nachts?

»Du siehst gut aus, Lexi.« Als er sich vom Empfang abwendet, mustert er mich von oben bis unten. »Ist schon 'ne Weile her. Hab dich natürlich im Fernsehen gesehen. Diese *Ambition*-Show. An so einer Sendung hätte ich damals vielleicht auch gern teilgenommen.« Mitleidig betrachtet er mich. »Aber den Level habe ich inzwischen hinter mir gelassen. Ich bin auf der Überholspur. Wollen wir gehen?«

Tut mir leid, aber ich sehe in Loser Dave nicht ernstlich »David«, den merkantilen Überflieger. Wir steuern einen Laden an, den Loser Dave als »ganz ordentlich für diese Gegend« bezeichnet, und die ganze Zeit über hängt er am Telefon, schwadroniert lauthals über »Deals« und »Mille«, wobei sein Blick ständig zu mir herüberschweift.

»Wow!«, sage ich, als er das Handy endlich wegsteckt. »Du bist ja richtig wichtig.«

»Hab einen Ford Focus.« Lässig zupft er an seinen Manschetten. »Amex-Firmenkarte. Zugang zur firmeneigenen Skihütte.«

»Wie schön für dich!« Inzwischen sind wir beim Restaurant angekommen, einem kleinen Italiener. Wir setzen uns, und ich beuge mich vor, stütze mein Kinn auf die Hände. Loser Dave wirkt etwas nervös, spielt mit der Speisekarte herum und sieht ständig nach seinem Handy.

»David«, beginne ich. »Ich weiß nicht, ob dich die Nachricht erreicht hat, *warum* ich dich treffen wollte ...«

»Meine Sekretärin meinte, du willst mit mir über alte Zeiten sprechen«, sagt er argwöhnisch.

»Ja. Die Sache ist die: Ich hatte einen Autounfall. Und jetzt versuche ich, mein Leben wieder zusammenzustückeln. Ich muss rausfinden, was damals eigentlich passiert ist, wieso wir uns getrennt haben ...«

Loser Dave seufzt.

»Schätzchen, ist es denn wirklich eine gute Idee, das alles wieder auszugraben? Immerhin waren wir ja damals beide beteiligt ...«

»Was denn wieder ausgraben?«

»Du weißt schon ...« Er sieht sich um und fängt den Blick eines herumlungernden Kellners auf. »Könnten wir hier mal bedient werden? Wein vielleicht? Eine Flasche offenen Roten, bitte!«

»Ich weiß es eben *nicht*! Ich habe keine Ahnung, was passiert ist!« Ich beuge mich weiter vor, damit er mir auch zuhört. »Ich leide unter Amnesie. Gedächtnisverlust. Hat deine Sekretärin es dir nicht gesagt? Ich kann mich an nichts erinnern.«

Ganz langsam dreht sich Loser Dave zu mir um und glotzt mich an, als wollte ich ihn auf den Arm nehmen.

»Du hast dein *Gedächtnis* verloren?«

»Ja! Ich war im Krankenhaus und alles.«

»Leck mich am Arsch ...« Er schüttelt den Kopf, als der Kellner kommt, und zieht die ganze Nummer mit dem Einschenken und Probieren durch. »Du kannst dich also an gar nichts mehr erinnern?«

»Zumindest nichts aus den letzten drei Jahren. Und ich möchte gern wissen, warum wir uns getrennt haben. Ist irgendwas passiert ... oder haben wir uns nur auseinandergelebt ... oder was?«

Loser Dave antwortet nicht gleich. Er beäugt mich über seine Brille hinweg. »Und gibt es irgendwas, *woran* du dich erinnern kannst?«

»Das Letzte ist der Abend vor Dads Beerdigung. Ich saß in dieser Bar und war stinksauer auf dich, weil du nicht aufgetaucht bist … und dann bin ich im Regen ein paar Stufen runtergefallen … mehr weiß ich nicht.«

»Ja, ja.« Er nickt versonnen. »Ich erinnere mich an diesen Abend. Also, eigentlich … deshalb haben wir uns getrennt.«

»Weshalb?«, sage ich verdutzt.

»Weil ich nicht aufgetaucht bin. Du hast mit mir Schluss gemacht. Finito.« Er nimmt einen Schluck Wein und entspannt sich sichtlich.

»*Wirklich*?«, sage ich erstaunt. »Ich habe mit dir Schluss gemacht?«

»Am nächsten Morgen. Du hattest genug, und das war's dann. Wir waren nicht mehr zusammen.«

Stirnrunzelnd versuche ich, mir die Szene vorzustellen. »Und hatten wir Streit?«

»Keinen Streit«, sagt Dave nach kurzem Überlegen. »Eher ein Gespräch unter Erwachsenen. Wir waren uns einig, dass es richtig wäre, die Sache zu beenden, und du hast gesagt, es könnte sein, dass du den größten Fehler deines Lebens begehst, aber gegen deine ewige Eifersucht und dein einnehmendes Wesen könntest du eben nichts tun.«

»Wirklich?«, sage ich skeptisch.

»Ja. Ich habe angeboten, dich zur Beerdigung von deinem Dad zu begleiten, aber du wolltest nicht. Du hast gesagt, du könntest meinen Anblick nicht ertragen.« Er trinkt von seinem Wein. »Aber ich war dir nicht böse. Ich habe gesagt: ›Lexi, du wirst immer in meinem Herzen sein. Was du willst, das will ich auch.‹ Ich habe dir eine Rose und einen letzten Kuss gegeben. Dann bin ich gegangen. Es war wunderschön.«

Ich stelle mein Glas ab und mustere ihn. Sein Blick ist so offen und unschuldig wie damals, wenn er Kunden dazu bewegen wollte, eine total nutzlose Zusatzversicherung abzuschließen.

»So ist es also gewesen ...«, sage ich.

»Genau so.« Er nimmt die Speisekarte. »Möchtest du ein bisschen Knoblauchbrot?«

Bilde ich es mir nur ein, oder hat er tatsächlich bessere Laune, seit er weiß, dass ich mein Gedächtnis verloren habe?

»Loser Dave ... war es auch *wirklich* so?« Ich sehe ihn mit meinem durchdringendsten Blick an.

»Selbstverständlich!«, knurrt er gekränkt. »Und sag nicht immer Loser Dave zu mir.«

»Entschuldige.« Ich seufze und wickle eine Grissini-Stange aus. Vielleicht ist es doch die Wahrheit. Oder zumindest eine Loser-Dave-Version davon. Vielleicht habe ich mich von Ihm getrennt. Schließlich war ich wirklich sauer auf ihn.

»Und ... ist damals noch irgendwas passiert?« Ich breche den Grissini durch und knuspere daran herum. »Fällt dir irgendwas ein? Zum Beispiel, wieso ich plötzlich so karrieregeil geworden bin? Warum habe ich meine Freundinnen links liegen lassen? Was ging in mir vor?«

»Was weiß ich denn?« Loser Dave studiert die Tageskarte. »Hättest du Lust auf eine Lasagne für zwei?«

»Es ist alles so ... verwirrend.« Ich reibe mir die Stirn. »Ich komme mir vor, als hätte man mich mitten auf einer Landkarte abgesetzt, und so ein großer Pfeil zeigt auf mich – ›Sie sind hier.‹ Und ich will wissen: Wie bin ich *hierher*gekommen?«

Endlich blickt Loser Dave von seiner Tageskarte auf.

»Was du brauchst, ist ein Navi«, sagt er wie der Dalai Lama, der von einem Berggipfel herab etwas verkündet.

»Das ist es! Genau!« Eifrig beuge ich mich vor. »Ich habe mich verirrt. Und wenn ich die Route nachvollziehen könnte, wäre ich vielleicht in der Lage, mich irgendwie zurückzunavigieren ...«

Loser Dave nickt weise. »Ich könnte dir einen guten Preis machen.«

»Was?«, sage ich, verstehe nicht.

»Ich kann dir einen guten Preis für ein Navi machen.« Er tippt sich an die Nase. »Wir erweitern bei *Auto Repair* gerade unsere Angebotspalette.«

Einen Moment lang denke ich, gleich platze ich – aus reinem Frust.

»Ich brauche kein Navigationsgerät!«, schreie ich fast. »Es ist nur eine Metapher! Me-ta-pher!«

»Gut, okay. Natürlich.« Loser Dave nickt und legt die Stirn in Falten, als müsste er meine Worte verdauen und sich erst mal durch den Kopf gehen lassen. »Ist das ein integriertes System?«

Ich kann es nicht fassen. War ich mit diesem Typen wirklich mal zusammen?

»Ja, genau«, sage ich schließlich. »Es ist von Honda. Nehmen wir das Knoblauchbrot.«

Als ich nach Hause komme, nehme ich mir vor, Eric zu fragen, was er über meine Trennung von Loser Dave weiß. Wir haben uns doch bestimmt von unseren früheren Beziehungen erzählt. Doch als ich ins Loft komme, spüre ich sofort, dass es nicht der richtige Moment ist. Er läuft herum, ist am Telefon, sieht gestresst aus.

»Beeil dich, Lexi!« Er hält kurz den Hörer zu. »Wir kommen zu spät.«

»Wohin?«

»*Wohin*?«, wiederholt er und sieht aus, als hätte ich ihn gefragt, was Schwerkraft eigentlich ist. »Zu unserer Premiere!«

Scheiße. Heute Abend ist die Eröffnungsparty für Blue 42. Ich wusste es. Es war mir nur entfallen.

»Natürlich«, sage ich hastig. »Ich mach mich schnell fertig.«

»Willst du nicht dein Haar hochstecken?« Eric mustert mich mit kritischem Blick. »Es sieht unprofessionell aus.«

»Oh. Äh … ja. Stimmt.«

In aller Hektik ziehe ich ein schwarzes Seidenkostüm an, steige in meine höchsten Pumps und raffe meine Haar im Nacken zusammen. Ich dekoriere mich mit Brillanten, dann drehe ich mich um und betrachte mich.

Aaaah! Ich sehe so was von langweilig aus. Wie eine Gerichtsschreiberin. Ich brauch noch … irgendwas anderes. Habe ich denn keine Broschen mehr? Oder Seidenblumen oder Tücher oder Strasshaarklemmen? Irgendwas *Lustiges*? Ich wühle in meinen Schubladen herum, kann aber nichts finden, nur ein dickes, beigefarbenes Haarband. Toll. Ein echtes *Fashion Statement*.

»Fertig?« Eric kommt herein. »Du siehst gut aus. Gehen wir.«

Gute Güte! So verspannt habe ich ihn ja noch nie gesehen. Auf dem ganzen Weg hängt er am Telefon, und als er es endlich weglegt, tippt er mit den Fingern darauf herum und starrt aus dem Fenster.

»Bestimmt wird alles gut gehen«, sage ich aufmunternd.

»Es muss«, sagt er, ohne mich anzusehen. »Das ist unser großer Abend, wenn wir was verkaufen wollen. Haufenweise ultrawichtige Leute. Reichlich Presse. Damit machen wir Blue 42 zum Stadtgespräch.«

Als wir durch das Tor kommen, stockt mir der Atem. Brennende Fackeln führen zum Eingang. Laser streifen über den Nachthimmel. Es gibt einen roten Teppich, über den die Gäste wandeln, und da warten sogar zwei Fotografen. Es sieht aus wie bei einer Filmpremiere.

»Eric, es ist großartig!« Unwillkürlich drücke ich seine Hand. »Es wird ein Triumph.«

»Hoffen wir's.« Zum ersten Mal dreht sich Eric um und

schenkt mir ein verkniffenes Lächeln. Der Fahrer öffnet mir die Tür, und ich nehme meine Tasche, um auszusteigen.

»Ach, Lexi.« Eric sucht in seiner Tasche. »Bevor ich es vergesse: Das wollte ich dir noch geben.« Er reicht mir ein Blatt Papier.

»Was ist das?« Ich lächle, als ich es auseinanderfalte. Dann schmilzt mein Lächeln irgendwie dahin. Es ist eine Rechnung. Oben steht Erics Name, aber er hat ihn durchgestrichen und durch »zu Händen Lexi Gardiner« ersetzt. Ungläubig überfliege ich die Worte. *Chelsea Bridge Glasobjekte. Großer Mundgeblasener Leopard. Menge: 1. Zu zahlen: £ 3.200.*

»Ich habe eine Neuanfertigung bestellt«, sagt Eric. »Du kannst die Rechnung jederzeit begleichen. Ein Scheck wäre okay, oder überweise es mir auf mein Konto …«

Er stellt mir eine *Rechnung*?

»Du willst, dass ich den Leoparden bezahle?« Ich zwinge ein leises Lachen hervor, nur um zu sehen, ob es sein Ernst ist. »Von meinem eigenen Geld?«

»Na ja, du hast ihn ja auch kaputtgemacht.« Eric klingt überrascht. »Ist das ein Problem?«

»Nein! Das ist … das ist okay.« Ich schlucke. »Ich schreib dir einen Scheck. Sobald wir nach Hause kommen.«

»Hat keine Eile.« Eric lächelt und deutet auf den wartenden Fahrer, der die Tür hält. »Wir sollten reingehen.«

Alles in Ordnung, sage ich mir. Es ist nur fair, dass er mir die Rechnung gibt. Offenbar ist das in unserer Ehe so.

So sollte eine Ehe nicht sein.

Nein. Hör auf. Es ist okay. Alles in Ordnung.

Ich stopfe das Blatt Papier in meine Handtasche und lächle den Fahrer so strahlend an, wie ich nur kann. Dann steige ich aus und folge Eric über den roten Teppich.

VIERZEHN

Junge, Junge, wenn das keine pompöse Party ist! Das ganze Gebäude besteht nur aus Licht und wummernder Musik. Das Penthouse-Loft sieht noch spektakulärer aus als beim letzten Mal – alles voller Blumen und Kellner in coolen, schwarzen Outfits, mit Champagner-Tabletts und Werbegeschenken in Händen. Ava und Jon und ein paar Leute, die ich nicht kenne, stehen am Fenster, und Eric steuert direkt auf sie zu.

»Freunde!«, sagt er. »Haben wir die Gästeliste schon gecheckt? Sally, hast du die Presseliste dabei? Alles im Griff?«

»Sie kommen!« Ein junges Mädchen im Wickelkleid kommt hereingelaufen, stolpert fast über ihre Stilettos. »Die van Gogens sind schon da! Und sie haben Freunde mitgebracht. Und dahinter kommt schon der nächste Trupp!«

»Viel Glück, Kinder.« Eric klatscht jeden im Team ab. »Lasst uns dieses Haus verkaufen!«

Im nächsten Augenblick tritt ein teuer gekleidetes Pärchen ein, und Eric startet seine Charme-Offensive, führt die beiden zu Ava hinüber, reicht ihnen Champagner und zeigt ihnen die Aussicht. Immer mehr Leute treffen ein, und bald schon hat sich eine kleine Gästeschar versammelt, die plaudert, in der Broschüre herumblättert und den Wasserfall bestaunt.

Jon steht etwa zehn Meter links von mir und macht ein ernstes Gesicht, während er sich mit den van Gogens unterhält. Ich habe noch nicht mit ihm gesprochen. Ich weiß nicht, ob er mich überhaupt bemerkt hat. Gelegentlich sehe ich zu ihm hinüber, dann wende ich mich eilig ab, weil mir ganz flau wird.

Ich komme mir vor wie eine schwärmerische Dreizehnjährige. Trotz der vielen Leute sehe ich nur ihn. Wo er ist, was er tut, mit wem er spricht. Ich werfe noch einen Blick hinüber, und diesmal sieht er mich an. Puterrot wende ich mich ab und nehme einen Schluck Wein. Super, Lexi! Sehr unauffällig.

Absichtlich wende ich mich ab, damit er nicht mehr in meinem Blickfeld ist. Wie in Trance stehe ich da und beobachte, wie die Leute eintreffen, als plötzlich Eric neben mir auftaucht.

»Lexi, Liebling.« Starr und missbilligend lächelt er mich an. »Es macht keinen guten Eindruck, wenn du hier so allein stehst. Komm mit!«

Bevor ich ihn bremsen kann, führt er mich mit fester Hand zu Jon hinüber, der sich mit dem nächsten reichen Pärchen unterhält. Die Frau trägt einen gemusterten Hosenanzug von Dior und rot gefärbtes Haar, und sie hat es mit dem Lipliner reichlich übertrieben. Sie bleckt ihre Porzellanzähne, und ihr grauhaariger Mann brummt, hält sie wie mit einer Tatze an der Schulter fest.

»Ich würde Ihnen gern meine Frau vorstellen.« Eric strahlt sie an. »Sie ist selbst ein großer Fan des …« Er macht eine Pause. Ich verkrampfe mich und warte. »… Loft-Style-Living!«

Wenn ich diese Phrase noch einmal hören muss, erschieß ich mich!

»Hi, Lexi.« Jon sieht mich kurz an, als Eric wieder seine Kreise zieht. »Wie geht's?«

»Es geht mir gut. Danke, Jon.« Ich versuche, locker zu klingen, als wäre er nur einer unter vielen auf dieser Party, als würde ich ihn nicht fixieren, seit ich hier bin. »Und … wie gefällt Ihnen das Loft?« Ich wende mich der Dior-Frau zu.

Das Pärchen tauscht skeptische Blicke. »Wir haben eine Sorge«, sagt der Mann mit einem ausländischen Akzent, den ich nicht orten kann. »Der Platz. Ob es *groß* genug ist.«

Ich bin sprachlos. Dieses Loft ist ein Flugzeughangar. Wie kann es nicht groß genug sein?

»Wir halten fünfhundert Quadratmeter für großzügig bemessen«, sagt Jon. »Allerdings können Sie auch zwei oder drei Einheiten kombinieren, wenn Sie mehr Platz brauchen.«

»Unser anderes Problem ist das Design«, sagt der Mann.

»Das Design?«, wiederholt Jon höflich. »Was ist denn mit dem Design?«

»Bei uns zu Hause ist alles aus Gold«, sagt der Mann. »Goldene Gemälde. Goldene Lampen. Goldene …« Ihm scheint die Luft auszugehen.

»Perserteppiche«, wirft die Frau ein und rollt das »r«. »Goldene Perrrserteppiche.«

Der Mann deutet auf die Broschüre. »Hier sehe ich viel Silber. Chrom.«

»Verstehe.« Jon nickt, zuckt mit keiner Wimper. »Nun, selbstverständlich lässt sich das Loft ganz nach Ihren persönlichen Wünschen ausstatten. Wir könnten Ihnen beispielsweise den Kamin vergolden.«

»Ein goldener Kamin?«, sagt die Frau unsicher. »Wäre das nicht etwas … zu viel?«

»Kann es denn zu viel Gold geben?«, erwidert Jon freundlich. »Wir könnten auch goldene Lampenfassungen anbringen. Und Lexi könnte Ihnen mit dem goldenen Teppich helfen. Nicht wahr, Lexi?«

»Selbstverständlich.« Ich nicke und hoffe inständig, dass ich nicht plötzlich vor Lachen lospruste.

»Ja. Gut, wir denken darüber nach.« Das Pärchen geht und unterhält sich in einer fremden Sprache, die ich nicht kenne. Jon stürzt seinen Drink herunter.

»Nicht groß genug. Gott im Himmel! In dieses Loft passen zehn unserer Ridgeway-Einheiten.«

»Was ist Ridgeway?«

»Unser Bauprojekt für bezahlbaren Wohnraum.« Er sieht meinen leeren Blick. »Projekte wie dieses hier bekommt man nur genehmigt, wenn man daneben was Bezahlbares anbietet.«

»Ach«, sage ich überrascht. »Von bezahlbaren Wohnungen hat Eric nie was erwähnt.«

Dieser Umstand scheint Jon zu amüsieren. »Ich würde sagen, dass sein Herz vielleicht nicht unbedingt daran hängt«, sagt er, als Eric gerade ein kleines Podium direkt vor dem Kamin betritt. Die stimmungsvolle Beleuchtung wird gedämpft, ein Spotlight fällt auf Eric, und die Gespräche verstummen.

»Willkommen!«, sagte er laut, und seine Stimme hallt von den Wänden zurück. »Willkommen in Blue 42, dem jüngsten Projekt unserer *Blue*-Serie unter dem Banner des …«

Ich halte die Luft an. Bitte, bitte, sag es nicht …!

»Loft-Style-Living!« Seine Hände machen die entsprechende Geste, und sämtliche Mitarbeiter seiner Firma applaudieren frenetisch.

Jon sieht zu mir herüber und tritt einen Schritt zurück, setzt sich von der Menge ab. Einen Moment später trete auch ich einen Schritt zurück, mit starrem Blick nach vorn. Ich zittere am ganzen Leib – vor Spannung. Und … Aufregung.

»Und kannst du dich inzwischen an irgendwas erinnern?«, sagt er wie beiläufig.

»Nein.«

Hinter Eric leuchtet ein gigantischer Bildschirm auf, und man sieht Lofts aus allen Blickwinkeln. Peppige Musik erklingt, und der ganze Raum wird immer dunkler. Eins muss man Eric lassen: Die Präsentation ist phänomenal.

»Das erste Mal sind wir uns auf einer Loft-Einweihung wie dieser begegnet.« Jon spricht so leise, dass ich ihn bei der Musik kaum hören kann. »Ich wusste es gleich beim ersten Wort aus deinem Mund.«

»Was wusstest du?«

»Dass ich dich mochte.«

Ich schweige, und die Neugier nagt an mir.

»Was habe ich denn gesagt?«, flüstere ich schließlich zurück.

»Du hast gesagt: ›Wenn ich diese Phrase noch mal höre, *erschieß* ich mich!‹«

»*Nein.*« Ich starre ihn an, dann pruste ich los. Vor uns dreht sich ein Mann stirnrunzelnd um, und wie auf Kommando treten Jon und ich gleichzeitig einen Schritt zurück, bis wir ganz im Dunkeln stehen.

»Du solltest dich nicht verstecken«, sage ich. »Das ist dein großer Moment. Dein Loft.«

»Ach, na ja«, sagt er trocken. »Ruhm und Ehre überlasse ich Eric. Die kann er ruhig haben.«

Eine Weile sehe ich mir Eric an, wie er auf dem Bildschirm mit einem Helm auf dem Kopf über eine Baustelle stapft.

»Ich begreif dich nicht«, sage ich leise. »Wenn du findest, dass Lofts nur was für reiche Wichser sind, wieso entwirfst du sie dann?«

»Gute Frage.« Jon nimmt einen Schluck von seinem Drink. »Ich sollte längst was anderes machen. Aber ich mag Eric. Er hat an mich geglaubt, er hat mir ganz am Anfang eine Chance gegeben, er hat eine großartige Firma …«

»Du *magst* Eric?« Ungläubig schüttle ich den Kopf. »Klar. Deshalb drängst du mich ja auch, ihn zu verlassen.«

»Ja, ich mag ihn. Er ist ein netter Kerl. Er ist ehrlich, er ist loyal …« Einen Moment lang steht Jon schweigend neben mir. Seine Augen blitzen im trüben Licht. »Ich *will* Erics Leben nicht zerstören«, sagt er schließlich. »Das ist nicht der Plan.«

»Aber wieso …«

»Er versteht dich nicht.« Jon sieht mich an. »Er hat keine Ahnung, wer du bist.«

»Aber du, ja?«, gebe ich zurück, als das Licht angeht und von allen Seiten applaudiert wird. Instinktiv rücke ich einen Schritt von Jon ab, und wir sehen uns gemeinsam an, wie Eric erneut das Podium erklimmt, strahlend vor Reichtum und Erfolg, als gehöre ihm die Welt.

»Und musstest du dich schon mit dem Montblanc auseinandersetzen?«, sagt Jon, während er begeistert applaudiert, offenbar besser gelaunt.

»Was meinst du mit ›Montblanc‹?« Ich werfe ihm einen argwöhnischen Blick zu.

»Du wirst es noch merken.«

»Sag es mir!«

»Nein, nein.« Er schüttelt den Kopf und presst den Mund zusammen, als müsste er sich das Lachen verkneifen. »Ich möchte dir die Überraschung nicht verderben.«

»Sag es mir!«

»Jon! Da bist du ja. Katastrophe!« Wir zucken beide vor Schreck zusammen, als plötzlich Ava hinter uns steht. Sie trägt einen schwarzen Hosenanzug, hält einen kleinen Leinenbeutel in der Hand und wirkt aufgebracht. »Die Ziersteine für das Aquarium im großen Schlafzimmer sind eben aus Italien eingetroffen. Aber ich muss mich um die Gedecke in der Küche kümmern. Irgendein *Vollidiot* hat sich daran zu schaffen gemacht … Könntest du das bitte tun?« Sie drückt Jon den Leinenbeutel in die Hand. »Verteil die Steine einfach im Aquarium. Bis zum Ende der Präsentation müsste noch genügend Zeit sein.«

»Kein Problem.« Jon wiegt den Beutel mit beiden Händen, dann sieht er mich an, mit undurchsichtigem, undurchdringlichem Blick. »Lexi, möchtest du mitkommen und mir zur Hand gehen?«

Mir schnürt sich so fest die Kehle zusammen, dass ich kaum noch Luft bekomme. Das ist eine Einladung. Eine Herausforderung.

Nein. Ich muss *Nein* sagen.

»Mh ... ja.« Ich schlucke. »Gern.«

Ich fühle mich fast wie angeheitert, als ich Jon durch die Menge folge, die Treppe zum Zwischengeschoss hinauf, ins Schlafzimmer. Niemand beachtet uns. Die Leute verfolgen die Präsentation.

Wir gehen ins große Schlafzimmer, und Jon schließt hinter uns die Tür.

»So ...«, sagt er.

»Hör zu.« Meine Stimme schnappt fast über. »Ich kann so nicht weitermachen! Dieses ständige Flüstern, die Heimlichtuerei, der Versuch, meine Ehe zu ... zu zerstören. Ich bin glücklich mit Eric!«

»Nein.« Er schüttelt den Kopf. »In einem Jahr bist du nicht mehr mit ihm zusammen.« Er scheint seiner Sache so sicher zu sein, dass ich mich ärgere.

»Bin ich wohl!«, fahre ich ihn an. »Ich gehe davon aus, dass wir auch in fünfzig Jahren noch zusammen sind!«

»Du wirst alles versuchen, du wirst dich ihm anpassen ... aber dein Geist ist zu frei für ihn. Am Ende wirst es nicht mehr aushalten.« Er atmet tief durch, drückt seine gefalteten Hände nach außen. »Ich habe es schon einmal mit angesehen. Ich will es nicht noch mal erleben.«

»Danke für die Warnung«, fahre ich ihn an. »Ich melde mich, wenn es so weit ist. Wir sollten uns lieber um die Steine kümmern.« Ich zeige auf den Beutel, doch Jon hört mir nicht zu. Er stellt den Beutel auf den Boden und kommt mit eindringlichem, fragendem Blick zu mir herüber. »Kannst du dich denn wirklich, *wirklich* nicht erinnern?«

»Nein«, antworte ich müde. »Zum hunderttausendsten Mal: Ich kann mich an nichts erinnern.«

Dann steht er direkt vor mir, mustert mich, sucht etwas in meinem Gesicht. »Die ganze Zeit, die wir zusammen waren, was wir gesagt haben ... *irgendwas* muss deinem Gedächtnis doch einen Schubs geben.« Er reibt an seiner Stirn herum, runzelt sie. »Sagen dir Sonnenblumen etwas?«

Ohne es eigentlich zu wollen, denke ich darüber nach. Sonnenblumen. Sonnenblumen. Habe ich nicht einmal …

Nein, es ist weg.

»Nichts«, sage ich schließlich. »Ich meine, ich *mag* Sonnenblumen, aber …«

»e.e. cummings? Pommes mit Senf?«

»Ich weiß nicht, wovon du redest«, gebe ich hilflos zurück. »Das sagt mir alles nichts.«

Er steht so nah vor mir, dass ich seinen Atem spüren kann. Noch immer sieht er mir in die Augen.

»Sagt dir das etwas?« Er hebt die Hände, nimmt meine Wangen, streicht mit den Daumen über meine Haut.

»Nein.« Ich schlucke.

»Und das?« Er beugt sich herab und küsst meinen Hals.

»Hör auf!«, sage ich schwach, bringe die Worte kaum heraus. Und außerdem meine ich sie nicht. Ich ringe nach Luft. Alles andere habe ich fast vergessen. Ich will ihn nur noch küssen. Ich will ihn küssen, wie ich Eric noch nie küssen wollte.

Und dann passiert es. Seine Lippen berühren meinen Mund, und mein ganzer Körper sagt mir, dass es absolut richtig ist. Er riecht richtig. Er schmeckt richtig. Er fühlt sich richtig an. Ich spüre, wie sich seine Arme fest um mich schließen, wie mich seine Bartstoppeln kratzen, ich schließe die Augen, verliere mich, so soll es sein …

»Jon?« Avas Stimme dringt durch die Tür, und mir ist, als würde mir jemand einen Stromschlag verpassen. Eilig weiche ich vor Jon zurück, hab ganz weiche Knie, fluche leise. »Scheiße!«

»Schschscht!« Er sieht selbst ganz durcheinander aus. »Ganz ruhig. Hi, Ava. Was ist?«

Steine. Ja. Darum hätten wir uns kümmern sollen. Ich schnappe mir den Beutel und nehme ein paar Steine heraus, werfe sie – so schnell ich kann – platschend ins Aquarium. Die armen Fische paddeln herum wie die Irren, aber ich habe keine Wahl.

»Alles okay?« Ava schiebt ihren Kopf um die Tür. »Ich will gleich ein paar Gäste hier herumführen …«

»Kein Problem«, sagt John. »Fast fertig.«

Sobald Ava verschwunden ist, gibt er der Tür einen Tritt und kommt zu mir zurück.

»Lexi.« Er nimmt mein Gesicht, als wollte er mich verschlingen oder umarmen oder vielleicht auch beides. »Wenn du wüsstest, wie es mich *quält* …«

»Hör auf damit!« Ich mache mich los. In meinem Kopf dreht sich alles, wie in einem Kaleidoskop. »Ich bin verheiratet! Wir können nicht … Du kannst nicht einfach …« Ich stöhne auf und halte mir den Mund zu. »Oh, Scheiße. Scheiße!«

Ich starre in das Aquarium.

»Was?« Jon glotzt mich an, begreift nicht, dann folgt er meinem Blick. »Oh. Uups.«

Im Aquarium ist wieder Ruhe eingekehrt. Die tropischen Fische schwimmen friedlich zwischen den Marmorsteinen herum. Bis auf den Blaugestreiften, der oben treibt.

»Ich habe einen Fisch ermordet!« Ich stoße ein entsetztes Kichern aus. »Ich habe ihm mit einem Stein den Schädel eingeschlagen.«

»Das muss man wohl so sehen«, sagt Jon und geht zum Aquarium, um es sich genauer anzusehen. »Gut gezielt.«

»Aber der kostet dreihundert Pfund! Was soll ich nur machen? Jeden Augenblick kommen die Gäste!«

»Das ist ziemlich mieses Feng Shui.« Jon grinst. »Okay, ich geh und lenk Ava ab. Du spülst ihn weg.« Er nimmt meine Hand und hält sie fest. »Wir sind noch nicht fertig.« Er küsst meine Fingerspitzen, dann geht er und lässt mich mit dem Aquarium allein. Widerwillig lange ich ins warme Wasser und hole den Fisch an der Flossenspitze heraus.

»Es tut mir leid«, sage ich ganz leise. Ich versuche, das tropfende Wasser mit der anderen Hand aufzufangen und renne ins High-Tech-Badezimmer. Dort werfe ich den Fisch ins schneeweiße Klo und warte, dass es spült. Es spült nicht. Wahrscheinlich ist es auch intelligent.

»Spül!«, belle ich und wedle mit den Armen vor den Sensoren herum. »Spül!«

Nichts passiert.

»Spül!«, rufe ich verzweifelt. »Mach schon, spül!« Doch das Klo ist mausetot. Der Fisch treibt darin herum, sieht – umgeben vom weißen Porzellan – noch blauer aus als vorher.

Das kann doch nicht sein! Wenn irgendwas einen potentiellen Käufer aus einem High-End-Luxus-Apartment vertreibt, dann ein toter Fisch im Klo. Ich reiße mein Handy aus der Tasche und scrolle durch die Kontakte, bis ich J gefunden habe. Das muss er sein. Ich drücke auf Wählen, und kurz darauf antwortet er.

»Jon hier.«

»Der Fisch ist im Klo!«, zische ich. »Aber ich kann ihn nicht wegspülen!«

»Die Sensoren müssten automatisch die Spülung auslösen.«

»Ich weiß! Aber sie lösen überhaupt nichts aus! Da dümpelt ein toter, blauer Fisch vor sich hin und starrt mich an. Was soll ich machen?«

»Kein Problem. Geh zur Schalttafel neben dem Bett. Du kannst von dort aus spülen. Hey, Eric! Wie läuft's?« Plötzlich ist die Leitung tot. Ich laufe zum Bett hinüber und finde die herausklappbare Schalttafel, eingelassen in die Wand. Ein beängstigendes Digitaldisplay blinkt mich an, und mir entfährt ein leises Stöhnen. Wie kann man in einem Haus leben, das komplizierter als die NASA ist? Wieso muss ein Haus überhaupt intelligent sein? Wieso kann es nicht einfach hübsch und doof sein?

Mit zitternden Fingern drücke ich »Menü«, dann »Überschreiben« und »Optionen«. Ich überfliege die Liste. Temperatur … Beleuchtung … Wo ist das Badezimmer? Wo ist die Klospülung? Bin ich überhaupt an der richtigen Tafel?

Plötzlich fällt mir auf der anderen Seite vom Bett eine weitere herausklappbare Schalttafel auf. Ich hetze hinüber, reiße sie auf und tippe blind darauf herum. Jeden Moment werde ich den blöden Fisch mit bloßen Händen aus dem Wasser holen müssen …

Ein Geräusch lässt mich erstarren. Ein Heulen. Eine Art Sirene in der Ferne. Was um alles in der Welt …

Ich höre auf zu tippen und sehe mir die Schalttafel genauer an. Sie blinkt mich mit roten Worten an. *Alarm – Wohnung sichern.* Da fällt mir auf, dass sich am Fenster was bewegt, und ich sehe, wie sich ein Metallgitter langsam vor die Scheibe senkt.

Was zum …

Panisch tippe ich auf der Schalttafel herum, aber die blinkt nur *Zugang verweigert* und kehrt dann wieder zu *Alarm – Wohnung sichern* zurück.

Oh, mein Gott. Was habe ich angerichtet?

Ich hetze zur Schlafzimmertür und sehe hinunter.

Ich fass es nicht! Es herrscht das reine Chaos.

Hier draußen ist die Sirene sogar noch lauter. Überall senken sich Metallgitter herab, vor den Fenstern, den Gemälden, dem Wasserfall. Wie Geiseln stehen die reichen Gäste mitten im Raum und klammern sich an einander, bis auf einen untersetzten Mann, der neben dem Wasserfall festsitzt.

»Ist das ein Raubüberfall? Sind sie bewaffnet?«, kreischt eine Frau im weißen Hosenanzug hysterisch und reißt an ihren Fingern herum. »George, verschluck meine Ringe!«

»Da ist ein Hubschrauber!« Ein grauhaariger Mann spitzt die Ohren. »Hören Sie doch! Die sind auf dem Dach! Wir sitzen in der Falle!«

Ich starre hinunter, mit rasendem Herzen, starr vor Panik.

»Es kommt aus dem Schlafzimmer!«, ruft einer von Erics Mitarbeitern, der auf der Schalttafel neben dem Kamin nachgesehen hat. »Irgendwer hat den Alarm ausgelöst. Die Polizei ist schon unterwegs.«

Ich habe die Party ruiniert. Eric wird mich umbringen, er wird mich *umbringen* ...

Und dann, ohne Vorwarnung, verstummt der Lärm. Plötzlich wird alles still, als käme die Sonne hinter den Wolken hervor.

»Meine sehr verehrten Damen und Herren.« Ich höre eine Stimme von der Treppe her, und mein Kopf fährt herum. Es ist Jon. Er hält eine Fernbedienung in der Hand und wirft einen kurzen Blick zu mir herauf, bevor er zu den Leuten spricht. »Wir hoffen, Sie hatten Ihren Spaß an unserer kleinen Vorführung. Seien Sie versichert: Wir stehen keineswegs im Begriff, unter die Räuber zu fallen.«

Er macht eine Pause, und einige Leute lachen nervös. Überall im Loft ziehen sich die Gitter wieder zurück. »Allerdings ...«, fährt Jon fort, »... ist es – wie Sie alle wissen – in London heutzutage unerlässlich, sich eingehend Gedanken um seine Sicherheit zu machen. Viele Wohnanlagen versprechen Ihnen Sicherheit. Wir wollten, dass Sie sie am eigenen Leib zu spüren bekommen. Unser System hat MI5-Qualität – zu Ihrem ganz persönlichen Schutz.«

Meine Knie sind vor Erleichterung so weich, dass sie mich kaum noch aufrecht halten können. Er hat mir das Leben gerettet.

Während er spricht, schleiche ich ins Schlafzimmer zurück und stelle fest, dass der blaue Fisch noch immer im Klo schwimmt. Ich zähle bis drei – dann tauche ich angewidert meine Hand ein, greife mir den Fisch und stopfe ihn in meine Handtasche. Ich wasche mir die Hände, dann gehe ich hinaus und sehe, dass mittlerweile Eric das Reden übernommen hat.

»... nach dieser kleinen spektakulären Einlage sehen Sie noch umso deutlicher, dass wir bei Blue Developments Ihre Sorgen besser verstehen als jeder andere«, sagt er gerade. »Sie sind nicht nur unsere Kunden … Sie sind unsere *Partner* in Fragen des perfekten Lifestyles.« Er hebt sein Glas. »Viel Vergnügen bei der Führung.«

Als er zur Seite tritt, wird erleichtertes Geplapper und Gelächter laut. Ich sehe, wie die Frau im weißen Hosenanzug von ihrem Mann drei massive Diamantringe entgegennimmt und sie wieder auf ihre Finger steckt.

Ich warte noch ein paar Minuten, dann schleiche ich unauffällig die Treppe hinunter. Ich greife mir ein Glas Champagner von einem vorübereilenden Kellner und nehme einen großen Schluck. Nie wieder rühre ich irgendwelche Schalttafeln an, jedenfalls nicht in diesem Leben. Und Fische auch nicht. Und Klos erst recht nicht.

»Schätzchen!« Rosalies Stimme lässt mich zusammenzucken. Sie trägt ein knappes, mit Perlen besetztes Kleid in Türkis, und hohe, mit Federn besetzte Schuhe. »Oh, mein *Gott*! War das nicht genial? Da werden morgen ein paar Leute was zu erzählen haben. Alle reden nur noch von diesem hypermodernen Sicherheitssystem. Weißt du, dass es dreihunderttausend kostet? Nur das System allein!«

Dreihunderttausend Pfund, und das Klo spült nicht mal.

»Ja«, sage ich. »Toll!«

»Lexi.« Rosalie betrachtet mich nachdenklich. »Schätzchen … darf ich mal was sagen? Wegen Jon. Ich hab vorhin gesehen, wie du mit ihm geredet hast.«

Plötzlich kommen mir Befürchtungen. Hat sie was gemerkt?

»Ach so!« Ich bemühe mich, sorglos zu klingen. »Ja, nun, er ist Erics Architekt, und wir haben über das Design geplaudert, wie man es halt so tut …«

»Lexi.« Sie nimmt mich beim Arm und zieht mich von den Leuten weg. »Ich weiß ja, du hast dir den Kopf gestoßen.« Sie beugt sich vor. »Aber kannst du dich denn an gar nichts erinnern, was mit Jon zu tun hat? Von früher?«

»Mh … nicht so richtig.«

Rosalie zieht mich noch näher heran. »Schätzchen, ich werde dir mal einen kleinen Schock verpassen«, flüstert sie heiser. »Vor einer Weile hast du mir im Vertrauen etwas erzählt. Von Freundin zu Freundin. Ich hab Eric kein Wort gesagt …«

Ich stehe da wie angewurzelt, meine Finger starr um den Stiel meiner Champagnerflöte. Weiß Rosalie Bescheid?

»Ich weiß, es mag etwas schwer zu glauben sein, aber da war was zwischen dir und Jon, hinter Erics Rücken.«

»Du machst Witze!« Das Blut schießt mir in die Wangen. »Und … was genau?«

»Also, leider muss ich sagen …« Rosalie sieht sich um und kommt näher heran. »Jon hat dich belästigt. Ich dachte, ich sollte dich lieber warnen, falls er es wieder versuchen sollte.«

Einen Moment lang fehlen mir die Worte. Mich *belästigt?* »Wie meinst du das?«, stammle ich schließlich.

»Was glaubst du wohl? Er hat es bei uns allen probiert.« Abschätzig rümpft sie die Nase.

»Du meinst …« Ich kann es nicht fassen. »Du meinst, bei dir hat er es auch versucht?«

»Oh, mein *Gott*, ja!« Sie rollt mit den Augen. »Er hat gesagt, dass Clive mich nicht versteht. Was stimmt«, fügt sie nach kurzer Überlegung hinzu. »Clive ist ein Schwachkopf. Aber das heißt noch lange nicht, dass ich losrenne und mich zur nächsten Kerbe an seinem Bettpfosten machen lasse, oder? Und auf Margo hatte er es auch abgesehen«, fügt sie an und winkt freundlich einer Frau in Grün am anderen Ende des Raumes zu. »*So was* von dreist. Er hat zu ihr gesagt, er kennt sie besser als ihr eigener Mann und sie hätte was Besseres verdient, und er könnte spüren, dass sie eine sinnliche Frau ist … nur so albernes Zeug!« Abfällig schnalzt sie mit der Zunge. »Margos Theorie ist, dass er es auf verheiratete Frauen abgesehen hat und ihnen alles erzählt, was sie hören wollen. Wahrscheinlich gibt es ihm irgendeinen Kick.« Sie schweigt, als sie meine starre Miene sieht. »Schätzchen! Keine *Sorge*. Er ist wie eine lästige Fliege. Du musst ihn nur verscheuchen. Aber bei dir war er ziemlich hartnäckig. Du warst wohl die große Herausforderung. Du weißt schon, weil du mit Eric verheiratet bist und so.« Sie sieht mich an. »Du erinnerst dich an nichts davon?«

Ava kommt mit ein paar Gästen an uns vorbei, und Rosalie strahlt sie an, aber ich bin wie gelähmt.

»Nein«, sage ich schließlich. »Daran kann ich mich nicht erinnern. Und ... was habe ich getan?«

»Du hast ihm ständig gesagt, dass er dich in Ruhe lassen soll. Es war unangenehm. Du wolltest deine Beziehung zu Eric nicht zerstören, du wolltest das Boot nicht ins Wanken bringen ... du hast dich sehr würdevoll verhalten, Schätzchen. Ich hätte ihm einen Drink über den Kopf geschüttet!« Abrupt blickt sie über meine Schulter hinweg. »Süße, ich muss ganz schnell mal eben mit Clive über unser Abendessen sprechen. Er hat den völlig falschen Tisch reservieren lassen, ein absoluter *Alptraum* ...« Sie sieht mich an, plötzlich beunruhigt. »Alles okay? Ich dachte nur, ich sollte dich warnen ...«

»Nein, nein ...« Ich komme zu mir. »Ich bin ja froh, dass du es getan hast.«

»Ich meine, ich weiß doch, dass du auf seine Sprüche nicht reinfällst ...« Sie drückt meinen Arm.

»Natürlich nicht!« Irgendwie zwinge ich ein Lachen hervor. »Nie und nimmer!«

Rosalie mischt sich unter die Partygäste, aber ich bleibe wie angewurzelt stehen. Noch nie in meinem ganzen Leben habe ich mich so erniedrigt gefühlt, so leichtgläubig, so *eitel*.

Ich habe alles geglaubt. Ich bin auf seine Schmeicheleien reingefallen.

Wir haben eine heimliche Affäre … Ich kenne dich besser, als Eric dich je kennen wird …

Alles Quatsch. Er hat meine Amnesie ausgenutzt. Er hat mir Honig um den Bart geschmiert und den Kopf verdreht. Und dabei wollte er mich nur ins Bett kriegen, wie eine … eine Trophäe. Ich fühle mich so was von gedemütigt. Ich *wusste*, dass ich nie eine Affäre anfangen würde! Ich bin kein Mensch, der untreu ist. Bin ich einfach nicht. Ich habe einen anständigen Mann, der mich liebt. Fast hätte ich alles kaputtgemacht.

Aber jetzt nicht mehr. Ich weiß wieder, wo meine Prioritäten liegen. Ich nehme einen ordentlichen Schluck Champagner. Dann mache ich mich gerade und bahne mir einen Weg durch die Menge, bis ich Eric gefunden habe, und hake mich bei ihm unter.

»Liebling. Die Party läuft großartig. Du bist genial.«

»Ich glaube, wir haben es geschafft.« Er wirkt so entspannt wie den ganzen Abend noch nicht. »Ging gerade noch mal gut mit dem Alarm. Aber auf Jon ist eben Verlass. Hey, da ist er ja! Jon!«

Ich klammere mich noch fester an Eric, als Jon zu uns herüberkommt. Ich kann ihn nicht mal ansehen. Eric klopft ihm auf die Schulter und gibt ihm ein Glas Champagner von einem Tablett in der Nähe. »Auf dich!«, ruft er. »Auf Jon!«

»Auf Jon …«, wiederhole ich angespannt und trinke einen kleinen Schluck Champagner. Ich werde einfach so tun, als sei er gar nicht da. Ich werde ihn einfach nicht beachten.

Ein Piepen in meiner Tasche reißt mich aus meinen Gedanken, und ich hole mein Handy hervor, um nachzusehen, von wem ich eine SMS bekommen habe.

Von Jon.

Ich fasse es nicht! Er schreibt mir in Erics Beisein? Hektisch drücke ich »Ansehen«, und die Nachricht erscheint.

Das Old Canal House in Islington, irgendwann abends nach sechs. Wir haben so viel, worüber wir reden müssen.

Ich liebe dich.

J

PS Lösch diese Nachricht.

PPS Was hast du mit dem Fisch gemacht??

Blanker Zorn packt mich. Rosalies Worte klingen mir noch in den Ohren. *Du musst ihn nur verscheuchen.*

»Eine SMS von Amy!«, sage ich zu Eric, mit etwas zu schriller Stimme. »Vielleicht sollte ich gleich antworten ...«

Ohne Jon anzusehen, schreibe ich meine Nachricht. Meine Finger fliegen vom Adrenalin.

Na, klar. Wahrscheinlich findest du es auch noch lustig, eine Frau auszunutzen, die ihr Gedächtnis verloren hat. Okay, ich weiß jetzt, was du für ein Spiel spielst. Ich bin verheiratet. Lass mich in Ruhe.

Ich schicke die SMS ab und stecke mein Handy weg. Gleich darauf wirft Jon einen fragenden Blick auf seine Armbanduhr und sagt beiläufig: »Stimmt meine Uhr? Ich glaube, sie geht vor.« Er zückt sein Handy und sieht auf das Display, als würde er die Zeit vergleichen, aber mir entgeht nicht, dass sich sein Daumen über die Tasten bewegt, dass er die Nachricht liest und vor Schreck zusammenzuckt.

Sofort hat er sich wieder im Griff. »Sie geht sechs Minuten vor«, sagt er und tippt auf dem Handy herum. »Ich stell nur mal eben die Uhr ein ...«

Ich weiß nicht, wieso er sich eigentlich die Mühe macht, eine Ausrede zu erfinden. Eric ist mit seinen Gedanken überhaupt nicht bei der Sache. Drei Sekunden später piept mein Handy wieder, und ich hole es hervor.

»Noch eine SMS von Amy«, sage ich empört. »Sie ist 'ne echte Nervensäge.« Ich werfe Jon einen Blick zu, als ich meinen Finger auf »Löschen« setze, und vor Bestürzung werden seine Augen ganz groß. Ha! Nachdem ich nun die Wahrheit kenne, ist es *offensichtlich*, dass er alles nur vortäuscht.

»Ist das denn eine gute Idee?«, sagt er eilig. »Eine Nachricht zu löschen, ohne sie gelesen zu haben?«

»Die Nachricht interessiert mich nicht.« Ich zucke mit den Schultern.

»Aber wenn man sie gar nicht gelesen hat, weiß man auch nicht, was darin stand …«

»Wie gesagt.« Ich schenke ihm ein süßes Lächeln. »Kein Interesse.« Ich drücke »Löschen«, stelle mein Handy aus und lasse es in meine Handtasche fallen.

»Also!« Eric dreht sich zu uns um, überschwänglich begeistert. »Die Clarksons wollen es sich morgen noch mal ansehen. Ich glaube, das könnte klappen. Das wären dann sechs verkaufte Einheiten, allein heute Abend.«

»Gut gemacht, mein Schatz. Ich bin so stolz auf dich!«, rufe ich und lege mit extravaganter Geste meinen Arm um ihn. »Ich bin noch verliebter als an unserem Hochzeitstag.«

Verwundert runzelt Eric die Stirn. »Aber du kannst dich doch gar nicht an unseren Hochzeitstag erinnern. Dann weißt du doch auch nicht, wie verliebt du warst.«

Himmelarsch. Wieso muss er es auch so *wörtlich* nehmen?

»Also, so verliebt ich auch gewesen sein mag …« Ich versuche, meine Ungeduld zu bändigen. »Jetzt bin ich noch verliebter. Viel verliebter!« Ich stelle mein Champagnerglas ab, werfe Jon einen trotzigen Blick zu und drücke Eric an mich, um ihm einen Kuss zu geben. Den längsten, feuchtesten Guck-mal-wie-verliebt-ich-in-meinen-Mann-bin-und-übrigens-haben-wir-ganz-tollen-Sex-Kuss. Irgendwann versucht Eric, sich von mir loszueisen, aber ich halte ihn noch fester und klebe mit meinem Gesicht an seinem. Endlich, als ich schon denke, dass ich gleich ersticken muss, lasse ich ihn los, wische mir den Mund mit dem Handrücken ab und sehe mich um. Die Leute sind im Aufbruch.

Jon ist nicht mehr da.

FÜNFZEHN

Meine Ehe. Das ist mir das Wichtigste. Von jetzt an werde ich mich auf meine Beziehung mit Eric konzentrieren, sonst nichts.

Am nächsten Morgen bin ich immer noch etwas durch den Wind, als ich zum Frühstück in die Küche komme und den Krug mit dem grünen Saft aus dem Kühlschrank hole. Ich kann doch gestern Abend nur verrückt gewesen sein. Ich bin mit dem Mann meiner Träume verheiratet, und er wurde mir auf einem Silbertablett serviert. Warum sollte ich das alles riskieren? Warum sollte ich irgendeinen wildfremden Kerl küssen, noch dazu in einem Schlafzimmer, egal was für eine Geschichte er mir gerade auftischt?

Wie jeden Morgen schenke ich mir einen klitzekleinen Schwung von dem grünen Saft ein und schwenke ihn herum, damit er nach Bodensatz aussieht. (Ich krieg diesen Froschlaich nicht runter. Aber ich möchte Eric nicht enttäuschen. Für ihn ist der grüne Saft fast so toll wie Loft-Style-Living.) Dann nehme ich ein gekochtes Ei aus dem Topf und schenke mir eine Tasse Tee ein, den Gianna zubereitet hat. Langsam komme ich mit dem kohlenhydratarmen Start in den Tag ganz gut zurecht. Ich esse jeden Morgen ein gekochtes Ei mit Schinken oder wahlweise ein Eiweiß-Omelett.

Und manchmal gönne ich mir auf dem Weg zur Arbeit einen Bagel. Aber nur wenn mein Magen knurrt.

Als ich mich setze, ist in der Küche alles still und friedlich, nur ich selbst bin immer noch nervös. Was wäre, wenn ich die Sache mit Jon noch weiter getrieben hätte? Was wäre, wenn Eric es herausgefunden hätte? Ich hätte alles kaputtgemacht. Ich bin erst seit ein paar Wochen verheiratet, und schon setze ich alles aufs Spiel. Man muss seine Ehe hegen und pflegen. Wie eine Orchidee.

»Morgen!« Im blauen Hemd kommt Eric in die Küche geschlendert, offensichtlich bester Laune. Die gestrige Premiere war die erfolgreichste bisher. »Gut geschlafen?«

»Sehr gut, danke!«

Weder verbringen wir die Nächte im selben Bett, noch haben wir es ein zweites Mal mit Sex versucht. Aber wenn ich meine Ehe hegen und pflegen will, sollte ich vielleicht etwas zugänglicher werden. Ich stehe auf, um den Pfeffer zu holen, und streiche absichtlich an Eric entlang.

»Du siehst toll aus heute Morgen.« Ich lächle zu ihm auf.

»Du aber auch!«

Ich fahre mit der Hand an seinem Kinn entlang. Fragend sieht Eric mich an und nimmt meine Hand. Ich werfe einen Blick auf die Uhr. Die Zeit reicht nicht. Gott sei Dank!

Nein. Das habe ich nicht gedacht.

Meine Einstellung muss *positiv* sein. Sex mit Eric ist bestimmt traumhaft schön. Ich weiß es genau. Vielleicht müssen wir einfach nur das Licht ausmachen. Und die Klappe halten.

»Wie … fühlst du dich?«, sagt Eric mit leicht hintergründigem Lächeln.

»Gut! Ich bin nur etwas in Eile.« Ich lächle ihn an, trete zurück und trinke meinen Tee, bevor er mir einen Quickie am Herd vorschlagen kann. Gott sei Dank scheint die Botschaft anzukommen. Er schenkt sich eine Tasse Tee ein, dann zückt er seinen Blackberry, als dieser piept.

»Ah!«, sagt er und klingt zufrieden. »Eben habe ich eine Kiste 88er Lafite Rothschild ersteigert.«

»Wow!«, sage ich begeistert. »Gut gemacht, Liebling!«

»Elfhundert Pfund«, fährt er fort. »Fast geschenkt.«

Elfhundert Pfund?

»Für … wie viele Flaschen?«, frage ich.

»Eine Kiste.« Er runzelt die Stirn, als verstünde sich das ja wohl von selbst. »Zwölf.«

Das verschlägt mir glatt die Sprache. Elfhundert Pfund für zwölf Flaschen Wein? Tut mir leid, das ist einfach … nicht in Ordnung. Weiß er überhaupt, wie viel elfhundert Pfund *sind*? Dafür könnte ich hundert Flaschen Wein kaufen. Und das wären immer noch eher welche von den Teureren. Und ich hätte noch Geld übrig.

»Lexi, bist du okay?«

»Alles in Ordnung …« Ich komme wieder zu mir. »Ich dachte nur gerade, was für ein Schnäppchen das ist!« Beim letzten Schluck Tee ziehe ich meine Jacke über und nehme die Aktenmappe. »Bye, Darling!«

»Bye-bye, mein Schatz.« Eric kommt zu mir, und wir küssen einander zum Abschied. Langsam fühlt es sich tatsächlich fast normal an. Ich mache meine Jacke zu und bin schon an der Tür, als mir etwas einfällt.

»Sag mal, Eric«, werfe ich so beiläufig wie möglich in den Raum. »Was bedeutet … Montblanc?«

»Montblanc?« Eric dreht sich um und mustert mich ungläubig. »Du machst Witze. Du kannst dich an den Montblanc erinnern?«

Okay. Da habe ich mich ja schön reingeritten. Ich kann wohl kaum sagen: »Nein, Jon hat mir davon erzählt.«

»Ich kann mich nicht wirklich *erinnern*«, improvisiere ich. »Aber mir ist das Wort ›Montblanc‹ eingefallen, und es schien mir irgendwie bedeutsam. Bedeutet es etwas … Bestimmtes?«

»Du wirst es schon noch erfahren, Liebling.« Ich sehe die unterdrückte Freude in Erics Miene. »Bestimmt fällt dir eines Tages alles wieder ein. Mehr will ich vorerst nicht verraten. Aber es ist ein gutes Zeichen!«

»Vielleicht hast du recht!« Ich versuche, seine Begeisterung zu teilen. »Okay … wir sehen uns später!« Ich zermartere mir das Hirn. *Montblanc.* Skifahren? Füllfederhalter? Ein großer, schneebedeckter Berg?

Ich habe nicht den leisesten Schimmer.

An der U-Bahn-Station Victoria steige ich aus, kaufe mir einen Bagel und knabbere auf dem Weg daran herum. Doch als ich dann fast beim Büro bin, vergeht mir plötzlich der Appetit. Ich habe so ein flaues Gefühl in der Magengrube, wie jemand, der nicht zur Schule will.

Fi mag ja wieder meine Freundin sein, sonst aber niemand. Außerdem habe ich in Simon Johnsons Beisein versagt und nach wie vor nicht das Gefühl, als hätte ich irgendwas im Griff. Vor dem Eingang des Gebäudes bleibe ich stehen, starr vor Angst.

Komm schon!, sage ich mir. Der Job bringt dir doch Spaß.

Nein, tut er nicht.

Na gut, dann tut er es eben nicht. Aber ich habe keine Wahl.

Ich raffe alles zusammen, was mir an Entschlossenheit geblieben ist, werfe den Rest vom Bagel in den Mülleimer und schiebe mich durch die Glastüren. Ich steuere schnurstracks auf mein Büro zu, ohne jemanden zu treffen, setz mich an meinen Schreibtisch und ziehe einen Aktenstapel zu mir heran. Dabei fällt mir der gelbe Klebezettel auf, den ich gestern geschrieben habe: *Verkäufe mit Byron besprechen.* Am besten mache ich das jetzt gleich. Ich nehme den Hörer ab, um seine Nummer zu wählen, dann lege ich wieder auf, weil es an der Tür klopft.

»Hallo?«

»Hi. Lexi?« Debs kommt vorsichtig herein. Sie trägt eine türkise Strickjacke mit einem Jeansrock und hält einen Umschlag in der Hand.

»Oh …«, sage ich, denn ich ahne Böses. »Hi, Debs.«

»Wie geht es dir?« Sie klingt verlegen.

»Es geht mir … gut.« Die Tür geht auf, und dort stehen Fi und Carolyn, die sich offenbar ebenfalls in ihrer Haut nicht wohl-fühlen. »Hi!«, rufe ich überrascht. »Ist alles okay?«

»Ich habe ihnen erzählt, was du mir erzählt hast«, sagt Fi. »Wir waren gestern Abend noch was trinken, und da habe ich es ihnen gesagt.«

»Wir hatten ja keine Ahnung«, sagt Debs mit sorgenvoller Miene. »Wir haben dir keine Chance gelassen. Wir dachten, du bist immer noch …« Sie sieht sich um.

»Ein machtgeiler Alptraum«, wirft Carolyn staubtrocken ein.

»Wir haben ein ganz schlechtes Gewissen.« Debs beißt sich auf die Lippe und sieht dabei die anderen an. »Oder?«

»Macht euch keine Gedanken.« Ich ringe mir ein Lächeln ab. Während ich die drei so betrachte, fühle ich mich einsamer als je zuvor. Wir waren einmal Verbündete. Wir waren immer ein Quartett. Aber jetzt haben sie drei Jahre ohne mich gelacht. Sie sind zu einem Trio zusammengewachsen, und ich gehöre nicht mehr dazu.

»Also, ich wollte dir nur das hier geben.« Debs tritt an den Schreibtisch, mit roten Wangen, und hält mir den Umschlag hin. Ich reiße ihn auf und ziehe eine weiße, geprägte Karte hervor. Eine Einladung zur Hochzeit.

»Ich hoffe, ihr könnt kommen.« Debs hat ihre Hände in den Taschen. »Du und Eric.«

Ich fühle mich gedemütigt. Ihre Körpersprache ist unmissver-ständlich. Sie möchte überhaupt nicht, dass wir zu ihrer Hoch-zeit kommen.

»Hör mal, Debs, du musst mich nicht einladen. Es ist nett von dir …« Mit heißem Kopf versuche ich, die Karte wieder in den Umschlag zu stopfen. »Aber ich weiß, dass du gar nicht wirklich …«

»Doch!« Sie nimmt meine Hand, hält mich zurück, und ich

blicke auf. Ihre Augen sind genau wie immer – dunkelblau mit langen, getuschten Wimpern. »Du warst eine meiner besten Freundinnen, Lexi. Ich weiß, es hat sich viel verändert. Aber … du solltest dabei sein.«

»Gut … danke«, murmle ich schließlich. »Ich komme gerne.« Ich drehe die Einladung um, fahre mit dem Finger über die Prägung. »Wie hast du es fertiggebracht, dass sich deine Mutter in letzter Sekunde noch auf neue Gäste einlässt?«

»Sie hätte mich fast erwürgt«, sagt Debs unverblümt, was mich zum Lachen bringt.

»Hat sie gedroht, dir die finanzielle Unterstützung zu streichen?«

»*Genau!*«, ruft Debs, und diesmal fangen wir alle an zu gackern. Seit ich Debs kenne, droht ihre Mum damit. Dabei unterstützt sie sie schon seit zehn Jahren nicht mehr.

»Außerdem haben wir ein paar Muffins geholt«, sagt Fi. »Um uns für gestern zu entschuldigen …« Ihr Satz bricht ab, als es klopft. Simon Johnson steht in der Tür.

»Simon!« Erschrocken setze ich mich auf. »Ich habe Sie gar nicht gesehen!«

»Lexi.« Er lächelt. »Haben Sie einen Moment?«

»Wir gehen schon«, sagt Fi eilig und schiebt die anderen hinaus. »Danke für die … äh … Information, Lexi. Sehr nützlich.«

»Bye, Fi!« Dankbar lächle ich sie an.

»Ich will Sie nicht lange aufhalten«, sagt Simon und schließt die Tür, als die drei gehen. »Ich wollte Ihnen nur die letzten Infos für das Meeting am Montag bringen. Behalten Sie sie bitte für sich. In Ihrer Abteilung verfügen nur Sie und Byron über diese Information.« Er tritt an den Schreibtisch und reicht mir einen Ordner.

»Selbstverständlich.« Ich nicke wie ein Profi. »Danke.«

Als ich den Ordner entgegennehme, sehe ich, dass rechts oben in der Ecke »Juni 07« geschrieben steht, und ich ahne Schreckliches. Ich weiß noch immer nicht, was »Juni 07« bedeutet. Gestern Nachmittag habe ich alle Akten danach durchsucht, aber nichts gefunden. Keine Computerdateien, keine Unterlagen, nichts.

Ich weiß, ich hätte Byron fragen sollen. Aber ich war zu stolz. Ich wollte es selbst herausfinden.

»Ich mach mich gleich daran!« Ich klopfe gegen den Ordner und hoffe, ich wirke überzeugend.

»Gut. Wir sehen uns Montagmittag, Punkt zwölf im Konferenzraum. Ein paar von unseren Frühstücksdirektoren müssen pünktlich wieder los.«

»Bis dann!«, sage ich mit zuversichtlichem Lächeln. »Danke, Simon.«

Sobald er draußen ist, setze ich mich hin und klappe den Ordner auf. Oben auf der ersten Seite steht »Zusammenfassung«, und ich überfliege den Text. *Juni 07 … umfassende Umstrukturierung … Neuausrichtung auf dem Markt … allgemeines Umdenken …*

Sekunden später lehne ich mich überwältigt zurück. Kein Wunder, dass es so ein Riesengeheimnis ist. Der ganze Betrieb wird auf den Kopf gestellt. Wir übernehmen eine Firma für Werbung und Multimedia … wir legen diverse Abteilungen zusammen … ich lese weiter unten.

… als Folge der momentanen Verkaufszahlen … Pläne zur Auflösung …

Was?

Ich lese die Worte noch mal. Und noch mal.

Mir läuft es eiskalt über den Rücken. Ich sitze wie erstarrt auf meinem Stuhl und lese die Zeilen immer wieder. Das kann doch nicht … das *kann* einfach nicht bedeuten, was ich glaube …

Ein Adrenalinstoß lässt mich aufspringen und auf den Flur

hinauslaufen. Simon steht drüben bei den Fahrstühlen und unterhält sich mit Byron.

»Simon!« In Panik schnappe ich nach Luft. »Könnte ich Sie noch mal kurz sprechen?«

»Lexi.« Als er aufblickt, sehe ich ihm die leise Verärgerung an.

»Hi.« Ich drehe mich um, will sichergehen, dass uns niemand belauscht. »Ich wollte nur … nur … ein paar Sachen klären. Diese Pläne, die Abteilung Bodenbeläge aufzulösen …« Ich tippe auf den Ordner. »Das kann doch nicht bedeuten … Sie können doch nicht ernstlich …«

»Endlich hat sie es begriffen.« Byron verschränkt die Arme und schüttelt derart amüsiert den Kopf, dass ich ihm am liebsten eine reinhauen würde. Er *wusste* davon?

Simon seufzt. »Lexi, wie Sie wissen, haben wir das alles oft genug besprochen. Der Markt da draußen ist hart. Sie haben gemeinsam mit Ihren Leuten wahre Wunder geleistet. Dafür sind wir Ihnen dankbar, und Sie persönlich werden ja auch belohnt. Nur ist die Abteilung leider nicht zu halten.«

»Aber Sie können doch die Abteilung Bodenbeläge nicht einfach dichtmachen! Die ist das Herzstück von Deller Carpets! Damit hat die Firma angefangen!«

»Nicht so laut!«, fährt mich Simon an. Seine Miene hat nichts Freundliches mehr an sich. »Lexi, derart hinderliches Verhalten kann ich nicht dulden. Das ist in höchstem Maße unprofessionell.«

»Aber …«

»Machen Sie sich keine Sorgen. Sie und Byron werden beide neue Rollen in der Geschäftsleitung bekommen. Das ist alles schon sorgfältig ausgearbeitet. Für diesen Unsinn habe ich keine Zeit.« Der Fahrstuhl kommt, und er steigt ein.

»Aber, Simon …«, sage ich verzweifelt. »Sie können doch nicht die ganze Abteilung so einfach *feuern* …«

Zu spät. Die Fahrstuhltüren haben sich geschlossen.

»Man nennt es nicht mehr *feuern*«, höre ich Byrons bissige Stimme hinter mir. »Man sagt *freistellen*. Sie sollten Ihre Formulierungen schon korrekt wählen.«

»Wie können Sie einfach so dastehen?« Erbost fahre ich herum. »Und wieso wusste ich nichts davon?«

»Oh, nein, hatte ich es Ihnen denn nicht erzählt?« Mit gespielter Selbstverachtung schnalzt Byron mit der Zunge. »Verzeihen Sie, Lexi. Ich bin mir nie sicher, ab wann Sie – wie soll ich sagen – *alles* vergessen haben …«

»Wo sind die Akten? Warum habe ich sie nicht vorher zu sehen bekommen?«

»Vielleicht hatte ich sie verliehen.« Er zuckt mit den Schultern und hält auf sein Büro zu. »Ciao.«

»Nein! Moment mal!« Ich drängle mich hinter ihm mit hinein und schließe die Tür. »Ich verstehe nicht. Warum wird die Abteilung geschlossen?«

»Haben Sie sich in letzter Zeit mal die Verkaufszahlen angesehen?« Byron verdreht die Augen.

»Die sind raufgegangen!«, erwidere ich, bevor ich mich bremsen kann, denn ich weiß, dass das der falsche Ansatz ist.

»Um drei Prozent!«, sagt Byron spöttisch. »Lexi, Teppichböden sind ein alter Hut. Es ist uns nicht gelungen, in die anderen Märkte für Bodenbeläge einzudringen. Sehen Sie es endlich ein. Die Sache ist längst gegessen.«

»Aber wir dürfen die Abteilung nicht auflösen! Diese alten Teppichmuster sind Klassiker! Was ist mit … Läufern?«

Ungläubig starrt Byron mich einen Moment lang an, dann bricht er in schallendes Gelächter aus.

»Sie sind zum Schreien, wissen Sie das?«

»Wieso?«

»Sie wissen aber schon, dass Sie sich wiederholen, oder? Das alles haben Sie schon beim ersten Krisenmeeting gesagt. ›Wir könnten aus den Teppichen Läufer machen!'«, äfft er mich mit schriller Stimme nach. »Geben Sie es doch auf!«

»Aber alle werden ihren Job verlieren! Das ganze Team!«

»Ja. Schade.« Er setzt sich an den Schreibtisch und deutet zur Tür. »Ich habe zu tun.«

»Sie sind ein *Schwein*!«, sage ich mit zitternder Stimme. Ich stolziere aus seinem Büro und knalle die Tür hinter mir zu, mit dem Ordner unterm Arm. Mein Atem geht immer schneller, bis ich schon fürchte, dass ich gleich hyperventiliere. Ich muss das alles lesen. Ich muss nachdenken ...

»Lexi!« Mein Kopf zuckt hoch, und instinktiv presse ich den Ordner fest an meine Brust. Fi steht in der Tür zum großen Büro und winkt mir. »Komm rein! Nimm dir einen Muffin!«

Einen Moment lang starre ich sie sprachlos an.

»Jetzt komm schon!« Sie lacht. »Simon Johnson ist doch weg, oder?«

»Äh ... ja«, sage ich heiser. »Ist er.«

»Na, dann komm! Wir warten alle schon!«

Ich kann nicht ablehnen. Ich muss mich normal geben. Ich muss freundlich tun, obwohl ich mich fühle wie ein Atommeiler bei der Kernschmelze.

Fi nimmt meinen Arm ... und als ich ihr ins Büro folge, kriege ich den Schreck meines Lebens. Zwischen zwei Fensterriegeln ist ein Transparent gespannt mit der Aufschrift »WILLKOMMEN LEXI!!!«. Auf dem Aktenschrank steht ein Teller mit frischen Muffins, daneben ein Präsentkorb von Aveda.

»Wir haben dich überhaupt noch nicht willkommen geheißen«, sagt Fi mit rosigen Wangen. »Und wir wollten nur sagen, wie froh wir sind, dass du nach deinem Autounfall wiederhergestellt bist.« Sie wendet sich an die anderen. »Diejenigen, die Lexi noch nicht kannten, als ... Ich wollte nur sagen: Ich glaube, dieser Unfall hat einiges verändert. Ich weiß, sie wird uns eine wunderbare Chefin sein, und wir sollten geschlossen hinter ihr stehen. Auf dich, Lexi!«

Sie hebt ihren Kaffeebecher, und alle applaudieren.

»Ich danke euch«, presse ich hervor. »Ihr seid … wunderbar.«

Und demnächst werden sie alle ihren Job verlieren. Sie ahnen nichts. Und sie haben mir Muffins und einen Präsentkorb mitgebracht.

»Trink erst mal einen Kaffee.« Fi bringt mir einen Becher. »Komm, ich nehm dir deinen Ordner ab …«

»Nein!«, keuche ich und drücke ihn fest an mich. »Das ist … ziemlich geheim …«

»Da stehen unsere Prämien drin, was?«, sagt Debs grinsend und knufft mich. »Pass auf, dass sie schön groß ausfallen, Lexi! Ich brauch 'ne neue Handtasche!«

Irgendwie bringe ich ein krankes Lächeln zustande. Das alles ist ein böser Traum.

Als ich schließlich um halb sechs Feierabend mache, ist der Alptraum noch nicht vorbei. Übers Wochenende muss ich mir irgendwie ein Plädoyer für den Erhalt der Abteilung Bodenbeläge einfallen lassen. Dabei weiß ich gar nicht genau, was das Problem ist, geschweige denn wie eine Lösung aussehen könnte. Als ich im Fahrstuhl auf den Knopf fürs Erdgeschoss drücke, zwängt sich Byron mit hinein, im Mantel.

»Arbeit für zu Hause?« Er zieht die Augenbrauen hoch, als er meine vollgestopfte Aktenmappe sieht.

»Ich muss die Abteilung retten«, sage ich knapp. »Ich werde das ganze Wochenende arbeiten, um eine Lösung zu finden.«

»Das soll doch wohl ein Witz sein, oder?« Ungläubig schüttelt Byron den Kopf. »Lexi, haben Sie denn den Vorschlag nicht richtig gelesen? Für Sie und für mich wird alles *besser*. Es wird ein neues Strategie-Team geben. Wir werden mehr Einfluss haben, größere Kompetenz …«

»Darum geht es nicht!«, schreie ich vor Wut. »Was ist mit unseren Freunden, denen *gar nichts* bleibt?«

»Buhuhu … mir blutet das Herz«, entgegnet Byron. »Die werden schon Arbeit finden.« Er zögert, mustert mich. »Das hat Sie doch früher auch nicht gestört.«

Es dauert ein paar Sekunden, bis seine Worte bei mir angekommen sind. »Was wollen Sie damit sagen?«

»Bevor Sie diesen Unfall hatten, waren Sie voll dafür, die Abteilung aufzulösen. Mehr Einfluss für uns beide, mehr Geld … was könnte man dagegen haben?«

Es läuft mir kalt über den Rücken.

»Das glaube ich Ihnen nicht.« Meine Stimme klingt abgehackt. »Das glaube ich Ihnen nicht. Ich hätte meine Freunde *nie* verraten.«

Mitleidig sieht Byron mich an.

»Doch, hätten Sie. Sie sind keine Heilige, Lexi. Wozu auch?« Die Türen gehen auf, und er steigt aus dem Fahrstuhl.

Wie in Trance stehe ich im Kaufhaus Langridge auf der Rolltreppe. Um sechs Uhr habe ich einen Termin bei Ann, meiner persönlichen Stilberaterin. Nach dem Ehe-Handbuch zu urteilen, sehen wir uns vierteljährlich, sie sucht mir ein paar »Stücke« aus, und wir arbeiten am »Look« der Saison.

»Lexi! Wie *geht* es Ihnen?«, höre ich eine Stimme, als ich den Empfangsbereich betrete. Ann ist zierlich, mit kurzem, dunklem Haar, engen, schwarzen Fifties-Hosen und einem übermächtigen Parfüm, von dem mir fast übel wird. »Ich war *untröstlich*, als ich von Ihrem Unfall erfahren habe!«

»Es geht mit gut, danke. Ich bin wieder auf dem Damm.« Ich versuche ein Lächeln zustande zu bringen.

Ich hätte diesen Termin absagen müssen. Ich weiß überhaupt nicht, was ich hier soll.

»Sehr schön! Also, ich habe hier ein paar *hinreißende* Stücke für Sie.« Ann schiebt mich in eine Kabine und präsentiert mir mit großer Geste einen ganzen Schwung Kleider. »Sie sehen hier ganz neue Formen und Schnitte, aber ich glaube, die können Sie ohne Weiteres tragen …«

Was redet sie da? Neue Formen und Schnitte? Es sind ausschließlich Kostüme in neutralen Farben. Davon habe ich schon einen ganzen Schrank voll.

Ann zeigt mir eine Jacke nach der anderen, redet über Taschen und Längen, aber ich verstehe kein Wort. Irgendetwas summt in meinem Kopf, als hätte sich ein Insekt darin verirrt. Es wird lauter und lauter …

»Haben Sie noch was anderes?«, unterbreche ich sie unvermittelt. »Haben Sie irgendwas … *Lebhafteres*?«

»Lebhafteres?«, wiederholt Ann verunsichert. Sie zögert, dann greift sie nach einer beigefarbenen Jacke. »Die hier hat ungemein Flair …«

Ich trete aus der Kabine in den Verkaufsraum und schnappe nach Luft. Mir rauscht das Blut in den Ohren.

»Das hier!« Ich schnappe mir einen dunkelroten Minirock mit hellen Punkten. »Der ist schick. Damit könnte ich abends auf die Piste gehen.«

Ann sieht mich an, als müsste sie gleich in Ohnmacht fallen.

»Lexi«, sagt sie schließlich. »Das … ist nicht gerade das, was ich als *Ihren Stil* bezeichnen würde.«

»Na, ich aber.« Trotzig greife ich mir einen silbernen Mini. »Und der hier.«

Genau so was würde ich mir bei New Look aussuchen, für einen Bruchteil des Preises.

»Lexi.« Ann kneift mit Daumen und Zeigefinger ihren Nasensattel und atmet zweimal tief durch. »Ich bin Ihre Stylistin. Ich weiß, was Ihnen steht. Sie pflegen einen tragbaren, attraktiven, geschäftsmäßigen Look, den wir mit Zeit und Mühe herausgearbeitet haben …«

»Er ist lahm. Einfach nur langweilig.« Ich nehme ihr ein beigefarbenes, ärmelloses Kleid vom Arm und halte es hoch. »Das bin ich nicht. Bin ich einfach nicht.«

»Lexi … das *sind* Sie!«

»Bin ich nicht! Ich brauche Spaß. Ich brauche Farbe.«

»Sie schwören seit Jahren auf Beige und Schwarz.« Anns Miene wirkt verspannt. »Lexi, Sie haben mir bei unserem ersten Treffen *explizit* erklärt, Sie bräuchten eine schlichte, funktionierende Garderobe in neutralen Farben …«

»Das ist lange her, okay?« Ich versuche, meinen Zorn zu bändigen, aber es ist, als blubbere alles, was an diesem Tag passiert ist, mit einer Woge der Verzweiflung an die Oberfläche. »Möglicherweise hat sich manches verändert. Möglicherweise habe *ich* mich verändert.«

»Das hier …« Wieder kommt Ann mit einem beigefarbenen Kostüm an. »*Das* sind Sie.«

»Bin ich nicht.«

»Sind Sie wohl.«

»Das bin ich nicht! Ich bin nicht diese Frau! Ich will nicht!« In meinen Augen brennen Tränen.

Abrupt fange ich an, Haarklemmen aus meinem Dutt zu ziehen, kann es plötzlich kaum erwarten, ihn loszuwerden. »Ich bin nicht die Sorte Mensch, die beigefarbene Kostüme trägt! Ich bin nicht die Sorte Mensch, die ihr Haar jeden Tag zum Dutt verknotet! Ich bin nicht die Sorte Mensch, die tausend Pfund für Wein ausgibt. Ich bin nicht die Sorte Mensch, die … die ihre Freunde verrät …«

Mittlerweile schluchze ich fast. Der Dutt will sich nicht lösen, und überall stehen Strähnen von meinem Kopf ab, wie bei einer Vogelscheuche. Tränen laufen mir über die Wangen. Mit dem Handrücken wische ich sie ab, und Ann will mir das beigefarbene Kleid aus der Hand reißen.

»Keine Tränen aufs Armani!«, schnauzt sie mich an.

»Hier!« Ich drücke es ihr in die Hand. »Viel Spaß damit.« Und ohne ein weiteres Wort marschiere ich hinaus.

Ich gehe ins Café im Erdgeschoss, gönne mir eine heiße Schokolade und zupfe dabei die restlichen Klemmen aus meinem Dutt. Dann bestelle ich mir noch eine Schokolade, diesmal mit einem Doughnut. Nach einer Weile haben sich die Kohlenhydrate wie ein warmes, weiches Kissen in meinem Magen eingerichtet, und ich fühle mich schon besser. Es muss irgendwie gehen, es *muss* einfach! Ich werde das ganze Wochenende arbeiten, ich werde eine Lösung finden, ich werde die Abteilung retten …

Da piept es in meiner Tasche. Ich hole das Handy hervor. Es ist eine SMS von Eric.

Wie geht es dir? Machst du Überstunden?

Als ich diese Worte sehe, bin ich plötzlich richtig gerührt. Sehr sogar. Eric denkt an mich. Er sorgt sich um mich.

Ich komme jetzt nach Hause, schreibe ich zurück. Du hast mir heute gefehlt!!

Es stimmt eigentlich nicht, klingt aber hübsch.

Du hast mir auch gefehlt!, kommt sofort zurück.

Ich wusste, dass es einen Sinn hat, zu heiraten. Und hier zeigt er sich nun. Jemand sorgt sich um dich, wenn alles Scheiße ist. Jemand muntert dich auf. Allein schon Eric eine SMS zu schicken, wärmt mich unendlich mehr als die heiße Schokolade. Gerade überlege ich mir eine Antwort, als mein Handy wieder piept. Lust auf einen Montblanc?? :) :)

Wieder dieser Montblanc. Was *ist* das? Ein Cocktail vielleicht?

Nun, offensichtlich scheint es Eric einiges zu bedeuten. Und es gibt nur eine Möglichkeit, es herauszufinden.

Wunderbar!, schreibe ich zurück. Kann es kaum erwarten!

Dann nehme ich meine Tasche, verlasse das Kaufhaus und winke mir ein Taxi herbei.

Ich brauche etwa zwanzig Minuten bis nach Hause, und in dieser Zeit sehe ich drei Schriftstücke durch, eins deprimierender als das andere. In der gesamten Firmengeschichte waren die Teppichverkäufe noch nie so schlecht wie heute, und dabei boomen alle anderen Abteilungen. Schließlich klappe ich den Aktenordner zu und starre aus dem Fenster. In meinem Kopf rotiert es. Könnte ich doch nur einen Sanierungsplan aufstellen … ich *weiß*, dass die Marke Deller Carpets noch Wert hat …

»Junge Frau?« Der Taxifahrer reißt mich aus meinen Gedanken. »Wir sind da.«

»Oh, ja. Danke.« Ich krame nach meinem Portemonnaie, als mein Handy wieder piept.

Ich bin bereit!

Bereit? Es wird immer mysteriöser.

Steh gerade vor der Tür! Bis gleich!, texte ich eilig zurück und reiche dem Fahrer die Scheine.

Als ich in die Wohnung komme, ist das Licht gedimmt. Es scheint mir auf »Verführung« eingestellt zu sein. Musik läuft so leise, dass man sie kaum hören kann. Ansonsten ist alles still.

»Hi!«, rufe ich vorsichtig, als ich meinen Mantel aufhänge.

»Hi!«

Erics leise Stimme scheint aus dem Schlafzimmer zu kommen. Aus meinem Schlafzimmer.

Nun. Offiziell ist es – vermutlich – unser Schlafzimmer.

Ich werfe einen Blick in den Spiegel und glätte mein zerzaustes Haar. Dann gehe ich durch den Wohnbereich zum Schlafzimmer. Die Tür steht einen Spaltbreit offen. Ich kann ins Zimmer sehen. Einen Moment lang stehe ich da und frage mich, was hier eigentlich los ist. Dann gebe ich der Tür einen Schubs. Als ich sehe, was ich sehe, schreie ich fast.

Das ist der Montblanc? *Das* ist der Montblanc?

Eric liegt auf dem Bett. Splitterfasernackt. Bis auf den Schlagsahneberg auf seinem Genitalbereich.

»Hallo, Liebling.« Mit vielsagendem Zwinkern zieht er die Augenbrauen hoch, dann blickt er an sich herab. »Guten Appetit!«

Appetit?

Guten?

Guten *Appetit?*

Starr vor Entsetzen betrachte ich den cremigen Berg. Jede einzelne Zelle in meinem Körper sagt mir, dass ich keinen Appetit habe.

Aber ich kann mich doch nicht einfach abwenden und weglaufen, oder? Ich darf ihn nicht zurückweisen. Er ist mein Mann. Offenbar machen wir … so was.

Oh Gott, oh Gott …

Vorsichtig nähere ich mich dem sahnigen Gipfel. Ohne recht zu wissen, was ich da tue, nehme ich mit ausgestrecktem Zeigefinger etwas von der Spitze des Berges und lecke den Finger ab.

»Die ist … die ist süß!« Meine Stimme klingt ganz brüchig.

»Mit Süßstoff.« Eric strahlt mich an.

Nein. Nein. Tut mir leid. Das geht … das geht überhaupt nicht. Nie im Leben. Ich muss mir eine Ausrede einfallen lassen …

»Mir wird schwindlig!« Die Worte kommen aus dem Nichts. Ich schlage meine Hände vor die Augen und weiche vom Bett zurück. »Oh, mein Gott. Ich habe einen Flashback!«

»Einen *Flashback*?« Eric setzt sich auf.

»Ja! Plötzlich konnte ich mich an … unsere Hochzeit erinnern«, improvisiere ich. »Es war nur ein kurzes Bild von dir und mir, aber ganz deutlich. Ich war so überrascht …«

»Setz dich, Liebling!« Eric sieht mich voll Sorge an. »Ganz ruhig. Vielleicht kommen dir noch mehr Erinnerungen.«

Er ist so voller Hoffnung, dass ich mich für meine Lüge

schäme. Aber es ist doch immer noch besser, als die Wahrheit zu sagen, oder?

»Ich sollte mich lieber einen Moment nebenan hinlegen, wenn du nichts dagegen hast.« Eilig mache ich mich auf den Weg zur Tür, halte mir schützend eine Hand vor die Augen, damit ich den Sahneberg nicht sehen muss. »Tut mir leid, Eric, wo du dir solche … Mühe gegeben hast …«

»Kein Problem! Ich komme mit …« Eric will vom Bett aufstehen.

»*Nein*!« Etwas zu schrill falle ich ihm ins Wort. »Mach du nur … ich komm schon zurecht.«

Bevor er noch etwas sagen kann, flüchte ich hinaus und werfe mich auf das große, cremefarbene Sofa. Um mich herum dreht sich die Welt, ob vom Montblanc-Schock oder dem ganzen Tag … ich weiß es nicht. Ich weiß nur, dass ich mich am liebsten unter einer Decke verkriechen möchte. Ich komme mit meinem Leben einfach nicht zurecht. Überhaupt nicht.

SECHZEHN

Ich kann Eric nicht ansehen, ohne an Schlagsahne zu denken. Letzte Nacht habe ich geträumt, er sei von Kopf bis Fuß aus Schlagsahne gemacht. Der Traum war nicht so toll.

Zum Glück haben wir uns an diesem Wochenende kaum gesehen. Eric musste sich um Firmenkunden kümmern, und ich habe verzweifelt versucht, mir was einfallen zu lassen, wie man die Abteilung Bodenbeläge retten könnte. Ich habe sämtliche Verträge der vergangenen drei Jahre durchgearbeitet. Ich habe mir unsere Lieferanteninfos angesehen. Ich habe unser Kunden-Feedback analysiert. Offen gesagt: Die Lage ist beschissen.

Nicht nur, dass zu wenige Bestellungen eingehen – anscheinend will kein Mensch mehr Teppichboden kaufen. Uns steht obendrein nur ein Bruchteil des Werbe- und Marketingbudgets anderer Abteilungen zur Verfügung. Und wir bekommen keine speziellen Werbekampagnen. In der wöchentlichen Abteilungsleiterkonferenz stehen die Bodenbeläge immer ganz unten auf der Tagesordnung. Wir sind das Aschenputtel der Firma.

Wenn es allerdings nach mir geht, wird das alles anders. Übers Wochenende habe ich mir eine vollständige Umgestaltung ausgedacht. Geld, Mut und gewisse Einsparungen werden nötig sein, aber ich bin zuversichtlich, dass wir die Verkäufe anschieben können. Aschenputtel ging schließlich auch zum Ball ins Schloss, oder? Und ich will die gute Fee sein. Ich *muss* die gute Fee sein. Ich kann nicht zulassen, dass meine Freundinnen ihre Jobs verlieren.

Oh, mein Gott. Schon wieder verkrampft sich mein Magen vor Anspannung. Ich sitze im Taxi auf dem Weg zur Arbeit, mit hochgestecktem Haar und dem Ordner mit meiner Präsentation auf dem Schoß. In einer Stunde findet das Meeting statt. Alle anderen Abteilungsleiter sind entschlossen, für die Auflösung der Abteilung Bodenbeläge zu stimmen. Ich werde meine Argumente gut vertreten müssen, anderenfalls …

Nein. An *anderenfalls* darf ich gar nicht denken. Es muss mir gelingen, es *muss* einfach … Mein Handy piept, und ich rutsche fast vom Sitz – so angespannt bin ich.

»Hallo?«

»Lexi?«, höre ich eine leise Stimme. »Hier ist Amy. Hast du kurz mal Zeit?«

»Amy!«, sage ich erstaunt. »Hi! Offen gesagt, bin ich gerade auf dem Weg zur …«

»Ich steck in Schwierigkeiten.« Sie fällt mir ins Wort. »Du musst kommen. Bitte.«

»Schwierigkeiten?«, sage ich beunruhigt. »Was für Schwierigkeiten?«

»Bitte, komm!« Ihre Stimme bebt. »Ich bin in Notting Hill.«

»Notting *Hill*? Warum bist du nicht in der Schule?«

»Moment mal eben.« Es wird dumpf und raschelt, und ich kann gerade noch hören, dass Amy sagt: »Ich rede gerade mit meiner großen Schwester, okay? Sie kommt.« Dann ist sie wieder dran. »Bitte, Lexi! Bitte, komm her! Ich hab mich da in was reingeritten.«

So habe ich Amy noch nie erlebt. Sie klingt verzweifelt.

»Was hast du *angestellt*?« Meine Gedanken rasen, während ich mir vorzustellen versuche, worauf sie sich eingelassen hat. Drogen? Kredithaie?

»Ich bin an der Ecke Ladbroke Grove und Kensington Park Gardens. Wie lange brauchst du?«

»Amy …« Ich fasse mich an den Kopf. »Ich kann jetzt nicht!

Ich habe ein echt wichtiges Meeting. Kannst du nicht Mum anrufen?«

»Nein!« Amys Stimme quiekt vor Panik. »Lexi, du hast gesagt, dass ich dich immer anrufen kann, dass du meine große Schwester bist, dass du für mich da bist.«

»Aber ich meinte nicht … ich hab gleich eine Präsentation …« Mein Satz erstirbt, als mir plötzlich bewusst wird, wie mau das klingt. »Hör zu, normalerweise jederzeit …«

»Okay.« Plötzlich klingt sie ganz klein, als wäre sie zehn Jahre alt. »Geh nur zu deinem Meeting. Mach dir keine Gedanken.«

Mein schlechtes Gewissen nagt an mir. Und der nackte Frust. Wieso konnte sie mich nicht gestern Abend anrufen? Wieso sucht sie sich genau den falschen Moment aus?

»Amy, raus damit: Was ist *passiert*?«

»Ist doch egal. Geh du zu deinem Meeting. Entschuldige, dass ich dich belästigt habe.«

»Hör auf! Lass mich kurz überlegen.« Blindlings starre ich aus dem Fenster, gestresst, unentschlossen … In einer Dreiviertelstunde ist das Meeting. Ich kann nicht, wirklich nicht.

Oder vielleicht doch, wenn ich direkt hinfahre. Es sind nur zehn Minuten bis nach Notting Hill.

Aber ich darf auf keinen Fall zu spät zum Meeting kommen. Auf *keinen* Fall …

Und plötzlich höre ich aus der knisternden Leitung die Stimme eines Mannes. Erst sagt er was, dann brüllt er. Ich starre mein Handy an, und mir wird ganz kalt. Ich kann meine kleine Schwester nicht im Stich lassen. Was ist, wenn sie es mit einer Bande zu tun hat? Was ist, wenn sie gleich zusammengeschlagen wird?

»Amy, halt durch!«, rufe ich. »Ich komme!« Ich beuge mich vor und klopfe an die Trennscheibe. »Wir müssen einen kleinen Umweg über Notting Hill nehmen. So schnell Sie können, bitte!«

Das Taxi düst den Ladbroke Grove hinauf. Ich beuge mich vor, spähe verzweifelt durch die Scheibe, versuche, Amy zu finden … und sehe plötzlich einen Streifenwagen. An der Ecke Kensington Park Gardens.

Mir bleibt das Herz stehen. Ich komme zu spät. Sie wurde erschossen. Sie wurde erstochen.

Kraftlos vor Entsetzen werfe ich dem Fahrer sein Geld zu und steige aus dem Taxi. Vor dem Streifenwagen hat sich eine Menschenmenge versammelt und versperrt mir die Sicht. Alle glotzen, zeigen auf etwas und reden wild auf einander ein. Verfluchte Gaffer.

»Entschuldigung!« Meine Stimme will nicht richtig, als ich mich der Menge nähere. »Sie ist meine Schwester! Lassen Sie mich bitte durch …« Irgendwie schaffe ich es, mich durch die Anoraks und Jeansjacken zu zwängen und mache mich für das bereit, was ich vielleicht gleich sehen werde …

Und da ist Amy. Weder erschossen noch erstochen. Sie sitzt auf einer Mauer, mit einer Polizistenmütze auf dem Kopf, und sieht ganz fröhlich aus.

»Lexi!« Amy wendet sich dem Polizisten zu, der neben ihr steht. »Da ist sie! Ich sag doch, dass sie kommt …«

»Was ist hier los?«, frage ich und bebe vor Erleichterung. »Ich dachte, du steckst in Schwierigkeiten!«

»Ist das Ihre Schwester?«, sagt der Polizist. Er ist blond und stämmig, mit kräftigen Unterarmen voller Sommersprossen. Auf einem Klemmbrett macht er sich Notizen.

»Äh … ja.« Mein Mut verlässt mich. »Hat sie schon wieder was geklaut? Was ist los?«

»Ich fürchte, die junge Dame hat Probleme. Sie hat arglose Touristen hinters Licht geführt. Wir haben hier ein paar aufgebrachte Bürger.« Er deutet auf die Menge. »Mit Ihnen hat das nichts zu tun, oder?«

»Nein! Natürlich nicht! Ich weiß nicht mal, wovon Sie reden!«

»Promi-Führung.« Er reicht mir ein Flugblatt, zieht die Augenbrauen bis fast in den Himmel hoch. »Quasi.«

Ungläubig lese ich das knallgelbe Flugblatt, das offenbar am Computer zusammengeschustert wurde.

Undercover Promi-Tour durch London

Zahlreiche Hollywood-Stars haben sich in London niedergelassen. Spionieren Sie ihnen auf dieser einzigartigen Führung nach. Sehen Sie:

– Madonna beim Wäscheaufhängen
– Gwyneth in ihrem Garten
– Elton ganz entspannt zu Hause

Beeindrucken Sie Ihre Freunde mit Insider-Klatsch! £ 10 pro Person inklusive kostenlosem Reiseführer.

Wichtig: Wenn Sie die Stars ansprechen, wäre es möglich, dass diese ihre Identität bestreiten. Lassen Sie sich nicht beirren! Das gehört dazu, wenn man inkognito lebt!

Ratlos blicke ich auf. »Ist das ernst gemeint?« Der Polizist nickt.

»Ihre Schwester führt Leute durch London und erzählt ihnen, sie bekämen Prominente zu sehen.«

»Und wen sehen sie?«

»Nun. Leute wie die da.« Er zeigt zur anderen Straßenseite, wo eine schlanke Blondine in Jeans und hipper Tunikabluse auf den Stufen eines großen, weißen Altbaus steht, mit einem kleinen Mädchen von zwei Jahren auf dem Arm.

»Verdammt, ich bin nicht Gwyneth Paltrow!«, bellt sie ein paar Touristen in Burberry-Mänteln an. »Und: Nein, Sie können kein Autogramm bekommen!«

Sie sieht tatsächlich aus wie Gwyneth Paltrow. Sie hat genauso langes, glattes Haar und ein ähnliches Gesicht. Nur etwas älter und verhärmter.

»Gehören Sie zu der da?« Die Gwyneth-Doppelgängerin hat mich entdeckt und kommt die Treppe herunter. »Ich möchte Anzeige erstatten. Seit einer Woche fotografieren die Leute mein Haus und belästigen mich … *zum letzten Mal: Sie heißt NICHT Apple!*« Sie wendet sich einer jungen Japanerin zu, die dem kleinen Mädchen »Apple! Apple!« zuruft, damit es in die Kamera sieht.

Die Frau ist außer sich. Ich kann es ihr nicht verdenken.

»Je öfter ich den Leuten versichere, dass ich nicht Gwyneth Paltrow bin, desto eher glauben sie, ich bin es doch«, sagt sie zu dem Polizisten. »Ich habe keine Chance. Ich kann nur noch umziehen!«

»Sie sollten sich geschmeichelt fühlen!«, sagt Amy unbekümmert. »Man hält Sie für eine Oscar-Gewinnerin!«

»Man sollte dich einsperren!«, knurrt die Nicht-Gwyneth. Sie sieht aus, als würde sie Amy am liebsten eine kleben.

Wenn ich ehrlich sein soll, würde ich das auch gern.

»Ich werde Ihre Schwester offiziell verwarnen müssen.« Der Polizist wendet sich mir zu, während eine seiner Kolleginnen taktvoll einschreitet und die Nicht-Gwyneth wieder zu ihrem Haus führt. »Ich kann Sie in Ihre Obhut übergeben, aber erst, wenn Sie diese Formulare ausgefüllt und einen Termin auf dem Revier vereinbart haben.«

»Meinetwegen«, sage ich und werfe Amy einen mörderischen Blick zu. »Alles, was Sie sagen.«

»Verpiss dich!« Nicht-Gwyneth schnauzt einen pickligen Jungen an, der hoffnungsvoll hinter ihr herläuft, mit einer CD in der Hand. »Nein, die kann ich Chris Martin *nicht* geben! Verdammt, ich steh nicht mal auf Coldplay!«

Amy saugt ihre Wangen ein, um nicht laut loszulachen.

Ja. Sehr witzig. Wir amüsieren uns königlich. Ich muss ja auch nicht dringend irgendwo anders sein.

So schnell wie möglich fülle ich die Formulare aus und mache einen dicken Punkt hinter meiner Unterschrift.

»Können wir jetzt gehen?«

»Na gut. Behalten Sie das Mädchen bloß im Auge«, fügt der Polizist hinzu, als er mir eine Durchschrift und ein Info-Blatt reicht, auf dem steht »Was Sie über einen polizeilichen Verweis wissen müssen«.

Im Auge behalten? Wieso sollte *ich* sie im Auge behalten?

»Klar.« Ich lächle schmal und stopfe alles in meine Tasche. »Ich werde mein Bestes tun. Komm, Amy!« Ich werfe einen Blick auf meine Armbanduhr und erstarre. Es ist schon zehn vor zwölf.

»Schnell! Wir müssen ein Taxi finden!«

»Aber ich will zur Portobello- …«

»*Wir müssen ganz schnell ein Taxi finden!*«, schreie ich. »Ich muss zu meinem Meeting!« Sie guckt ganz entgeistert und sucht brav die Straße ab. Schließlich halte ich ein Taxi an und schiebe Amy hinein.

»Zur Victoria Palace Road, bitte. So schnell Sie können!«

Ich bin nie im Leben pünktlich da. Aber immerhin verpasse ich nicht alles und kann mein Sprüchlein aufsagen.

»Lexi … danke«, sagt Amy kleinlaut.

»Schon gut.« Während das Taxi über den Ladbroke Grove zurückfährt, starre ich auf die Straße. Verzweifelt versuche ich, Ampeln zum Umspringen und andere Autos zum Spurwechsel zu bewegen. Aber plötzlich bewegt sich überhaupt nichts mehr. So schaffe ich es nie im Leben.

Ruckartig reiße ich mein Handy hervor, wähle die Nummer von Simon Johnsons Vorzimmer und warte, bis sich Natasha, seine persönliche Assistentin, meldet.

»Hi, Natasha«, sage ich und versuche, so gelassen und professionell wie möglich zu klingen. »Lexi hier. Ich werde mich etwas verspäten, aber ich möchte unbedingt auf dem Meeting noch etwas sagen. Könnten Sie ihnen mitteilen, dass sie auf mich warten sollen? Ich sitze hier im Taxi fest.«

»Natürlich«, sagt Natasha freundlich. »Ich werde es weitergeben. Bis später.«

»Danke!«

Ich lege auf und lehne mich auf meinem Sitz zurück, schon etwas ruhiger.

»Tut mir leid«, sagte Amy plötzlich.

»Ja. Bestimmt.«

»Nein, wirklich. Tut es.«

Ich seufze und sehe Amy zum ersten Mal richtig an, seit wir im Taxi sitzen. »Warum tust du so was, Amy?«

»Um Geld zu verdienen.« Sie zuckt mit den Schultern. »Wieso auch nicht?«

»Weil man dafür richtig Ärger kriegt! Kannst du dir nicht einen Job suchen, wenn du Geld brauchst? Oder Mum bitten?«

»Mum bitten …«, wiederholt sie verächtlich. »Mum hat selbst kein Geld.«

»Okay, vielleicht hat sie nicht viel Geld …«

»Sie hat *überhaupt* kein Geld. Was meinst du, wieso das Haus in sich zusammenfällt? Was meinst du, wieso die Heizung nie an ist? Den halben Winter habe ich mich zu meiner Freundin Rachel verdrückt. Die heizen wenigstens. Wir sind pleite.«

»Das ist ja komisch«, sage ich verdutzt. »Wie kommt das? Hat Dad denn Mum nichts hinterlassen?«

Ich weiß, dass ein paar von Dads Geschäften nicht ganz astrein waren. Aber es waren so viele, und ich weiß, dass Mum mit einem kleinen Vermögen gerechnet hatte, falls er sterben sollte. Nicht dass sie es je zugegeben hätte.

»Weiß nicht. Jedenfalls nicht viel.«

»Wie dem auch sei: So kannst du nicht weitermachen. Im Ernst. Du wirst noch im Gefängnis landen.«

»Soll mir recht sein.« Amy wirft ihr blaugesträhntes Haar nach hinten. »Gefängnis ist cool.«

»Gefängnis ist überhaupt nicht *cool*!« Ich starre sie an. »Wie kommst du nur darauf? Es ist eklig! Es ist dreckig! Alle haben grauenhafte Frisuren, und du darfst dir die Beine nicht rasieren und auch keine Reinigungsmilch benutzen.«

Ich denke mir das alles aus. Wahrscheinlich haben die im Gefängnis mittlerweile sogar einen Föhn.

»Und da sind auch keine Jungs«, füge ich noch hinzu. »Und es gibt keinen iPod, keine Schokolade und keine DVDs. Du drehst immer nur deine Runden im Gefängnishof.« Das stimmt bestimmt nicht, aber jetzt bin ich voll in Fahrt. »Mit Ketten an den Füßen.«

»Es gibt keine *Fußfesseln* mehr«, sagt Amy spöttisch.

»Man hat sie wieder eingeführt«, lüge ich, ohne mit der Wimper zu zucken. »Speziell für Teenager. Versuchsweise nur. Meine Güte, Amy, liest du denn keine Zeitung?«

Amy wirkt leicht verunsichert. Ha. Das ist meine Rache für Mu-mah.

»Es steckt wohl in meinen Genen.« Sie findet zu ihrem alten Trotz zurück. »Auf der Seite der Gesetzlosen zu stehen.«

»Es steckt nicht in deinen Genen …«

»Dad war im Gefängnis«, erwidert sie triumphierend.

»*Dad*?« Ich starre sie an. »Was soll das heißen: Dad?« Die Vorstellung ist so absurd, dass ich am liebsten lachen möchte.

»War er. Ich hab bei der Beerdigung gehört, wie sich zwei Männer darüber unterhalten haben. Es ist also sozusagen mein Schicksal.« Sie zuckt mit den Schultern und zückt eine Schachtel Zigaretten.

»Schluss damit!« Ich reiße ihr die Zigaretten weg und werfe sie aus dem Fenster. »Dad war nicht im Gefängnis. Du gehst nicht ins Gefängnis. Und es ist nicht cool, es ist arschlangweilig.« Ich überlege einen Augenblick. »Pass auf, Amy … komm mit und mach ein Praktikum bei mir im Büro. Das bringt dir bestimmt Spaß. Du lernst was dabei und verdienst dazu noch ein bisschen Geld.«

»Wie viel?«, fragt sie, wie aus der Pistole geschossen.

Gott, manchmal ist sie aber auch echt nervig!

»Genug! Und vielleicht erzähle ich Mum nichts von dieser Sache.« Ich schwenke das gelbe Flugblatt. »Abgemacht?«

Lange herrscht Schweigen im Taxi. Amy pult am abgeblätterten Nagellack ihres Daumens herum, als gäbe es nichts anderes auf der Welt.

»Okay«, sagt sie schließlich achselzuckend.

Das Taxi hält an einer roten Ampel, und ich krampfe mich zusammen, als ich zum hunderttausendsten Mal auf meine Uhr sehe. Es ist zwanzig nach zwölf. Ich hoffe nur, sie haben etwas später angefangen. Mein Blick schweift wieder zu dem gelben Flugblatt, und etwas widerstrebend muss ich doch grinsen. Es war ein ziemlich genialer Plan.

»Und wer waren deine anderen Prominenten?«, frage ich. »Du hattest doch nicht *wirklich* Madonna vorzuzeigen, oder?«

»Doch, hatte ich!« Amys Augen leuchten. »Diese Frau in Kensington sah genau aus wie Madonna, nur fetter. Alle sind voll drauf reingefallen, besonders nachdem ich gesagt hatte, dass es nur beweist, wie sehr sie immer nachbearbeitet wird. Und ich hatte einen Sting und eine Judy Dench und diesen echt netten Milchmann in Highgate, der Elton John wie aus dem Gesicht geschnitten war.«

»Elton John? Ein Milchmann?« Da muss ich einfach lachen.

»Ich habe erzählt, er leistet manchmal heimlich Sozialarbeit.«

»Und wie um alles in der Welt hast du diese Typen gefunden?«

»Hab mich einfach umgesehen. Gwyneth hatte ich zuerst. Da kam mir die Idee.« Amy grinst. »Die hasst mich *richtig*.«

»Das überrascht mich nicht. Wahrscheinlich hat sie mehr Ärger mit den Fans als die echte Gwyneth Paltrow.«

Das Taxi fährt wieder an. Inzwischen nähern wir uns der Victoria Palace Road. Ich schlage den Ordner für meine Präsentation auf und überfliege die Notizen, damit ich auch nichts Entscheidendes vergesse.

»Die haben *wirklich* gesagt, dass Dad im Gefängnis war«, sagt Amy plötzlich leise. »Das hab ich mir nicht ausgedacht.«

Ich weiß nicht, was ich sagen soll. Das will einfach nicht in meinen Kopf. Unser Dad? Im Gefängnis? Das scheint mir … unvorstellbar.

»Hast du Mum danach gefragt?«, frage ich schließlich.

»Nein.« Sie zuckt mit den Achseln.

»Na … und wenn, dann war es bestimmt nichts …« Ratlos fische ich im Trüben. »Du weißt schon … nichts Schlimmes.«

»Weißt du noch, wie er uns immer ›seine Mädels‹ genannt hat?« Amys Miene hat nichts Aufmüpfiges mehr. »Seine drei Mädels. Du, Mum und ich.«

Die Erinnerung daran bringt mich zum Lächeln. »Und dann hat er mit jeder von uns getanzt.«

»Ja.« Amy nickt. »Und immer hat er uns diese riesigen Pralinenschachteln mitgebracht …«

»Und dir wurde schlecht davon …«

»Deller Carpets, die Damen!« Das Taxi hat vor dem Deller Building angehalten. Ich hatte es gar nicht gemerkt.

»Oh, okay. Danke.« Ich krame in meiner Tasche nach Geld. »Amy, ich muss mich beeilen. Tut mir leid, aber es ist wirklich, *wirklich* wichtig.«

»Was ist denn los?« Zu meiner Überraschung wirkt sie tatsächlich interessiert.

»Ich muss meine Abteilung retten.« Ich drücke die Tür auf und klettere aus dem Taxi. »Ich muss elf Abteilungsleiter dazu überreden, etwas zu tun, obwohl sie sich schon entschlossen haben, es nicht zu tun. Und ich komme zu spät. Und ich weiß überhaupt nicht, was ich da treibe.«

»Wow.« Amy macht ein skeptisches Gesicht. »Na dann … viel Glück dabei.«

»Danke. Und … wir reden später.« Ich drücke sie kurz an mich, dann hetze ich die Stufen hinauf und stürme in die Lobby. Ich bin nur eine halbe Stunde zu spät dran. Es könnte schlimmer sein.

»Hi!«, rufe ich Jenny am Empfang zu, als ich an ihrem Tisch vorbeikomme. »Ich bin da! Sagen Sie oben Bescheid?«

»Lexi …«, ruft mir Jenny hinterher, aber ich habe keine Zeit. Ich springe in einen leeren Fahrstuhl, drücke den Knopf für den achten Stock und warte quälende dreißig Sekunden, bis ich oben bin. Wir bräuchten hier Express-Lifte. Wir bräuchten einen Notfall-Lift für Meeting-Zuspätkommer …

Endlich. Ich springe raus, laufe zum Konferenzraum … und bleibe abrupt stehen.

Simon Johnson steht auf dem Flur und unterhält sich gutgelaunt mit drei Leuten. Ein Mann im blauen Anzug zieht gerade seinen Regenmantel über. Natasha wuselt herum, schenkt Kaffee ein. Man hört Geplauder, ein Gewirr von Stimmen.

»Was ist …?« Ich berste vor Adrenalin. Ich kann kaum sprechen. »Was ist los?«

Überrascht wenden sich alle Gesichter zu mir um.

»Keine Panik, Lexi.« Simon mustert mich mit missbilligendem Blick. »Wir machen nur kurz Pause. Der entscheidende Teil der Sitzung ist vorbei, und Angus muss gehen.« Er deutet auf den Mann im Regenmantel.

»*Vorbei*?« Übermächtiges Entsetzen packt mich. »Meinen Sie damit …«

»Wir haben abgestimmt. Für die Umstrukturierung.«

»Aber das können Sie doch nicht machen!« Panisch renne ich zu ihm. »Ich habe eine Möglichkeit gefunden, wie man die Abteilung retten könnte! Wir müssen nur die Kosten senken, und ich habe ein paar Marketingideen …«

»Lexi, die Entscheidung ist gefallen.« Scharf schneidet Simon mir das Wort ab.

»Aber es ist die *falsche* Entscheidung!«, schreie ich verzweifelt. »Die Marke Deller hat doch Wert. Ich weiß es genau! Bitte.« Ich flehe Angus an. »Gehen Sie nicht! Hören Sie mich an! Dann können Sie noch mal abstimmen …«

»Simon.« Angus wendet sich von mir ab, peinlich berührt. »War schön, Sie zu sehen. Ich muss los.«

»Natürlich.«

Die beachten mich überhaupt nicht. Keiner will es wissen. Mit weichen Knien sehe ich zu, wie die Abteilungsleiter im Gänsemarsch wieder in den Konferenzraum gehen.

»Lexi.« Simon steht direkt vor mir. »Ich bewundere Ihre Loyalität gegenüber Ihrer Abteilung. Aber so können Sie sich *unmöglich* bei einer Vorstandssitzung benehmen.«

Man hört den Stahl in seiner sanften Stimme. Er ist stinksauer.

»Simon, es tut mir leid …« Ich schlucke.

»Also … Ich weiß, dass Ihnen seit dem Unfall manches schwerfällt.« Er macht eine Pause. »Deshalb schlage ich vor, Sie nehmen drei Monate bezahlten Urlaub. Und wenn Sie wiederkommen, finden wir für Sie eine … passendere Aufgabe in unserer Firma. Okay?«

Alles Blut weicht aus meinem Gesicht. Er degradiert mich.

»Es geht schon«, sage ich eilig. »Ich brauche keinen Urlaub …«

»Ich glaube, doch.« Er seufzt. »Lexi. Es tut mir ehrlich leid. Wenn Sie sich erinnern könnten, dann sähe die Sache sicher anders aus. Byron hat mich über Ihre Situation auf dem Laufenden gehalten. Einer leitenden Funktion sind Sie momentan nicht gewachsen.«

Aus seiner Stimme spricht absolute Endgültigkeit.

»Gut«, presse ich schließlich hervor. »Ich verstehe.«

»Und jetzt sollten Sie vielleicht runter in Ihre Abteilung gehen. Da Sie nicht anwesend waren …« Er macht eine bedeutungsschwangere Pause. »Ich habe Byron die Aufgabe übertragen, Ihren Leuten die traurige Kunde zu überbringen.«

Byron?

Mit einem letzten, knappen Nicken verschwindet Simon im Konferenzraum. Ich starre die Tür an, als wäre ich am Boden festgewachsen, dann renne ich plötzlich wie eine Irre zum Fahrstuhl. Ich darf nicht zulassen, dass Byron ihnen die schlechte Nachricht bringt. Wenigstens das muss ich selbst tun!

Im Fahrstuhl tippe ich Byrons Durchwahl in mein Handy und bekomme den Anrufbeantworter.

»Byron!«, sage ich. Meine Stimme bebt vor Aufregung. »Sagen Sie den anderen nichts von den Entlassungen, okay? Ich möchte es selbst tun. Ich wiederhole: Sagen Sie ihnen noch *nichts*!«

Ohne nach links oder rechts zu sehen, stürze ich aus dem Fahrstuhl in mein Büro und schließe die Tür. Ich zittere am ganzen Leib. So habe ich mich in meinem ganzen Leben noch nicht gefühlt. Wie soll ich es ihnen beibringen? Was soll ich sagen? Wie erklärt man seinen besten Freunden, dass sie ihren Job verlieren werden?

Ich laufe im Büro auf und ab, verknote meine Hände und fühle mich, als müsste ich mich übergeben. Das ist schlimmer als jedes Examen, jede Prüfung, alles, was ich je zuvor getan habe …

Und dann lässt mich ein Geräusch aufhorchen. Eine Stimme, draußen vor der Tür. »Ist sie da drinnen?«

»Wo ist Lexi?«, fällt eine andere Stimme in den Chor mit ein.

»Versteckt sie sich? *Bitch*.«

Einen Moment überlege ich, ob ich mich für immer unter dem Sofa verstecken soll.

»Ist sie noch oben?« Die Stimmen draußen vor meiner Tür werden lauter.

»Nein, ich hab sie gesehen! Sie ist da drinnen! Lexi! Komm raus!« Jemand klopft an die Tür, was mich zusammenzucken lässt. Irgendwie zwinge ich mich dazu, über den Teppich zu laufen. Vorsichtig strecke ich eine Hand aus und öffne die Tür.

Sie wissen es.

Sie stehen alle da. Alle Mitarbeiterinnen der Abteilung Bodenbeläge, schweigend und verächtlich. Fi steht ganz vorn, mit steinerner Miene.

»Ich … ich war das nicht«, stottere ich verzweifelt. »Bitte, hört mich an! Versteht doch. Es war nicht meine Entscheidung. Ich hab alles versucht … ich wollte …« Ich schweige.

Ich bin die Chefin. Meine Aufgabe wäre es gewesen, die Abteilung zu retten. Ich habe versagt.

»Es tut mir leid«, flüstere ich mit Tränen in den Augen und blicke von einer mitleidlosen Miene zur anderen. »Es tut mir so, so leid …«

Alles schweigt. Es kommt mir vor, als müsste ich unter ihren hasserfüllten Blicken verwelken. Und wie auf Kommando drehen sie sich alle um und gehen schweigend fort. Meine Knie sind wie Gelee. Ich trete rückwärts an meinen Schreibtisch, dann lasse ich mich auf meinen Stuhl fallen. Wie hat Byron es ihnen gesagt? Wie hat er sich ausgedrückt?

Und dann finde ich die Antwort in meinem Postfach. Eine Rundmail mit der Überschrift: *KOLLEGEN – SCHLECHTE NACHRICHT.*

Beklommen klicke ich die E-Mail an und wimmere leise, als ich sie lese. Diese Mail ist rausgegangen? Unter *meinem* Namen?

An die Kollegen der Abteilung Bodenbeläge:
Wie Sie sicher selbst wissen, waren die Ergebnisse der Abteilung

Bodenbeläge in letzter Zeit ungenügend. Aus diesem Grund hat
die Geschäftsleitung beschlossen, die Abteilung aufzulösen.

Sie sind daher alle ab Juni freigestellt. Bis dahin wären Lexi
und ich Ihnen dankbar, wenn Sie Ihre Arbeit noch um einiges
gewissenhafter und effizienter erledigen würden. Vergessen Sie
nicht, dass wir Ihnen Zeugnisse ausstellen – also kein Schludern
und keine Schlamperei.

Mit freundlichen Grüßen
Byron und Lexi

Okay. Jetzt möchte ich mich erschießen.

Als ich zu Hause ankomme, sitzt Eric auf der Terrasse in der
Abendsonne. Er liest den *Evening Standard* und trinkt Gin
Tonic. »Guten Tag gehabt?« Er sieht von seiner Zeitung auf.

»Ehrlich gesagt ... nein«, antworte ich mit zitternder Stimme.
»Mein Tag war schrecklich. Die gesamte Abteilung ist entlassen worden.« Als ich es ausspreche, kann ich nicht mehr anders
und breche in Tränen aus. »Alle meine Freundinnen. Alle werden ihren Job verlieren. Und alle hassen mich. Und ich kann es
ihnen nicht mal verübeln.«

»Darling.« Eric lässt die Zeitung sinken. »So ist das Geschäft.
So was passiert.«

»Ich weiß. Aber es geht um meine *Freundinnen*. Ich kenne Fi
schon seit meinem sechsten Lebensjahr.«

Eric scheint nachzudenken, während er an seinem Drink
nippt. Schließlich zuckt er mit den Schultern und wendet sich
wieder seiner Zeitung zu. »Wie gesagt. So was passiert.«

»So was passiert nicht einfach.« Heftig schüttle ich den Kopf.
»Man lässt so was nicht passieren. Man wehrt sich.«

»Liebling.« Es scheint Eric zu amüsieren. »Du hast deinen
Job doch noch, oder?«

»Ja.«

»Und die Firma macht nicht Konkurs, oder?«

»Nein.«

»Na dann ... nimm dir einen Gin Tonic.«

Wie kann er so reagieren? Ist er denn kein Mensch?

»Ich will keinen Gin Tonic, okay?« Mir ist, als würde ich gleich die Beherrschung verlieren. »Ich will keinen beschissenen Gin Tonic!«

»Gläschen Wein vielleicht?«

»Eric, begreifst du denn nicht?«, schreie ich fast. »Begreifst du nicht, wie *furchtbar* das ist?«

Mein ganzer Zorn auf Simon Johnson und die Abteilungsleiter ändert seine Richtung wie ein Tornado, steuert direkt auf Eric zu, mit seiner ruhigen Dachterrasse und seinem Waterford-Glas und seinem ganzen selbstgefälligen Leben.

»Lexi ...«

»Diese Leute brauchen ihre Jobs! Die sind nicht alle ... beschissene Milliardäre!« Ich zeige auf unsere Terrasse. »Die haben Hypotheken laufen. Die Miete muss bezahlt werden. Hochzeiten müssen bezahlt werden.«

»Du überreagierst«, sagt Eric knapp und blättert seine Zeitung um.

»Und dich juckt das nicht! Ich verstehe dich nicht. Ich *versteh* dich einfach nicht!« Ich spreche ihn direkt an. Will, dass er aufblickt. Mir seine Ansichten erklärt. Mit mir redet.

Aber er tut es nicht. Es ist, als hätte er mich gar nicht gehört.

Ich bebe am ganzen Leib. Am liebsten würde ich seinen Gin Tonic vom Balkon werfen.

»Gut«, sage ich schließlich. »Reden wir nicht mehr darüber. Tun wir einfach so, als sei alles in Ordnung, und wir wären einer Meinung, auch wenn wir es nicht sind ...« Ich fahre herum und atme scharf ein.

Jon steht in der Terrassentür. Er trägt schwarze Jeans, ein weißes T-Shirt und eine Sonnenbrille, so dass ich seinen Gesichtsausdruck nicht lesen kann.

»Hi.« Er tritt auf die Terrasse hinaus. »Gianna hat mich reingelassen. Ich … störe doch nicht?«

»Nein!« Eilig wende ich mich ab, damit er mein Gesicht nicht sehen kann. »Natürlich nicht. Schon gut. Alles ist gut.«

Ausgerechnet er muss hier auftauchen. Der hat mir heute gerade noch gefehlt. Ich werde ihn keines Blickes würdigen. Ich werde ihn nicht mal *wahrnehmen.*

»Lexi ist ein wenig aufgebracht«, sagte Eric zu Jon, so von Mann zu Mann. »In ihrer Firma verlieren ein paar Leute ihren Job.«

»Nicht nur ein paar Leute!«, protestiere ich. »Meine ganze Abteilung! Und ich habe nichts dagegen unternommen. Ich sollte ihre Chefin sein, aber ich hab es versaut.« Mir läuft eine Träne über die Wange, und grob wische ich sie weg.

»Jon.« Eric hört mir nicht mal zu. »Ich hole dir einen Drink. Ich hab die Bayswater-Pläne hier. Es gibt da einiges zu besprechen …« Er steht auf und geht ins Wohnzimmer. »Gianna! Gianna, sind Sie da?«

»Lexi.« Jon kommt über die Terrasse zu mir, spricht mit leiser, eindringlicher Stimme.

Er versucht es schon wieder. Ich kann es nicht fassen.

»Lass mich in *Ruhe!*«, fahre ich ihn an. »Hast du meine Nachricht nicht bekommen? Kein Interesse! Du bist doch nur ein Frauenheld. Und selbst wenn ich Interesse hätte, wäre jetzt kein guter Zeitpunkt, okay? Meine gesamte Abteilung ist gerade den Bach runtergegangen. Also, wenn du dafür keine Lösung anzubieten hast: Verpiss dich!«

Was folgt, ist Schweigen. Ich erwarte, dass Jon mit irgendeinem blöden Spruch kommt, aber stattdessen nimmt er seine Sonnenbrille ab und kratzt sich am Kopf, als wüsste er nicht, was er sagen sollte.

»Versteh ich nicht. Was ist mit deinem Plan passiert?«

»Plan?«, sage ich aggressiv. »Welcher Plan?«

»Dein großer Teppich-Deal.«

»Was für ein Teppich-Deal?«

Jon reißt vor Schreck die Augen auf. Eine Weile starrt er mich nur an, als wollte ich ihn auf den Arm nehmen. »Das ist doch nicht dein Ernst. Du *weißt* nichts davon?«

»*Wovon* weiß ich nichts?«, rufe ich am Rande der Verzweiflung. »Ich habe keine Ahnung, wovon zum Henker du redest!«

»Verdammt!« Jon atmet aus. »Okay. Lexi. Hör zu. Du hattest diesen riesigen Teppich-Deal an Land gezogen. Du hast gesagt, dadurch würde sich alles ändern, dadurch käme viel Geld rein, und es würde die ganze Sachlage ändern … Oh! Du genießt also die Aussicht, hm?« Übergangslos wechselt er das Thema, als Eric in der Tür steht, mit einem Gin Tonic in der Hand.

Riesiger Teppich-Deal?

Mein Herz rast, während ich dort stehe und mir ansehe, wie Eric Jon seinen Drink reicht und einen Stuhl unter dem großen Sonnenschirm hervorzieht.

Hör nicht auf ihn, sagt eine Stimme in meinem Kopf. *Das denkt er sich aus. Er spielt mit dir. Das gehört alles zu seiner Masche …*

Und was, wenn nicht?

»Eric, Darling. Tut mir leid mit vorhin.« Die Worte kommen mir fast schon zu leicht über die Lippen. »Es war einfach ein schwieriger Tag. Könntest du mir vielleicht ein Glas Wein holen?«

Ich sehe Jon gar nicht an.

»Kein Problem, Liebste.« Eric verschwindet wieder im Haus, und abrupt drehe ich mich zu Jon um.

»Erklär mir, wovon du redest«, sage ich leise. »Schnell. Und ich hoffe, du erzählst mir keinen Scheiß.«

Als ich ihm in die Augen sehe, spüre ich, wie gedemütigt ich mich eigentlich fühle. Ich weiß nicht, ob ich ihm trauen kann.

Aber ich muss mehr hören. Denn wenn nur eine *einprozentige* Chance besteht, dass er die Wahrheit sagt …

»Ich erzähl dir keinen Scheiß. Wenn mir *klar* gewesen wäre, dass du gar nichts mehr davon weißt …« Ungläubig schüttelt Jon den Kopf. »Wochenlang hast du daran gearbeitet. Du hattest immer deinen großen, blauen Aktenordner bei dir. Du warst so aufgeregt, dass du kaum schlafen konntest …«

»Aber was *war* es?«

»Die genauen Einzelheiten kenne ich nicht. Du warst zu abergläubisch, es mir zu erzählen. Du meintest, ich bin ein Pechvogel.« Er verzieht kurz den Mund, als würde er mir eine lustige Intimität anvertrauen. »Ich weiß aber, dass es mit Retro-Teppichen aus einem alten Musterbuch zu tun hatte. Und ich weiß, dass es eine Riesensache werden sollte.«

»Aber wieso *weiß* ich nichts davon? Wieso weiß *niemand* was davon?«

»Du wolltest es bis zum letzten Augenblick geheim halten. Du hast gesagt, du traust niemandem im Büro, und es sei sicherer, lieber nicht …«, er wird lauter, »… Hey, Eric! Wie sieht's aus?«

Mir ist, als hätte man mich geohrfeigt. Er kann doch jetzt nicht einfach aufhören!

»Hier hast du was zu trinken, Lexi!«, sagt Eric gut gelaunt und reicht mir ein Glas Wein. Dann tritt er an den Tisch und winkt Jon, sich zu ihm zu setzen. »Also, ich habe noch mal mit dem zuständigen Menschen beim Bauamt gesprochen …«

Ich rühre mich nicht von der Stelle, während sich die beiden unterhalten. Meine Gedanken rasen, ziellos vor Ungewissheit. Es könnte alles Quatsch sein. Vielleicht bin ich eine gutgläubige Idiotin, der man alles erzählen kann.

Aber woher sollte er von dem alten Musterbuch wissen? Was ist, wenn es stimmt? Mein Herz schlägt plötzlich höher. Wenn es noch eine Chance gäbe, und sei sie noch so *winzig* …

»Alles in Ordnung, Lexi?« Eric wirft mir einen schrägen Blick zu, und ich merke, dass ich stocksteif mitten auf der Terrasse stehe und meinen Kopf mit beiden Händen halte.

»Alles in Ordnung.« Irgendwie sammle ich mich. Ich ziehe mich auf die andere Seite der Terrasse zurück und setze mich auf eine Hollywood-Schaukel, spüre die heiße Sonne im Gesicht, nehme das ferne Brummen des Verkehrs dort unter mir kaum wahr. Drüben am Tisch betrachten Jon und Eric einen Bauplan.

»Es könnte sein, dass wir das Parken völlig neu überdenken müssen.« Jon skizziert etwas auf dem Papier. »Davon geht die Welt nicht unter.«

»Okay.« Eric seufzt schwer. »Ich verlasse mich ganz auf dich, Jon.«

Ich nehme einen großen Schluck Wein, dann nehme ich mein Handy. Ich kann nicht glauben, was ich da tue. Mit zitternden Händen suche ich Jons Nummer und tippe einen Text:

Können wir uns treffen? L

Ich drücke »Senden«, dann lasse ich das Handy schnell wieder in meiner Handtasche verschwinden und blicke über die Stadt hinaus.

Bald darauf holt Jon, während er noch immer zeichnet und ohne ein einziges Mal zu mir herüberzusehen, sein Handy aus der Hosentasche. Er wirft einen kurzen Blick darauf und gibt eine Antwort ein. Eric scheint es gar nicht wahrzunehmen.

Ich zwinge mich, bis fünfzig zu zählen, dann klappe ich lässig mein Handy auf.

Klar. J

SIEBZEHN

Wir haben uns in einem Café namens Fabian's in Holland Park verabredet, einem gemütlichen, kleinen Laden mit terracottafarbenen Wänden, Toscana-Bildern und Regalen voll italienischer Bücher. Als ich eintrete und den granitenen Tresen, die Kaffeemaschine, das durchgesessene Sofa sehe, habe ich so ein komisches Gefühl, als wäre ich schon mal dort gewesen.

Vielleicht habe ich ein Déjà-vu. Vielleicht ist es nur Wunschdenken.

Jon sitzt bereits an einem Tisch in der Ecke, und als er aufblickt, merke ich, wie ich wachsam werde. Trotz des mulmigen Gefühls, nach all den Protesten, treffe ich mich nun doch heimlich mit ihm. Genau wie er es die ganze Zeit schon wollte. Mir ist, als würde ich in eine Falle tappen ... nur weiß ich gar nicht, was die Falle ist.

Egal. Ich treffe mich aus rein geschäftlichen Gründen mit ihm. Solange ich das nicht vergesse, ist alles gut.

»Hi.« Ich setze mich zu ihm an den Tisch und lege meine Aktenmappe auf einen freien Stuhl. Jon trinkt Kaffee. »Okay. Wir sind beide viel beschäftigt. Sprechen wir über diesen Deal.«

Jon starrt mich nur fragend an.

»Kannst du mir noch mehr darüber sagen?«, füge ich hinzu und gebe mir Mühe, seinen Gesichtsausdruck zu ignorieren. »Ich glaube, ich nehme einen Cappuccino.«

»Lexi, was *soll* das? Was ist auf der Party neulich passiert?«

»Ich ... ich weiß nicht, was du meinst.« Ich nehme die Speisekarte und tue so, als würde ich sie lesen. »Vielleicht nehme ich lieber einen Milchkaffee.«

»Jetzt komm schon.« Jon drückt die Speisekarte herunter, damit er mein Gesicht sehen kann. »Du kannst dich nicht verstecken. Was ist passiert?«

Er findet es komisch. Ich höre es an seiner Stimme. Gekränkt knalle ich die Karte auf den Tisch.

»Wenn du es unbedingt wissen willst ...«, sage ich barsch, »... ich habe auf der Party mit Rosalie gesprochen, und sie hat mir von deinem ... Faible erzählt. Ich weiß, dass alles nur Verarschung war. Und ich lasse mich nicht gern verarschen. Vielen Dank.«

»Lexi ...«

»Gib dir keine Mühe, okay? Ich weiß, dass du es bei ihr und Margo auch versucht hast.« Meine Stimme hat so eine bittere Schärfe bekommen. »Du bist nur ein Süßholzraspler, der verheirateten Frauen erzählt, was sie hören wollen. Was du *glaubst*, was sie hören wollen.«

Jon zuckt mit keiner Wimper.

»Ich habe es tatsächlich bei Rosalie und Margo versucht. Und vielleicht bin ich etwas ...«, er zögert, »... zu weit gegangen. Aber wir waren uns doch einig, dass ich es tun sollte. Es war unsere Tarnung.«

Natürlich. Das *muss* er ja sagen.

Hilflos vor Wut starre ich ihn an. Er kann sagen, was er will. Ich habe keine Möglichkeit, herauszufinden, ob er die Wahrheit sagt oder nicht.

»Versteh doch!« Er beugt sich über den Tisch. »Es war alles nur gespielt. Wir haben uns eine Geschichte ausgedacht, die alle täuschen sollte, um eine Erklärung zu haben, falls man uns zusammen sehen sollte. Rosalie ist darauf reingefallen, genau wie wir es geplant hatten.«

»Du *wolltest*, dass man dich als Frauenheld sieht?«, erwidere ich und rolle mit den Augen.

»Natürlich nicht!« Plötzlich klingt er aufgebracht. »Aber ein paar Mal wäre es fast … schiefgegangen. Besonders Rosalie ist nicht blöd. Sie hätte früher oder später was gemerkt.«

»Also hast du sie angebaggert.« Unweigerlich klinge ich sarkastisch. »Nett. Das hat Klasse.«

Ungerührt hält Jon meinem Blick stand. »Du hast recht. Das war alles nicht so schön, und wir haben Fehler gemacht …« Er greift nach meiner Hand. »Aber du musst mir vertrauen, Lexi. Bitte. Lass mich dir alles erklären …«

»Hör auf!« Ich reiße meine Hand zurück. »Hör endlich auf damit! Wir sind nicht hergekommen, um über uns zu reden. Bleiben wir beim Thema.« Eine Kellnerin tritt an den Tisch, und ich blicke auf. »Einen Cappuccino, bitte. Also, dieser Deal …«, sage ich scharf, »… existiert nicht. Ich habe überall nachgesehen. Ich war im Büro und habe alles abgesucht, jede einzelne Computerdatei gecheckt. Ich habe zu Hause gesucht – nichts. Das hier ist das Einzige, was ich gefunden habe.« Ich greife in die Aktenmappe und hole diesen Zettel mit dem verschlüsselten Gekritzel hervor. »Da war eine leere Schublade in meinem Schreibtisch. Das hier lag darin.«

Halb hoffe ich, dass Jons Augen aufleuchten und er sagt: »Ah! Die Lösung!«, als wären wir beim Da Vinci Code. Stattdessen zuckte er mit den Schultern. »Das ist deine Handschrift.«

»Ich weiß selbst, dass es meine Handschrift ist.« Ich versuche, die Geduld zu bewahren. »Aber ich weiß nicht, was es bedeutet!« Entnervt werfe ich den Zettel auf den Tisch. »Wieso sind meine Notizen nicht im Computer?«

»Da ist so ein Typ bei deiner Arbeit … Byron?«

»Ja«, sage ich gefasst. »Was ist mit ihm?«

»Du hast ihm nicht getraut. Du meintest, er sei *dafür*, die Abteilung aufzulösen. Du dachtest, er würde dir alles vermasseln. Also wolltest du der Geschäftsleitung den Deal erst präsentieren, wenn er unter Dach und Fach war.«

Die Tür des Cafés fliegt auf, und mein schlechtes Gewissen lässt mich zusammenzucken, weil ich fürchte, es könnte Eric sein. Schon liegt mir eine Ausrede auf der Zunge: *Ich war gerade shoppen, und jetzt rate mal, wen ich getroffen habe – Jon! Was für ein Zufall!* Aber natürlich ist es nicht Eric, sondern ein Pulk von Teenagern, die französisch sprechen.

»Mehr weißt du also nicht.« Mein schlechtes Gewissen lässt mich aggressiv, fast vorwurfsvoll klingen. »Du kannst mir nicht helfen.«

»Das habe ich nicht gesagt«, antwortet Jon ganz ruhig. »Ich habe noch mal nachgedacht, und da ist mir was eingefallen. Du hattest da mit einem Jeremy Northam, Northwick oder so ähnlich zu tun.«

»Jeremy Northpool?« Der Name kommt mir in den Sinn. Ich kann mich erinnern, dass mir Lisa einen Memo-Zettel mit diesem Namen geben hat. Zusammen mit fünfunddreißig anderen Zetteln.

»Ja.« Jon nickt. »Das könnte stimmen. Northpool.«

»Ich glaube, er hat angerufen, als ich im Krankenhaus lag. Mehrfach.«

»Tja.« Jon zieht die Augenbrauen hoch. »Vielleicht solltest du ihn zurückrufen.«

»Aber das kann ich nicht.« Verzweifelt lasse ich meine Hände auf den Tisch sinken. »Ich kann nicht sagen: ›Hi, hier ist Lexi Smart, wir haben einen Deal vereinbart. Ach, übrigens: Worum geht's eigentlich?‹ Ich weiß nicht genug! Wo sind die ganzen Informationen geblieben?«

»Sie sind da.« Jon rührt seinen Cappuccino. »Irgendwo sind sie bestimmt. Wahrscheinlich hast du den Aktenordner mitgenommen. Versteckt oder irgendwo hinterlegt …«

»Aber *wo*?«

Die Kellnerin kommt und stellt mir einen Cappuccino hin. Ich nehme den kleinen Gratiskeks und wickle ihn aus, gedankenverloren. Wo hätte ich den Aktenordner hingelegt? Wo würde ich ihn verstecken? Was habe ich mir dabei gedacht?

»Da fällt mir noch was ein.« Jon trinkt seine Tasse aus und winkt der Kellnerin, dass er noch einen Kaffee möchte. »Du bist runter nach Kent gefahren. Du warst bei deiner Mutter.«

»Wirklich?« Ich blicke auf. »Wann?«

»Kurz vor dem Unfall. Vielleicht hattest du den Ordner bei dir.«

»Dann wäre er jetzt bei meiner Mum im Haus?«, sage ich skeptisch.

»Es ist einen Versuch wert.« Er zuckt mit den Achseln. »Ruf sie an und frag sie.«

Trübsinnig rühre ich in meinem Cappuccino herum, als die Kellnerin Jon noch einen Kaffee bringt. Ich möchte meine Mum nicht anrufen. Das ertrage ich jetzt nicht.

»Komm schon, Lexi, leg dich ins Zeug.« Jons Mund zuckt amüsiert, als er meine Miene sieht. »Was bist du – Prinzessin oder Erbse?«

Erstaunt hebe ich den Kopf. Einen Moment frage ich mich, ob ich mich verhört habe.

»Das sagt Fi immer«, sage ich schließlich.

»Ich weiß. Du hast mir von Fi erzählt.«

»Was habe ich dir von Fi erzählt?«, sage ich misstrauisch.

Jon nimmt einen Schluck Cappuccino. »Du hast gesagt, ihr kennt euch aus Mrs. Bradys Klasse. Du hast deine erste und deine letzte Zigarette mit ihr geraucht. Ihr wart dreimal zusammen auf Ibiza. Dass sie nichts mehr mit dir zu tun haben wollte, war für dich ganz schlimm.« Er nickt zu meinem Handy, das aus meiner Handtasche ragt. »Und deshalb solltest du anrufen.«

Das ist echt unheimlich. Was zum Teufel weiß er noch alles? Argwöhnisch beobachte ich ihn aus den Augenwinkeln, während ich das Handy aus der Tasche nehme und die Nummer meiner Mutter wähle.

»Lexi, ich bin kein Zauberer.« Jon sieht immer mehr so aus, als müsste er gleich loslachen. »Wir hatten eine richtige Beziehung, Wir haben miteinander geredet.«

»Hallo?« Mums Stimme reißt mich von Jon weg.

»Oh, Mum! Ich bin's, Lexi! Hör mal, habe ich neulich Unterlagen mitgebracht? Vielleicht so was wie einen … Aktenordner?«

»Der große blaue?«

Das ist doch nicht möglich! Es stimmt. Ich spüre, wie die Spannung in mir wächst. Und die Hoffnung.

»Genau den meine ich.« Ich versuche, ruhig zu bleiben. »Hast du ihn noch? Ist er noch da?«

»Er liegt in deinem Zimmer, genau da, wo du ihn hingelegt hast.« Mum klingt, als müsste sie sich verteidigen. »Eine Ecke könnte vielleicht *etwas* feucht geworden sein …«

Ich kann es nicht fassen. Ein Hund hat daraufgepinkelt.

»Aber er ist noch okay?«, sage ich ängstlich. »Man kann noch alles lesen?«

»Selbstverständlich!«

»Großartig!« Ich halte das Telefon ganz fest. »Pass gut darauf auf, Mum. Lass den Ordner nicht aus den Augen. Ich komm heute noch vorbei und hol ihn ab.« Ich klappe mein Telefon zu und sehe Jon an. »Du hattest recht! Er ist da. Okay, ich muss sofort hinfahren. Ich muss zur Victoria Station. Von da geht ein Zug, jede Stunde …«

»Ganz ruhig, Lexi.« Jon trinkt seinen Kaffee aus. »Ich fahr dich hin, wenn du möchtest.«

»Bitte?«

»Ich hab heute nichts weiter vor. Allerdings müsste es mit deinem Auto sein, denn ich besitze keins.«

»Du hast kein Auto?«, sage ich ungläubig.

»Im Moment nicht.« Er zuckt mit den Schultern. »Ich fahre Fahrrad oder Taxi. Aber ich weiß, wie man mit einem protzigen

Mercedes Cabrio umgeht.« Und wieder sieht er mich an, als hätte er schon oft mit jemandem darüber gelacht.

Mit mir, wird mir plötzlich bewusst. Dem Mädchen, das ich einmal war.

Ich mache meinen Mund auf, um etwas zu sagen – aber ich bin zu verwirrt. In meinem Kopf taumeln die Gedanken.

»Okay«, sage ich schließlich. »Okay. Danke.«

Wir haben unsere Geschichte voll durchdacht. Ich zumindest. Falls jemand fragen sollte, gibt Jon mir Fahrunterricht. Er kam gerade zufällig vorbei, als ich in den Wagen stieg, und bot mir seine Hilfe an.

Aber niemand fragt.

Es ist ein sonniger Tag, und als Jon den Wagen rückwärts aus der Parklücke setzt, öffnet er das Dach. Dann langt er in seine Tasche und gibt mir ein schwarzes Haargummi. »Das wirst du brauchen. Es zieht.«

Überrascht nehme ich das Haargummi. »Wie kommt es, dass du so was in der Tasche hast?«

»Ich hab überall welche. Gehören alle dir.« Er blinkt links. »Ich weiß nicht, was du immer damit machst.«

Schweigend binde ich mir einen Pferdeschwanz, bevor der Wind mein Haar zerzaust. Jon biegt auf die Straße ein und hält auf die erste Kreuzung zu. »Es ist in Kent«, sage ich, als wir an der Ampel halten. »Du musst raus aus London auf dem …«

»Ich weiß, wo es ist.«

»Du weißt, wo meine Mutter wohnt?«, sage ich etwas ungläubig.

»Ich war schon mal da.«

Die Ampel wird grün, und wir fahren los. Ich sehe die prächtigen, weißen Häuser rechts und links vorüberfliegen, aber ich nehme sie kaum wahr. Er war bei meiner Mum zu Hause. Er weiß über Fi Bescheid. Er hat mein Haargummi in der Tasche. Er hatte recht mit dem blauen Ordner. Entweder hat er seine Recherchen wirklich, *wirklich* gut gemacht oder …

»Also … nur mal so hypothetisch«, sage ich schließlich. »Falls wir tatsächlich ein Liebespaar waren.«

»Rein hypothetisch.« Jon nickt, ohne mich anzusehen.

»Was genau ist passiert? Wie sind wir …?«

»Wie gesagt, wir haben uns auf einer Einweihungsparty kennengelernt. Dann sind wir uns durch die Firma immer wieder über den Weg gelaufen. Ich war öfter bei euch zu Besuch. Ich kam manchmal früher, wenn Eric noch zu tun hatte. Wir haben geplaudert, auf der Terrasse gesessen … es war harmlos.« Er macht eine Pause, um die Spur zu wechseln. »Irgendwann war Eric übers Wochenende unterwegs. Und ich kam vorbei. Danach war es … nicht mehr so harmlos.«

Langsam glaube ich ihm. Meine Welt kommt ins Wanken. Ein Schleier lüftet sich. Farben werden klarer, deutlicher.

»Und was ist noch passiert?«, frage ich.

»Wir haben uns so oft getroffen, wie es ging.«

»Ich *weiß*.« Ich sehe mich um. »Ich meine … wie war das so? Worüber haben wir geredet, was haben wir gemacht? Erzähl mir einfach … irgendwiewas.«

»Ich könnte mich wegschmeißen!« Jon schüttelt den Kopf, die Augen von Lachfältchen umrahmt. »Das hast du im Bett immer zu mir gesagt: ›Erzähl mir irgendwiewas.‹«

»Ich hör eben gern irgendwiewas.« Störrisch zucke ich mit den Schultern. »Egal was.«

»Das weiß ich doch. Okay. Irgendwiewas.« Eine Weile fährt er schweigend, und ich sehe, wie ein Lächeln in seinen Mundwinkeln zuckt, während er überlegt. »Überall wo wir waren, haben wir am Ende Socken für dich gekauft. Jedes Mal ziehst du dir die Schuhe aus, um barfuß im Sand oder im Gras oder sonst wo zu laufen, und dann wird dir kalt, und wir müssen dir Socken besorgen.« Er hält an einem Zebrastreifen. »Was noch? Du hast mich auf Pommes mit Senf gebracht.«

»Französischem Senf?«

»Genau. Als ich es das erste Mal gesehen habe, fand ich es einfach nur pervers. Jetzt bin ich süchtig.« Er fährt an und biegt auf eine breite Schnellstraße ein. Der Wagen nimmt Geschwindigkeit auf, und Jon ist im Fahrtwind schwerer zu verstehen. »An einem Wochenende hat es geregnet. Eric war zum Golfspielen unterwegs, und wir haben alle Folgen von *Doctor Who* hintereinander gesehen.« Er wirft mir einen Blick zu. »Soll ich weitermachen?«

Alles, was er da erzählt, sagt mir was. Mein Hirn schwingt sich darauf ein. Ich erinnere mich nicht an das, was er erzählt, aber ich spüre, wie sich die Erinnerung in mir rührt. Es klingt nach mir. Es fühlt sich an wie mein Leben.

»Red weiter.« Ich nicke.

»Okay. Also … wir spielen Tischtennis. Ziemlich hartes Match. Du liegst zwei Spiele in Führung, aber ich glaube, du lässt nach.«

»Ich lasse garantiert nicht nach!«, erwidere ich unweigerlich.

»Oh, doch, das tust du.«

»Niemals!« Unwillkürlich muss ich grinsen.

»Du hast meine Mum kennengelernt. Die wusste sofort Bescheid. Sie kennt mich viel zu gut, als dass ich ihr was vormachen könnte. Aber das ist okay, sie ist cool, sie würde nie was sagen.« Jon wechselt auf eine andere Spur. »Du schläfst immer auf der linken Seite. Wir hatten fünf komplette Nächte in acht Monaten.« Er schweigt einen Moment. »Eric hatte zweihundertfünfunddreißig.«

Ich weiß nicht, was ich darauf antworten soll. Jon blickt nach vorn, mit konzentrierter Miene. »Soll ich weitermachen?«, sagt er schließlich.

»Ja.« Ich muss mich räuspern. »Weiter.«

Während unserer Fahrt durch das ländliche Kent hat Jon alles preisgegeben, was er mir über unsere Beziehung berichten kann. Ich selbst konnte logischerweise nichts dazu beitragen, also schweigen wir irgendwann und lassen die Scheunen und Hopfenfelder an uns vorüberziehen. Nicht dass ich ein Auge dafür hätte. Ich bin in Kent aufgewachsen, und deshalb fällt mir die malerische Landschaft gar nicht so auf. Stattdessen starre ich wie in Trance auf den Bildschirm des Navigationsgerätes und verfolge den kleinen Pfeil.

Plötzlich muss ich an mein Gespräch mit Loser Dave denken, und ich seufze schwer.

»Was ist?«

»Ach, nichts. Ich wundere mich immer noch, wie alles so gekommen ist. Was hat mich dazu getrieben, Karriere zu machen, mir die Zähne richten zu lassen, diese … *andere* Frau zu werden?« Ich deute auf mich selbst.

»Na ja«, sagt Jon, während er versucht, einen Wegweiser zu entziffern. »Ich schätze, es hat alles damit angefangen, was bei der Beerdigung passiert ist.«

»Was meinst du?«

»Du weißt schon. Die Sache mit deinem Dad.«

»Was war mit meinem Dad?«, sage ich verdutzt. »Ich weiß nicht, was du meinst.«

Mit quietschenden Reifen hält Jon den Mercedes an, direkt neben einer Kuhweide, und wendet sich zu mir um. »Hat dir deine Mutter nichts von der Beerdigung erzählt?«

»Doch, natürlich!«, sage ich. »Sie hat stattgefunden. Dad wurde … verbrannt oder irgendwas.«

»Mehr nicht?«

Ich zermartere mir das Hirn. Ich bin mir sicher, dass Mum sonst nichts von der Beerdigung erzählt hat. Plötzlich fällt mir wieder ein, dass sie schnell das Thema gewechselt hat, als ich davon anfing. Aber das ist bei meiner Mum ganz normal.

Ungläubig schüttelt Jon den Kopf und legt den ersten Gang ein. »Das ist doch völlig absurd. Weißt du eigentlich *irgendwas* über dein Leben?«

»Offensichtlich nicht«, sage ich erschüttert. »Na, dann erzähl es mir! Wenn es so wichtig ist.«

»Mh-mh.« Jon schüttelt den Kopf, als der Wagen wieder anrollt. »Das ist nicht meine Aufgabe. Das soll dir deine Mutter sagen.« Er biegt von der Straße ab und fährt einen Kiesweg entlang. »Da sind wir.«

Es stimmt. Es ist mir nicht mal aufgefallen. Das Haus sieht hübscher aus, als ich es in Erinnerung hatte. Ein roter Klinkerbau aus dem letzten Jahrhundert, mit einem Wintergarten auf der einen Seite und Mums altem Volvo vor der Tür. In Wahrheit hat sich das Haus nicht verändert, seit wir vor gut zwanzig Jahren eingezogen sind. Es ist nur etwas baufälliger geworden. Ein Stück Regenrinne hängt vom Dach, und der Efeu ist weiter an den Mauern hochgewachsen. Unter einer dreckigen Plane neben der Auffahrt stapeln sich Gehwegplatten, die Dad dort abgeladen hat. Ich glaube, er wollte damit handeln. Das ist lange her ... acht Jahre? Zehn?

Hinter der Pforte sehe ich den Garten, der einmal ganz hübsch war, mit Blumen- und Kräuterbeeten. Bevor die Hunde kamen.

»Du willst mir also sagen ... meine Mum hat mich belogen?«

Jon schüttelt den Kopf. »Sie hat nicht gelogen. Nur zusammengefasst.« Er drückt die Fahrertür auf. »Komm.«

Mit Whippets ist es so eine Sache. Sie sehen zierlich aus, aber wenn sie auf den Hinterbeinen stehen, sind sie riesig. Und wenn zehn davon versuchen, an einem hochzuspringen, fühlt man sich, als sei man unter die Räuber gefallen.

»Ophelia! Raphael!« Bei all dem Gerempel und Gebell ist

Mums Stimme kaum zu hören. »Runter da! Lexi, Liebes! Du bist ja wirklich schnell gekommen. Was hat das alles zu bedeuten?« Sie trägt einen Cordrock und eine blau gestreifte, an den Ärmeln abgewetzte Bluse. In der Hand hält sie ein uraltes »Charles & Diana«-Küchentuch.

»Hi, Mum!«, keuche ich etwas atemlos, während ich einen Hund abwehre. »Das ist Jon. Ein … Freund.« Ich deute auf Jon, der gerade einem der Whippets tief in die Augen sieht und sagt: »Runter mit dir! Nimm deine *Pfoten* weg!«

»Ach!« Mum wirkt nervös. »Hätte ich das gewusst, hätte ich uns was zu essen gezaubert. Wie kann ich euch bewirten, wenn ihr so kurzfristig …«

»Mum, wir wollen gar nichts weiter. Ich will nur diesen Ordner holen. Ist er noch da?«

»Selbstverständlich!« Sie klingt, als müsste sie sich verteidigen. »Er ist absolut in Ordnung.«

Ich laufe die knarrende Treppe mit dem grünen Teppich hinauf in mein Schlafzimmer mit der Laura-Ashley-Blumentapete an der Wand.

Amy hat recht. Hier *stinkt* es. Ich kann nicht sagen, ob es an den Hunden liegt, an der Feuchtigkeit oder am Schimmel … aber da müsste unbedingt was passieren. Ich sehe den Ordner auf einer Kommode liegen und greife ihn mir – dann kehre ich um. Jetzt weiß ich, wieso Mum klang, als müsste sie sich verteidigen. Es ist echt eklig. Der Ordner stinkt nach Hundepisse.

Naserümpfend strecke ich zwei Finger aus und klappe ihn auf.

Ich sehe meine Schrift. Zeilen über Zeilen, klar und deutlich. Wie eine Botschaft von mir an … mich. Ich überfliege die erste Seite, versuche, so schnell wie möglich in Erfahrung zu bringen, was ich vorhatte, was geplant war, worum sich alles drehte … Ich kann sehen, dass ich eine Art Vorschlag aufgeschrieben hatte, aber was *genau*? Ich blättere um, wundere mich, blättere weiter. Und da sehe ich den Namen.

Oh. Mein. Gott.

Ich begreife sofort. Ich sehe das komplette Bild vor mir. Ich hebe den Kopf. Mein Herz rast vor Aufregung. Das ist eine echt gute Idee. Ich meine, das ist eine *wirklich richtig* echt gute Idee. Das Potential ist nicht zu übersehen. Es könnte was ganz Großes werden, es könnte alles auf den Kopf stellen …

Freudestrahlend schnappe ich mir den stinkenden Ordner und renne die Treppe hinunter, immer zwei Stufen auf einmal nehmend.

»Hast du ihn?« Jon wartet unten an der Treppe.

»Ja!« Ein Lächeln streicht über mein Gesicht. »Es ist genial! Eine geniale Idee!«

»Es war deine Idee.«

»*Wirklich?*« Ich empfinde einen gewissen Stolz, den ich zu ersticken versuche. »Weißt du, genau das hätten wir die ganze Zeit schon brauchen können. Das hätten wir tun sollen. Wenn es funktioniert, *können* sie die Teppiche gar nicht aufgeben. Sie wären verrückt.«

Ein Hund springt an mir hoch und schnappt nach meinen Haaren, doch nicht mal das kann meine Laune trüben. Kaum zu glauben, dass ich diesen Deal zusammengestellt habe. Ich, Lexi! Ich kann es gar nicht erwarten, den anderen …

»So!« Mum trägt ein Tablett mit Tassen vor sich her. »Wenigstens ein Tässchen Kaffee und einen kleinen Keks kann ich euch anbieten.«

»Wirklich, Mum. Ist schon okay«, sage ich. »Ich fürchte, wir müssen gleich wieder …«

»Ich hätte gern eine Tasse Kaffee«, sagt Jon freundlich.

Was? Ich durchbohre ihn mit meinen Blicken, als ich ihm ins Wohnzimmer folge und wir uns auf ein abgewetztes Sofa setzen. Jon nimmt Platz, als würde er sich hier total zu Hause fühlen. Vielleicht tut er das auch.

»Also, Lexi hat gerade davon gesprochen, dass sie ihr Leben

wieder zusammenbasteln möchte«, sagt er und knabbert an einem Keks herum. »Und ich dachte, vielleicht würde es helfen, wenn sie wüsste, was auf der Beerdigung von ihrem Dad passiert ist.«

»Nun, natürlich ist es immer schrecklich, ein Elternteil zu verlieren …« Mum konzentriert sich darauf, einen Keks in der Mitte durchzubrechen. »Hier hast du was, Ophelia.« Die eine Hälfte verfüttert sie an einen Whippet.

»Das meine ich nicht«, sagt Jon. »Ich meine das, was noch passiert ist.«

»Was noch passiert ist?« Mum ist nicht bei der Sache. »Raphael, das ist aber nicht nett! Kaffee, Lexi?«

Die Hunde fallen über den Keksteller her, sabbernd und schnappend. Sollen wir das jetzt etwa noch essen?

»Lexi scheint nicht so richtig im Bilde zu sein«, sagt Jon.

»Smoky, du bist *nicht* dran …«

»Hören Sie endlich auf, mit den Hunden zu reden!« Jons Stimme lässt mich fast vom Sofa aufspringen.

Mum hat sich so erschrocken, dass es ihr die Sprache verschlägt. Und rühren kann sie sich auch nicht.

»*Das* ist Ihr Kind!« Jon deutet auf mich. »Nicht *der* da.« Er deutet mit dem Daumen auf einen Hund und schießt vom Sofa hoch. Mum und ich starren ihn nur reglos an, während er zum Kamin hinübergeht, sich durch die Haare fährt und gar nicht darauf achtet, dass die Hunde ihn bedrängen. »Also, mir liegt etwas an Ihrer Tochter. Vielleicht ist sie sich dessen nicht bewusst, aber es stimmt.« Er sieht meiner Mum in die Augen. »Vielleicht müssen Sie es verdrängen, um damit leben zu können. Ihnen mag es helfen. Lexi hilft es nicht.«

»Wovon redest du?«, sage ich hilflos. »Mum, was ist auf der Beerdigung passiert?«

Mums Hände umflattern ihr Gesicht, als müsste sie sich schützen. »Es war eher … unerfreulich.«

»Das Leben kann nun mal unerfreulich sein«, sagt Jon barsch. »Noch unerfreulicher wird es, wenn man davon nichts ahnt. Und wenn Sie es Lexi nicht sagen, werde ich es tun. Denn eins sollten Sie wissen ... sie hat mir davon erzählt.« Er zerkaut den Rest von seinem Keks.

»Also gut! Es war so ...« Mums Stimme verklingt zu einem Flüstern.

»*Bitte*?«

»Der Gerichtsvollzieher kam!« Das Blut schießt ihr in die Wangen. »Mitten in der Feier.«

»Der Gerichtsvollzieher? Aber ...«

»Sie kamen unangemeldet. Zu fünft.« Sie starrt vor sich hin, streichelt den Hund auf ihrem Schoß wie besessen mit der immer gleichen Bewegung. »Sie wollten das ganze Haus pfänden. Die Möbel, alles. Wie sich herausstellte, war dein Vater mir gegenüber nicht ... vorbehaltlos ehrlich. Und auch allen anderen gegenüber.«

»Zeigen Sie ihr die zweite DVD«, sagt Jon. »Und erzählen Sie mir nicht, Sie wüssten nicht, wo Sie sie haben.«

Es dauert etwas, dann steht Mum auf, ohne uns anzusehen, wühlt in einer Schublade herum und findet eine DVD. Diese schiebt sie in das Gerät, und wir lehnen uns zurück.

»Meine Lieben.« Dad ist wieder auf dem Bildschirm, im selben Zimmer wie auf der anderen DVD, im selben plüschigen Hausmantel. Mit demselben charmanten Lächeln. »Wenn ihr das hier seht, habe ich den Löffel abgegeben. Und ihr solltet etwas wissen. Allerdings ist das nicht für die – sagen wir – Allgemeinheit geeignet.« Er nimmt einen tiefen Zug von seiner Zigarre und runzelt reumütig die Stirn. »Es gab da einen kleinen Engpass an der Pesetenfront. Wollte euch damit eigentlich nicht belasten. Aber ihr Mädels seid clever, ihr kommt damit bestimmt zurecht.« Er überlegt kurz. »Wenn ihr nicht mehr weiterwisst, fragt den alten Dickie Hawford, der hilft euch bestimmt. Prost, meine Lämmchen!« Er hebt sein Glas, dann ist der Bildschirm schwarz. Ich drehe mich zu Mum um.

»Was meinte er mit ›Engpass‹?«

»Er meinte, dass er eine Hypothek auf das Haus aufgenommen hatte.« Ihre Stimme zittert. »Das war seine eigentliche Nachricht. Diese DVD kam mit der Post, eine Woche nach der Beerdigung. Aber da war es zu spät! Der Gerichtsvollzieher war schon da gewesen! Was hätten wir tun sollen?« Sie streichelt den Whippet immer energischer, bis er plötzlich jaulend aufspringt.

»Und ... was haben wir gemacht?«

»Wir hätten verkaufen müssen. Wegziehen. Amy hätte die Schule wechseln müssen ...« Wieder umflattern ihre Hände das Gesicht. »Also ist mein Bruder freundlicherweise eingesprungen. Und meine Schwester auch. Und ... und du auch. Du hast gesagt, du würdest die Hypothek abbezahlen. So viel wie du kannst.«

»*Ich?*«

Ich sinke auf das Sofa zurück. Mein Kopf dreht sich, als ich versuche, das alles auf die Reihe zu bekommen. Ich habe mich bereit erklärt, Dads Schulden zu übernehmen.

»Ist das eine Offshore-Hypothek?«, frage ich plötzlich. »Heißt die Bank Uni... irgendwas?«

»Die meisten von Daddys Geschäften waren im Ausland.« Sie nickt. »Wegen der Steuer. Ich weiß nicht, wieso er nie ehrlich sein konnte ...«

»Sagt die Frau, die ihre Tochter im Dunkeln gelassen hat!«, knurrt Jon. »Wie können Sie das so einfach sagen?«

Seine Entrüstung färbt auf mich ab.

»Mum, du wusstest, dass ich mich an die Beerdigung nicht erinnern kann. Trotzdem hast du mir *nichts* davon erzählt. Begreifst du nicht, dass mir manches ... klarer gewesen wäre? Ich hatte überhaupt keine Ahnung, wohin das Geld geht.«

»Es war sehr schwierig!« Mums Augen wandern hin und her. »Ich habe versucht, es geheim zu halten, wegen Amy …«

»Aber …« Ich stutze, als mir etwas anderes in den Sinn kommt. »Mum … ich hab noch eine Frage: War Dad jemals … im Gefängnis?«

Mum zuckt zusammen, als hätte ich ihr auf den Zeh getreten.

»Nur kurz, Liebes. Vor langer Zeit … es war ein Missverständnis. Belassen wir es dabei. Ich mach uns noch einen Kaffee …«

»Nein!« Frustriert springe ich auf und stelle mich vor sie hin, um ihre uneingeschränkte Aufmerksamkeit zu bekommen. »Hör mir zu, Mum! Du kannst nicht in einer Seifenblase leben und so tun, als wäre nichts gewesen.«

»Lexi!«, sagt Mum scharf, aber ich ignoriere sie.

»Amy hat gehört, dass Dad im Gefängnis war. Sie findet die Vorstellung cool. Kein Wunder, dass sie dauernd Ärger hat … Meine Güte!« Plötzlich fügt sich das Puzzle meines Lebens wie von selbst zusammen. »*Deshalb* bin ich plötzlich so ehrgeizig geworden. Deshalb hatte ich plötzlich nichts anderes mehr im Sinn. Die Beerdigung hat alles verändert.«

»Du hast mir erzählt, was passiert war«, sagt Jon. »Als der Gerichtsvollzieher kam, ist sie zusammengebrochen.« Er wirft Mum einen verächtlichen Blick zu. »Du musstest die Leute aufhalten, Lexi. Du musstest Entscheidungen treffen … du hast alles auf dich genommen.«

»Hört auf, mich anzusehen, als wäre es nur meine Schuld!«, schreit Mum plötzlich mit schriller, bebender Stimme. »Hört auf, mir die ganze Schuld zuzuschieben! Ihr habt doch keine Ahnung von meinem Leben, überhaupt keine! Dein Vater, dieser *Mann* …«

Sie lässt die Worte in der Luft hängen, und mir stockt der Atem, als sie mich mit ihren blauen Augen ansieht. Zum ersten Mal – seit ich denken kann – klingt meine Mutter … aufrichtig.

Es ist ganz still. Ich traue mich kaum, etwas zu sagen.

»Was ist mit Dad?« Mein Flüstern scheint mir immer noch zu laut. »Mum … sag es mir!«

Aber es ist zu spät. Schon ist der Augenblick vergangen. Mums Blick schweift ab, weicht mir aus. Plötzlich ist es, als sähe ich sie zum allerersten Mal – ihr Haar so mädchenhaft mit diesem Haarreif, die Hände faltig, Dads Ring noch auf dem Finger. Während ich sie betrachte, tastet sie nach einem Hundekopf und tätschelt ihn.

»Es ist schon fast Mittag, Agnes!« Ihre Stimme klingt hell und brüchig. »Sehen wir mal nach, was wir für dich finden können …«

»Mum, bitte.« Ich trete einen Schritt vor. »Du kannst jetzt doch nicht aufhören. Was wolltest du denn sagen?«

Ich weiß nicht genau, was ich mir erhofft habe, doch als sie aufblickt, wird mir klar, dass ich es nicht bekommen werde. Ihre Miene ist wieder undurchdringlich, als wäre nichts passiert.

»Ich wollte *nur* sagen …«, schon findet sie wieder zu ihrer alten Märtyrerhaltung, »… bevor du mir die Schuld für alles in deinem Leben gibst, Lexi: Dieser Bursche hatte einiges auf dem Gewissen. Dieser Freund von dir, der auf der Beerdigung war. Dave? David? *Dem* solltest du Vorwürfe machen.«

»Loser Dave?« Sprachlos starre ich sie an. »Aber … Loser Dave war nicht auf der Beerdigung. Er hat mir erzählt, er hätte angeboten, mitzukommen, aber ich hätte es abgelehnt. Er sagte …« Meine Worte versiegen, als ich Jon sehe, der nur den Kopf schüttelt und gen Himmel blickt.

»Was hat er dir noch erzählt?«

»Er hat gesagt, dass wir uns an diesem Morgen getrennt haben. Dass alles wunderschön war und er mir eine Rose geschenkt hat …« Oh, Gott. Welcher Teufel hat mich geritten, ihm auch nur *ein* Wort zu glauben? »Entschuldigt mich.«

Ich marschiere hinaus in die Auffahrt, getrieben vom Frust

über Mum, über Dad, über mich selbst, weil ich so leichtgläubig bin. Ich reiße mein Handy aus der Tasche und gebe Loser Daves Büronummer ein.

»Auto Repair Workshop«, höre ich seine geschäftsmäßige Stimme. »Dave Lewis am Apparat.«

»Loser Dave, ich bin's«, sage ich kalt. »Lexi. Ich muss mit dir noch mal über unsere Trennung sprechen. Und diesmal muss ich die Wahrheit wissen.«

»Baby, ich habe dir die Wahrheit gesagt.« Er klingt ungeheuer selbstbewusst. »Da wirst du mir schon glauben müssen.«

Am liebsten würde ich ihm eine *reinhauen.*

»Hör zu, du Arschgesicht«, sage ich ganz langsam und böse. »Ich bin hier gerade in einer neurologischen Spezialpraxis, okay? Die sagen, irgendjemand hat mich falsch informiert, was jetzt meine Nervenbahnen blockiert. Und wenn das nicht korrigiert wird, werde ich einen bleibenden Hirnschaden davontragen.«

»Ach, du Schande.« Er klingt erschüttert. »Sofort?«

Er ist wirklich noch blöder als Mums Whippets.

»Ja. Der Spezialist ist gerade bei mir und versucht, meinen Datenspeicher zu korrigieren. Wenn du es also vielleicht noch mal mit der Wahrheit versuchen könntest … Oder möchtest du lieber gleich mit dem Arzt sprechen?«

»Nein! Okay!« Er ist fix und fertig. Ich kann mir richtig vorstellen, wie er immer schneller atmet und mit dem Finger innen am Kragen entlangfährt. »Vielleicht war es nicht *genau* so, wie ich es dir erzählt habe. Ich wollte dich nur schützen.«

»Wovor wolltest du mich schützen? Warst du bei der Beerdigung?«

»Ja, ich bin mitgekommen«, sagt er nach kurzer Pause. »Ich habe Schnittchen verteilt. Mich nützlich gemacht. Dich unterstützt.«

»Und was ist dann passiert?«

»Dann habe ich …« Er räuspert sich.

»*Was?*«

»Eine von den Kellnerinnen gevögelt. Es lag nur am emotionalen Stress!«, fügt er winselnd hinzu. »Da macht man alle möglichen verrückten Sachen. Ich dachte, ich hätte die Tür abgeschlossen …«

»Ich habe dich auf frischer Tat ertappt?«, sage ich ungläubig.

»Ja. Wir waren nicht nackt oder so. Na ja, schon ein bisschen natürlich …«

»Aufhören!« Ich halte das Telefon weit weg von meinem Ohr.

Ich brauche eine Weile, um das alles in meinen Kopf zu kriegen. Schwer atmend knirsche ich über den Kies, setze mich auf die Gartenmauer und sehe hinüber zu den Schafen auf der Weide, ignoriere die »Lexi! Lexi!«-Rufe aus dem Telefon.

Ich habe Loser Dave dabei erwischt, wie er mich betrügt. Na, was auch sonst? Es überrascht mich nicht mal.

Endlich nehme ich das Handy wieder ans Ohr. »Und wie habe ich reagiert? Und sag jetzt *nicht*, ich hätte dir eine Rose geschenkt und es war wunderschön.«

»Na ja.« Loser Dave atmet aus. »Ehrlich gesagt, bist du völlig ausgeflippt. Du hast rumgeschrien. Dein ganzes Leben soll sich ändern, es ist alles Scheiße, du hasst mich, du hasst alles … ich kann dir sagen, Lexi: Es war echt heftig. Ich hab versucht, dich zu beruhigen, hab dir ein Krabbenbrötchen geholt. Aber du wolltest nicht. Dann bist du rausgerannt.«

»Und dann?«

»Dann war Schluss! Das nächste Mal habe ich dich in dieser Sendung gesehen, und da sahst du total anders aus.«

»Allerdings.« Ich beobachte zwei Vögel, die am Himmel kreisen. »Weißt du, du hättest mir gleich beim ersten Mal die Wahrheit sagen können.«

»Ich weiß. Tut mir leid.«

»Na, klar.«

»Nein, wirklich.« Ehrlicher als jetzt hat er noch nie geklungen. »Und es tut mir leid, dass ich dieses Mädchen gevögelt habe. Und mir tut auch leid, wie sie dich genannt hat. Das war nicht in Ordnung.«

Ich setze mich auf, bin plötzlich hellwach. »Wie hat sie mich genannt?«

»Oh. Du kannst dich nicht erinnern«, sagt er hastig. »Äh … nichts. Ich kann mich auch nicht mehr erinnern.«

»Was hat sie gesagt?« Ich stehe auf, presse das Handy an mein Ohr. »Sag mir, wie sie mich genannt hat! Loser Dave!«

»Ich muss los. Viel Glück beim Arzt.« Er legt auf. Sofort wähle ich seine Nummer, aber es ist besetzt. Schweinepriester.

Ich stampfe ins Haus zurück und finde Jon auf dem Sofa, wo er eine Ausgabe von *Whippet World* liest.

»Hi!« Seine Miene leuchtet auf. »Wie ist es gelaufen?«

»Wie hat mich die Kellnerin bei der Beerdigung genannt?«

Sofort sieht Jon aus, als wollte er mir ausweichen. »Ich weiß nicht, was du meinst. Hey, hast du schon mal *Whippet World* gelesen?« Er hält sie hoch. »Ist überraschend gut …«

»Du weißt *sehr wohl*, was ich meine.« Ich setze mich neben ihn und ziehe sein Kinn herum, so dass er mich ansehen muss. »Ich weiß, dass ich es dir erzählt habe. Sag es mir.«

Jon seufzt. »Lexi, es ist nur ein winziges Detail. Warum ist es so wichtig?«

»Weil … weil es das ist. Hör zu, Jon, du kannst nicht meiner Mum eine Predigt halten und mir dann etwas verschweigen, was in *meinem* Leben vorgefallen ist. Ich habe ein Recht, es zu erfahren. Sag mir, wie mich die Kellnerin genannt hat! *Sofort*.« Wütend starre ich ihn an.

»Na, gut.« Jon hebt die Hände wie zur Kapitulation. »Wenn du es unbedingt wissen musst. Sie nannte dich … Draculas Tochter.«

Draculas Tochter? Unwillkürlich – obwohl ich *weiß*, dass

meine Zähne gar nicht mehr so spitz sind – spüre ich, wie meine Wangen vor Scham rot anlaufen.

»Lexi …« Jon windet sich.

»Nein.« Ich streife Jons Hand ab. »Kein Problem.«

Mit heißem Kopf stehe ich auf und trete ans Fenster, versuche, mir die Szene vorzustellen, mich in die geknickte Lexi hineinzuversetzen. Es ist 2004. Ich habe keine Prämie bekommen. Mein Vater wird beerdigt. Der Gerichtsvollzieher steht vor der Tür, um uns alles wegzunehmen. Ich erwische meinen Freund dabei, wie er eine Kellnerin bumst … und sie sieht mich an und nennt mich »Draculas Tochter«.

Okay. Langsam passt alles zusammen.

ACHTZEHN

Auf dem Rückweg sitze ich sehr lange schweigend da. Ich halte den Aktenordner auf meinem Schoß fest, als würde er mir sonst wegfliegen. Draußen rasen die Felder vorbei. Jon sieht gelegentlich zu mir herüber, ohne etwas zu sagen.

Immer wieder lasse ich mir alles durch den Kopf gehen. Es kommt mir vor, als hätte ich innerhalb einer halben Stunde mein Examen zu »Lexi Smart« abgelegt.

»Ich kann einfach nicht glauben, dass mein Dad uns solche Probleme hinterlassen hat«, sage ich schließlich. »Ohne die leiseste Vorwarnung.«

»Ach, nein?« Jon klingt zurückhaltend.

Ich streife meine Schuhe ab, ziehe die Knie an und stütze mein Kinn darauf, mit stierem Blick nach vorn. »Weißt du, alle mochten meinen Dad. Er sah gut aus, war lustig und geistreich, und er hat uns geliebt. Obwohl er ein paar Mal Mist gebaut hat ... er hat uns wirklich geliebt. ›Seine drei Mädels‹ hat er uns immer genannt.«

»Seine drei Mädels.« Jons Stimme klingt rauer denn je. »Eine hundeverrückte Heuchlerin, eine minderjährige Betrügerin und eine überspannte Amnesie-Kranke. Allesamt schwer verschuldet. Gute Arbeit, Michael. Sehr schön.«

Ich starre ihn an. »Du hältst nicht viel von meinem Dad, was?«

»Ich glaube, er hat es sich leichtgemacht und euch die Scherben hinterlassen«, sagt Jon. »Ich glaube, er war ein selbstsüchtiger Sack. Aber, hey, ich habe ihn nie kennengelernt.« Abrupt setzt er den Blinker und wechselt auf eine andere Spur. Plötzlich fällt mir auf, wie fest er das Lenkrad hält. Fast als wäre er wütend.

»Jedenfalls verstehe ich mich jetzt etwas besser.« Ich kaue an meinem Daumennagel herum. »Habe ich dir je davon erzählt? Von der Beerdigung?«

»Hin und wieder.« Jon sieht mich mit schiefem Lächeln an.

»Ach, so.« Ich werde rot. »Also ununterbrochen. Bestimmt habe ich dich damit zu Tode gelangweilt.«

»Jetzt hab dich nicht so!« Er nimmt meine Hand und drückt sie kurz. »Eines Tages, ganz am Anfang, als wir nur befreundet waren, kam alles raus. Die ganze Geschichte. Wie dieser Tag dein Leben verändert hat. Dass du die Schulden deiner Familie übernehmen musstest. Gleich am nächsten Tag hast du beim Zahnarzt angerufen, eine Diät angefangen und beschlossen, dich von Grund auf zu verändern. Dann warst du im Fernsehen, und alles wurde noch extremer. Du bist im Eiltempo die Karriereleiter rauf, hast Eric kennengelernt, und er schien genau der Richtige zu sein. Er war zuverlässig, reich, berechenbar. Meilenweit entfernt von …« Er stockt.

»Meinem Dad«, sage ich schließlich.

»Ich bin kein Psychologe. Aber das würde ich mal vermuten.«

Wir schweigen. Ich beobachte ein kleines Flugzeug, das immer höher in den Himmel steigt und zwei weiße Kondensstreifen hinter sich zurücklässt.

»Weißt du, als ich im Krankenhaus zu mir kam, dachte ich, ich lebe in einem Traum«, sage ich langsam. »Ich dachte, es ist wie bei Aschenputtel. *Besser* als bei Aschenputtel. Ich dachte, ich müsste der glücklichste Mensch auf der Welt sein …« Ich schweige, als ich sehe, dass Jon den Kopf schüttelt.

»Du standst ständig unter Druck. Du bist zu früh zu weit gekommen und wusstest nicht, wie du damit umgehen solltest. Du hast Fehler gemacht …« Er zögert. »Deine Freundinnen wollten nichts mehr mit dir zu tun haben. Das war für dich das Schlimmste.«

»Aber ich *begreife* es nicht«, sage ich hilflos. »Ich begreife nicht, wieso ich eine Bitch geworden bin.«

»Es war doch keine Absicht, Lexi! Geh nicht so hart mit dir ins Gericht. Diesen Chefposten hat man dir aufgedrängt. Du musstest eine große Abteilung übernehmen, du wolltest die Geschäftsleitung beeindrucken und dir nicht den Vorwurf der Vetternwirtschaft machen lassen … du hast dich echt abgestrampelt. Aber du bist auch ein paar Sachen falsch angegangen. Deshalb kamst du dir vor, als würdest du in einer Falle sitzen. Du hattest dir diese harte Schale zugelegt. Sie hat viel zu deinem Erfolg beigetragen.«

»Die *Kobra*«, sage ich und verziehe das Gesicht. Ich kann immer noch nicht fassen, dass man mich so genannt hat.

»Die Kobra.« Er nickt, und wieder zuckt ein Lächeln in seinen Mundwinkeln. »Die Idee kam von den Fernsehleuten. Es lag nicht an dir. Obwohl es in gewisser Weise stimmte. Du *bist* ziemlich kobramäßig, wenn es ums Geschäft geht.«

»Nein, bin ich nicht!« Entsetzt blicke ich auf.

»Im positiven Sinn.« Er grinst.

Im positiven Sinn? Wie kann man im positiven Sinn eine Kobra sein?

Eine Weile fahren wir, ohne etwas zu sagen. Zu beiden Seiten erstrecken sich goldene Felder bis zum Horizont. Irgendwann stellt Jon das Radio an. Die Eagles spielen *Hotel California*, während wir so fahren und die Sonne auf der Windschutzscheibe glitzert. Plötzlich kommt es mir vor, als könnte es auch ein fremdes Land sein. Ein fremdes Leben.

»Einmal hast du zu mir gesagt, wenn du die Zeit zurückdrehen und alles anders machen könntest, würdest du es tun.« Jons Stimme klingt sanfter als vorher. »Und zwar in jeder Hinsicht. Was dich angeht … deinen Job … Eric … alles sieht ganz anders aus, wenn Glanz und Gloria verflogen sind.«

Es versetzt mir einen Stich, als er Eric erwähnt. Jon redet, als läge das alles schon hinter mir, aber ich lebe hier und jetzt. Ich bin verheiratet. Und mir gefällt nicht, was er damit andeuten will.

»Ich hatte es ganz sicher nicht auf sein Geld abgesehen, okay?«, sage ich aufgebracht. »Bestimmt habe ich Eric geliebt. Ich würde niemanden nur wegen ›Glanz und Gloria‹ heiraten.«

»Anfangs dachtest du, Eric sei der Richtige«, gibt Jon mir recht. »Er ist charmant, aufmerksam … Im Grunde ist er wie die intelligenten Alarmsysteme in unseren Häusern. Man stellt ihn auf ›Ehemann‹, und schon legt er los.«

»Hör auf.«

»Er ist der letzte Schrei. Er hat diverse Profileinstellungen, er ist berührungssensitiv …«

»Hör *auf*!« Ich versuche, nicht zu lachen. Ich beuge mich vor und mache das Radio lauter, als wollte ich Jon ausblenden. Bald darauf weiß ich, was ich sagen will, und stelle es wieder leiser.

»Okay, hör zu. Vielleicht hatten wir tatsächlich eine Affäre. Früher. Aber das heißt nicht … Vielleicht wünsche ich mir dieses Mal, dass meine Ehe *funktioniert*.«

»Es wird dir nicht gelingen.« Jon zuckt mit keiner Wimper. »Eric liebt dich nicht.«

Warum muss er so ein gottverfluchter *Besserwisser* sein?

»Tut er wohl.« Ich verschränke meine Arme. »Er hat es mir gesagt. Es war sehr romantisch, wenn du es genau wissen willst.«

»Ach, ja?« Das scheint Jon nicht im Geringsten zu beeindrucken. »Was hat er gesagt?«

»Er hat gesagt, er hat sich in meinen schönen Mund und meine langen Beine verliebt und in die Art und Weise, wie ich meine Aktentasche schwinge.« Vor lauter Verlegenheit laufe ich rot an. Ich habe oft an Erics Worte gedacht. Ich habe sie mir fest eingeprägt.

»Das ist doch der letzte Scheiß.« Jon sieht mich nicht mal an.

»Das ist nicht der letzte Scheiß!«, erwidere ich gekränkt. »Es ist romantisch!«

»Ach, wirklich? Und würde er dich auch lieben, wenn du deine Aktentasche *nicht* mehr schwingst?«

Einen Moment lang weiß ich nicht, was ich darauf sagen soll. »Ich ... weiß nicht. Das ist nicht der Punkt.«

»Wie kann es nicht der Punkt sein? Das ist genau der Punkt. Würde er dich lieben, wenn deine Beine nicht lang wären?«

»Ich weiß es nicht!«, sage ich genervt. »Halt den Mund! Es war ein wunderschöner Augenblick.«

»Es war Scheiße.«

»Okay.« Ich schiebe mein Kinn vor. »Und was liebst *du* an mir?«

»Ich weiß nicht. Dein Wesen. Ich kann da keine *Liste* aufstellen«, sagt er fast verächtlich.

Darauf folgt eine lange Pause. Ich starre geradeaus, mit fest verschränkten Armen. Jon konzentriert sich auf die Straße, als hätte er das Gespräch schon wieder vergessen. Wir nähern uns London, und der Verkehr um uns herum nimmt zu.

»Okay«, sagt Jon schließlich, als wir an einem Stauende halten müssen. »Ich mag es, wie du im Schlaf quiekst.«

»Ich quieke im Schlaf?«, sage ich ungläubig.

»Wie ein Backenhörnchen.«

»Ich dachte, ich bin angeblich eine Kobra«, entgegne ich. »Du musst dich schon entscheiden.«

»Kobra bei Tag.« Er nickt. »Backenhörnchen bei Nacht.«

Ich gebe mir alle Mühe, meinen Mund nicht zu bewegen, aber ein Lächeln macht sich breit.

Während wir die Schnellstraße entlangkriechen, meldet mir mein Handy piepend eine SMS, und ich hole es hervor.

»Von Eric«, sage ich, nachdem ich sie gelesen habe. »Er ist heil in Manchester angekommen. Er will sich ein paar Tage nach Möglichkeiten für neue Bauvorhaben umsehen.«

»Mh-hm. Ich weiß.« Jon schwenkt in einen Kreisverkehr ein. Mittlerweile haben wir die Außenbezirke der Stadt erreicht. Hier wird es immer grauer, und plötzlich spüre ich einen Regentropfen im Gesicht. Ich schüttle mich, und Jon schließt das Verdeck. Mit unbewegter Miene schlängelt er sich durch den Verkehr.

»Weißt du, Eric hätte die Schulden deines Vaters aus der Portokasse bezahlen können«, sagt er nüchtern. »Aber er hat es dir überlassen. Kein Wort hat er darüber verloren.«

Ich weiß nicht, was ich darauf sagen soll. Ich weiß ja nicht mal, was ich denken soll.

»Es ist sein Geld«, sage ich schließlich. »Warum sollte er? Und außerdem bin ich nicht auf Hilfe angewiesen.«

»Ich weiß. Ich hatte sie dir angeboten. Du wolltest nichts annehmen. Du bist ziemlich stur.« Er kommt an eine große Kreuzung, hält hinter einem Bus und sieht mich an. »Was hast du jetzt vor?«

»Jetzt?«

»Den Rest des Tages.« Er zuckt mit den Schultern. »Wo Eric weg ist …«

Tief in mir rührt sich was. Ein leises Beben, das ich am liebsten ignorieren würde. Wenn ich könnte.

»Tja.« Ich versuche, geschäftsmäßig zu klingen. »Ich habe nichts geplant. Nach Hause gehen, was essen, mir diesen Ordner durchlesen …« Ich zwinge mich, eine angemessene Pause einzulegen, bevor ich hinzufüge: »Wieso?«

»Ach, nichts.« Auch Jon lässt eine Pause und starrt geradeaus, dann fügt er wie beiläufig hinzu: »Ich dachte nur gerade, dass bei mir in der Wohnung noch Sachen von dir sind. Vielleicht möchtest du sie gern haben.«

»Okay.« Unverbindlich zucke ich mit den Schultern.

»Okay.« Er wendet den Wagen, und den Rest des Weges fahren wir schweigend.

Jon hat die hübscheste Wohnung, die ich je gesehen habe.

Okay, sie liegt in einer schmuddeligen Straße in Hammersmith. Und die Graffiti an der Mauer gegenüber muss man sich wegdenken. Aber das Haus ist groß und hell, mit alten Bogenfenstern, und es stellt sich heraus, dass die Wohnung bis ins Nachbarhaus reicht und um ein Vielfaches breiter ist, als man von außen sehen kann.

»Es ist ... *echt toll*.«

Ich stehe da und sehe mich an seinem Arbeitsplatz um. Mir fehlen die Worte. Die Decke ist hoch, die Wände sind weiß, und da steht ein geschwungener Schreibtisch voller Papiere neben einem Arbeitsplatz mit einem riesigen Mac. In der Ecke hat er eine Staffelei und gegenüber davon eine ganze Wand mit Büchern und einer altmodischen Regalleiter auf Rädern.

»Die ganze Häuserreihe besteht aus Ateliers.« Jons Augen leuchten, als er herumläuft, zehn gebrauchte Kaffeetassen einsammelt und damit in einer winzigen Küche verschwindet.

Die Sonne ist wieder herausgekommen und scheint durch die Bogenfenster auf die abgeschliffenen Dielen. Am Boden liegen weggeworfene Skizzen und Zeichnungen. Mitten auf dem Schreibtisch steht eine Flasche Tequila, daneben liegt eine Tüte mit Mandeln.

Ich blicke auf und sehe, dass Jon mich von der Küchentür aus schweigend beobachtet. Er rauft sich die Haare, als müsste er zu sich kommen, und sagt: »Deine Sachen sind hier drüben.«

Ich folge ihm durch einen kleinen Flur in ein gemütliches Wohnzimmer. Es gibt große, blaue Stoffsofas, einen ledernen Sitzsack und einen alten Fernseher, der auf einem Stuhl steht. Hinter dem Sofa steht ein wackliges Holzregal voller Bücher und Zeitschriften und Pflanzen und ...

»Da steht mein Becher!« Ich starre einen handbemalten, roten Becher an, den mir Fi zum Geburtstag geschenkt hat. Er steht im Regal, als gehöre er hierher.

»Ja.« Jon nickt. »Das meinte ich. Du hast noch Sachen hier.« Er nimmt den Becher und gibt ihn mir.

»Und … mein Pulli!« Da liegt ein alter, gerippter Rollkragenpulli über der Sofalehne. Den habe ich bestimmt schon seit ich sechzehn war. Wie kommt der hierher …?

Ungläubig sehe ich mich um, und mir fällt immer mehr auf. Dieses künstliche Wolfsfell, das ich mir früher immer um die Schultern gelegt habe. Alte, gerahmte Collegefotos. Mein pinker Toaster?

»Du kamst oft her, um Toast zu essen.« Jon folgt meinem erstaunten Blick. »Du hast dich damit vollgestopft, als wärst du am Verhungern.«

Plötzlich erkenne ich meine andere Seite, die ich schon verloren geglaubt hatte. Zum ersten Mal, seit ich im Krankenhaus zu mir gekommen bin, fühle ich mich irgendwo heimisch. In der Ecke steht sogar eine Pflanze mit bunten Lichtern, denselben bunten Lichtern, die ich in meiner kleinen Wohnung in Balham hatte.

Hier waren meine Sachen. Die ganze Zeit. Plötzlich fallen mir Erics Worte wieder ein, als ich ihn das erste Mal nach Jon gefragt hatte. *Jon kann man sein Leben anvertrauen.*

Vielleicht habe ich genau das getan. Ich habe ihm mein Leben anvertraut.

»Kannst du dich an irgendwas erinnern?« Jon klingt beiläufig, aber ich spüre die Hoffnung, die daraus spricht.

»Nein.« Ich schüttle den Kopf. »Nur an die Sachen aus meinem früheren Leben …« Plötzlich fällt mir ein Bilderrahmen ins Auge, den ich nicht kenne. Ich trete näher heran, um mir das Foto anzusehen, und spüre, wie es mich durchzuckt. Es ist ein Foto von mir. Und Jon. Wir sitzen auf einem Baumstumpf und halten uns im Arm, und ich trage eine alte Jeans und Turnschuhe. Ich habe den Kopf zurückgeworfen und lache, als wäre ich das glücklichste Mädchen auf der ganzen Welt.

Es stimmt also. Es stimmt tatsächlich.

Meine Kopfhaut kribbelt, als ich unsere Gesichter sehe, hell im Sonnenschein. Die ganze Zeit hatte er den Beweis.

»Du hättest es mir zeigen können«, sage ich fast vorwurfsvoll. »Dieses Foto. Du hättest es mitbringen können, als wir uns das erste Mal gesehen haben.«

»Hättest du mir geglaubt?« Er setzt sich auf eine Sofalehne. »Hättest du mir glauben *wollen?*«

Ich weiß nicht weiter. Vielleicht hat er recht. Vielleicht hätte ich Erklärungen gesucht, alles relativiert, mich an meinen perfekten Ehemann geklammert – mein traumhaftes Leben.

Um die Stimmung etwas aufzuhellen, trete ich an einen Tisch, auf dem alte Romane liegen, die mir gehören. Daneben steht eine Schale mit Kernen.

»Sonnenblumenkerne.« Ich nehme mir eine Handvoll. »Ich liebe Sonnenblumenkerne.«

»Das weiß ich doch.« Jon macht so ein seltsames Gesicht.

»Was?« Überrascht sehe ich ihn an, die Kerne schon halb im Mund. »Was ist? Sind die okay?«

»Die sind in Ordnung. Da war nur was …« Er lächelt in sich hinein. »Nein, egal. Vergiss es.«

»Was?« Fragend sehe ich ihn an. »Hat das was mit uns zu tun? Du musst es mir erzählen. Los!«

»Nichts weiter.« Er zuckt mit den Achseln. »Es war kindisch. Wir hatten so ein … Ritual. Nachdem wir das erste Mal miteinander geschlafen hatten, hast du Sonnenblumenkerne geknabbert. Einen davon hast du in einen Joghurtbecher gepflanzt, und ich habe ihn mit nach Hause genommen. Zum Andenken. Von da an haben wir es dann jedes Mal gemacht. Wir nannten sie ›unsere Kinder‹.«

»Wir haben Sonnenblumenkerne eingepflanzt?« Neugierig starre ich ihn an. Irgendwo in meinem Hinterkopf klingelt es ganz leise.

»Mh-hm.« Jon nickt, als wollte er das Thema wechseln. »Ich hol dir was zu trinken.«

»Und wo sind sie?«, sage ich, als er zwei Gläser Wein einschenkt. »Hast du welche davon aufbewahrt?« Ich sehe mich im Zimmer nach bepflanzten Joghurtbechern um.

»Ist egal.« Er reicht mir ein Glas.

»Hast du sie weggeworfen?«

»Nein, ich habe sie nicht weggeworfen.« Er geht zu einem CD-Player und legt etwas leise Musik auf, aber ich lasse mich nicht ablenken.

»Und wo sind sie dann?« Meine Stimme bekommt etwas Herausforderndes. »Wenn es stimmt, was du sagst, haben wir doch mehr als nur einmal Sex gehabt. Also müsste es auch ein paar Sonnenblumen geben.«

Jon nimmt einen Schluck Wein. Dann dreht er – ohne ein Wort zu sagen – auf dem Absatz um und winkt mir, ihm in einen kleinen Flur zu folgen. Wir kommen durch ein spärlich eingerichtetes Schlafzimmer. Dort stößt er die Tür zu einem hübschen, breiten Balkon auf. Mir bleibt die Luft weg.

Alles ist voller Sonnenblumen! Von großen, gelben Monstern, die in den Himmel reichen, über junge Pflänzchen, die noch gestützt werden müssen, bis hin zu Schösslingen, die in ihren Bechern gerade aufgehen wollen –

Sonnenblumen, so weit das Auge reicht.

Das war es also. *Das* waren wir. Von den allerersten Anfängen bis zum jüngsten, struppigen Keim im Topf. Plötzlich schnürt es mir die Kehle zu, als ich mich in diesem Meer aus Grün und Gelb umsehe. Ich hatte ja keine Ahnung.

»Und wie lange ist es her … ich meine …« Ich deute auf den kleinsten Setzling, der in einem winzigen, handbemalten Topf von Zahnstochern aufrecht gehalten wird. »Seit wir das letzte Mal …«

»Sechs Wochen. Am Tag vor deinem Unfall.« Mit undurchschaubarer Miene sieht Jon mich an. »Den Kleinen pflege ich besonders gut.«

»Dann haben wir uns zum letzten Mal gesehen, kurz bevor …« Ich beiße mir auf die Lippe.

Einen Moment herrscht Schweigen, dann nickt Jon. »Da waren wir das letzte Mal zusammen.«

Ich setze mich und trinke meinen Wein, fassungslos. Da steht die ganze Geschichte. Eine astreine Affäre. Wächst und gedeiht und wird so stark, dass ich Eric dafür verlassen wollte.

»Was ist mit … dem ersten Mal?«, sage ich schließlich. »Wie hat alles angefangen?«

»Es passierte an dem Wochenende, als Eric weg war. Ich war drüben bei euch, und wir haben geredet. Wir saßen draußen auf der Dachterrasse und haben Wein getrunken. Ungefähr so wie jetzt.« Jon deutet in die Runde. »Und als der Nachmittag halb rum war, haben wir geschwiegen. Wir wussten es beide.«

Er sieht mich mit seinen dunklen Augen an, und ich spüre einen Ruck, tief in mir. Er steht auf und kommt zu mir. »Wir wussten beide, dass es unausweichlich war«, sagt er leise.

Wie angewurzelt stehe ich da. Sanft nimmt er mir das Weinglas ab und hält meine Hände.

»Lexi …« Er drückt sie an seinen Mund, schließt die Augen und küsst sie zärtlich. »Ich wusste …« Seine Stimme klingt ganz dumpf an meiner Hand. »Dass du zurückkommst … ich wusste, dass du zu mir zurückkommst.«

»Hör auf!« Ich reiße mich los. Plötzlich rast mein Herz. »Du hast … du hast doch überhaupt keine Ahnung!«

»Was ist denn?« Jon sieht aus, als hätte ich ihn geohrfeigt.

Ich weiß selbst nicht, was mit mir ist. Ich sehne mich so sehr nach ihm. Jede Faser meines Körpers sagt mir, dass ich mich darauf einlassen sollte. Aber ich kann nicht.

»Was los ist? Ich dreh gleich durch!«

»Wieso?« Er wirkt verblüfft.

»Wegen allem hier!« Ich zeige auf die Sonnenblumen. »Das ist alles zu viel. Du präsentierst mir diese … diese … ausgewachsene Beziehung. Aber ich stehe noch ganz am Anfang.« Ich nehme einen großen Schluck Wein und versuche, ruhig zu bleiben. »Ich hänge zu weit hinterher. Wir sind nicht gleichauf.«

»Das gleichen wir aus«, sagt er eilig. »Wir überlegen uns was. Ich gehe auch wieder zum Anfang zurück.«

»Du kannst nicht zum Anfang zurück!« Ernüchtert fahre ich mir mit den Fingern durchs Haar. »Jon, du bist ein cooler Typ, attraktiv und geistreich. Und ich mag dich wirklich. Aber ich liebe dich nicht. Wie könnte ich? Ich habe das alles nicht getan. Ich kann mich an nichts davon erinnern.«

»Ich erwarte nicht, dass du mich *liebst* …«

»Doch, das tust du. Das tust du! Du erwartest von mir, dass ich *sie* werde.«

»Du *bist* sie.« Plötzlich klingt er fast böse. »Erzähl keinen Unsinn. Du bist die Frau, die ich liebe. Glaub's mir, Lexi.«

»Ich weiß aber nichts davon!« Ich werde immer lauter. »Ich *weiß* nicht, ob ich es bin, okay? Bin ich *sie*? Bin ich *ich*?«

Zu meinem Entsetzen kommen mir die Tränen. Ich habe keine Ahnung, wieso. Ich wende mich ab und wische mir übers Gesicht, schlucke, kann mich nicht beherrschen.

Ich möchte *sie* sein. Ich möchte das Mädchen sein, das lachend auf dem Baumstumpf sitzt. Aber ich bin es nicht.

Endlich kriege ich mich in den Griff und drehe mich um. Jon steht immer noch da wie vorher, aber bei seinem trostlosen Blick krampft sich mir das Herz zusammen.

»Ich sehe die Sonnenblumen.« Ich schlucke. »Und die Fotos. Und alle meine Sachen hier. Und ich begreife, was passiert ist. Aber es kommt mir vor wie eine Romanze zwischen Leuten, die ich gar nicht kenne.«

»*Du* bist es«, sagt Jon mit leiser Stimme. »*Ich* bin es. Wir beide.«

»Mein Kopf weiß es. Aber ich spüre es nicht. Ich *weiß* es nicht.« Ich balle eine Faust an meiner Brust und merke, wie mir schon wieder die Tränen kommen. »Wenn ich mich wenigstens an *irgendwas* erinnern könnte. Wenn da eine Erinnerung wäre, an die ich anknüpfen könnte …« Jon starrt die Sonnenblumen an.

»Also, was willst du mir sagen?«

»Ich will sagen … ich weiß nicht! Ich weiß es nicht. Ich brauche Zeit … ich brauche …« Hilflos zucke ich mit den Schultern.

Regentropfen fallen auf den Balkon. Ein Windstoß fegt vorbei, und die Sonnenblumen schwanken, als nickten sie.

Nach einer Weile nickt Jon auch. »Soll ich dich nach Hause fahren?« Er blickt auf und sieht mich an. Da ist kein Zorn mehr.

»Ja.« Ich wische mir die Augen und streiche mir die Haare aus dem Gesicht. »Bitte.«

Es dauert nur eine Viertelstunde bis zu mir nach Hause. Wir reden nicht. Ich klammere mich wieder an meinen blauen Ordner, und Jon schaltet zurück, beißt die Zähne zusammen. Er stellt den Mercedes auf meinen Parkplatz, und einen Moment rühren wir uns beide nicht von der Stelle. Bald darauf prasselt der Regen auf das Verdeck, und es blitzt.

»Du musst rennen«, sagt Jon, und ich nicke.

»Wie kommst du zurück?«

»Keine Sorge.« Er gibt mir die Schlüssel, weicht meinem Blick aus. »Viel Glück damit.« Er nickt zum Ordner. »Ehrlich.«

»Danke.« Ich streiche mit der Hand über den Pappdeckel, beiße mir auf die Unterlippe. »Obwohl ich gar nicht weiß, wie ich Simon Johnson dazu bewegen soll, mit mir darüber zu sprechen. Er hat mich degradiert. Meine Glaubwürdigkeit ist dahin. Der hat bestimmt gar kein Interesse.«

»Du schaffst es schon.«

»Wenn ich mit ihm reden kann, wird es klappen. Aber am liebsten würden sie mich bestimmt abwimmeln. Die haben keine Zeit mehr, sich mit mir zu unterhalten.« Ich seufze und greife nach der Beifahrertür. Draußen regnet es in Strömen, aber ich kann ja nicht die ganze Nacht hier sitzen bleiben.

»Lexi …«

Der Klang in Jons Stimme lässt mich aufschrecken.

»Lass uns … reden«, sage ich eilig. »Irgendwann.«

»Okay.« Einen Moment sieht er mir in die Augen. »Irgendwann. Abgemacht.« Er steigt aus, versucht vergeblich, sich mit den Händen gegen den Regen zu schützen. »Ich such mir ein Taxi. Mach schon … lauf!« Er zögert, dann gibt er mir einen Kuss auf die Wange und geht.

Ich renne so schnell durch den Regen zur Haustür, dass mir fast der kostbare Ordner aus der Hand fällt. Dann stehe ich unter dem Säulenvorbau und fühle Hoffnung keimen, als ich an meinen Deal denke. Obwohl es stimmt, was ich gesagt habe. Wenn ich nicht mit Simon Johnson sprechen kann, ist alles verloren.

Und plötzlich sinke ich in mich zusammen, als mir meine Lage bewusst wird. Was habe ich mir eigentlich gedacht? Was auch in diesem Ordner stecken mag – man wird mir keine Chance geben, oder? Ich bin nicht mehr die Kobra. Ich bin nicht Lexi, das Wunderkind. Ich bin erinnerungsbehindert, eine Schande für die Firma, eine völlige Versagerin. Simon Johnson wird mir keine fünf Minuten widmen, geschweige denn, mich wirklich anhören.

Mir ist nicht nach dem Fahrstuhl zumute. Zur sichtlichen Überraschung des Portiers steuere ich auf die Treppe zu und trabe die schimmernden Stufen aus Stahl und Glas hinauf, die kein Bewohner je benutzt. In der Wohnung stelle ich den ferngesteuerten Kamin an und versuche, es mir auf dem cremefarbenen Sofa gemütlich zu machen. Aber die Kissen sind alle irgendwie unbequem, und ich fürchte, mein regennasser Kopf könnte Flecken auf dem Stoff hinterlassen, also stehe ich schließlich auf und gehe in die Küche, um mir einen Becher Tee zu machen.

Nach dem ganzen Adrenalin an diesem Tag bin ich bleiern vor Enttäuschung. Ich habe also ein paar Dinge über mich erfahren. Na und? Kein Grund, gleich den Kopf zu verlieren und mich in etwas reinzusteigern, oder? Der ganze Tag – Jon, der Deal, einfach alles – kommt mir wie ein unwirklicher Traum vor. Ich werde die Abteilung Bodenbeläge niemals retten. Simon wird nichts von mir wissen wollen, mich nie im Leben so einen Deal durchziehen lassen. Es sei denn …

Es sei denn …

Nein.

Das kann ich nicht machen. Oder?

Ich erstarre, als ich die Folgen bedenke. Wie Hintergrundmusik erklingt Simon Johnsons Stimme in meinem Kopf.

Würden Sie Ihr Gedächtnis wiederfinden, Lexi, dann sähe die Sache anders aus.

Würde ich mein Gedächtnis wiederfinden, dann sähe die Sache anders aus.

Das Wasser kocht, aber ich merke es gar nicht. Wie im Traum zücke ich mein Handy und wähle.

»Fi«, sage ich, als sich ihre Stimme meldet. »Sag nichts. Hör zu.«

NEUNZEHN

Du bist ein Biest. Der Boss. Die Kobra.

Ich betrachte mich im Spiegel und trage den Lippenstift noch dicker auf. Er ist hell, ein gräuliches Rosa, das ohne Weiteres »Bossbitch« heißen könnte. Meine Haare sind streng zurückgekämmt, und ich trage das nüchternste Kostüm, das in meinem Schrank zu finden war. Den engsten Bleistiftrock, die spitzesten Pumps. Eine weiß-grau gestreifte Bluse. Die Botschaft, die mein Aufzug kundtut, ist nicht zu übersehen: *Es geht nur ums Geschäft.*

Gestern habe ich zwei Stunden mit Jeremy Northpool verbracht, in seinem Büro in Reading, und jedes Mal, wenn ich daran denke, werde ich ganz unruhig. Alles ist bereit. Wir wollen beide, dass der Deal klappt. Jetzt hängt es an mir.

»Du siehst nicht fies genug aus.« Fi steht im blauen Hosenanzug neben mir und mustert mich kritisch. »Du musst noch böser gucken.«

Ich verziehe das Gesicht, aber jetzt sehe ich eher aus, als müsste ich niesen.

»Nein.« Fi schüttelt den Kopf. »Das ist immer noch nicht richtig. Du hattest diesen richtig kalten Blick. So etwa: ›Steh mir nicht im Weg, du nichtswürdiger Wurm!‹« Sie schiebt die Augenbrauen zusammen und spricht mit harter, abschätziger Stimme. »Ich bin der Boss, und hier wird gemacht, was *ich* sage.‹«

»Das ist wirklich gut!« Bewundernd wende ich mich zu ihr um. »Du solltest es machen! Wir tauschen.«

»Ja, genau.« Sie schubst mich. »Los, noch mal! Guck böse!«

»Geh mir aus dem Weg, du Wurm!«, knurre ich wie die böse Hexe aus dem Märchen. »Ich bin der Boss, und hier wird gemacht, was *ich* sage.«

»Ja!« Sie applaudiert. »Schon besser. Und widme den Leuten nie mehr als einen kurzen Blick, so als könntest du deine Zeit nicht mit ihnen vergeuden.«

Ich seufze und sinke aufs Bett. Dieses ganze bitchige Benehmen macht müde. »Ich war eine blöde Kuh, oder?«

»Du warst ja nicht die ganze Zeit so«, räumt Fi ein. »Aber wir dürfen nicht riskieren, dass jemand etwas ahnt. Je böser, desto besser.«

Fi trainiert mich seit vierundzwanzig Stunden. Sie hat gestern krankgemacht, kam rüber und brachte Frühstück mit. Am Ende waren wir so eifrig dabei, dass wir gar nicht aufhören konnten. Sie hat ihre Sache richtig gut gemacht. Ich weiß *alles*. Ich weiß, was auf der letzten Weihnachtsfeier passiert ist. Ich weiß, dass Byron letztes Jahr wutentbrannt ein Meeting verlassen und mich als arroganten Niemand beschimpft hat. Ich weiß, dass die PVC-Verkäufe letzten März um zwei Prozent gestiegen sind, aufgrund der Bestellung einer Schule in Wokingham, die sich dann über die Farbe beschwert hat und uns verklagen wollte.

Mein Kopf ist so vollgestopft mit Fakten, dass er bald platzt. Und das alles ist noch nicht mal das Wichtigste.

»Wenn du in dein Büro gehst, knallst du immer die Tür hinter dir zu«, erklärt mir Fi. »Dann kommst du wieder raus und willst einen Kaffee. In der Reihenfolge.«

Es ist von entscheidender Bedeutung, dass ich wie die alte Bossbitch Lexi rüberkomme und alle täusche. Ich lege meinen Lippenstift weg und nehme meine Aktenmappe.

»Hol mir einen Kaffee«, belle ich mich selbst an. »Aber zack zack!«

»Schieb die Augenbrauen noch mehr zusammen …« Fi betrachtet mich, dann nickt sie. »So ist's gut.«

»Fi … danke.« Ich drehe mich zu ihr um und umarme sie.
»Du bist die Größte.«

»Wenn du das schaffst, bist *du* die Größte.« Sie zögert, dann
fügt sie hinzu: »Selbst wenn du es nicht schaffst. Du müsstest dir
die ganze Mühe eigentlich nicht machen, Lexi. Ich weiß, dass
sie dir einen fetten Job angeboten haben, auch wenn sie die Abteilung schließen.«

»Ja, na ja.« Verlegen reibe ich an meiner Nase herum. »Darum
geht es nicht. Komm, gehen wir!«

Als wir im Taxi zum Büro fahren, ist mir vor Aufregung ganz
flau im Magen und nicht zum Plaudern zumute. Ich muss verrückt sein! Ich weiß, dass ich verrückt bin. Aber was anderes fällt
mir nicht ein.

»Meine Güte, hab ich Lampenfieber«, murmelt Fi, als wir da
sind. »Und dabei muss ich gar nichts tun. Ich weiß überhaupt
nicht, wie ich es Debs und Carolyn gegenüber verheimlichen
soll.«

Wir haben den anderen nicht erzählt, was wir vorhaben. Wir
dachten uns, je weniger Leute davon wissen, desto besser.

»Tja, Fi, dann wirst du dich eben etwas anstrengen müssen,
okay?«, fahre ich sie mit meiner neuen Lexi-Stimme an und muss
fast lachen, als ich ihr erschrockenes Gesicht sehe.

»Gut. Du machst einem Angst. *Sehr* gut.«

Als wir aussteigen, gebe ich dem Taxifahrer sein Geld und übe
meinen bösen Blick, als ich das Wechselgeld entgegennehme.

»Lexi?«, höre ich eine Stimme hinter mir. Ich sehe mich um,
bereit, einem Ahnunglosen meine genervte Lexi-Miene zu präsentieren, merke aber leider, wie sie mir entgleitet.

»*Amy*? Was machst du denn hier?«

»Ich hab auf dich gewartet.« Etwas trotzig streicht sie eine
Haarsträhne zurück. »Ich bin hier, um bei dir ein Praktikum zu
machen.«

»Du … *was*?«

Während das Taxi abfährt, glotze ich sie ungläubig an. Sie trägt ultrahohe High Heels, Netzstrümpfe, einen winzigen Minirock mit Nadelstreifenmuster und passender Weste. Das blaugesträhnte Haar hat sie zum Pferdeschwanz gebunden. An ihrem Revers steckt ein Button, auf dem steht *Man muss nicht verrückt sein, um hier zu arbeiten, aber lesbisch.*

»Amy ...« Ich fasse mir an den Kopf. »Heute ist kein guter Tag ...«

»Du hast es gesagt!« Ihre Stimme bebt. »Du hast gesagt, du kümmerst dich darum. Ich hab mich echt angestrengt, um herzukommen. Ich bin früh aufgestanden und alles. Mum hat sich echt gefreut. Und sie hat gesagt, du würdest dich auch freuen.«

»Ich freue mich ja! Aber ausgerechnet heute ...«

»Das hast du letztes Mal auch gesagt. Du hast doch eigentlich gar kein Interesse an mir.« Sie wendet sich ab und öffnet ihren Pferdeschwanz. »Na super. Ich will deinen Scheißjob sowieso nicht haben.«

»Vielleicht ist sie ein kleiner Störsender«, raunt Fi mir zu. »Unter Umständen ist das sogar eine gute Idee. Können wir ihr vertrauen?«

»Mir vertrauen?« Amys Stimme wird scharf vor Neugier. »Wobei?« Sie kommt näher, mit leuchtenden Augen. »Habt ihr etwa ein Geheimnis?«

»Okay.« Ich treffe eine spontane Entscheidung. »Hör zu, Amy.« Ich flüstere. »Du kannst mitkommen. Ich verrate dir was: Ich will allen erzählen, dass ich mich an alles erinnern kann, dass ich wieder die Alte bin, damit ein bestimmter Deal klappt. Obwohl es gar nicht stimmt. Kapiert?«

Amy starrt mich an. Ich sehe, dass ihr Verstand rotiert, um das alles zu verarbeiten. Es birgt gewisse Vorteile, wenn die kleine Schwester eine begnadete Schwindlerin ist.

»Du willst also so tun, als wärst du die alte Lexi«, sagt sie.

»Ja.«

»Dann müsstest du aber fieser aussehen.«

»Hab ich auch schon gesagt«, sagt Fi.

»Als würdest du alle für … Knechte halten.«

»Genau.«

Beide scheinen ihrer Sache so sicher zu sein, dass es mich kränkt. »War ich denn nie nett?«, sage ich etwas wehleidig.

»Öh … doch!«, sagt Fi wenig überzeugend. »Oft genug. Jetzt komm!«

Als ich die Glastüren des Gebäudes aufdrücke, setze ich meine finsterste Miene auf. Flankiert von Fi und Amy stolziere ich über den Marmor auf den Empfang zu. Jetzt geht's los. Showtime.

»Hi«, knurre ich Jenny an. »Das ist Amy, vorübergehend meine Praktikantin. Geben Sie ihr bitte einen Ausweis. Zu Ihrer Information: Ich bin voll wiederhergestellt, und sollten Sie Post für mich haben, möchte ich mal wissen, wieso die noch nicht oben ist.«

»Ausgezeichnet!«, flüstert Fi an meiner Seite.

»Da ist nichts für Sie, Lexi.« Jenny wirkt etwas perplex, als sie Amys Ausweis fertigmacht. »Also … Sie können sich wieder an alles erinnern, ja?«

»An alles. Komm, Fi. Wir sind spät genug dran. Ich muss mit meinen Leuten reden. Die lassen sich gehen.«

Ich stolziere voran, zu den Fahrstühlen. Gleich darauf höre ich Jenny hinter mir, wie sie aufgeregt sagt: »Rate mal, was passiert ist? Lexi kann sich wieder erinnern!« Ich sehe mich um, und tatsächlich hängt sie schon am Telefon.

Der Fahrstuhl plingt. Fi, Amy und ich steigen ein, und als die Türen zu sind, kichern wir los.

»High Five!« Fi hebt ihre Hand. »Das war große Klasse!«

Wir steigen im 8. Stock aus, und hoch erhobenen Hauptes marschiere ich direkt auf Natashas Schreibtisch zu.

»Hi, Natasha«, sage ich knapp. »Ich vermute, Sie haben bereits erfahren, dass mein Gedächtnis wieder funktioniert. Ich muss so schnell wie möglich mit Simon sprechen.«

»Ja, ich habe es schon gehört.« Natasha nickt. »Aber ich fürchte, Simon ist heute Morgen ziemlich ausgebucht ...«

»Dann drehen Sie es so, dass es passt! Sagen Sie jemandem ab! Es ist dringend.«

»Okay!« Hastig tippt Natasha auf ihrer Tastatur herum. »Ich könnte Sie um ... halb elf einschieben?«

»Fantas- ...« Ich stocke, als Fi mich anstößt. »Das wäre nett«, sage ich und werfe Natasha meinen bösesten Blick zu, um auf Nummer sicher zu gehen. »Komm, Fi!«

Gott im Himmel, diese ewige Kläfferei ist anstrengend. Das zieht einen ziemlich runter, und dabei mache ich es erst seit zehn Minuten.

»Halb elf«, sagt Amy, als wir wieder in den Fahrstuhl steigen. »Ist doch cool. Wohin jetzt?«

»Zur Abteilung Bodenbeläge.« Ich merke, wie meine Nerven verrücktspielen. »Ich muss diese Rolle bis halb elf durchhalten.«

»Viel Glück.« Fi drückt kurz meine Schulter, und die Fahrstuhltür geht auf.

Als wir den Flur entlanggehen, wird mir etwas übel. *Ich kann das*, sage ich mir immer wieder. *Ich kann eine Bossbitch sein.* An der Tür zum Großraumbüro bleibe ich einen Moment stehen und sehe mich um. Dann hole ich tief Luft.

»Ach ...?!«, sage ich harsch und sarkastisch. »Heftchen lesen ist also Arbeit, ja?«

Melanie, die in einer Illustrierten geblättert hat, mit einem Telefonhörer unterm Kinn, zuckt zusammen, als hätte sie sich daran verglüht, und läuft rot an.

»Ich hab nur ... ich warte, dass ich zur Buchhaltung durchgestellt werde ...« Eilig klappt sie ihr Heft zu.

»Über diese Arbeitsmoral unterhalten wir uns noch.« Ich lasse meinen bösen Blick durch den Raum schweifen. »Dabei fällt mir ein: Hatte ich nicht schon vor zwei Monaten um eine komplette, schriftliche Spesenaufschlüsselung gebeten? Von jedem Einzelnen? Die möchte ich sehen.«

»Wir dachten, du hättest es vergessen«, sagt Carolyn verdutzt.

»Tja, es ist mir wieder eingefallen.« Ich schenke ihr ein süßes, vernichtendes Lächeln. »Ich kann mich an alles erinnern. Und *ihr* solltet euch vielleicht in Erinnerung rufen, dass ich eure Beurteilungen schreiben werde.«

Ich schwenke aus, renne beinah Byron über den Haufen.

»Lexi!« Fast lässt er seinen Kaffeebecher fallen. »Was zum …?«

»Byron. Ich muss mit Ihnen über Tony Dukes sprechen«, sage ich knapp. »Was haben Sie eigentlich wegen der Diskrepanz in seinen Kalkulationen unternommen? Wir kennen doch seinen Ruf. Erinnern Sie sich nicht mehr an den Ärger, den wir im Oktober 2006 mit ihm hatten?«

Byrons Mund bleibt offen.

»Und ich möchte mit Ihnen über unsere jährliche Strategiekonferenz sprechen. Letztes Jahr hatten wir das reine Tohuwabohu.« Ich steuere auf mein Büro zu, dann drehe ich mich um. »Apropos, wo ist das Protokoll von unserem letzten Produktmeeting? Soweit ich mich erinnere, haben Sie es doch gemacht, oder?«

»Ich … ich hole es Ihnen.« Er ist total platt.

Alles, was ich sage, trifft voll ins Schwarze. Fi ist ein Genie!

»Sie sind also völlig wiederhergestellt?«, sagt Byron, als ich meine Bürotür öffne. »Sie sind wieder da?«

»Oh, ja. Ich bin wieder da.« Ich winke Amy herein und knall die Tür zu. Ich zähle bis drei, dann mache ich sie wieder auf. »Lisa, einen Kaffee. Und einen für Amy, meine Praktikantin. Fi, auf ein Wort!«

Als Fi die Tür hinter sich schließt, sinke ich atemlos auf dem Sofa zusammen.

»Du solltest Schauspielerin werden!«, lacht Fi. »Das war großartig! Genau wie früher!«

Mir krampft sich alles zusammen. Ich kann es nicht *fassen*, dass ich solche Sachen gesagt haben soll.

»Jetzt müssen wir es nur bis halb elf aussitzen.« Fi sitzt auf meinem Schreibtisch, sieht auf ihre Armbanduhr. »Es ist schon kurz nach zehn.«

»Du warst 'ne echte Bitch da draußen«, sagt Amy bewundernd. Sie hat ihre Wimperntusche hervorgeholt und trägt noch eine Schicht auf. »So will ich auch sein, wenn ich ins Geschäft einsteige.«

»Dann wirst du keine Freunde haben.«

»Ich will auch keine Freunde.« Sie wirft ihren Kopf in den Nacken. »Ich will Geld verdienen. Weißt du, was Dad immer gesagt hat? Er sagte …«

Ich möchte nicht hören, was Dad immer gesagt hat.

»Amy, lass uns später drüber reden«, schneide ich ihr das Wort ab. »Über Dad, meine ich.« Es klopft an der Tür, und alle erstarren.

»Schnell!«, sagt Fi. »Setz dich an den Schreibtisch! Kling genervt!«

Ich hechte zum Stuhl, und eilig stellt Fi mir gegenüber einen zweiten hin.

»Herein!«, rufe ich so ungeduldig wie möglich. Die Tür geht auf, und Clare erscheint mit einem Tablett. Ärgerlich deute ich auf den Schreibtisch. »Also, Fi … ich hab endgültig genug von deiner Einstellung!«, improvisiere ich, während Clare die Kaffeetassen verteilt. »Das ist absolut inakzeptabel. Was hast du zu deiner Entschuldigung zu sagen?«

»Tut mir leid, Lexi«, nuschelt Fi mit hängendem Kopf. Da merke ich, dass sie gleich lachen muss.

»Na …« Ich gebe mir alle Mühe, mich nicht zu verraten. »Ich bin hier der Boss. Und ich lasse mir nicht bieten, dass du …« Oh, Gott, mein Hirn ist leer. Was hat sie angestellt? »Ich lasse mir nicht bieten, dass du … auf meinem Schreibtisch sitzt!«

Fi gibt ein feuchtes Prusten von sich.

»Entschuldige«, stöhnt sie und presst ein Taschentuch auf ihr Gesicht.

Clare klingt total verschreckt. »Mh … Lexi«, sagt sie, während sie rückwärts zur Tür geht. »Ich möchte ja nicht stören, aber Lucinda ist da … mit ihrem Baby …«

Lucinda.

Der Name sagt mir nichts.

Fi setzt sich auf. Ihr Kichern ist verflogen. »Du meinst Lucinda, die letztes Jahr bei uns gearbeitet hat?«, sagt sie eilig und wirft mir einen Blick zu. »Ich wusste gar nicht, dass sie heute kommt.«

»Wir schenken ihr was fürs Baby und hatten gedacht, Lexi könnte es vielleicht überreichen …« Clare deutet zur Tür, und ich sehe eine kleine Menschentraube, die sich um eine blonde Frau mit einem Baby im Tragekorb versammelt hat. Sie blickt auf und winkt.

»Lexi! Kommen Sie! Sehen Sie sich das Baby an!«

Scheiße. Aus der Nummer komme ich nicht raus. Ich kann mich nicht weigern, mir das Baby anzusehen. Das wäre doch zu mies.

»Na ja … okay«, sage ich schließlich. »Aber nur kurz.«

»Lucinda war ungefähr acht Monate bei uns«, raunt Fi mir zu, als wir aus dem Büro gehen. »Hat sich vor allem um die europäischen Kunden gekümmert. Saß am Fenster, mag Pfefferminztee …«

»Hier ist es.« Clare reicht mir ein riesiges Paket, hübsch in Geschenkpapier eingewickelt und gekrönt von einer Schleife aus Satin. »Es ist ein Baby-Gym.«

Als ich näher komme, weichen die anderen zurück. Offen gesagt, kann ich es ihnen nicht verübeln.

»Hi, Lexi.« Lucinda blickt auf, strahlend angesichts der Aufmerksamkeit, die man ihr widmet.

»Hi.« Ich nicke dem Baby in seinem weißen Strampelanzug kurz zu. »Herzlichen Glückwunsch, Lucinda. Und das ist ... ein Mädchen? Ein Junge?«

»Er heißt Marcus!« Beleidigt sieht Lucinda mich an. »Sie haben ihn doch schon gesehen!«

Irgendwie bringe ich mich dazu, abschätzig mit den Schultern zu zucken. »Ich fürchte, ich steh nicht so auf Babys.«

»Sie frisst sie!«, höre ich jemanden flüstern.

»Wie dem auch sei. Im Namen der Abteilung möchte ich dir das hier geben.« Ich reiche ihr das Paket.

»Eine Rede!«, sagt Clare.

»Muss nicht sein«, sage ich mit drohendem Blick. »Alle zurück an die ...«

»Muss es *wohl*!«, hält Debs trotzig dagegen. »Es ist doch auch so was wie Lucindas Abschiedsfeier. Das geht unmöglich ohne eine Rede.«

»Eine Rede!«, ruft jemand von ganz hinten. »Eine Rede!« Einige fangen an, auf die Tische zu klopfen.

Oh, Gott. Ich kann mich unmöglich weigern. Chefs halten Reden über ihre Angestellten. So was muss sein.

»Okay«, sage ich schließlich und räuspere mich. »Wir freuen uns alle für Lucinda, dass sie ihren Marcus bekommen hat. Sind aber traurig, ein so wertvolles Mitglied unseres Teams zu verlieren.«

Ich merke, dass Byron sich zu dem Pulk gesellt und mich über seinen *Lost*-Becher hinweg beobachtet.

»Lucinda war immer so ...«, ich nehme einen Schluck Kaffee, um Zeit zu schinden. »Sie saß immer ... am Fenster. Und hat ihren Pfefferminztee getrunken. Und sich um ihre europäischen Kunden gekümmert.«

Ich blicke auf und sehe, dass Fi ganz hinten wild irgendeine Tätigkeit nachahmt.

»Wir alle erinnern uns noch gut an Lucindas Leidenschaft fürs … Radfahren«, sage ich unsicher.

»Radfahren?« Lucinda wirkt etwas ratlos. »Sie meinen Reiten?«

»Ja. Genau. Reiten«, verbessere ich mich eilig. »Und wir alle wussten zu schätzen, wie du dich um unsere … französischen Kunden gekümmert hast.«

»Mit Frankreich hatte ich nichts zu tun.« Wütend sieht mich Lucinda an. »Haben Sie eigentlich jemals gemerkt, was ich gemacht habe?«

»Erzählen Sie doch die Geschichte von Lucinda und dem Billardtisch!«, ruft jemand von hinten, und alle lachen.

»Nein!«, belle ich entsetzt. »Also … auf Lucinda!« Ich hebe meinen Kaffeebecher.

»Können Sie sich an die Geschichte denn nicht erinnern, Lexi?« Byrons barsche Stimme kommt von der Seite her. Ich sehe ihn an und habe plötzlich so ein hohles Gefühl im Bauch. Er hat es erraten.

»Selbstverständlich kann ich mich daran erinnern.« Ich bemühe mich um eine schneidende Stimme. »Aber jetzt ist nicht der rechte Zeitpunkt für alberne Anekdoten. Wir sollten wieder an die Arbeit gehen. Alle Mann an die Schreibtische!«

»Mein Gott, die ist aber 'ne echte Bitch«, höre ich Lucinda murmeln. »Die ist ja noch schlimmer als vorher!«

»Moment!« Byrons Stimme erhebt sich sanft über das mürrische Geplapper. »Wir haben das andere Geschenk für Lucinda vergessen! Den Mutter-und-Kind-Schwimmbad-Gutschein.« Mit übertrieben respektvoller Geste bringt er mir ein Stück Papier. »Da muss nur noch Lucindas Name eingetragen werden, Lexi. Das sollten Sie tun … als Abteilungsleiterin.«

»Ach, ja.« Ich nehme den Stift.

»Sie müssen auch den Nachnamen eintragen«, fügt er wie beiläufig hinzu, als ich die Kappe abschraube. Ich blicke auf und sehe seine Augen leuchten.

Dreck. Jetzt hat er mich.

»Aber natürlich«, entgegne ich schroff. »Lucinda … sag mir doch, unter welchem Namen du inzwischen firmierst.«

»Unter demselben wie immer«, sagt sie verächtlich und wiegt ihr Baby im Arm. »Meinem Mädchennamen.«

»Ach so.«

So langsam wie möglich schreibe ich »Lucinda« auf die gepunktete Linie.

»Und der Nachname?«, sagt Byron wie ein Folterknecht, der die Schraube anzieht. Verzweifelt sehe ich zu Fi hinüber, die mir etwas zu sagen versucht. Dobson? Dodgson?

Ich halte die Luft an und schreibe vorsichtig ein D. Dann mache ich eine Pause und strecke meinen Arm aus, als müsste ich Lockerungsübungen machen. »Ich hab Probleme mit meinem Handgelenk«, sage ich zu niemand Bestimmtem. »Die Muskeln sind manchmal etwas … steif …«

»Lexi, geben Sie es doch zu«, sagt Byron kopfschüttelnd. »Das Theater ist vorbei.«

»Nichts ist *vorbei*«, sage ich scharf. »Ich nehme das hier kurz mit in mein Büro …«

»Jetzt hören Sie aber auf!« Er klingt, als könnte er es nicht fassen. »Also, wirklich! Meinen Sie denn ernstlich, Sie könnten …«

»Hey!« Amys hohe Stimme gellt durch das Büro und zieht alle Aufmerksamkeit auf sich. »Guckt mal! Da ist Jude Law! Halbnackt!«

»Jude *Law*?«

»Wo?«

In der Stampede zum Fenster geht Byrons Stimme unter. Debs schubst Carolyn aus dem Weg, und sogar Lucinda macht einen langen Hals.

Ich liebe meine kleine Schwester.

»Na, gut …«, sage ich. »Ich muss weiter. Clare, könnten Sie das bitte zu Ende bringen?« Ich werfe ihr den Gutschein zu.

»Das *ist* Jude Law!«, höre ich Amy. »Eben habe ich gesehen, wie er Sienna geküsst hat! Wir sollten bei *OK!* anrufen!«

»Sie kann sich überhaupt nicht erinnern!«, ruft Byron wütend und versucht, sich Gehör zu verschaffen. »Das ist alles geschauspielert!«

»Ich muss zu meinem Meeting mit Simon. Gehen Sie an Ihre Arbeit!« Ich mache auf dem Absatz kehrt, gebe die furchteinflößende Lexi und marschiere aus dem Büro, bevor er noch etwas sagen kann.

Die Tür von Simon Johnsons Büro ist zu, als ich oben ankomme, und Natasha bedeutet mir, mich zu setzen. Ich sinke auf ein Sofa, noch immer etwas zittrig von der Sache mit Byron. »Wollen Sie beide zu Simon Johnson?«, sagt sie überrascht und sieht zu Fi auf.

»Nein. Fi ist nur …«

Ich kann schlecht sagen: »… meine moralische Unterstützung«.

»Lexi hat mich nur zu einer Vertragsabwicklung konsultiert«, sagt Fi aalglatt und sieht Natasha mit hochgezogenen Augenbrauen an. »Sie ist tatsächlich wieder die Alte.«

»Verstehe.« Auch Natasha zieht die Augenbrauen hoch.

Kurz darauf klingelt das Telefon, und Natasha hört einen Moment lang zu. »Gut, Simon«, sagt sie schließlich. »Ich werd's ihr sagen.« Sie legt den Hörer auf und sieht mich an. »Lexi, Simon sitzt mit Sir David und ein paar anderen Herren drinnen.«

»Sir David Allbright?«, frage ich ängstlich.

Sir David Allbright ist der Vorstandsvorsitzende. Er ist ein richtig hohes Tier, noch höher und tierischer als Simon. Und alle sagen, er ist echt beängstigend.

»Genau.« Natasha nickt. »Simon sagt, Sie sollen einfach reinkommen und sich dazugesellen. In etwa fünf Minuten. Okay?«

Panik bohrt ihre kleinen Pfeile in meine Brust. Mit Sir David und dem Vorstand hatte ich nicht gerechnet.

»Natürlich! Gern. Mh … Fi, ich muss kurz meine Nase pudern. Setzen wir unser Gespräch doch auf der Damentoilette fort.«

»Gut.« Fi sieht überrascht aus. »Meinetwegen.«

Ich stürme in die leere Toilette und sinke schwer atmend auf einen Hocker. »Ich schaff das nicht.«

»Was?«

»Ich schaff das einfach nicht.« Hilflos umarme ich meinen Ordner. »Das ist ein bescheuerter Plan. Wie soll ich Sir David Allbright beeindrucken? Ich hab noch nie eine Präsentation vor so wichtigen Leuten gemacht. Ich bin nicht gut, wenn es uns Reden geht …«

»Bist du wohl!«, erwidert Fi. »Lexi, du hast schon vor der ganzen Firma Reden geschwungen. Du warst großartig.«

»Wirklich?« Fassungslos starre ich sie an.

»Ich würde doch nicht lügen«, sagt sie mit fester Stimme. »Auf der letzten Verkaufsleiterkonferenz warst du brillant. Du könntest dabei sogar noch einen Kopfstand machen. Du musst nur daran glauben.«

Ich schweige ein paar Sekunden, versuche, es mir vorzustellen, möchte es gern glauben. Aber da klingelt nichts in meinem Hirn. Da ist nichts abgespeichert. Sie könnte mir auch erzählen, ich sei eine fabelhafte Trapezartistin im Zirkus oder könnte den Doppel-Axel.

»Ich weiß nicht.« Hilflos wische ich mir übers Gesicht, und meine ganze Energie verfliegt. »Vielleicht bin ich einfach nicht dafür gemacht, Chefin zu sein. Vielleicht sollte ich lieber aufgeben …«

»Nein! Du bist total dafür geschaffen, Chefin zu sein!«

»Wie kannst du das *sagen*?« Meine Stimme bebt. »Als man mich zur Abteilungsleiterin befördert hat, war ich dem überhaupt nicht gewachsen! Ich habe euch alle vor den Kopf gestoßen, ich habe die Abteilung nicht gut geleitet … ich hab's versaut. Und die wissen das.« Ich deute mit dem Kopf zur Tür. »Deshalb haben sie mich jetzt auch degradiert. Ich weiß gar nicht, weshalb ich mir überhaupt die Mühe mache.« Mein Kopf sinkt in die Hände.

»Lexi, du hast es nicht versaut.« Fi spricht hastig, fast barsch vor Verlegenheit. »Du warst eine gute Chefin.«

»Ja.« Ich blicke kurz auf und verdrehe die Augen. »Genau.«

»*Warst* du.« Ihre Wangen sind ganz rot. »Wir … waren nicht fair. Hör zu, wir waren alle sauer auf dich, und deshalb haben wir dir das Leben schwer gemacht.« Sie zögert, verdreht ein Papierhandtuch zu einem Zopf. »Ja, manchmal warst du zu ungeduldig. Aber du hast auch wirklich tolle Sachen gemacht. Du konntest die Leute gut motivieren. Alle haben sich mächtig ins Zeug gelegt. Sie wollten dich beeindrucken. Sie haben dich bewundert.«

Während ich ihr lausche, spüre ich, wie eine unterschwellige Spannung langsam von mir abfällt, wie eine Decke, die zu Boden gleitet. Nur dass ich nicht recht glauben kann, was ich da höre.

»Ihr habt mir das Gefühl gegeben, dass ich eine Bitch bin! Ihr alle!«

»Manchmal warst du ja auch eine Bitch.« Fi nickt. »Und manchmal musstest du es wohl sein.« Sie zögert, fädelt das Handtuch durch ihre Finger. »Carolyn hat es mit ihren Spesen wirklich übertrieben. Sie hatte einen kleinen Anschiss verdient. Aber das hast du nicht von mir!«, fügt sie eilig hinzu und grinst, und unwillkürlich muss ich auch grinsen.

Die Tür zur Damentoilette geht auf, und eine Putzfrau mit einem Wischmopp kommt herein.

»Lassen Sie uns noch zwei Minuten?«, sage ich in einem

Ton, der keine Widerrede duldet. »Danke.« Die Tür geht wieder zu.

»Die Sache ist, Lex…« Fi lässt von ihrem verknoteten Handtuch ab. »Wir waren neidisch.« Sie sieht mich offen an.

»Neidisch?«

»Eben warst du noch Frettchen. Und plötzlich hast du so tolle Haare und tolle Zähne und dein eigenes Büro. Du hast das Kommando und sagst uns, was wir tun sollen.«

»Ich weiß.« Ich seufze. »Es ist verrückt.«

»Es ist nicht verrückt.« Zu meiner Überraschung kommt Fi herüber und nimmt mich bei den Schultern. »Es war eine gute Entscheidung, dich zu befördern. Du kannst eine Abteilung leiten, Lexi. Tausendmal besser als dieser bescheuerte *Byron*.«

Ich bin so gerührt davon, wie sehr sie an mich glaubt, dass ich einen Moment lang gar nichts sagen kann.

»Ich möchte doch nur … dazugehören«, sage ich schließlich. »Zu euch.«

»Das wirst du auch. Das tust du schon. Aber *irgendwer* muss jetzt zu Simon reinmarschieren.« Fi geht in die Hocke. »Lexi, weißt du noch, wie wir in der Grundschule waren? Erinnerst du dich an das Sackhüpfen beim Sportfest?«

»Erinnere mich bloß nicht daran!« Ich verdrehe die Augen. »Das hab ich auch versaut. Bin volle Kanne hingeflogen.«

»Das ist nicht der Punkt.« Fi schüttelt energisch den Kopf. »Der Punkt ist, dass du auf dem besten Wege warst, zu gewinnen. Du lagst weit voraus. Und wenn du weitergehüpft wärst, wenn du nicht auf uns andere gewartet hättest … dann hättest du gewonnen.« Fast bedrohlich sieht sie mich an, mit diesen grünen Augen, die ich so gut kenne. »Mach einfach weiter. Denk nicht darüber nach. Sieh nicht zurück.«

Wieder geht die Tür auf, und wir zucken gemeinschaftlich zusammen.

»Lexi?« Es ist Natasha, und sie runzelt ihre blasse Stirn, als sie Fi und mich sieht. »Ich habe mich schon gewundert, wo Sie geblieben sind! Sind Sie bereit?«

Ich werfe Fi noch einen letzten Blick zu, dann stehe ich auf und hebe mein Kinn. »Ja, ich bin bereit.«

Ich schaffe es. Ich kann das. Als ich in Simon Johnsons Büro stolziere, ist mein Rücken steif und mein Lächeln starr.

»Lexi!« Simon strahlt. »Schön, Sie zu sehen. Kommen Sie, setzen Sie sich!«

Alle Anwesenden machen einen ganz entspannten Eindruck. Vier Männer sitzen um einen kleinen Tisch herum auf bequemen Ledersesseln. Kaffeetassen stehen bereit. Ein schlanker, grauhaariger Herr – Sir David Allbright ganz offensichtlich – unterhält sich mit seinem Nebenmann über eine Villa in der Provence.

»Ihr Gedächtnis funktioniert also wieder!« Simon reicht mir eine Tasse Kaffee. »Das ist eine wundervolle Neuigkeit, Lexi.«

»Ja, nicht wahr?«

»Wir haben gerade darüber gesprochen, wie sich der Juni 07 auswirken wird.« Er nickt zu den Unterlagen, die auf dem Tisch ausgebreitet liegen. »Ihr Timing ist gut, denn ich weiß ja, dass Sie dezidierte Ansichten zur Fusion der Abteilungen hatten. Sind Sie mit allen hier bekannt?« Er zieht einen Stuhl heran, aber ich setze mich nicht.

»Offen gesagt …« Meine Hände sind feucht, und ich klammere mich an den Ordner. »Offen gesagt, wollte ich gern mit Ihnen sprechen. Mit Ihnen allen. Über … etwas anderes.«

Fragend blickt David Allbright auf. »Worüber denn?«

»Bodenbeläge.«

Simon verzieht das Gesicht. Jemand murmelt: »Du meine Güte.«

»Lexi.« Simons Stimme klingt angespannt. »Das haben wir doch schon besprochen. Es liegt hinter uns. Wir handeln nicht mehr mit Bodenbelägen.«

»Aber ich habe einen Deal vorbereitet! Darüber möchte ich mit Ihnen sprechen!« Ich atme tief ein. »Ich war schon immer der Ansicht, dass das Musterarchiv unser größter Schatz ist. Monatelang habe ich nach einer Möglichkeit gesucht, diesen Schatz nutzbar zu machen. Inzwischen habe ich einen Deal mit einer Firma unterschriftsreif, die unbedingt eines unserer alten Muster benutzen möchte. Es würde Dellers Profil stärken. Es würde die ganze Abteilung neu ausrichten!« Ich bin ehrlich begeistert. »Ich weiß, dass ich meine Abteilung motivieren kann. Es könnte spannend werden! Wir brauchen nur eine Chance. Nur diese eine Chance!«

Atemlos halte ich inne und blicke in die Runde.

Ich merke es gleich. Ich habe nicht den geringsten Eindruck hinterlassen. Sir David sieht mich noch immer fragend an. Simon sieht aus, als wollte er mich ermorden. Einer checkt seinen Blackberry.

»Ich dachte, die Entscheidung zu den Bodenbelägen sei längst gefallen«, sagt Sir David Allbright gereizt zu Simon gewandt. »Wieso kommt das Thema wieder auf?«

»Es ist entschieden, Sir David«, sagt er eilig. »Lexi, ich weiß nicht, was Sie wollen …«

»Ich will, dass das Geschäft mit Bodenbelägen wieder angekurbelt wird!«, erwidere ich frustriert.

»Junges Fräulein«, sagt Sir David. »Geschäfte müssen vorausblickend sein. Deller ist eine High-Tech-Company des neuen Jahrtausends. Wir müssen mit der Zeit gehen und dürfen uns nicht an Vergangenes klammern.«

»Ich klammere mich ja an gar nichts!« Ich versuche, nicht zu schreien. »Die alten Deller-Muster sind wunderschön. Es wäre eine Schade, sie nicht zu nutzen!«

»Hat das Ganze mit Ihrem Mann zu tun?«, sagt Simon, als würde ihm plötzlich etwas klar. »Lexi ist mit einem Bauunternehmer verheiratet«, erklärt er den anderen, dann wendet er sich mir wieder zu. »Lexi, bei allem Respekt, Sie werden Ihre Abteilung nicht retten, indem Sie zwei, drei Musterwohnungen mit Teppichboden auslegen.«

Einer der Männer lacht, und blanker Zorn sticht mich wie ein Dolch. Zwei, drei Musterwohnungen auslegen? So schätzen die mich ein? Wenn sie erst hören, worum es bei dem Deal geht, dann werden sie … dann werden sie …

Ich richte mich auf, bereit, es ihnen zu erzählen, bereit, sie wegzupusten. Schon spüre ich den Triumph, durchmischt mit etwas Gift. Vielleicht hat Jon doch recht. Vielleicht bin ich manchmal wirklich eine Kobra.

»Wenn Sie es genau wissen wollen …«, setze ich mit funkelnden Augen an.

Und dann überlege ich es mir ganz plötzlich anders. Ich stocke mitten im Satz und denke nach. Ich merke, wie ich mich zurückziehe, meine Reißzähne wieder einfahre.

Abwarte.

»Ihr Entschluss steht also fest …?«, sage ich mit veränderter Stimme, wie resigniert.

»Wir haben den Entschluss schon vor langer Zeit gefasst«, sagt Simon. »Das wissen Sie genau.«

»Stimmt.« Ich sinke in mich zusammen, als wäre ich maßlos enttäuscht, und kaue auf einem Fingernagel herum. Dann blicke ich auf, als hätte ich gerade eine Idee. »Aber wenn Sie selbst kein Interesse daran haben, könnte ich doch vielleicht die Rechte an den Mustern erwerben, oder? Und auf eigene Verantwortung Lizenzen vergeben.«

»Ach, du jemine«, murmelt Sir David.

»Lexi, vergeuden Sie doch nicht Zeit und Geld«, sagt Simon. »Sie haben hier einen sicheren Posten. Sie haben gute Aufstiegschancen. Eine solche Geste ist nicht nötig.«

»Ich möchte aber«, sage ich stur. »Ich glaube fest an die Deller-Teppiche. Aber ich brauche die Rechte bald, für meinen Deal.«

Ich sehe, dass die Herren des Vorstands sich Blicke zuwerfen.

»Sie hat sich bei einem Unfall den Kopf verletzt«, raunt Simon einem Mann zu, den ich nicht kenne. »Seitdem ist sie nicht mehr ganz bei sich. Sie kann einem eigentlich nur leidtun.«

»Klären wir das kurz.« Ungeduldig winkt Sir David Allbright ab.

»Ganz meine Meinung.« Simon tritt hinter seinen Schreibtisch, nimmt den Hörer ab und stanzt eine Nummer ein. »Ken? Simon Johnson hier. Eine unserer Angestellten kommt gleich wegen der Lizenzierung von irgendwelchen alten Teppichmustern zu Ihnen. Wie Sie wissen, schließen wir die Abteilung, aber sie möchte das Nutzungsrecht erwerben.« Er hört einen Moment zu. »Ja, ich weiß. Nein, sie ist keine Firma, nur eine Privatperson. Seien Sie doch so nett, sich eine symbolische Summe zu überlegen, und bereiten Sie einen Vertrag vor. Danke, Ken.«

Er legt den Hörer auf und notiert einen Namen und eine Nummer.

»Ken Allison. Unser Firmenanwalt. Rufen Sie ihn an, um einen Termin zu vereinbaren.«

»Danke.« Ich nicke und stecke den Zettel ein.

»Und, Lexi …« Simon macht eine Pause. »Ich weiß, wir hatten darüber gesprochen, dass Sie ein Vierteljahr Urlaub nehmen. Aber ich denke, wir sollten uns darauf einigen, dass Ihre Anstellung hiermit in beiderseitigem Einverständnis beendet ist.«

»Gut.« Ich nicke. »Ich … verstehe. Wiedersehen. Und danke.«

Ich mache kehrt und gehe. Als ich die Tür öffne, höre ich Simon noch sagen: »Es ist *wirklich* eine Schande. Diese Frau hatte ungeheures Potential …«

Irgendwie schaffe ich es nach draußen, ohne Luftsprünge zu machen.

Fi erwartet mich schon, als ich im dritten Stock aus dem Fahrstuhl steige. Sie zieht die Augenbrauen hoch. »Und?«

»Hat nicht geklappt«, flüstere ich auf dem Weg zu unserer Abteilung. »Aber noch ist nicht alles verloren.«

»Da ist sie ja!« Byron kommt aus seinem Büro, als ich eben daran vorübergehe. »Die Wiederauferstandene.«

»Schnauze!«, sage ich über meine Schulter hinweg.

»Wir sollen also ernstlich glauben, dass Ihr Gedächtnis wieder funktioniert?« Sein Sarkasmus folgt mir den Flur entlang. »Wollen Sie wirklich so tun, als sei nichts gewesen?«

Ich drehe mich um und mustere ihn mit leerem Blick.

»Wer ist das?«, sage ich schließlich zu Fi, die vor lauter Lachen schnaubt.

»Sehr witzig«, fährt Byron mich mit roten Wangen an. »Aber wenn Sie glauben …«

»Ach, hör doch auf, Byron!«, sage ich müde. »Du kannst meinen Scheißjob haben.« Ich bin an der Tür zum Großraumbüro angekommen und klatsche in die Hände, damit man mir zuhört.

»Hi«, sage ich, als alle aufblicken. »Ich wollte euch nur wissen lassen, dass ich nicht geheilt bin. Mein Gedächtnis funktioniert immer noch nicht. Das vorhin war gelogen. Ich habe einen Bluff probiert, um unsere Abteilung zu retten. Aber … es ist mir nicht gelungen. Tut mir ehrlich leid.«

Während man mich mit offenem Mund anglotzt, sehe ich mich um – die Schreibtische, die Pläne an den Wänden, die Computer. Alles wird rausgeschafft und entsorgt werden. Verkauft oder zertrümmert. Diese kleine Welt wird es bald nicht mehr geben.

»Ich habe getan, was ich konnte, aber …« Ich atme scharf aus. »Jedenfalls. Die andere Neuigkeit ist, dass man mich gefeuert hat. Also, Byron, jetzt bist du dran.« Der Schreck ist ihm deutlich anzusehen. »Und an alle, die mich gehasst haben oder für eine fiese

Bitch halten …« Ich blicke in die Runde, sehe die schweigenden Gesichter. »Es tut mir leid. Ich weiß, dass ich es vermasselt habe. Aber ich habe es so gut gemacht, wie ich konnte. Adios, und viel Glück euch allen!«

»Danke, Lexi«, sagt Melanie betreten. »Und danke, dass du es jedenfalls versucht hast.«

»Ja … danke«, stimmt Clare mit ein, die mich die ganze Zeit schon mit untertassengroßen Augen ansieht.

Zu meinem Erstaunen fängt jemand an zu klatschen. Und plötzlich applaudiert der ganze Raum.

»Aufhören!« Meine Augen brennen, und ich muss zwinkern. »Ihr spinnt doch. Ich hab nichts ereicht. Ich bin *gescheitert*.«

Ich sehe zu Fi hinüber, und sie klatscht am lautesten von allen.

»Jedenfalls …« Ich versuche, meine Haltung zu wahren. »Wie gesagt: Ich bin entlassen worden, also werde ich jetzt in den Pub gehen und mich besaufen.« Alle lachen. »Ich weiß, dass es erst elf ist … aber möchte jemand mitkommen?«

Gegen drei Uhr habe ich über dreihundert Pfund auf dem Deckel. Die meisten Mitarbeiter der Abteilung Bodenbeläge sind wieder ins Büro zurück, auch der missgelaunte Byron, der vier Stunden im Pub ein und aus ging und versuchte, die anderen wieder zurückzukommandieren.

Es war eine der besten Partys, die ich je erlebt habe. Nachdem ich meine Platinkarte gezückt hatte, haben die Leute vom Pub die Musik aufgedreht und was vom Inder geholt, und Fi hat eine Rede gehalten. Amy gab eine Karaoke-Version von *Who Wants to be a Millionaire?* zum Besten und musste dann raus, als die Besitzer plötzlich merkten, dass sie noch nicht volljährig ist. (Ich hatte ihr gesagt, sie soll rüber ins Büro gehen, dort würde ich sie abholen, aber ich glaube, sie ist zu TopShop gegangen.) Und dann haben zwei Mädchen, die ich kaum kenne, einen großartigen Sketch über Simon Johnson und Sir David Allbright bei einem Blind Date aufgeführt, den sie offenbar schon auf der Weihnachtsfeier zum Besten gegeben haben, nur dass ich mich natürlich nicht daran erinnern kann.

Alle haben sich prächtig amüsiert. Wahrscheinlich war ich die Einzige, die nicht stramm wie eine Natter war. Ich konnte nicht, weil ich um halb fünf einen Termin bei Ken Allison habe.

»Also.« Fi hebt ihren Drink. »Auf uns!« Sie stößt mit mir an, dann mit Debs und Carolyn. Nur wir vier sitzen noch am runden Tisch. Wie in alten Zeiten.

»Auf die Arbeitslosigkeit«, sagt Debs trübsinnig und zupft ein Stückchen Konfetti aus ihren Haaren. »Nicht dass wir dir einen Vorwurf machen, Lexi«, fügt sie eilig hinzu.

Ich trinke einen Schluck Wein, dann beuge ich mich vor. »Okay, Leute. Ich muss euch was erzählen. Aber ihr dürft es niemandem weitersagen.«

»Was?« Carolyn macht große Augen. »Bist du schwanger?«

»Nein, du Dussel!« Ich flüstere. »Ich habe einen Deal vereinbart. Den wollte ich Simon Johnson eröffnen. Es gibt da eine Firma, die eins von unseren alten Teppichmustern verwenden möchte. Sozusagen als hochwertige, limitierte Sonderausgabe. Sie benutzen den Namen Deller, wir kriegen eine Riesen-PR … es wird der Hammer! Die Details sind allesamt geklärt. Ich muss nur noch unterschreiben.«

»Das ist ja schön«, sagt Debs mit unsicherem Blick. »Aber wie willst du das machen, wo du doch entlassen bist?«

»Der Vorstand überlässt mir die Nutzungsrechte. Für einen Apfel und ein Ei. Die sind so was von *kurzsichtig*.« Ich nehme mir einen Samosa, dann lege ich ihn wieder weg, bin viel zu aufgeregt, um zu essen. »Und das könnte erst der Anfang sein! Der alte Musterkatalog gibt so viel her. Wenn alles gut läuft, können wir expandieren, vielleicht sogar ein paar Leute aus dem alten Team einstellen … unsere eigene Firma gründen …«

»Ich kann nicht fassen, dass die kein Interesse daran hatten.« Ungläubig schüttelt Fi den Kopf.

»Teppiche und Bodenbeläge haben sie total abgeschrieben. Aber das ist gut so! Es bedeutet, dass sie mir die Lizenz auf alle Muster praktisch unentgeltlich überlassen. Alle Gewinne landen bei mir. Und … bei denjenigen, die mit mir zusammenarbeiten.«

Mein Blick wandert von einer zur anderen. Ich warte darauf, dass die Botschaft ankommt.

»Bei *uns*?«, sagt Debs, deren Wangen plötzlich glühen. »Du willst, dass wir mit dir zusammenarbeiten?«

»Wenn ihr Interesse habt«, sage ich etwas verlegen. »Ich meine, überlegt es euch gut. Es ist nur so eine Idee …«

»Ich bin dabei«, sagt Fi entschlossen. Sie reißt eine Tüte Chips auf und wirft sich eine Handvoll in den Mund. »Aber Lexi, ich verstehe immer noch nicht, was da oben abgelaufen ist. Waren die denn nicht ganz begeistert, als sie erfahren haben, mit wem du den Deal hast? Merken die denn nichts mehr?«

»Sie haben mich nicht mal gefragt, um wen es geht.« Ich zucke mit den Achseln. »Sie sind davon ausgegangen, dass es sich um eins von Erics Projekten handelt. ›Sie werden Ihre Abteilung nicht retten, indem Sie zwei, drei Musterwohnungen mit Teppichen auslegen!‹«, äffe ich Simon Johnson nach.

»Und wer ist es jetzt?«, fragt Debs. »Um welche Firma geht es?«

Ich sehe Fi an und muss unwillkürlich leise lächeln, als ich sage:

»Porsche.«

ZWANZIG

Tja, und das war's dann. Ich besitze offiziell die Rechte an den *Deller-Carpets*-Teppichmustern. Gestern hatte ich einen Termin beim Anwalt und heute Morgen schon wieder. Alles ist unterschrieben, und die Banküberweisung ist durch. Morgen treffe ich mich noch mal mit Jeremy Northpool, und wir unterzeichnen den Vertrag für den Porsche-Deal.

Als ich nach Hause komme, bin ich noch immer voll Adrenalin. Ich muss die Mädels anrufen, sie auf den neuesten Stand bringen. Dann muss ich mir überlegen, von wo aus wir operieren wollen. Wir brauchen ein Büro, irgendwas Billiges, Zweckmäßiges. Vielleicht in Balham.

Wir könnten bunte Lichter im Büro aufhängen, denke ich plötzlich begeistert. Wieso nicht? Es ist ja unser Büro. Und einen vernünftigen Schminkspiegel auf dem Klo. Und Musik bei der Arbeit.

Ich höre Stimmen aus Erics Arbeitszimmer, als ich in die Wohnung komme. Offenbar ist er aus Manchester zurückgekommen, während ich beim Anwalt war. Ich spähe um die Tür und sehe seine leitenden Mitarbeiter um den kleinen Beistelltisch versammelt, mit einer leeren Kaffeekanne in der Mitte. Clive ist da und der Personalchef, Penny und ein Typ namens Steven, dessen Rolle ich nie so ganz begriffen habe.

»Hi!« Ich lächle Eric an. »Gute Reise gehabt?«

»Ausgezeichnet.« Er nickt, dann mustert er mich fragend. »Solltest du nicht bei der Arbeit sein?«

»Ich … erklär's dir später.« Ich werfe einen Blick in die Runde, fühle mich nach meinem erfolgreichen Morgen in Geberlaune. »Kann ich Ihnen noch einen Kaffee bringen?«

»Das macht Gianna, Liebling«, sagt Eric tadelnd.

»Ist schon okay! Ich hab weiter nichts zu tun.«

Ich gehe in die Küche und summe vor mich hin, während ich Kaffee aufsetze und Fi, Carolyn und Debs kurz mal eben eine SMS schicke, damit sie Bescheid wissen, dass alles gut gelaufen ist. Wir treffen uns heute Abend, um alles zu besprechen. Heute früh habe ich schon eine E-Mail von Carolyn bekommen, die mir schrieb, wie spannend sie das alles findet. Sie hat einen ganzen Schwung neuer Ideen und mögliche Kontakte für weitere Exklusivverträge. Und Debs kann es kaum erwarten, die PR zu starten.

Wir sind bestimmt ein gutes Team. Da bin ich mir ganz sicher.

Mit der vollen Kanne kehre ich in Erics Arbeitszimmer zurück, schenke diskret ein und lausche der Diskussion. Penny hält eine Personalliste in der Hand, an deren Rand Zahlen vermerkt sind.

»Ich muss leider sagen, dass Sally Hedge *weder* eine Gehaltserhöhung *noch* eine Prämie verdient hat«, sagt sie gerade, als ich ihr einschenke. »Sie ist wirklich mittelmäßig. Danke, Lexi.«

»Ich mag Sally«, sage ich. »Wussten Sie, dass ihre Mum in letzter Zeit krank war?«

»Wirklich?« Penny macht ein Gesicht, als wollte sie sagen: »Na, und?«

»Lexi hat sich gleich mit allen Sekretärinnen angefreundet, als sie ins Büro kam.« Eric lacht kurz auf. »So was kann sie sehr gut.«

»Das ist nicht einfach ›so was‹!«, erwidere ich, etwas verärgert über seinen Ton. »Ich habe mich neulich erst mit ihr unterhalten. Sie ist eine wirklich interessante Frau. Wusstest du, dass sie es fast in die britische Turnerriege für die Commonwealth-Spiele geschafft hätte? Sie kann einen Salto auf dem Balken.«

Ich ernte lauter leere Blicke.

»Jedenfalls …« Penny wendet sich wieder ihren Unterlagen zu. »Wir waren uns also einig: Diesmal keine Prämie und keine Gehaltserhöhung, aber nach Weihnachten können wir uns noch mal darüber unterhalten. Dann kommen wir zu Damian Greenslade …«

Ich weiß, dass es mich nichts angeht. Aber ich kann es nicht ertragen. Ich sehe Sally direkt vor mir, wie sie auf ihre Prämie wartet. Ich kann mir gut vorstellen, wie enttäuscht sie sein wird.

»Entschuldigung!« Ich stelle die Kanne auf ein Regal, und Penny kommt überrascht ins Stocken. »Verzeihung, darf ich kurz was sagen? Also … für die Firma mag eine Prämie nicht viel bedeuten. Unterm Strich sind das Peanuts. Aber für Sally Hedge sind sie von entscheidender Bedeutung. Kann sich irgendjemand von Ihnen noch erinnern, wie es war, jung zu sein, kein Geld zu haben und immer kämpfen zu müssen?« Ich sehe mich unter Erics Managern um, allesamt schick und elegant gekleidet. »Ich kann es.«

»Lexi, wir wissen, dass Sie ein weiches Herz haben.« Steven rollt mit den Augen. »Aber was wollen Sie denn damit sagen? Dass wir alle lieber arm sein sollten?«

»Ich sage nicht, dass Sie arm sein sollten!« Ich gebe mir Mühe, meine Ungeduld zu zügeln. »Ich sage, Sie sollten nicht vergessen, wie es ist, wenn man ganz unten auf der Leiter steht. Das liegt bei Ihnen allen ein halbes Leben zurück.« Ich deute in die Runde. »Aber genau da stand ich auch. Und es kommt mir vor, als wäre es erst sechs Wochen her. Ich *war* dieses Mädchen. Kein Geld, voller Hoffnung auf eine Prämie und vielleicht mal eine kleine Chance – ganz allein auf dieser großen, weiten Welt …« Plötzlich merke ich, dass ich etwas abschweife. »Jedenfalls … ich kann Ihnen versichern: Sie wüsste es bestimmt zu schätzen.«

Betretenes Schweigen. Ich sehe zu Eric hinüber, der sich alle Mühe gibt, sein Lächeln aufrechtzuerhalten.

»Na, gut.« Penny zieht die Augenbrauen hoch. »Okay … auf Sally Hedge kommen wir dann später noch mal zurück.« Sie macht sich einen Vermerk auf ihrem Zettel.

»Danke. Ich wollte Sie nicht unterbrechen. Machen Sie nur weiter.« Ich nehme die Kaffeekanne und will mich unauffällig rausschleichen, stolpere aber über eine Mulberry-Aktentasche, die da jemand ungeschickterweise abgestellt hat.

Vielleicht zahlen sie Sally Hedge eine Prämie, vielleicht auch nicht. Wenigstens habe ich ihnen meine Meinung gesagt. Ich nehme mir die Zeitung und blättere darin herum, auf der Suche nach Mietangeboten für Büroräume, als Eric aus seinem Arbeitszimmer kommt.

»Oh, hi«, sage ich. »Kleine Pause?«

»Lexi. Ich muss mit dir reden.« Zielstrebig führt er mich ins Schlafzimmer und schließt die Tür, noch immer mit diesem bitteren Lächeln im Gesicht. »Misch dich bitte nie wieder in meine Geschäfte ein.«

Oh Gott. Ich hab ja schon *geahnt*, dass er sauer ist.

»Eric, es tut mir leid, dass ich deine Besprechung gestört habe«, sage ich eilig. »Ich wollte nur darauf aufmerksam machen, dass man es auch anders sehen kann.«

»Ich will es gar nicht anders sehen.«

»Aber sollten wir nicht miteinander reden?«, sage ich erstaunt. »Selbst wenn wir uns nicht einig sind? Ich meine, das hält eine Beziehung doch lebendig! Dass man miteinander redet!«

»Da bin ich anderer Ansicht.«

Seine Worte kommen wie aus der Pistole geschossen. Noch immer hat er dieses Lächeln auf dem Gesicht, wie eine Maske, als müsste er vor mir verbergen, wie böse er eigentlich ist. Und urplötzlich gehen mir die Augen auf. Ich kenne diesen Mann nicht. Ich liebe ihn nicht. Ich weiß nicht, was ich hier mache.

»Entschuldige, Eric. Ich … werde es nicht wieder tun.« Ich trete ans Fenster, versuche, meine Gedanken zu ordnen. Dann drehe ich mich um. »Darf ich dir eine Frage stellen, da wir schon mal reden? Was denkst du wirklich *ehrlich?* Über uns? Unsere Ehe? Alles?«

»Ich denke, wir machen ganz gute Fortschritte.« Eric nickt, ist gleich wieder guter Dinge, als wären wir zum nächsten Tagesordnungspunkt übergegangen. »Wir kommen uns näher ... du hast hin und wieder Flashbacks ... du hast alles aus dem Ehe-Handbuch gelernt ... ich glaube, langsam kommt eins zum anderen. Das sieht doch gut aus.«

Er klingt geschäftsmäßig. Als hätte er im nächsten Augenblick eine Powerpoint-Präsentation samt Grafik parat, um mir zu zeigen, wie glücklich wir sind. Wie kann er das glauben, wenn er sich nicht mal dafür interessiert, was ich denke, nicht für meine Ideen, nicht dafür, wer ich wirklich bin?

»Eric, es tut mir leid.« Ich seufze schwer und sinke auf einen Ledersessel. »Aber ich bin nicht deiner Meinung. Ich finde nicht, dass wir uns näherkommen, nicht wirklich. Und ... ich muss dir etwas gestehen. Das mit den Flashbacks habe ich mir ausgedacht.«

Schockiert starrt Eric mich an. »Du hast es dir ausgedacht? Warum?«

Weil die Alternative ein Berg Schlagsahne gewesen wäre.

»Ich glaube ... ich wollte einfach, dass es stimmt«, improvisiere ich vage. »Aber in Wahrheit konnte ich mich an nichts erinnern, die ganze Zeit über. Du bist immer noch jemand, den ich erst seit ein paar Wochen kenne.«

Schwerfällig setzt sich Eric aufs Bett, und wir schweigen uns an. Ich nehme ein Schwarzweißfoto von Eric und mir bei unserer Hochzeit. Wir trinken einander zu und lächeln selig. Aber jetzt sehe ich genauer hin. Ich erkenne die Anstrengung in meinem Gesicht.

Ich frage mich, wie lange ich wohl glücklich war. Ich frage mich, wann ich gemerkt habe, dass alles ein Fehler war.

»Eric, machen wir uns nichts vor: Es funktioniert nicht.« Ich seufze, als ich das Bild zurückstelle. »Für uns beide nicht. Ich bin mit einem Mann zusammen, den ich nicht kenne. Du bist mit einer Frau zusammen, die sich an nichts erinnern kann.«

»Das macht nichts. Wir bauen uns etwas Neues auf. Wir fangen noch mal von vorn an!« Er fuchtelt mit den Händen, um seine Aussage zu unterstreichen. Jeden Augenblick wird er sagen: »Ehe-Style Living.«

»Das werden wir nicht tun.« Ich schüttle den Kopf. »Ich kann nicht mehr.«

»Doch, du kannst, Liebling.« Eric schaltet augenblicklich auf »Besorgter Ehemann einer unter Amnesie Leidenden« um. »Vielleicht bemühst du dich zu sehr. Ruh dich etwas aus.«

»Ich muss mich nicht ausruhen! Ich muss *ich selbst* sein!« Ich stehe auf, und mein ganzer Frust bricht hervor. »Eric, ich bin nicht die Frau, die du geheiratet hast. Ich weiß nicht, wer ich in den letzten drei Jahren war, aber *Ich* war es jedenfalls nicht. Ich mag Farben. Ich mag Chaos. Ich mag …« Ich rudere mit den Armen. »Ich mag Nudeln! Die ganze Zeit über war ich nicht hungrig nach Erfolg. Ich war einfach nur *hungrig*.«

Eric sieht völlig ratlos aus.

»Schatz«, sagt er vorsichtig. »Wenn es dir so viel bedeutet, können wir doch ein paar Nudeln kaufen. Ich werde Gianna sagen, sie soll …«

»Es geht nicht um die Nudeln!«, schreie ich. »Eric, du verstehst nicht. Ich habe dir in den letzten Wochen was vorgespielt. Und ich kann nicht mehr.« Ich deute auf den Riesenbildschirm. »Ich steh nicht auf das ganze High-Tech-Zeug. Ich kann mich hier nicht entspannen. Ehrlich gesagt, würde ich lieber in einem richtigen Haus wohnen.«

»Einem *Haus*?« Eric macht ein entsetztes Gesicht, als hätte ich eben gesagt, ich wollte mit einem Rudel Wölfe leben und ihnen Kinder gebären.

»Diese Wohnung ist fantastisch, Eric.« Plötzlich bekomme

ich ein schlechtes Gewissen, weil ich seine Schöpfung so nieder-gemacht habe.»Sie ist wirklich atemberaubend, und ich finde sie ganz toll. Aber das bin ich nicht. Ich bin einfach nicht gemacht für … Loft-Style-Living.«

Aaaaah. Ich kann es nicht glauben. Ich habe tatsächlich diese blöde Geste mit den Händen gemacht.

»Ich bin … schockiert, Lexi.« Eric sieht ehrlich sprachlos aus. »Ich hatte ja keine Ahnung, dass du so empfindest.«

»Aber das Wichtigste ist, dass du mich nicht liebst.« Ich sehe ihm offen in die Augen. »Nicht *mich*.«

»Natürlich liebe ich dich!« Eric scheint sein Selbstbewusst-sein wiederzufinden. »Das weißt du auch. Du bist begabt, und du bist schön …«

»Du findest mich nicht schön.«

»Das tu ich wohl!« Er scheint gekränkt. »Natürlich tue ich das!«

»Du findest meine Kollagen-Behandlung schön«, korrigiere ich ihn sanft und schüttle den Kopf.»Und meine Porzellanzähne und meine Haartönung.«

Eric schweigt. Er mustert mich von oben bis unten. Wahr-scheinlich habe ich behauptet, dass alles an mir natürlich ist.

»Ich glaube, ich sollte ausziehen.« Ich trete ein paar Schritte zurück und starre den Teppich an. »Es tut mir leid, aber … der Druck ist einfach zu groß.«

»Vielleicht haben wir es übereilt«, sagt Eric schließlich. »Viel-leicht wäre eine Pause tatsächlich eine gute Idee. Nach ein, zwei Wochen siehst du alles ganz anders, und wir überlegen noch mal neu.«

»Ja.« Ich nicke. »Vielleicht.«

Es fühlt sich merkwürdig an, dieses Zimmer zu räumen. Das hier ist nicht mein Leben – es ist das Leben einer anderen. Ich stopfe nur das Allernötigste in einen Gucci-Koffer, den ich im

Schrank gefunden habe – Unterwäsche, Jeans, Schuhe. Ich habe nicht das Gefühl, als hätte ich Anspruch auf die ganzen beigefarbenen Designer-Kostüme. Und – wenn ich ehrlich sein soll – will ich sie auch gar nicht haben. Als ich gerade fertig bin, fühle ich mich plötzlich beobachtet, blicke auf und sehe Eric in der Tür stehen.

»Ich muss gehen«, sagt er steif. »Kommst du allein zurecht?«

»Ja, kein Problem.« Ich nicke. »Ich nehme mir ein Taxi rüber zu Fi. Sie macht heute früher Feierabend.« Ich ziehe den Reißverschluss am Koffer zu und zucke zusammen, weil das Geräusch so endgültig klingt. »Eric ... danke, dass ich hier sein durfte. Ich weiß, dass es für dich auch nicht leicht war.«

»Ich habe dich wirklich von Herzen gern. Ich hoffe, das weißt du.« Aus Erics Augen spricht echter Schmerz, und ich habe ein schlechtes Gewissen. Aber man kann nicht bei jemandem bleiben, nur weil man ein schlechtes Gewissen hat. Oder weil er Speedboat fahren kann. Ich stehe auf, reibe meinen Nacken und sehe mich in dem makellosen Zimmer um. Das hypermoderne Designer-Bett. Der eingebaute Bildschirm. Das Ankleidezimmer mit unzähligen Sachen. Ich bin mir sicher, dass ich in meinem Leben nie wieder so luxuriös wohnen werde. Ich muss doch verrückt sein.

Als mein Blick übers Bett schweift, fällt mir etwas ein.

»Eric, quieke ich im Schlaf?«, frage ich beiläufig. »Ist dir das mal aufgefallen?«

»Ja, das tust du.« Er nickt. »Wir waren deshalb schon beim Arzt. Er meinte, du solltest deine Nasengänge mit Salzwasser spülen, bevor du schlafen gehst, und er hat dir eine Nasenklammer verschrieben.« Er geht zu einer Schublade, holt eine Schachtel hervor und zeigt mir ein gruselig aussehendes Plastikding. »Möchtest du sie mitnehmen?«

»Nein«, presse ich hervor. »Aber danke trotzdem.«

Okay, ich habe die richtige Entscheidung getroffen.

Eric legt die Nasenklemme weg. Er zögert, dann kommt er

herüber und nimmt mich unbeholfen in den Arm. Ich komme mir vor, als würde ich eine Anweisung aus dem Ehe-Handbuch befolgen: *Trennung (Abschiedsumarmung).*

»Wiedersehen, Eric«, sage ich zu seinem teuren, duftenden Oberhemd. »Mach's gut.«

Albernerweise bin ich den Tränen nah. Nicht wegen Eric … sondern weil es vorbei ist. Mein merkwürdiges, traumhaft perfektes Leben.

Endlich macht er sich los. »Auf Wiedersehen, Lexi.« Er geht hinaus, und dann ist er weg.

Eine Stunde später habe ich alles gepackt. Am Ende konnte ich doch nicht widerstehen und habe mir noch einen zweiten Koffer mit La Perlas, Chanel-Make-up und Körpercremes vollgestopft. Und einen dritten mit Mänteln. Ich meine, wer soll die sonst haben wollen? Eric bestimmt nicht. Und ich habe meine Louis Vuitton-Tasche behalten, um der alten Zeiten willen.

Der Abschied von Gianna ist mir ziemlich schwergefallen. Ich habe sie fest an mich gedrückt, und sie hat etwas Italienisches gemurmelt und mir dabei den Kopf getätschelt. Ich glaube, sie konnte mich wohl irgendwie verstehen.

Und jetzt bin ich auf mich allein gestellt. Ich schleppe meine Koffer ins Wohnzimmer und sehe auf die Uhr. Mir bleiben noch ein paar Minuten, bis das Taxi da ist. Ich komme mir vor, als würde ich aus einem superschicken Designer-Hotel auschecken. Es war spannend, hier abzusteigen, mit allem Komfort. Aber ich habe mich nie zu Hause gefühlt. Trotzdem geht es mir nahe, als ich zum letzten Mal auf die große Terrasse hinaustrete und meine Augen schützen muss, weil mich die Abendsonne blendet. Ich weiß noch, wie ich hier ankam und dachte, ich sei im Himmel gelandet. Ich kam mir vor wie in einem Palast. Eric war wie ein griechischer Gott. Noch immer kann ich diese irrwitzige Lottogewinner-Euphorie wachrufen.

Seufzend mache ich auf dem Absatz kehrt und gehe wieder hinein. Offenbar wurde mir das perfekte Leben doch nicht auf einem Silbertablett serviert.

Als ich die Terrassentür verriegle, fällt mir ein, dass ich mich von meinem kleinen Liebling verabschieden sollte. Ich knipse den Bildschirm an und klicke auf »Haustiere«. Ich rufe mein Kätzchen auf und sehe ihm eine Weile zu, wie es mit dem Ball spielt, auf ewig süß und alterslos.

»Lebwohl, Arthur«, sage ich. Ich weiß, dass er nicht real ist, aber trotzdem tut er mir leid, so gefangen in der virtuellen Welt.

Vielleicht sollte ich mich auch von Titan verabschieden, der Fairness halber. Ich klicke »Titan« an. Sofort bäumt sich eine zwei Meter große Spinne auf dem Bildschirm vor mir auf.

»Hilfe!«

Entsetzt schrecke ich zurück, und im nächsten Augenblick höre ich ein lautes Klirren. Bebend fahre ich herum und sehe Glas, Erde und Grünzeug am Boden liegen.

Na, *super*. Ganz toll. Ich habe eine von diesen ultrahippen Pflanzen umgestoßen. Orchideen oder was auch immer. Während ich bestürzt die Bescherung betrachte, blinkt auf dem Bildschirm eine Nachricht, hellblau auf grün, immer wieder.

Störung. Störung.

Diese Wohnung will mir etwas sagen. Vielleicht ist sie ja doch ganz intelligent.

»Tut mir leid!«, rufe ich dem Bildschirm zu. »Ich weiß, dass ich hier von Anfang an nur gestört habe, aber ich gehe jetzt! Ihr müsst euch nicht mehr mit mir herumärgern!«

Ich hole einen Besen aus der Küche, fege alles zusammen und werfe die Scherben in den Müll. Dann suche ich mir einen Zettel und schreibe Eric eine Nachricht.

Lieber Eric,
ich habe die Orchidee umgestoßen. Tut mir leid.
    Außerdem habe ich das Sofa aufgeritzt. Bitte schick mir die
Rechnung.
    Gruß, Lexi

Als ich gerade unterschreibe, klingelt es an der Tür, und ich lehne den Zettel gegen den neuen Glasleoparden.

»Hi«, sage ich in den Hörer. »Wären Sie wohl so nett, in den obersten Stock zu kommen?«

Jemand muss mir mit den Koffern helfen. Mal sehen, wie Fi das findet. Ich habe ihr gesagt, ich bringe nur einen Schuhkarton mit dem Allernötigsten mit. Ich trete auf den Treppenabsatz hinaus und höre, wie der Fahrstuhl heraufkommt.

»Hallo!«, sage ich, als sich die Türen öffnen. »Tut mir leid, aber ich habe ziemlich viel zu …« Und dann bleibt mein Herz stehen.

Vor mir steht kein Taxifahrer.

Es ist Jon.

Er trägt Jeans und ein T-Shirt. Sein dunkles Haar steht wirr vom Kopf ab, und sein Gesicht ist so zerknautscht, als hätte er beim Schlafen komisch darauf gelegen. Er ist das Gegenteil von Eric, dem gestriegelten Armani-Model.

»Hi«, sage ich, und plötzlich ist mein Hals ganz trocken. »Was …«

Seine Miene ist fast streng, seine dunklen Augen sind so durchdringend wie eh und je. Plötzlich muss ich daran denken, wie ich ihm das erste Mal unten auf dem Parkplatz begegnet bin, als er mich dauernd angestarrt hat, als könnte er nicht fassen, dass ich mich nicht an ihn erinnere.

Jetzt kann ich verstehen, warum er so verzweifelt aussah, als ich ihm von meinem großartigen Ehemann Eric erzählt habe. Ich kann … so einiges verstehen.

»Ich habe bei deiner Arbeit angerufen«, sagt er. »Aber die sagten, du wärst nach Hause gegangen.«

»Ja.« Ich bringe ein Nicken zustande. »Bei der Arbeit ist einiges vorgefallen.«

Ich bin ganz durcheinander. Ich kann ihm nicht in die Augen sehen. Ich weiß nicht, warum er hier ist. Ich trete einen Schritt zurück und weiche seinem Blick aus, verknote meine Finger, halte die Luft an.

»Ich muss dir was sagen, Lexi.« Jon holt tief Luft, und jeder einzelne Muskel in meinem Körper spannt sich. Er druckst herum. »Ich möchte mich ... entschuldigen. Ich hätte dich nicht so bedrängen sollen. Es war unfair.«

Mir fährt der Schreck in die Glieder. Ich hatte was anderes erwartet.

»Ich habe viel darüber nachgedacht«, fährt Jon eilig fort. »Mir ist bewusst, wie schwer die letzte Zeit für dich gewesen sein muss. Ich war dir keine Hilfe. Und ... du hast recht. Du hast recht.« Er macht eine Pause. »Wir sind kein Liebespaar. Ich bin nur jemand, den du vor kurzem kennengelernt hast.«

Er klingt so sachlich und nüchtern, dass ich plötzlich einen Kloß im Hals habe.

»Jon, ich meinte nicht ...«

»Ich weiß.« Er hebt eine Hand, und seine Stimme klingt sanfter. »Ist schon okay. Ich weiß, was du gemeint hast. Es war schwer für dich.« Er tritt einen Schritt näher, und sein Blick sucht meinen. »Und was ich sagen wollte ... mach dich nicht fertig, Lexi. Du gibst dein Bestes. Mehr kannst du nicht tun.«

»Ja.« Meine Stimme ist ganz gepresst, weil ich mit den Tränen kämpfe. »Na ja ... ich geb mir Mühe.«

Oh Gott, gleich muss ich weinen. Jon scheint es zu merken und weicht zurück, um mich nicht zu bedrängen.

»Wie ist es mit deinem Deal gelaufen?«

»Gut.« Ich nicke.

»Toll. Das freut mich für dich.«

Er nickt, als wäre es das jetzt gewesen, als wollte er sich umdrehen und gehen. Und er weiß es noch nicht einmal.

»Ich verlasse Eric!«, bricht es aus mir heraus. »Ich bin in diesem Moment gerade dabei, ihn zu verlassen. Ich habe meine Koffer gepackt, das Taxi ist unterwegs ...«

Ich will Jons Reaktion gar nicht sehen, kann aber nichts dagegen tun. Also sehe ich sie. Die Hoffnung, die wie Sonnenschein auf sein Gesicht fällt. Und wieder verblasst.

»Ich ... freue mich«, sagt er schließlich. »Du brauchst wahrscheinlich etwas Zeit, um über alles nachzudenken. Das ist alles noch ziemlich neu für dich.«

»Mh-hm. Jon ...« Meine Stimme ist belegt. Ich weiß überhaupt nicht, was ich sagen will.

»Nicht.« Er schüttelt den Kopf, ringt sich ein schiefes Lächeln ab. »Wir haben einfach den richtigen Moment verpasst.«

»Das ist nicht fair.«

»Nein.«

Durch das hohe Glasfenster hinter Jon sehe ich, wie ein schwarzes Taxi durchs Tor hereinfährt. Jon folgt meinem Blick, und plötzlich sehe ich, wie mitgenommen er ist. Doch als er sich umdreht, lächelt er wieder. »Ich helf dir tragen.«

Nachdem die Koffer im Taxi verstaut sind und ich dem Fahrer Fis Adresse genannt habe, stehe ich Jon gegenüber. Das Herz wird mir schwer, und ich weiß nicht, wie ich Abschied nehmen soll.

»Also.«

»Also.« Ganz leicht berührt er meine Hand. »Pass auf dich auf.«

»Du ...« Ich schlucke. »Du auch.«

Mit zittrigen Knien steige ich ins Taxi und greife nach der Tür. Aber ich bringe mich einfach nicht dazu, sie zu schließen.

»Jon.« Ich blicke auf und sehe ihn dort stehen. »Waren wir ... wirklich gut zusammen?«

»Wir waren gut.« Seine Stimme ist so leise und trocken, dass ich sie kaum hören kann. Liebe und Trauer sprechen aus seinem Blick, als er nickt. »Wir waren wirklich, wirklich gut.«

Und dann laufen mir Tränen über die Wangen, und mein Magen krampft sich vor Schmerz zusammen. Gleich werde ich schwach. Ich könnte zu ihm laufen und sagen, ich hätte es mir anders überlegt …

Aber ich kann nicht. Ich kann nicht direkt aus den Armen des einen Mannes, an den ich mich nicht erinnere, in die Arme des nächsten fallen, an den ich mich ebenso wenig erinnere.

»Ich kann nicht«, flüstere ich, wende mich ab und reibe an meinen Augen herum. »Ich kann nicht. Ich kann einfach nicht.«

Ich ziehe die schwere Tür zu. Und langsam rollt das Taxi an.

EINUNDZWANZIG

Jetzt sind sie alle endgültig übergeschnappt. Das ist der Beweis.

Als ich bei Langridge's reinspaziere und mich aus meinem rosa Schultertuch schäle, traue ich meinen Augen kaum. Wir haben erst den 16. Oktober, und schon jetzt hängt alles voll Lametta. Sie haben einen geschmückten Weihnachtsbaum, und auf dem Zwischengeschoss steht ein Chor und schmettert *Hark the Herald*.

Demnächst gehen die Vorbereitungen für Weihnachten schon am 1. Januar los. Oder sie führen ein zusätzliches »Mittsommer-Weihnachtsfest« ein. Oder es bleibt einfach durchgehend Weihnachten, auch über Ostern.

»Sonderangebot: festliches Calvin-Klein-Duftset?«, leiert ein gelangweilt wirkendes Mädchen in Weiß, und ich weiche ihr aus, bevor sie mich anspritzt. Bei näherer Überlegung fällt mir ein, dass Debs dieses Parfüm ganz gern mag. Vielleicht kaufe ich es ihr.

»Ja, gern«, sage ich, und das Mädchen kippt vor Überraschung fast hintenüber.

»Hübsch festlich eingepackt?« Sie trippelt hinter ihren Tresen, bevor ich es mir anders überlegen kann.

»Geschenkpapier, bitte«, sage ich. »Aber nicht weihnachtlich.«

Während sie das Päckchen einwickelt, betrachte ich mich im Spiegel hinter ihr. Meine Haare sind noch immer lang und schimmern, wenn auch nicht mehr ganz so leuchtend wie vorher. Ich trage Jeans und eine Strickjacke, und meine Füße stecken in bequemen Wildlederschuhen. Mein Gesicht ist ungeschminkt und meine linke Hand unberingt.

Mir gefällt, was ich sehe. Mir gefällt mein Leben.

Vielleicht führe ich kein Traumdasein mehr. Vielleicht bin ich keine Millionärin mehr, die in einem Penthouse mit Blick über London residiert.

Aber Balham ist ziemlich cool. Und was noch cooler ist: Mein Büro liegt direkt über meiner Wohnung, sodass ich den kürzesten Arbeitsweg der Welt habe. Was möglicherweise auch der Grund sein mag, wieso ich nicht mehr in meine allerschmalsten Jeans reinpasse. Das und die drei Scheiben Toast, die ich mir jeden Morgen zum Frühstück gönne.

In den letzten drei Monaten haben sich die Geschäfte so gut entwickelt, dass ich mich manchmal kneifen muss. Der Vertrag mit Porsche läuft und hat bereits einiges Interesse bei den Medien geweckt. Wir haben einen weiteren Deal gelandet über Teppiche für eine Restaurantkette, und gerade heute hat Fi mein liebstes Deller-Design – ein orangefarbenes Kreismuster – an ein trendiges Wellness-Center verkauft.

Deshalb bin ich hier beim Shoppen. Ich finde, alle im Team haben ein Geschenk verdient.

Ich bezahle das Parfüm, nehme meine Tüte und spaziere weiter durch den Laden. Als ich an einem Regal mit ultrahohen Pumps vorbeikomme, fällt mir Rosalie ein, und unwillkürlich muss ich grinsen. Sobald sie gehört hatte, dass Eric und ich uns trennen würden, verkündete Rosalie, sie wolle sich auf keinen Fall auf die Seite des einen oder anderen schlagen, ich sei ihre beste Freundin, und sie wolle mir ein Fels in der Brandung sein, absolut ein *Fels*.

Einmal hat sie mich besucht. Sie kam eine Stunde zu spät und behauptete, ihr Navigationsgerät funktioniere südlich der Themse nicht, und dann habe sie ein wahres Trauma erlitten, als sie Zeugin einer Straßenschlacht zwischen rivalisierenden Banden wurde. (Zwei kleine Jungs haben sich geprügelt. Sie waren acht.)

Aber sie ist immer noch besser als Mum, die es fertiggebracht hat, jeden geplanten Besuch bisher wegen des einen oder anderen Hundeleidens abzusagen. Wir haben seit damals immer noch nicht miteinander geredet, jedenfalls nicht richtig.

Aber Amy hat mich auf dem Laufenden gehalten. Offenbar hat Mum am Tag nach meinem Besuch, ohne jemandem etwas davon zu sagen, einen ganzen Schwung von ihren Rüschenklamotten eingesammelt und zur Kleiderspende gebracht. Dann ging sie zum Friseur. Anscheinend trägt sie jetzt einen Bob, der ihr wirklich gut steht, und sie hat sich ein paar moderne Hosen gekauft. Außerdem hat sie jemanden bestellt, der sich um den Schimmel kümmert – und hat ihm Geld gegeben, damit er Dads Gehwegplatten abholt.

Ich weiß, es hört sich nicht nach viel an. Aber für Mums Verhältnisse ist es ein Riesenfortschritt.

Absolut uneingeschränkt positiv und geradezu fantastisch ist, wie gut sich Amy in der Schule macht! Irgendwie hat sie sich in einen Wirtschaftskurs reingeschmuggelt, und ihr Lehrer ist ganz sprachlos, was für Fortschritte sie macht. In den Weihnachtsferien will sie bei uns ein Praktikum machen. Ich freu mich schon darauf.

Was Eric betrifft … ich seufze jedes Mal, wenn ich an ihn denke.

Er glaubt immer noch, dass wir nur vorübergehend getrennt sind, obwohl ich wegen der Scheidung bereits Kontakt mit seinem Anwalt aufgenommen habe. Ungefähr eine Woche, nachdem ich ausgezogen war, schickte er mir den Ausdruck eines Dokuments mit dem Titel *Lexi und Eric: Trennungs-Handbuch*. Er schlug vor, wir sollten uns einmal im Monat zu einem »Meilenstein-Meeting« treffen. Aber bisher habe ich es noch nie geschafft. Ich … ich kann Eric im Moment einfach nicht sehen.

Ebenso wenig kann ich mir sein Kapitel unter der Überschrift »*Trennungssex: Untreue, Solo, Versöhnung, Andere*« durchlesen.

Andere? Was um alles in der Welt …

Nein. Denk gar nicht darüber nach. Es hat keinen Sinn, sich mit der Vergangenheit aufzuhalten. Es hat keinen Sinn, vor sich hin zu brüten. Wie Fi schon sagte: Man muss nach vorn blicken. Das kann ich inzwischen ganz gut. Die meiste Zeit ist meine Vergangenheit eine verschlossene Schatulle, irgendwo ganz hinten in meinem Kopf, wasserdicht abgeklebt.

Ich mache in der Schnickschnack-Abteilung Halt und kaufe eine lila Lacktasche für Fi. Dann fahre ich nach oben und finde ein cooles 70s-T-Shirt für Carolyn.

»Einen Glühwein vielleicht?« Ein Typ mit Weihnachtsmannmütze hält ein ganzes Tablett mit kleinen Gläsern bereit, und ich nehme mir eins. Während ich so weitergehe, merke ich, dass ich mich verlaufen habe und in der Herrenabteilung gelandet bin. Aber das macht nichts. Ich habe keine Eile. Eine Weile irre ich umher, schlürfe meinen Glühwein, lausche den Weihnachtsliedern und sehe die bunten Lichter blinken …

Oh, mein Gott, sie haben mich am Haken. Langsam wird mir weihnachtlich ums Herz. Okay, das ist *schlimm*. Wir haben erst Oktober. Ich muss hier raus, bevor ich anfange, Weihnachtskekse und Bing-Crosby-CDs zu kaufen. Gerade sehe ich mich um, wo ich mein Glas abstellen könnte, als mich eine freundliche Stimme begrüßt.

»Da sind Sie ja wieder!«

Es kommt von einer Frau mit blondem Bob, die pastellfarbene Pullis in der Ralph-Lauren-Abteilung zusammenlegt.

»Äh … hallo«, sage ich unsicher. »Kennen wir uns?«

»Nein, nein.« Sie lächelt. »Ich erinnere mich nur an Sie, vom letzten Jahr.«

»Letztes Jahr?«

»Sie waren hier und haben ein Hemd gekauft, für Ihren …

Liebsten.« Sie betrachtet meine Hand. »Für Weihnachten. Wir haben uns ziemlich lange unterhalten, während ich es eingepackt habe. Ich musste oft daran denken.«

Ich starre sie an, versuche, es mir vorzustellen. Ich, hier. Weihnachtseinkäufe. Die alte Lexi im beigefarbenen Kostüm, wahrscheinlich schrecklich in Eile, wahrscheinlich total im Stress.

»Tut mir leid«, sage ich nach einer Weile. »Ich habe ein schreckliches Gedächtnis. Was habe ich gesagt?«

»Keine Sorge!« Sie lacht fröhlich. »Warum sollten Sie sich daran erinnern? Ich weiß es nur noch, weil Sie so …« Sie stutzt, faltet einen Moment nicht weiter. »Wahrscheinlich kommt es Ihnen albern vor, aber Sie machten einen so *verliebten* Eindruck.«

»Ach, ja.« Ich nicke. »Ja.« Ich streiche eine Strähne zurück. Ich sollte lieber lächeln und gehen. Es ist nur ein unbedeutender Zufall, mehr nicht. Keine große Sache. Komm schon: Lächle und geh!

Doch während ich dort stehe und die bunten Lichter blinken und der Chor *The First Nowell* singt und mir eine fremde, blonde Frau erzählt, was ich letztes Weihnachten getrieben habe, kommen alle möglichen verschütteten Gefühle hoch und drängen wie Blasen an die Oberfläche. Das wasserdichte Klebeband pellt an einer Ecke ab. Ich kann die Vergangenheit nicht mehr verdrängen.

»Es mag sich jetzt vielleicht wie eine … komische Frage anhören.« Ich reibe über meine Oberlippe. »Ich habe nicht zufällig gesagt, wie er heißt, oder?«

»Nein.« Neugierig mustert mich die Frau. »Sie haben nur gesagt, dass er Sie zum Leben erweckt. Sie sprudelten geradezu über vor lauter Glück.« Sie lässt den Pulli sinken und mustert mich mit unverhohlener Neugier. »Sie können sich nicht *erinnern*?«

»Nein.«

Irgendwas schnürt mir die Kehle zu. Es war Jon.

Seit ich ausgezogen bin, habe ich jeden Tag mit aller Kraft versucht, nicht an ihn zu denken.

»Was habe ich ihm gekauft?«

»Soweit ich mich erinnere, war es das Hemd hier.« Sie reicht mir ein blassgrünes Oberhemd, dann wendet sie sich einem anderen Kunden zu. »Kann ich etwas für Sie tun?«

Ich stehe mit dem Hemd in der Hand da und versuche, mir Jon darin vorzustellen, und wie ich es für ihn ausgesucht habe. Versuche das Glücksgefühl noch einmal wachzurufen. Vielleicht liegt es am Glühwein. Vielleicht war es nur ein langer Tag. Aber es scheint, als könnte ich das Hemd nicht aus der Hand legen.

»Dürfte ich es bitte kaufen?«, sage ich, sobald die Frau wieder frei ist. »Sie müssen es mir nicht einpacken.«

Ich weiß nicht, was mit mir los ist. Als ich draußen auf der Straße ein Taxi heranwinke, halte ich das grüne Hemd noch immer in der Hand, drücke es mir wie eine Schmusedecke an die Wange. Es summt in meinem Kopf. Die Welt ist so weit weg, als hätte ich mir eine Grippe eingefangen.

Ein Taxi hält. Ich steige ein – wie ferngesteuert.

»Wohin?«, fragt der Fahrer, aber ich höre ihn kaum. Ich kann immer nur an Jon denken. Das Summen in meinem Kopf wird lauter. Ich kralle mich in das Hemd …

Ich summe.

Ich weiß nicht, was mein Kopf da tut. Ich summe ein Lied, das ich nicht kenne. Und ich weiß nur, dass es Jon ist.

Diese Melodie ist Jon. Sie bedeutet Jon. Ich kenne diese Melodie von ihm.

Verzweifelt schließe ich die Augen, jage ihr nach, versuche, sie zu fassen … und dann, wie ein greller Blitz, ist sie in meinem Kopf.

Sie ist eine Erinnerung.

Ich kann mich erinnern. An ihn. Mich. An uns zusammen. Der Geruch salziger Luft, sein kratziges Kinn, ein grauer Pulli … und diese Melodie. Nichts weiter. Ein flüchtiger Moment, mehr nicht.

Aber da ist doch was. Da *ist* was!

»Wohin, Fräulein?« Der Fahrer hat sich umgedreht und die Trennscheibe geöffnet.

Ich starre ihn an, als würde er eine fremde Sprache sprechen. Ich kann mich jetzt auf keinen anderen Gedanken einlassen. Ich muss diese Erinnerung festhalten …

»Was jetzt?« Er rollt mit den Augen. »*Wo wollen Sie hin?*«

Es gibt nur eine Möglichkeit. Ich muss einfach.

»Nach … nach Hammersmith.« Er wendet sich um, legt den ersten Gang ein, und wir sind unterwegs.

Während das Taxi durch London kurvt, sitze ich stocksteif da, total verspannt, klammere mich an den Gurt. Ich komme mir vor, als hätte ich eine kostbare Flüssigkeit in meiner Hirnschale, die ich bei einer falschen Bewegung verschütten könnte. Ich darf nicht daran denken, sonst verblasst sie mir. Ich darf nichts sagen, darf nicht aus dem Fenster sehen, darf nichts an mich heranlassen. Ich muss diese Erinnerung bewahren. Ich muss es ihm erzählen.

Als wir in Jons Straße einbiegen, werfe ich dem Fahrer etwas Geld zu, steige aus und denke auf einmal, ich hätte Jon lieber anrufen sollen. Ich zücke mein Handy und wähle seine Nummer. Sollte er nicht zu Hause sein, fahre ich eben dahin, wo er gerade ist.

»Lexi?«, sagt er.

»Ich bin hier«, keuche ich. »Ich kann mich erinnern.«

Keine Antwort. Die Leitung ist tot, und drinnen höre ich eilige Schritte. Im nächsten Moment fliegt die Haustür oben an der Treppe auf, und da steht er, in Jeans und Polohemd, mit alten Converse-Sneakern an den Füßen.

»Ich kann mich erinnern«, platze ich heraus, bevor er irgendetwas sagen kann. »Ich erinnere mich an eine Melodie. Ich kenne sie nicht, aber ich weiß, ich habe sie mit dir zusammen gehört, an einem Strand. Da müssen wir wohl irgendwann gewesen sein. Hör zu!« Ich fange an, die Melodie zu summen, brenne vor Hoffnung. »Weißt du noch?«

»Lexi ...« Er fährt sich mit den Händen durch die Haare. »Wovon redest du? Wieso läufst du mit einem Hemd in der Hand durch die Gegend?« Er sieht es sich genauer an. »Ist das meins?«

»Wir haben den Song zusammen am Strand gehört! Da bin ich mir ganz sicher.« Ich weiß, dass ich zusammenhangsloses Zeug rede, aber ich kann nichts dagegen tun. »Ich erinnere mich an salzige Luft, und dein Kinn war kratzig, und es ging so ...« Wieder fange ich an zu summen, aber ich merke, dass ich ungenauer werde und nach den richtigen Tönen suche. Jon verzieht das Gesicht, eher ratlos.

»Ich kann mich nicht erinnern«, sagt er.

»*Du* kannst dich nicht erinnern?« Ungläubig starre ich ihn an. »*Du* kannst dich nicht erinnern? Komm schon! Denk nach! Es war kalt, aber uns war irgendwie warm, und du hattest dich nicht rasiert ... du hattest einen grauen Pulli an ...«

Plötzlich ändert sich seine Miene. »Oh, Gott. Das Mal, als wir nach Whitstable gefahren sind. Daran erinnerst du dich?«

»Weiß nicht!«, sage ich hilflos. »Vielleicht.«

»Wir waren für einen Tag in Whitstable.« Er nickt. »Am Strand. Es war eisig kalt, und deshalb waren wir dick eingepackt, und wir hatten ein Radio dabei ... summ die Melodie noch mal ...«

Okay, vielleicht hätte ich den Song lieber nicht erwähnen sollen. Ich kann überhaupt nicht singen. Beschämt summe ich ihn noch einmal. Gott weiß, was ich jetzt summe ...

»Warte. Ist das dieses Stück, das man ständig überall gehört

407

hat? *Bad Day?*« Er fängt an, die Melodie zu summen, und es ist, als würde ein Traum zum Leben erweckt.

»Ja!«, sage ich eifrig. »Das ist es! Das ist das Lied!«

Jon wischt über sein Gesicht, sieht ratlos aus. »Das ist alles, woran du dich erinnern kannst? Ein Lied?«

Als er es so sagt, komme ich mir selten blöd vor, dass ich deshalb einmal quer durch London gefahren bin. Und ganz plötzlich bricht die kalte Realität in meine Seifenblase ein. Er hat gar kein Interesse mehr an mir. Wahrscheinlich hat er längst eine Neue.

»Ja.« Ich räuspere mich und versuche verzweifelt, lässig zu erscheinen. »Das war's schon. Ich dachte nur, ich wollte dich wissen lassen, dass ich mich an was erinnere. Nur so aus Interesse. Also … mh … egal. War schön, dich zu sehen. Bye.«

Ungeschickt sammle ich meine Einkauftüten zusammen. Meine Wangen sind heiß wie Feuer, als ich mich umdrehe und gehe. Das ist echt peinlich. Ich muss hier weg, so schnell ich kann. Ich weiß gar nicht, was ich mir dabei gedacht habe …

»Reicht das denn aus?«

Jons Stimme überrascht mich. Ich fahre herum und sehe, dass er mir die halbe Treppe hinterhergekommen ist, mit hoffnungsvollem Blick. Als ich ihn ansehe, kann ich nicht mehr anders. Alles fällt von mir ab. Die letzten drei Monate fallen von mir ab. Jetzt geht es nur noch um uns.

»Ich … ich weiß nicht«, presse ich endlich hervor. »Und was meinst du?«

»Die Entscheidung liegt bei dir. Du hast gesagt, du bräuchtest eine Erinnerung. Ein Band, das dich mit … uns verbindet.« Er kommt einen Schritt näher. »Jetzt hast du es.«

»Es ist das dünnste Band der Welt. Nur eine Melodie.« Ich gebe einen Laut von mir, der ein Lachen sein soll. »Wie Spinnweben. Hauchdünn.«

»Na, dann halt es gut fest.« Ohne seine dunklen Augen von

mir abzuwenden, kommt er die Treppe herunter. »Halt es fest, Lexi. Damit es nicht zerreißt!« Er kommt zu mir und nimmt mich in seine Arme.

»Bestimmt«, flüstere ich und umschlinge ihn. Er soll immer bei mir bleiben. In meinen Armen. In meinem Herzen.

Als ich schließlich wieder zu mir komme, starren mich drei kleine Kinder von der Treppe des Nachbarhauses her an.

»Hihi«, ruft das eine. »Liebespaar, küsst euch mal!«

Da muss ich lachen, obwohl meine Augen ganz feucht vor Tränen sind.

»Ja«, sage ich und nicke Jon zu. »Liebespaar, küsst euch mal.«

»Liebespaar ...« Er nickt, hält mich mit beiden Händen um die Taille. Seine Daumen streichen über meine Hüftknochen, als gehörten sie dorthin.

»Hey, Jon!« Ich halte mir den Mund zu, als wäre mir gerade was eingefallen. »Weißt du was? Auf einmal kann ich mich an noch was erinnern.«

»Was?« Seine Augen leuchten auf. »Woran kannst du dich erinnern?«

»Ich kann mich daran erinnern, dass wir zu dir in die Wohnung gegangen sind ... alle Telefone abgestellt haben ... und vierundzwanzig Stunden lang den besten Sex meines Lebens hatten«, sage ich ernst. »Ich kann mich sogar an das genaue Datum erinnern.«

»Wirklich?« Jon lächelt, wirkt aber eher ahnungslos. »Wann?«

»16. Oktober 2007. Um etwa ...« Ich werfe einen Blick auf meine Armbanduhr. »16:57 Uhr.«

»*Aaah.*« Jon begreift. »Natürlich. Ja, daran kann ich mich auch erinnern. Das waren noch Zeiten, was?« Er streicht mit einem Finger an meinem Rücken herab, und mich durchfährt ein Schauder freudiger Erwartung. »Aber ich dachte, es waren achtundvierzig Stunden. Nicht vierundzwanzig.«

»Du hast recht.« Ich schnalze mit der Zunge, als wollte ich mich rügen. »Wie konnte ich das nur vergessen?«

»Komm!« Jon hält meine Hand ganz fest in seiner und führt mich – unter dem Jubel der Kinder – die Treppe hinauf.

»Übrigens«, sage ich, als er der Tür hinter uns einen Tritt gibt. »Ich hatte seit 2004 keinen guten Sex mehr. Nur damit du Bescheid weißt.«

Jon lacht. Kraftvoll zieht er sein Polohemd aus, und ich spüre, wie mich die Lust packt. Mein Körper erinnert sich daran, auch wenn ich davon nichts mehr weiß.

»Ich stelle mich der Herausforderung.« Er kommt zu mir, nimmt mein Gesicht in beide Hände und betrachtet mich eine Weile schweigend und entschlossen, bis ich innerlich vor Verlangen schmelze. »Aber, sag mal … wie ging es weiter, als die achtundvierzig Stunden vorbei waren?«

Ich kann nicht mehr an mich halten. Ich muss sein Gesicht zu mir herunterziehen, um ihn zu küssen. Und diesen Kuss werde ich nie vergessen. Den behalte ich für immer.

»Ich werde es dir sagen …«, flüstere ich mit dem Mund an Jons heißer, weicher Haut. »Ich sage es dir, sobald ich mich daran erinnern kann.«

DANKSAGUNGEN

Während der Arbeit an diesem Buch hatte ich viele Fragen zur Amnesie. Mein Dank gilt Liz Haigh-Reeve, Sallie Baxendale und besonders Trevor Powell für ihre Hilfe.

Ich bin froh und glücklich, ein so tolles Team von Verlags-Superhelden hinter mir zu wissen. Ein Riesendank an alle bei Transworld, besonders Linda Evans, Laura Sherlock und Stina Smemo.

Wie immer gilt mein ganz besonderer Dank meiner Agentin Araminta Whitley, Nicky Kennedy, Sam Edenborough, Valerie Hoskins, Rebecca Watson, Lucinda Bettridge und Lucy Cowie. Und allen, die mir helfen, am Boden zu bleiben: das Board und meine Familie, Henry, Freddy, Hugo und Oscar.

Sophie Kinsella hat Ihnen gefallen? Dann könnte Sie Sarah Harvey ebenfalls begeistern!

Sarah Harvey ist Anfang dreißig und lebt in Leicester. Sie arbeitete als Journalistin, bis sie mit ihrem ersten Roman „Wachgeküsst" ihren Durchbruch als Autorin feierte. Seither wurden alle ihre frech-romantischen Bücher internationale Erfolge.

Die Hochzeit meiner besten Freundin:
Nicki kann ihrer besten Freundin Belle nicht genug dafür danken, sie vor der Ehe mit ihrem untreuen Verlobten bewahrt zu haben. Belle nutzt ihr Talent und bespitzelt auch für andere Frauen deren Männer – doch eins hat sie dabei unterschätzt: die Macht der Gefühle ...

352 Seiten | € 8,00 [D]
ISBN: 978-3-442-54158-4

Wachgeküsst:
Alex Gray hat alles, was sich eine Frau von Mitte zwanzig wünschen kann: einen guten Job, viele Freundinnen und Max, den sie liebt. Bis sie ihn in flagranti mit einer anderen erwischt. Doch statt im Liebeskummer zu versinken, geht sie lieber mit ihren Freundinnen zum Gegenangriff über: Warum nicht die Rollen tauschen und von nun an die Herzen der Männer brechen? Aber das ist leichter gesagt als getan ...

384 Seiten | € 8,00 [D]
ISBN: 978-3-442-54171-3

Sophie Kinsella bei Goldmann

Rachel Gibson bei Goldmann